L'Enchanteur et nous

DU MÊME AUTEUR

Romans et nouvelles :

LETTRE DE BAVIÈRE, *Gallimard*, 1947.
LA TROISIÈME PERSONNE, *Gallimard*, 1948.
LA JEUNE FILLE ET LA MORT, *Gallimard*, 1950.
LA LUMIÈRE ET LE FOUET, *Gallimard*, 1951.
LES ADIEUX, *Gallimard, Prix Femina*, 1956, *et Folio* 1980.
FLORA D'AMSTERDAM, *Seuil*, 1957.
LA VIE RÊVÉE, *Seuil*, 1962 *et Livre de Poche*, 1969.
LA PALMERAIE, *Seuil*, 1967, *et Livre de Poche*, 1974.
LA FANTAISIE DU VOYAGEUR, *Seuil*, 1976, *Points-roman*, 1980.

Théâtre :

LA FORÊT NOIRE, *théâtre, suivi du* TROISIÈME CONCERTO, *télévision, Seuil*,
   1968.

SIEGFRIED 78, *théâtre, Grasset*, 1978.

Essais :

SAINT-SIMON PAR LUI-MÊME, *Seuil, Grand Prix de la Critique*, 1953.
SUÈDE, *Seuil, Collection « Petite Planète ».*
LES SECRETS DU ZODIAQUE, *Julliard*, 1971.
AU THÉÂTRE CERTAINS SOIRS, *Seuil*, 1972.

Ouvrages pour enfants :

JOACHIM QUELQUE CHOSE, *illustrations de Monica, Hatier*, 1958.
ALEXIS DANS LA FORÊT-FOLY, *illustrations de Monica, Casterman*,1970.

Editions :

PAPIERS EN MARGE DES MÉMOIRES DE SAINT-SIMON, *Club Français du Livre*,
   1954.
MADEMOISELLE IRNOIS, *suivi d'*ADÉLAÏDE, *de Gobineau, en collaboration avec A. B.
   Duff, Gallimard*, 1961.

François-Régis Bastide

L'Enchanteur et nous

roman

ÉDITIONS
LE NORDAIS

LES ÉDITIONS LE NORDAIS (livres) LTÉE
Une filiale de: Les Placements Le Nordais Ltée
100, ave Dresden
Ville Mont-Royal, Qué., H3P 2B6
Tél.: (514) 735-6361

© 1981, Éditions Grasset & Fasquelle, Paris
© 1982, Les Éditions Le Nordais (livres) Ltée, Montréal,
pour la présente version, pour le Canada
Dépôts légaux, deuxième trimestre 1982:
Bibliothèque nationale du Québec et
Bibliothèque nationale du Canada
Tous droits réservés

ISBN 2-89222-039-4

« Je n'ai plus le regret d'avoir narré le roman de
cette espèce d'idéaliste, disparu du monde et de la
littérature, et je renonce enfin à une décision
antérieure qui était d'écrire le *Plaidoyer d'une
folle*, parce qu'il me paraît maintenant trop
contraire au bons sens de permettre à la criminelle
de déposer contre sa victime. »

AUGUST STRINDBERG,
Plaidoyer d'un fou, 1894.

PROLOGUE

Ceci n'est pas le début du livre. Il faut pourtant commencer. Vous y êtes, vous. Moi, pas tout à fait. Ma seule supériorité sur vous, c'est qu'à l'heure où j'écris ceci, la plus grande partie du livre est écrite. Je la connais, donc.

Il y avait un autre début, le vrai. Je l'ai mis à l'écart, sur le conseil d'amis en qui j'ai confiance. C'était trop aride. On m'a tellement dit que j'étais un écrivain de charme... On m'a encouragé à montrer, dès le début, de quelle souplesse, de quelle agilité et de quel amour j'étais capable pour vous tenir en haleine. J'ai accepté. Je veux être lu. Pas pour moi. Pour l'histoire de celui qui m'a enchanté, et que je vais vous dire.

Le vrai début, je ne le déchire pas encore. Comme j'aimerais vous le montrer! Au fond, je le préfère. Pas si aride que cela. Si vous m'appelez, là, tout de suite, je vous le dis. Mais ces choses n'arrivent pas, dans nos vies...

Ce qui m'arriva, plus banalement, c'est un appel de Paulette Decraene, la secrétaire de François Mitterrand, celle du cinquième étage, au 7 *bis* de la place du Palais-Bourbon, siège de notre parti. Je fus surpris. Je venais de la quitter, après une réunion de la commission plénière du Projet. Nous sommes en juin 1978, un jeudi, vers la fin de l'après-midi. Je viens de regagner mon bureau, aux Editions du Seuil. J'ai du travail. Paulette me dit de sa voix douce :

— François Mitterrand aimerait que vous puissiez rencontrer quelqu'un avec qui il avait rendez-vous, mais il faut qu'il aille à l'Assemblée, il intervient dans le débat, on ne sait pas à quelle heure... Vous connaissez la Suède, vous avez écrit un livre sur...

— Qui est-ce? demandai-je. Un Suédois?

— Oui. C'est un ancien ministre, socialiste, bien sûr, de je ne sais quoi, Education, Culture, je pense. Il s'appelle Nils Söderhamn, je ne sais pas si je prononce bien...

— A quelle heure arrive-t-il?

— Il est là. C'est un homme charmant, qui parle le français mieux que vous et moi. Il vous attend.

Je n'avais pas mis vingt minutes, à pied.

— Il est dans le bureau du Premier secrétaire, me dit Paulette.

— Votre parfum, j'oublie toujours, c'est bien « L'Heure bleue »?

Elle me sourit, pleine d'indulgence pour mon déplorable manque de sérieux. Elle me recommanda de garder l'addition du dîner, la note de frais.

— Ah! C'est un dîner, dis-je.

La porte de François Mitterrand s'ouvrit. Il vint vers moi, me tendit la main. D'ordinaire, la poignée est volontairement, presque jusqu'à l'affectation, négligente, furtive. Là, il garda ma main dans la sienne, serra très fort, comme le chanoine préfet des études de mon collège, et m'attira ainsi vers son bureau. Je fis, en pivotant, trois ou quatre mètres. J'ai rarement reçu d'ordre plus impérieux. Le Premier secrétaire ne souriait pas du tout. Il me sembla qu'il avait l'air las, bourru, excédé par une longue journée. Son teint était gris, presque vert. Rien du forestier landais, hâlé, plaisantant sur tout, qui m'avait souvent reçu à Latche. Il dit à Nils Söderhamn, en parlant de plus en plus vite, comme s'il avait récité, quelques phrases aimables sur moi. Il nous confiait l'un à l'autre.

Je regardais le bout de mes chaussures. Je ne comprenais rien à cette histoire, qui se terminerait demain, rue de Bièvre, à déjeuner, où j'étais « éventuellement » convié; ce déjeuner devant compenser le dîner prévu ce soir, mais alors qu'est-ce que je faisais là et pourquoi devais-je occuper le temps de ce grand Scandinave? François Mitterrand me lâcha enfin :

— Monsieur Söderhamn vous posera des tas de questions indiscrètes sur le Parti socialiste, naturellement...

— Je répondrai que je n'y comprends rien, dis-je de l'air le plus sot que je pouvais.

— Alors, c'est parfait, François-Régis.

François Mitterrand avait enfin souri, pour montrer qu'il ne croyait pas un mot de ce que nous disions.

— Votre nom, dis-je, signifie, en français, *milieu des terres.*

— Oui, à peu près. C'est une explication possible; entre bien d'autres.

— Celui de notre hôte, ajoutai-je, signifie en suédois *port du sud.*

— Ah! Très bien... Très bien, répéta François Mitterrand de son air de gourmet, qu'il réserve à ces choses, comme s'il eût apprécié que je lui enseignasse là un vers de Valéry ou de Cocteau, par hasard ignoré.

Il avait disparu. Nils Söderhamn venait de l'appeler, en s'inclinant, *Président*, qui est l'appellation donnée par les plus proches de ses collaborateurs, dans notre parti, lorsqu'ils s'adressent au Premier secrétaire. Je me demandai qui avait si bien éduqué notre hôte. A moins qu'il ne fût de ses vieux familiers... Je le regardai enfin. Je vis un corps immense, sensiblement plus haut que le mien, beaucoup plus large, vêtu de flanelle d'un gris très clair, et je sentis deux yeux très bleus, très doux, se poser sur moi avec une sorte d'affection aussi jouée que la froideur de François Mitterrand.

— Est-ce que je vous inflige une corvée, monsieur Bastide?

— Pas du tout!

L'ancien ministre souhaitait dîner dans un petit restaurant du faubourg Saint-Germain, « de préférence un bouchon du genre lyonnais », répétait-il, comme si Paris avait été pour lui la ville d'une éternelle opérette commencée en 1900. J'avais bien pensé l'inviter à la maison. Mais j'éprouvai instinctivement, je le sais enfin aujourd'hui, tandis que je commence à écrire ce livre, le désir d'avoir tout à moi cet homme, et tout de suite. J'éprouvai cela, je le reconnais, comme une aspiration d'amour. Il m'aurait emporté, en ce moment, où il aurait voulu. Là. En ce moment.

Dans l'ascenseur, il me demanda :

— Alors, vous aimez la politique ?

— En fait, oui. Je suis désespéré mais je n'arrive pas à abandonner.

— Vous n'y arriverez pas. Moi, je suis désespéré de ne plus croire. Vous : de trop croire. Ce dîner va être épatant !

Il m'entraîna rue de Bourgogne à grands pas.

— Votre parti est foutu. Je pense que vous le savez. Le socialisme est malade, partout.

— Cela ne va pas bien, dis-je, c'est vrai.

— Cela va très mal. La gauche, en France, est foutue. La France est foutue. Répétez ! Vous avez perdu ! Répétez !

— Comment ?

— Répétez ce que je dis. Cela vous fera du bien.

— Mais je n'ai pas envie.

— Moi non plus, dit-il. Nous allons voir l'église Sainte-Clotilde.

— Pourquoi ?

— Je vous dirai.

— Ce n'est pas un chef-d'œuvre. Comment connaissez-vous cette église ?

— J'ai été cinq ans ambassadeur de mon pays à Paris.

Ce n'était pas tout à fait une raison suffisante pour connaître l'église Sainte-Clotilde. Je n'insistai pas. Je le regardai de biais. Ses cheveux de neige. Son pas immense. Je suivais à peine. Sa flanelle grise balnéaire et la rosette sur canapé de grand officier de la Légion d'honneur. Il soufflait ou chantonnait, en marchant ; ou grommelait. Difficile à dire. Quand il se taisait, sa voix, en tout cas, occupait le terrain. Sa voix, ou bien ses poumons. Difficile à dire. Cet homme avait trop de souffle. Je pensai à un orgue portatif. Ou bien Sainte-Clotilde pensa pour moi. Naturellement, j'avais au-dessus de ma tête, depuis qu'il avait mentionné cette église, l'instrument de César Franck, la trompette du *Troisième Choral*. Il avait soif, maintenant. Nous entrâmes dans le bar-tabac qui est à l'angle de la rue Saint-Dominique. Il vida deux bières pression.

— En fait, je suis ravi de n'avoir pas dîné avec François Mitterrand. Je n'aurais pas su quoi lui dire. Ou alors je l'aurais engueulé.

Je contemplais mon verre.

— Vous êtes quoi, au PS? «délégué national», m'a dit Mme Decraene.

— Oui, dis-je, depuis peu.

— C'est bien?

— C'est intéressant mais sans doute provisoire, murmurai-je.

— Bonne réponse. Elle m'a dit aussi que vous aviez du talent, comme romancier.

Je me demandai si le Suédois de Paulette ne commençait pas à m'agacer. Je décidai d'attaquer :

— Naturellement, comme tous les sociaux-démocrates, vous avez rendez-vous avec Giscard?

— Naturellement.

— Lui, vous ne l'engueulerez pas.

— Giscard est au pouvoir, mon cher monsieur, c'est plus difficile. Je n'engueulais pas Mitterrand quand il était ministre et qu'il disait, sur l'Algérie, ce qu'il *pouvait* dire, momentanément.

— Et vous?

— J'ai dit, pensé, rêvé, et accompli des tas de bêtises quand j'étais au pouvoir. Vous avez de la chance.

— Merci.

— Je vous agace?

— Un peu.

Il laissait sur le comptoir le double de la somme demandée.

— Le service est compris, dis-je.

— Je sais. Je voulais savoir si vous feriez attention. Vous êtes un vrai Français. L'argent de Balzac «et toute la suite»!

Il me regardait, presque goguenard. Il vida son verre, essuya ses lèvres avec le fin foulard bleu marine de sa pochette, le remit en place soigneusement et me dit :

— Si vous saviez, monsieur Bastide, comme j'aimerais être un touriste, en ce moment. Hélas! Ce n'est pas du tout ainsi. Ma vie est misérable. Je suis un misérable. Je me tuerai peut-être cette nuit, dans ma chambre de l'hôtel près de votre éditeur... C'est votre éditeur, n'est-ce pas, Gallimard?

— Il l'a été. Il ne l'est plus... Vous tuer?

Il avait soudain l'air d'un homme seul devant la mort. Il avait plaisanté depuis nos premiers pas dans la rue. Il avait voulu me faire illusion, me ferrer comme un poisson à son charme, à son sourire, à son élégance, à son ironie promenée sur toutes choses. Il avait joué au sceptique, au désenchanté. Il pouvait y jouer encore une vie entière, comme il y avait sans doute joué, sa vie passée. Et voilà qu'il s'arrêtait, là, devant une médiocre bière française, trop glacée, et voilà que, dans un effort suprême de distraction, il me proposait de me parler boutique, Gallimard.

J'ai dû baisser les yeux. Je n'ai plus su quoi dire. Je me souviens... Il faut que je dise ici la vérité. Je ne me souviens de tout que grâce aux notes que je prenais le soir avant de m'endormir. Depuis plusieurs mois, mes carnets étaient peu intéressants. Ce soir-là, cette nuit-là, vous allez voir que c'était l'aube, en le quittant, j'ai noirci des pages rapides sur Nils Söderhamn, incohérentes, mais j'ai bien écrit, à ce moment du bar-tabac Saint-Dominique-Bourgogne : « plus su quoi dire ». Et c'est pourquoi je me répète humblement.

Nous sommes repartis d'un pas plus lent vers l'église. En passant devant l'immeuble du Plan, Nils Söderhamn s'est écrié :

— Ah! *Le Plan*, votre Plan! On n'en parle plus beaucoup, hein?

Je lui racontai que j'avais fait partie de la Commission culturelle du VIe Plan et que nous avions bien travaillé. Il m'écouta avec attention, puis :

— Les Français ont les meilleures commissions d'études du monde. Pas seulement celles que vous connaissez. D'autres aussi, mystérieuses, presque clandestines et totalement inutiles. Pas tout à fait : ça sert à exciter la curiosité des ambassadeurs à Paris, qui déploient une énergie folle (enfin : une énergie de diplomates) pour savoir ce qui se trame là-dedans, qui envoient des dépêches à leurs gouvernements. Enormément de papier. Toutes nos forêts pour votre Plan! Entrons! Tiens, il y a une petite messe, à cette heure-ci?

On célébrait en effet une cérémonie, derrière le maître-autel.

L'orgue de chœur était étouffé comme sous des tentures. Les chants étaient ceux de femmes âgées, dans l'aigre soprano. Je ne reconnus pas ce qu'on chantait. Je songeai à ma mère qui, à pareille heure, pouvait chanter ainsi à Saint-Joseph de Biarritz, cet ancien couvent de Dominicains où j'ai joué si longtemps de l'orgue, tous les dimanches. Ma mère prie et me protège et espère que je vais cesser de fumer; et même écrire un grand livre plein de belles phrases à relire, « pas comme ces cochonneries d'aujourd'hui », et me voici au bord de raconter l'ignoble récit de Nils Söderhamn qu'il va me faire, là, dans quelques instants, le temps de me toiser parce que j'ai fait le signe de croix.

— Papiste, hein, monsieur Bastide? Socialiste-papiste, hein?

— Ecoutez : j'ai toujours fait le signe de croix en entrant dans une église. Ce n'est pas parce que je suis avec vous que je vais oublier. J'ajoute que je crois en Dieu.

Il ricana. Je ne pensais pas encore qu'il pouvait être diabolique. Je l'ai pensé depuis. Mais je devinai qu'il voulait me provoquer. Je ne savais pas comment. Je ne me serais pas signé qu'il me l'eût reproché. Il pouvait aussi s'agenouiller, ou me demander d'aller chanter avec ces vieilles femmes, ou bien lui-même chanter en suédois... Quoi d'autre? Je ne pouvais imaginer...

Il marcha d'un pas décidé vers le fond de l'église. Je le suivis en regardant l'orgue de César Franck... Il se retourne et me prend pour ainsi dire par la main. Nous étions entrés par la rue de Martignac. Il va vers les grandes portes du fond qui sont fermées. Il ouvre celle de gauche quand on entre par la place et qui est donc, comme nous venons de l'autel, à notre droite. Il ouvre cette porte capitonnée de cuir noir. Je le suis toujours. Il la laisse retomber. La porte extérieure est fermée. Nous sommes dans ce réduit obscur. Machinalement, je pousse la porte capitonnée, pour retrouver la lumière. « Attendez » me souffle-t-il.

Il a une voix d'exorciste, de magnétiseur. Je vois ses yeux briller dans la nuit. J'entends encore au loin les chants et l'orgue de chœur. Il murmure distinctement, en détachant les syllabes, pas toutes, certaines, presque au hasard, mais il est évident qu'il ne met aucun hasard là-dedans :

— J'étais l'an dernier à Paris. J'habitais notre ambassade, rue Barbet-de-Jouy, tout près d'ici. Barbet de Jouy, qui était-ce ? C'est un nom étrange, vous ne trouvez pas ? Je flirtais avec une ravissante secrétaire suédoise; franco-suédoise, en fait. Un jour, nous sommes sortis, vers la fin de la journée, pour nous promener dans le quartier. Nous sommes entrés dans cette église. La fille était excitée, comment dites-vous, excitée comme une folle, comme une nonne. Nous sommes entrés. On chantait, là-bas, tout à fait comme aujourd'hui... Qui était ce Monsieur de Jouy ? Ici, Bastide, dans ce petit coin d'église... Où vous êtes, là... Là ! Entre les portes !... Je l'ai...

— Non !

J'avais hurlé. J'avais couru dans l'église. J'aurais hurlé encore. Il me rattrapa et je sentis une main d'acier sur mon cou. Je me débattis. Il me lâcha aussitôt.

— Pourquoi m'avez-vous amené ici ? Pour me raconter ça ?

— Mais je ne vous ai rien raconté ! Est-ce que vous y tenez ?

Nils Söderhamn reprit, sans chuchoter cette fois, d'une voix de touriste à l'église :

— Ici, mon petit. Entre ces deux portes. Derrière la porte à tambour. C'est bien comme ça que vous appelez une porte pareille, n'est-ce pas ? Ah ! N'y aurait-il pas un escalier, ici, un escalier à double révolution ?

— Non, dis-je.

Avec quoi confondais-je cette scène ? Avec qui ? Pour qui prenais-je cet homme soudain ignoble ? Combien de femmes ai-je attendues, la nuit, à Düsseldorf, à Wiesbaden, à Palerme, à Heidelberg, à Bruges ? Et croyant, chaque nuit, que je m'étais trompé de jour ? Ou bien ai-je, moi-même, entraîné quelqu'un dans l'entre-deux-portes de Sainte-Clotilde ? Mais qui donc ? Je le saurais. Or je ne savais rien, et même pas si cet homme ne me mentait pas, comme pour m'éprouver. Il marchait devant moi, nous revenions vers la petite porte par laquelle nous étions entrés.

— Qui était Martignac ?

— Un ministre, dis-je. Très modéré, ajoutai-je.

— De qui? De quand?

— De Charles X, je crois bien. Vous devez avoir des dictionnaires, à votre ambassade, et des secrétaires pour vous renseigner.

— Nous avons tout, mais nous n'avons pas de porte à tambour ni d'escalier à double révolution. Ah! la France est formidable pour inventer des mots qui sentent la guerre, le sang. *Le perron du château était orné d'un escalier à double révolution*... Ah! comme c'est beau, gentil tambour! Hein? Bastide, je vous appellerai dorénavant *gentil tambour*, vous voulez bien?

Dans la rue, je trouvai enfin à lui dire :

— Si vous avez commis beaucoup d'actions de ce genre dans votre vie, je comprends que vous soyez un homme désespéré.

— J'ai commis. Je suis. Pas pour longtemps. Nous allons dîner tout près d'ici. Des nourritures succulentes. Vous connaissez ce restaurant de la rue des...

Il y avait des écrevisses, qu'il jugea presque dignes de son pays. Il mangeait comme un animal sauvage, sans oser me regarder, fasciné par ce qu'il pouvait rester de bon sur tel morceau ou de sauce au bord de l'assiette. Il baissait le front, il tendait le cou, il tentait de dissimuler d'une main sa mâchoire énorme, claquant, fermée, happant à nouveau, secouée de craquements et de petits cris aigus.

— Comme je ne peux pas parler et manger à la fois, et que j'ai faim, c'est vous qui allez parler.

Il me demanda tout ce qu'un homme peut demander à un autre. Ma jeunesse, la guerre, l'Allemagne, mes voyages, mon épouse suédoise, Monica, fille de Sven-Erik Sjöholm, propriétaire et directeur du journal *Ölandsbladet*, mère d'Anika et de Thomas, à demi suédois, donc; ma plus jeune fille, Ninon. Ages, études, caractères de tout ce petit monde. Cheveux, aussi.

Chaque fois qu'un personnage nouveau intervenait dans mon récit, il m'interrompait : « Cheveux? » Il fallut enfin lui décrire rapidement, « cinq lignes pour chacun », tous mes livres.

— C'est absurde! dis-je.

— Je le sais. Mais cela fait toujours du bien, de dire quelque chose de long en cinq lignes. Nous ne sommes pas raffinés comme vous. Nous sommes des bûcherons. Un arbre aussi, c'est une longue vie, et très compliquée. Mais cela peut tenir en cinq lignes. Je ne dis pas qu'un seul de nos arbres vaille un seul de vos livres. Ni le contraire!

Il se montra tout étonné quand j'abordai la politique, mon engagement, en 73, au parti. « J'avais oublié, c'est vrai, dit-il, cela ne colle pas du tout avec le reste de vous. » J'en convins mais je protestai, sûrement de façon assez ridicule, avec emphase. Je décrivis mes petits combats, mon soutien à François Mitterrand en 74. Je racontai, tout aussi sottement, que j'avais, une nuit de mai 74, distribué des tracts Mitterrand à Auteuil et qu'un jeune gandin en décapotable anglaise m'avait craché au visage. Nils Söderhamn sourit, me demanda ce que je pensais de François Mitterrand, puis aussitôt de Michel Rocard. Je répondis très vite, mais prudemment et il le nota en maugréant : « Vous voilà bien méfiant avec moi! » Je racontai comment la liste de gauche avait manqué d'un souffle la mairie de Biarritz, en 77, et comment je me retrouvais porteur de mes 7 070 voix sans bien savoir quoi en faire, conseiller municipal dans la minorité.

— Et vous n'écrivez plus de romans, vous venez de me le dire.

— Parce que je fais de la politique. Ou plutôt : qu'elle m'obsède.

— Alors, s'exclama-t-il, écrivez un livre sur votre parti. Sur Mitterrand, par exemple... Rien à tirer de vous! Alors, reprit-il, vous allez écrire un livre sur moi.

— Vous n'êtes pas très connu!...

— Non. Mais je suis exemplaire. C'est mieux que la gloire. Non : pas « exemplaire ». *Typique*, je veux dire.

Nous avions bu deux bouteilles d'un bandol rosé, frais, vif comme du silex. Les yeux bleus de Nils Söderhamn s'étaient ourlés de ce rosé. A certaines de ses phrases, dites en plaisantant, je voyais poindre des larmes, j'attendais quelque chose de définitif, qui changerait tout, qui l'engagerait tout entier. Et toujours il revenait aux hommes de mon parti, me questionnant sur un tel et un tel, sur telle tendance, sur telle expression, pour lui codée, de notre vocabulaire, et qu'il me resservait à sa façon, en affectant un bon sens paysan, forestier, comme il m'avait dit, dont il n'était pas dupe, dont il savait que ni lui ni moi ne pourrions nous contenter. Et nous nous lancions vaillamment à la tête, comme des orateurs de congrès, la lutte de classes, la rupture avec le capitalisme, l'économie de marché, la notion de réformiste progressiste opposée à celle de processus révolutionnaire. Il voulait et que j'aie cru et que je ne croie plus à rien. Et que je m'en défende, et que je lui résiste. Et je lui résistais pied à pied. Alors, il s'énervait, ne trouvait plus ses mots en français, baragouinait un scanien mâtiné de danois qu'il exagérait exprès. L'air était doux sur le faubourg. Nous marchions lentement, en nous arrêtant aux vitrines éclairées, livres, chemisiers, meubles, bijoux, nous caressions les biens parisiens sans un mot de possession, ni même de désir Il s'écria :

— Je tiens rudement le bandol. Je le tiens.

Nous aboutîmes au bar du Pont-Royal, qui sentait le cuir chaud et le gin. J'avais été rarement aussi gai. Je le lui dis. Il me regarda avec une bonté de vieux chien et posa sa main sur ma tête. « Moi aussi », dit-il. Puis il ne me regarda plus et se tint silencieux, chauffant sa fine champagne, la humant, soufflant du nez au-dessus de l'alcool, puis l'inhalant goulûment sans le boire.

— *I like seduction*, dit-il enfin.

Voulait-il séduire, être séduit, inventer une séduction pour lui-même, pour moi, pour un autre ? Avec qui habitait-il à Paris ? Où ? Cet hôtel ? Je le lui avais demandé. Il avait fait comme s'il n'avait pas entendu. Etait-il seul ? Attendait-il une femme ? Que faisais-je là ? Si François Mitterrand l'avait reçu, tout à l'heure, Nils en aurait eu pour une fin de soirée, pas plus. Avec qui aurait-il bu de la fine ? Sûrement pas avec François Mitterrand.

Je me souvenais de ma seule rencontre avec William Faulkner, dans ce même bar, en 1951 ou 52. Je devais l'interviewer pour *les Nouvelles Littéraires*. Il était onze heures du matin. Dans son veston de tweed brun rapiécé de cuir, il était déjà cuit au *whiskey*, le teint brique, une sorte de sourire niais flottant sous sa moustache. A chacune de mes questions, trop préparées, sur l'art, sur le « message », il me répondait invariablement, en se payant royalement ma figure : *You know, I am only a farmer*! J'avais eu un article très difficile à écrire. Je viens de le trouver dans mes dossiers. Je l'ai relu. Pas trop nul, porté par l'admiration et la déception mêlées, mais la déception faisant augmenter encore l'admiration. Fallait-il qu'il fût fort, le bougre! J'étais sorti de là pénétré de tout ce qui m'éloignerait à jamais du génie et des fermiers réunis.

Nils Söderhamn ne disait guère plus. La différence était pourtant considérable. Il semblait aller de soi que nous ne devions pas nous quitter. Cette nuit, peut-être, pour dormir séparés. Cette vie, non. Pas seulement ce séjour parisien de mon nouvel ami. Cette vie. La sienne, ce qu'il en restait. La mienne, ce qu'il en restait. Immobiles, deux oiseaux perchés sur un même arbre de cuir et d'alcool, muets, ayant tout à se raconter, de nuit en nuit.

Je tentai plusieurs fois de le faire parler de lui, de cette semi-retraite, les socialistes n'étant plus au pouvoir en Suède. Puis de sa femme, parce qu'il avait dit furtivement « ma femme ». Chaque fois, il écarta ma question et en profita pour m'en poser de nouvelles, brutales, rapaces. Et chaque fois, je reproduisis la vérité aussi brièvement que je le pus, car je prenais plaisir non seulement à la réponse mais à attendre la question suivante. Il s'en amusait. Il n'abusa pas. Soudain, après avoir vidé son verre, il aspira l'air un grand coup et me dit :

— Moi, c'est très simple. J'ai aimé trois femmes. La première est la mère de la seconde. La troisième est la fille de la seconde.

— Je ne comprends pas.

— C'est pourtant simple.

Il avait décidé de ne me rien dire d'autre, je le sentais; mais il ajouta, en baissant la voix :

— La troisième, je l'attends ici. Inutile de dire qu'elle n'est pas vieille.

— Ici?

— Oui. A Paris. Elle sait où je suis.

— Et elle?

— Je ne sais pas. Elle parcourt le monde. Moi, j'attends. Elle s'appelle Lily. Elle a dix-neuf ans.

— Que sont devenues les deux autres?

Il me regarda froidement, comme s'il n'osait pas mesurer le poids de la vulgarité de ma question. Enfin, il jugea que j'avais dit sur moi-même pas mal de choses précises et qu'il m'avait tant questionné, et qu'il ne m'avait rien livré. Il reprit son ton léger, sa lèvre inférieure avança un peu, il dit : « J'vais vous dire, gentil tambour... » et il me rappela soudain Maurice Chevalier, que je n'attendais vraiment pas ici, mi-canaille, mi-effusif.

— J'vais vous dire. La première et la seconde sont dans notre beau pays. La première s'appelle Kerstin. Vous voyez? L'a pas loin de mon âge. Elle a été longtemps ma femme. L'était chanteuse à l'Opéra. Vous connaissez son nom, naturellement...

— C'est elle? J'ai des disques d'elle, j'ai *Tristan et Isolde*, j'ai des *Lieder*, de...

— Oui, c'est ça. Elle ne chante plus, naturellement. Elle a eu, avant de me connaître, d'une passade avec un Ecossais ivrogne, une fille, Sheena; je l'ai élevée, cette enfant.

Je savais prononcer *Cherstin*. Je découvrais ce nom étrange de Sheena qu'il prononçait *Chiinaa*.

— C'est un nom écossais?

— Naturellement. Celte. Je l'ai élevée, je l'ai adorée. C'était une petite fille exquise, folle mais exquise. Elle nous a quittés, sa mère et moi, pour un comédien de cinquième zone. Elle est devenue comédienne... troisième zone. Vous l'avez vue au moins dans deux films d'Ingmar Bergman.

— Lesquels? Je les ai tous vus.

— Je déteste Bergman. Je vous raconterai pourquoi. De son histrion efflanqué, elle a eu Lily. Alors, peu après j'ai quitté Kerstin et j'ai épousé Sheena. Voilà ce qu'il m'est arrivé et je ne crois pas que ce soit arrivé à beaucoup d'hommes. Je n'ai pas fait exprès et pourtant, ces deux enfants, Sheena et Lily, à vingt ans de distance, j'ai su, les deux fois, que je n'y échapperais pas. A la réflexion, il est possible que Sheena soit sur la Riviera italienne en ce moment et qu'elle passe par Paris. Vous avez peut-être une chance de la rencontrer. Qu'est-ce qu'il y a? Qu'avez-vous?

Je ne comprenais rien. Je ne croyais pas tout à fait cette histoire. Je me perdais dans des calculs, des dates. Je composais une sorte d'arbre généalogique où il fallait caser trois femmes, un Ecossais, un comédien, le grand cinéaste suédois, et il y avait, courant de l'une à l'autre, Nils Söderhamn, cachant son cœur.

— Je sais ce qui vous tracasse. Vous cherchez mon âge. Vous vous demandez comment tout ça... Je suis né le 14 juillet 1916. J'ai soixante-deux ans. Je vous signale qu'Ingmar Bergman est né, lui aussi, un 14 juillet. Deux ans après moi, le salaud! Ce qui n'a aucune importance. Je vous dirai, je vous le promets, des ordures sur ce type.

— Je l'admire beaucoup. Vous aurez du mal.

— Raison de plus. Des ordures. Le 14 juillet 1916, les vaillants soldats français se battaient au Chemin des Dames, non? Je me trompe?

— Je n'en sais vraiment rien.

— En tout cas, je l'ai toujours cru. J'ai dû apprendre ça un jour. De la boue, des pansements trempés dans du calvados, des officiers frêles, moustaches blondes, sabre au clair, entraînant leurs hommes en chantant vers le Chemin des Dames. J'ai aimé imaginer que je naissais alors. Ne vérifiez pas!

— Je vérifierai pour le plaisir.

— Promettez-moi de ne pas me dire... même si c'est exact.

— Promis, dis-je en riant.

— Quel âge a Mitterrand?

— Le vôtre.

— Je ne suis jamais allé chez lui dans le pays landais. Racontez-moi.

— Il n'y a rien de précis à raconter. Ou alors des détails sans importance.

— J'adore les détails.

Je racontai. J'aime, comme Nils, les détails bucoliques de la maison de Latche. Je racontai mon angoisse habituelle, chaque fois que je vais, que j'allais à Latche : me perdre, ne pas y arriver. Mes tours et mes détours de part et d'autre de Vieux-Boucau et de ce hameau nommé bizarrement Azur dont je crois toujours, à tort, qu'il est un bonjour (*agur*) basque déformé Je ne vais chez François Mitterrand que par un labyrinthe au terme duquel m'attend le sphinx. Je finis toujours par trouver. Mais il est de fait que je me perds parce que je crains le pire. Ai-je failli écrire : « le père » ? Or j'ai un sens remarquable de l'orientation. N'importe où. Au bout du Sud marocain, dans le Grand Nord suédois, je me retrouve partout. Mais pas à trois kilomètres de Latche.

C'est pourquoi je suis toujours en avance, ayant fini par découvrir les toits plats et roses, les ânes à l'écart sous les pins. J'attends. Il m'est souvent arrivé de voir passer d'autres invités au déjeuner, un journaliste, un député, des photographes allemands, et de me cacher pour ne pas avoir l'air d'attendre avant d'entrer. Un 15 août, je me suis risqué sur le gazon. Il n'était pas tout à fait une heure. J'ai aperçu François Mitterrand coiffé d'un vieux chapeau de paille à la Renoir. Il taillait ses arbres. Personne d'autre que moi ne pouvait le voir. J'ai avancé. J'ai regardé longtemps. Il reculait parfois, pour apprécier le travail, une main en visière. Il jouait, mais pour personne, la photo cent fois reproduite par les magazines et il aurait, à voir cet acharnement lent, lourd, grave, pointilleux, sauté volontiers le déjeuner, les invités, les propos de table. En même temps, je savais qu'il ne pouvait pas penser à autre chose, dont la taille l'éloignait, tous ces « gourmands » de ces arbres qu'il coupait comme il ponctue inexorablement ses manuscrits, mais qui sans cesse l'y ramenaient. Je m'interdis, par respect, d'imaginer ses pensées.

Après un long temps, je choisis de faire le tour pour aborder quelqu'un d'autre avant lui.

La maisonnée avait peu dormi, la chienne labrador ayant mis bas je ne sais plus combien de chiens dans la nuit. J'appris que François Mitterrand avait lui-même aidé, les mains dans le sang. La chienne rôdait maintenant autour de nous, épuisée, hagarde, cherchant ses petits qu'on lui dissimulait pour quelques heures. Mme Mitterrand dit que le déjeuner serait frugal, qu'on n'avait pas eu le courage de sortir ce matin. Il faisait chaud, un léger vent du sud. Un volume de Stendhal, dans la Pléiade, traînait, ouvert, sur une table blanche. Je lus le titre courant des *Chroniques italiennes*.

Un soir, j'avais dîné avec François Mitterrand en Avignon, après un meeting culturel. Nous étions nombreux. Il avait parlé tout le temps, nerveux, tendu, l'œil noir jeté à droite et à gauche, pour capter tous les regards autour de la grande table. A sa gauche, Claude Manceron l'avait lancé, par une longue phrase lyrique, sur les « ennemis » à l'intérieur du parti, sur les manigances, en un mot, et lui avait, mais à mi-voix, reproché de voir là un « complot ». A peine la phrase finie, François Mitterrand sauta sur son grand ami et, sans jamais rien dire de précis, fit entendre qu'il savait tout, qu'il y avait sinon complot contre lui, du moins collusions étranges. « Je sais, je vois, j'ai des yeux dans le dos! » cria-t-il presque. Nous étions dehors, dans un jardin intérieur. Mitterrand était assis contre un mur sûrement moisi l'hiver et qui exsudait sous la canicule. Il tendit les bras, comme s'il avait réellement cherché des milliers d'yeux sur ce mur, dans son dos. Il y eut un silence. Puis, le Premier secrétaire se remit à manger car le préfet du Vaucluse survenait, calamistré, et demandait à présenter ses devoirs, ce dont personne ne se souciait. Mitterrand lui jeta trois mots aimables, mais qu'il fit sonner faux exprès. Le préfet s'en fut.

Je ne racontai pas Avignon à Nils. Je repris à Latche. Il n'y avait rien à raconter. Un déjeuner souriant. Un Mitterrand détendu, goguenard, taquin, la mémoire bourdonnante de livres dévorés depuis peu ou depuis toujours. Il n'y avait vraiment personne que la famille et moi, au point que je me sentais de trop. On parla de tout sans y toucher. L'idée de « complot » fut à peine effleurée. J'étais encore des commensaux. Pas besoin de me convaincre. Et pourtant, je voyais sur ce visage, tanné par le soleil et l'iode, un je ne sais quoi de lassé. Je n'observai que des tressaillements imperceptibles, dès qu'un nom, un titre de journal passait entre nous. Il y eut soudain un aveu, comme de faiblesse, lâché presque au hasard, en souriant. Tout ce qui suivit, je le dirai ailleurs, peut-être.

La journée aurait pu se poursuivre aussi pastoralement. Mais il y avait deux ou trois discours dans le Gers. François Mitterrand se leva quand ce fut l'heure. Il était toujours pieds nus, du sable gris jusqu'aux chevilles. Il m'entraîna vers sa maison, pour continuer la conversation. A l'écart, tandis que je contemplais les livres, il se changea prestement, dépouilla le paysan pour revêtir l'homme de meeting estival, garnit une mallette de chemises, hésita entre un pull-over et un autre, me demanda conseil sur ce choix grave, hésita surtout sur le point de prendre ou non une bizarre casquette de marin-pêcheur. Il la jeta sur son lit, finalement. Puis, consulta un atlas de la France. Il hésita sur l'itinéraire vers le département voisin. Plusieurs possibilités. Avantages et inconvénients comparés. La fraîcheur d'une rivière, là. Ici, une route sinueuse et, tout en haut d'une petite côte, une église dont il connaissait depuis longtemps les moindres détails. Là, un groupe scolaire dont il voulait saluer le directeur. Il posait son doigt sur la France dont il est l'inlassable apprenti, et il suivait. Il me parla du Gers où je n'ai jamais mis les pieds, des gens, des fruits, des vallées. La voiture, la Simca 1308, immatriculée dans la Nièvre, ronflait. Il me dit au revoir. Il dut se gendarmer avec les chiens qui ne voulaient pas le laisser partir. Et là, il n'y avait plus la moindre trace de doute en lui. Il allait parler, argumenter, attaquer le gouvernement, faire vibrer deux ou trois foules en une soirée. Il était heureux, à sa place, dans sa voiture de pèlerin, les yeux déjà au loin sur la route.

Demain, il serait à nouveau épuisé, peut-être, comme je l'avais vu, en mars 78, un matin, lendemain de meeting à Lorient. Il était revenu en pleine nuit, dans un petit avion cahotant. Il avait à peine dormi trois heures. Il venait de se lever. Il arrivait au 7 *bis*. Il poussa un *Pfouf!* d'enfant qui a du mal. Mais il suivait. Je savais qu'il aurait pu rentrer plus tôt de Lorient, dormir davantage ; mais il s'était jeté, là-bas, après son discours, sur un banc d'huîtres. On ne l'arrêtait pas, devant les huîtres. On avait dû le croire fou. On le croyait souvent perdu, parce qu'il voulait se perdre. A ses retours vers Paris, notamment. On allait le chercher au Bourget ou à Orly. Il descendait du petit avion en poussant son *Pfouf!* On croyait qu'il rentrerait chez lui dormir. Mais il se faisait déposer n'importe où, jetant un « Bonne nuit, merci, cela ira » à l'accompagnateur ou à l'accompagnatrice médusé. Et il s'enfonçait dans les rues, pour marcher.

Parfois, j'imagine qu'il sort de sa poche non pas la casquette marine, mais un autre déguisement, derrière lequel il murmure et s'endort debout

— Moi, je n'allais pas comme ça, dit Nils Söderhamn après un silence. Mais ce n'était pas si différent, au fond... Vous admirez beaucoup François Mitterrand, n'est-ce pas?

— C'est une étrange admiration, difficile à expliquer, sévère parfois, jalouse. Parfois, je le trouve dur. Cruel. Mais je ne le connais pas. Je bâtis un homme avec le peu qu'il m'a livré. Je l'ai écouté et suivi avec passion. Je ne savais pas jusqu'où. Je le sais, maintenant. Avec tant de remords et...

— Oui, oui, je sais ce que vous allez dire. Au fond, vous reprochez à votre chef de faire semblant d'être marxiste. Vous, vous seriez un social-démocrate épatant. Mais vous oubliez vos vingt pour cent de Français qui votent communiste. François Mitterrand ne peut pas l'oublier. Sans les voix communistes, vous n'auriez pas beaucoup de députés socialistes. C'est une situation tout à fait exceptionnelle de votre pays. Il a raison. Momentanément. En politique, il y a les moments. A saisir. Quitte à changer de moments. Il a raison.

Il continuait. Le ministre tenait des propos diplomatiques. Il disait vrai mais je l'écoutais ronronner. Je n'en pouvais plus. J'avais trop bu. Trop parlé. Trop écouté. Je dis sèchement :

— Lily n'est pas venue.

— Vous n'en savez rien, dit-il. Elle pourrait m'attendre dans la chambre voisine de la mienne, et vous n'en sauriez rien.

— Vous non plus.

— Si. On m'aurait prévenu. Mais elle ne viendra pas cette nuit. C'est pourquoi vous me voyez si tranquille. Buvons encore.

— Je ne peux pas.

— Mais si! Pourquoi êtes-vous socialiste? Qu'attendez-vous?

— Rien pour moi. Je suis un petit écrivain bourgeois catholique du Sud-Ouest. Même pas un « intellectuel ». Je n'ai lu sérieusement ni Marx ni Hegel. Toutes les idéologies m'assomment. Je ne connais pas le peuple, ni le monde du travail, ni les ouvriers des usines, ni ceux de la terre, ni ceux de la mer, ni ceux des mines, ni ceux de l'acier, ni ceux de l'atome. Je ne connais que ma classe et celle du dessus. Je les connais bien. Du moment que les « masses » ont leurs bagnoles, font des gueuletons et jouent au tiercé, la cause est entendue, les « masses » sont béates et les bourgeois peuvent songer à l'argent, le leur, à leurs privilèges, à leurs combines fiscales. Tenez, voici la France que je connais et que je hais : un de nos ambassadeurs, que vous auriez pu rencontrer, qui porte à la fois un grand nom et une fortune immense (il a offert à la République, de sa poche, pas mal de réfections d'ambassades, en échange de sa rapide carrière), prend un jour l'avion pour rejoindre son poste. A peine arrivé, il téléphone à sa femme, retenue à Paris par un essayage, sans doute, et qui s'envole le lendemain. Il lui dit ceci textuellement (c'est une secrétaire qui me l'a raconté) : « Chérie, n'achetez pas *Paris-Match*. J'ai pris celui de l'avion. » Voici la France, monsieur le Scandinave. Elle n'a pas changé depuis Balzac. Dieu sait que j'adore le romancier mais il écrit tout de même, de son adolescence à sa mort, et avec une constance parfaite, quand il parle en son nom, pas quand ses personnages le dévorent et le transportent ailleurs, il écrit pour lui seul, pour ses correspondants et pour Zulma Carraud, par exemple, cette petite phrase atroce et qui me hante : « Si les gens riches, corrompus par leurs mœurs, engendrent des abus, ces abus sont inséparables de toute société : il faut les accepter avec les avantages qu'ils donnent. » Vous entendez ? Ce sont les abus qui donnent des avantages. C'est clair. C'est ce que pense la moitié environ de ce pays. Jusque dans le peuple endormi par la télé et les petits loisirs.

— Il faut écrire tout ça, me dit Nils calmement.

— Mais pourquoi ? Cela a été dit cent fois ! Il faut agir. C'est ce que j'ai essayé.

— Essayer, essayer... On n'essaie pas, en politique, on ferme les yeux et on fonce vers l'abîme. On a des certitudes, du ciment. Le tâtonnement, c'est un luxe pour écrivain. Et vous êtes un intellectuel, que vous le vouliez ou non.

— Je ne le veux pas. Je n'en suis pas. J'aurais aimé être maire d'une bourgade, puis sénateur. Écouter les plaintes, étudier les dossiers, me battre contre l'administration, donner moi-même tout mon pouvoir d'élu aux électeurs, soutenir et susciter des associations, réveiller, animer; pulvériser les compromissions, traquer les concussions, faire parler; faire sortir la vérité et l'action de la vie... Je ne serai rien de tout ça.

— Alors écrivez la vie idéale de votre sénateur-maire.

— Ce sera de l'eau de rose, du catéchisme édifiant!

— Alors, je vous l'ai proposé, écrivez ma vie. Je vous le propose, Bastide. Vous avez un magnétophone?

— Deux. Trois, même.

— Vous êtes romancier, éditeur, journaliste, politique en manque. Vous êtes l'idéal, pour moi. Vous savez, tous ces bouquins soi-disant écrits par des vedettes du cinéma ou de la politique, ces mémoires trafiqués par des *rewriters*, est-ce que vous dites, en français, des écrivains-fantômes?

— Nous disons en américain, sans nous gêner, des *ghost-writers*.

— Je ne vous propose pas ça. Vous allez me faire parler. Ce ne sera pas difficile. J'ai envie de vous parler. Je vais tout vous dire. Puis, vous reprendrez tout ça et vous inventerez par-dessus. Tenez, ce Stendhal, chez François Mitterrand : je vous donne la chronique. Vous faites le bouquin. Gallimard, ça l'intéresserait? Vous me trouvez snob? Quoi?

Il n'y avait plus personne au bar du Pont-Royal. Au vrai, je ne sais pas s'il était passé du monde, depuis notre arrivée. Je n'avais vu, et encore, que la ronde mécanique du barman autour de notre table, remplissant nos verres et changeant les cendriers. Je regardai Nils Söderhamn, qui avait l'air si joyeux de son idée.

— Ce serait peut-être, dis-je, le moyen de sortir de mes petites histoires. Je ne suis peut-être pas un bon socialiste, selon vous, ajoutai-je, mais il faut vous dire que le parti m'empoisonne jour et nuit. Que j'en rêve. Nous commençons notre livre, votre livre demain?

Il me regarda. Il riait.

— Et si, demain, Lily arrive? demandai-je.

— Elle n'arrivera pas. Je l'attends. Je ne bouge pas. Je préfère la manquer en l'attendant.

Le barman a dû nous chasser poliment et nous sommes allés en taxi au Harry's Bar. Nous avons bu du bourbon de plusieurs marques. Il fallait comparer, étudier. Je ne voyais aucune différence. Je le disais à Nils, qui se mettait en colère et faisait changer mon verre, nos verres. Je ne bois jamais. Je n'ai jamais tant bu. Il m'a dit, presque en colère : « Va dégueuler ! cela fait du bien ! »

Mais je n'avais pas envie. « Alors, va dehors, dans la rue. Quand on est ivre, il faut aller revoir la rue de temps en temps. La terre continue de tourner... » Pour lui faire plaisir, je suis sorti et j'ai fait quelques pas jusqu'à l'angle de l'avenue de l'Opéra. J'ai pensé à Stendhal, qui est mort à quelques mètres de là. « Il n'y a pas de ridicule à mourir dans la rue. » Je n'avais ni envie de vivre, ni de mourir. Je dormais soûl, debout, comme un cerf gelé sur pieds dans le Grand Nord. J'ai vaguement répondu à l'invite d'une fille platinée, bottée de noir jusqu'aux fesses. J'ai entendu son petit accent de Bordeaux déguisé en parisien. Elle devait dire *Beurdô*. On aurait pu s'amuser. Je suis revenu au bar. Nils reposait le téléphone et criait :

— Elle est là. Elle est arrivée. Venez vite !

Il a couru dans la rue et moi derrière lui, en trébuchant. Il a foncé vers l'Opéra. Il a arrêté un taxi. Il lui a crié l'adresse. « Vite, vite ! Double du compteur ! » Je l'ai trouvé un peu facile. Le taxi s'en fichait et roulait à son allure.

— Je vous laisse. Je garde le taxi, ai-je dit.

— Mais non, Bastide ! Il faut que vous la rencontriez tout de suite, en même temps que moi !

— Je ne comprends pas.

— Mais si, vous comprenez.

Il s'est jeté dans le hall. Le portier l'a regardé filer vers le salon du fond. J'ai suivi. Sur un canapé, posée, j'ai vu Lily, fille de Sheena, qui est la fille de Kerstin. Elle a à peine bougé, de loin, en voyant Nils. Peut-être un petit mouvement de sa main, entre œil et nez.

— Approchez, venez ! m'a dit Nils.

Il n'y avait que nous trois dans le salon. Il devait être trois heures au moins. J'avais toujours connu Lily. Je l'avais croisée mille fois à San Francisco ou à Stockholm. J'avais toujours rêvé de lui parler et de l'entendre me répondre. Lily est cette superbe plante en marche qui, partout, me toise en regardant quelqu'un derrière moi, et je me retourne, et il n'y a personne, et puis elle est passée. Lily s'est levée pour embrasser Nils.

— *Hej ! Pappa !*

Il l'a embrassée sur le front. Il a reculé d'un ou deux mètres

31

pour la contempler et me la donner à contempler. Il ne disait rien mais il éclatait d'orgueil. Il soufflait, il reniflait, d'une sorte de « hein, qu'en dites-vous ? » à peine réprimé. Il a murmuré quelque chose à mon sujet. Lily a fait une révérence accompagnée d'un sourire à peine ironique. Je n'ai pas su si elle se moquait de moi, si elle jouait à la révérence, ou bien si on l'avait élevée ainsi. Maintenant, je sais qu'il y avait un peu de vrai dans tout cela. Elle m'apparut immense. Ses cheveux blonds très longs, ses yeux bleus si clairs, presque blancs, plissés pour paraître moins grands ou pour m'interroger, un lent mouvement de bras, un étirement au-dessus de sa tête. Elle était vêtue d'une combinaison de toile sable, genre Afrika Korps, constellée d'étoiles multicolores, partout, jusque sur les genoux.

— Je vais voir si ce personnage veut nous servir un dernier verre. Restez quelques minutes, Bastide.

Il fila vers le portier. Il avait bien dit « quelques minutes ». Je n'avais pas droit à davantage et je l'entendais bien comme cela. Lily se laissa tomber sur le canapé et allongea ses jambes jusqu'à mes pieds. Je demandai : « Vous parlez le français ? »

— Oh ! ça va.

Je fis une ou deux phrases pour étaler mon suédois. Elle sourit à peine.

— Vous parlez aussi anglais ?

— Oui, dis-je.

— Ça va. J'étais à New York. Très stimulant.

Nils revint. Le portier le suivait. Il n'y avait que du mauvais scotch et de la Badoit. Nils dit que cela irait.

— Combien avez-vous bu ? demanda Lily en riant.

— Pas mal. Bien, dit Nils. Nous écrivons un livre ensemble. Nous nous amusons beaucoup.

— *Pappa* Nils s'amuse toujours, quoi qu'il arrive, dit Lily.

— Vous parlez très bien le français, fis-je observer.

— Qu'est-ce qu'on fait maintenant ? reprit-elle.

— On dort. Je dors. Il dort. Toi aussi, dit Nils.

— Ensemble ?

— Lily, tu es idiote. Raconte-nous New York.

Ils se mirent à parler leur langue, que je comprenais mal,

puis l'anglais, puis Nils revint au français. Lily suivait, reprenait en suédois avec une voix douce, grave, très grave, pleine de chuintements et de syllabes avalées, aspirées plutôt, au milieu des phrases. En français, plus lentement, elle aspirait aussi, comme si elle avait eu peur de parler. Et toujours, le minimum de verbes, ou des empilements de verbes collés les uns aux autres, et puis plus aucun, et des adjectifs, des couleurs, des sons vides, des appels assourdis, à la recherche d'un autre langage qu'elle caressait sur ses deux mains ouvertes, à plat, posées en avant d'elle, comme sur un invisible coussin, comme pour offrir les lignes de ses mains, longues, fines, bleues, ivoire et bleues.

Nils demandait à Lily de raconter mais il m'apparaissait qu'il n'écouterait rien. Il s'était à nouveau, comme au bar tout à l'heure, calé dans son fauteuil, et il avait envie de passer le reste de la nuit ainsi, à dire des choses qui ne nous serviraient de rien. Il commença plusieurs fois. La dernière fois qu'il était allé à New York. Ou bien la dernière fois qu'il était allé à la Coupole. Ou cette fois dernière, dont il voulait parler plus que de tout, où il avait vu Lily. Où était-ce, chérie, comment étais-tu habillée, pourquoi ne m'as-tu pas embrassé sur mon vieux nez trop gras, pourquoi t'habilles-tu ainsi, tu sais que je ne t'aime qu'en tailleur noir, avec un collier de perles, chérie, *darling,* ma petite abeille, comme il la buvait des yeux, la tête penchée, indulgent, si indulgent pour les étoiles et la combinaison sable. Il recommença encore, en notant que ce vêtement était propre, correctement repassé, et qu'on ne pouvait adresser aucun reproche à une jeune fille, à une jeune *femme,* il répéta *femme,* à une *dame* si propre et soignée, et bien odorante, il répéta *odorante* et, les yeux au ciel, mi-clos :

— Ô Schéhérazade, raconte-moi ce que je veux te dire depuis si longtemps. Notre ami français ne sait rien mais il devine. La dernière fois qu'il est allé avec toi, dans les jardins du Parlement, manger de nos harengs sucrés arrosés d'aquavit... N'est-ce pas, que vous devinez? Alors? Vous dormez?

— *Pappa* Nils est complètement *drunk,* dit Lily.

— Naturellement. Vous allez m'empêcher de rêver, dit Nils. Mais qu'est-ce que c'est que cela?

J'aperçus, sous le fauteuil de Lily, une grande boîte à outils en plastique bleu rigide, comme on en trouve maintenant partout, qu'on ouvre en écartant la double poignée et qui offre plusieurs compartiments.

— Très pratique, dit Lily. *Beauty-case*.

Elle ouvrit. Je vis un tas de tubes, de crèmes, de flacons, de cotons multicolores. Une boîte à joujoux.

— Plus les jeunes ont d'argent, observa Nils Söderhamn, plus ils s'ingénient à copier les instruments de la vie des pauvres. Lily joue au plombier.

— Les plombiers ne sont pas pauvres, dit Lily. A New York, ce sont des ducs.

— Des quoi?

— *Dukes!*

Et si Lily avait été une idiote, une enfant gâtée, perverse, une épave scintillante?

— François est un écrivain qui se croit complètement foutu, fini.

Je mis un peu de temps à comprendre que Nils choisissait ce prénom pour parler de moi à Lily. Elle demanda aussitôt :

— Qu'est-ce que c'est la façon de savoir, pour un écrivain, qu'il est foutu?

— C'est, par exemple, de passer une nuit avec des inconnus qu'on ne reverra peut-être jamais et de préférer ça au tas de papier blanc qui monte la garde derrière ma porte. Nils, il est presque quatre heures. Je ne me suis pas couché aussi tard et aussi soûl depuis que j'occupais l'Allemagne. J'avais vingt ans.

— Premièrement, dit Nils, vous n'êtes pas encore couché. Deuxièmement, avec des délégués nationaux comme vous, qui ne parlent que de leur jeunesse passée, votre parti socialiste diminue encore ses chances.

Lily ne comprenait pas. Elle agita son doigt comme un enfant à l'école. Elle revenait plus haut :

— Si votre papier blanc vous fait peur, pourquoi n'écrivez-vous pas sur du papier bleu?

— Je n'y avais pas pensé. Mais ce serait pareil. Un exemple : hier, j'ai essayé d'écrire une petite histoire simple. A la deuxième page, mon stylo a glissé de mes doigts et a fait des taches sur le papier. J'ai déchiré.

— Vous avez eu tort. Il fallait changer de papier. C'est ce que je fais pour mon cello quand je travaille.

— Votre quoi?

— Mon cello. *Vi-o-lon-celle*, en France.

— Comment, un violoncelle?

— Lily joue du cello, dit Nils d'un air suave.

— Mais, vous ne me l'avez pas dit. Vous inventez.

Ils éclatèrent de rire ensemble.

— C'est grâce à sa grand-mère, dit Nils.

— Grâce à... Je ne comprends pas.

— Lily a hérité des dons musicaux de sa grand-mère. Le piano de sa grand-mère.

— Kerstin?

— Évidemment. Kerstin a été une immense pianiste.

— Mais enfin, vous vous moquez de moi! Vous m'avez dit qu'elle était Kerstin Nielsen, la chanteuse!

— Je ne vous ai pas dit cela.

— Comment?

— Enfin, je vous l'ai un peu dit, c'est vrai.

— Ah! Vous voyez!

— Mais ce n'était pas vrai.

— Je vous ai même dit, Nils, que je l'avais entendue chanter Isolde.

— C'est vrai, je me souviens que vous m'avez dit cela.

— Mais pourquoi m'avez-vous fait croire...

— Est-ce que cela a une importance?

— Non, dis-je, mais comment saurais-je où est la vérité? Ainsi, je ne suis pas obligé de vous croire, pour le violoncelle de Lily.

— François, tu n'es obligé à rien, tu peux foutre le camp, tout de suite, si tu veux, et on ne se fâche pas. N'est-ce pas, Lily?

— Pas du tout, dit Lily. On ne se fâche pas. Jamais.

— Vous me trompez tout le temps, dis-je. Nous avançons dans la nuit en nous trompant tout le temps.

— Pas du tout, répéta Lily. Je prouve. Mon cello c'est comme votre papier, le papier que je vous conseille, le changement. Quand je commence à travailler, le matin, et que mon poignet est raide, et que mon archet glisse et que je fais des fausses notes, je prends mon petit violon et je joue mon petit violon un moment. Après, le cello va mieux.

— Cela n'existe pas. On ne joue jamais les deux. Vous me trompez encore.

Lily me regarda froidement. Ses yeux étaient tout à fait blancs sous la masse des mèches blondes qu'elle agitait dans ses mains. Je crus voir une photo en négatif, sortant du bain acide.

— Monsieur Bastide, je suis désolée mais cela existe. J'existe. On peut jouer les deux. Simplement, on joue l'un très mal, en général.

— Bon, peut-être, mais c'est rare.

— Tout de même, à la Juilliard School, j'ai connu une fille du New Jersey qui joue aussi bien du violon et du violoncelle.

— Mais c'est idiot! Elle n'ira pas loin. Elle piétinera. A quoi ça sert?

— Et vous, avec votre papier blanc, vous piétinez, non? C'est pourquoi je parlais de changer de papier. C'était juste pour ça. Ne vous fâchez pas, François. *Take it easy. Cool! Cool it, man! OK?*

— François est très gentil, dit Nils, je trouve que tu devrais aller chercher ton cello et nous jouer quelques minutes de Bach.

— Vous allez réveiller l'hôtel!

— François, vous êtes un petit-bourgeois. L'hôtel dort. Le portier dort. Et Lily jouera très doucement.

Lily s'était levée. Elle traversait le salon, puis le hall. Elle disparut. Nils remplit mon verre de Badoit et me proposa de l'aspirine, qu'il sortit de son gousset.

— Est-ce de l'aspirine? demandai-je.

— Vous pensez encore que je vous trompe?

— J'hésite.

— Je ne vous trompe pas. Prenez-en deux. Vous irez très bien.

— Vous me rappelez une histoire de ma jeunesse...

— Encore!

— Oui. Excusez-moi. Je l'ai déjà racontée, il me semble,

36

dans un de mes livres. Tant pis. C'est une histoire importante, pour moi.

— Alors, ne la racontez pas maintenant. Dites-moi vite ce que vous pensez de Lily. Vite, Bastide!

J'allais répondre. Je me souvenais de mon histoire importante. Un petit sandalier d'Hasparren vendait ses sandales au marché de Biarritz. Je pouvais avoir quinze ou seize ans. C'étaient les meilleures de tout le pays basque. Il m'expliqua qu'il n'y avait pas de différence entre la droite et la gauche. « C'est plus commode, précisa-t-il, vous n'avez qu'à vous tromper! » Cette phrase me poursuit, je l'oublie, revient toujours. Le conseil, peut-être l'ordre de se tromper, de provoquer l'erreur. La vérité là où est l'erreur. Le bonheur, du même coup. Et si je ne me trompe pas, et si je chausse toujours la même sandale au même pied, le malaise. Donc, il faut faire erreur, mais sans effort. Si je fais effort, j'userai l'une plus que l'autre, de ces sandales. Je n'ai qu'à subir le hasard. Me chausser comme si je lançais les dés. Ce bonheur me sera donné puisque je me tromperai. Quelle morale exaltante, à cet âge, je tirai d'Hasparren! Au fond, c'est encore la même, aujourd'hui. Non seulement je hais l'effort, mais je traque la paresse. Dès que j'ai conquis la moindre parcelle de vérité, je m'empresse de la remettre en jeu, comme si on me l'avait démontée. J'accepte, mieux : je supplie tous les adversaires susceptibles de me tromper. Je leur tends mes arguments et mes mains pour m'enchaîner. Ils n'en reviennent pas, de tant de mollesse. Mais non. C'est moi qui vais gagner encore. Je chausse leur vérité, si nouvelle, si étrange, si gauche, et je la remets à droite. Ou le contraire. Et je m'éloigne, les ayant cambriolés. Quelqu'un d'autre m'attend, à qui je me livrerai à nouveau. Je suis attendu. Sinon, tout s'écroulerait; une petite carambouille. Si je n'étais pas attendu, je ferais semblant. Mais cela m'ennuie. Mentir pour avoir le droit de mentir. Vous vous en fichez, monsieur le ministre. Vous ne pensez qu'à la celliste. Je vous envie. De nous deux, le vrai politique, c'est moi. Je suis un enthousiaste ondoyant. Vous, un sceptique rigoureux. Plus dure sera votre chute. Moi, je ne risque pas de tomber puisque je rampe déjà, comme un lierre tendu vers mille branches à la fois. Ah! bienheureuses sandales!

— Vite! la voilà! Alors?

— Superbe. Jamais vu plus superbe, monsieur le ministre.

— Ne m'appelez pas comme ça, mon vieux, qu'est-ce qui vous prend? Alors, hein? Je suis fou, de plus en plus fou d'elle!

— Comme de sa mère il y a vingt ans, en somme?

— Oui, non, pas pareil, taisez-vous, pas un mot.

Lily revenait, à pas très lents, serrant contre elle la haute boîte noire. Ce n'était plus la même femme. Elle avait changé la combinaison sable de l'Afrika Korps pour une simple robe blanche de coton assez courte. Elle avait noué ses cheveux en chignon lourd et en bandeaux sur ses oreilles. Je perçus aussi un parfum frais et citronné que je ne connaissais pas, quelque chose d'une jeune Américaine trop ostensiblement vertueuse. Au lieu d'ouvrir la boîte, Lily s'assit sur une chaise, avec soin, puis tendit à Nils une feuille pliée.

— Maman arrive demain. Je suis contente.

Nils prit la feuille du bout du doigt et la lut de loin.

— Comment as-tu ce message?

— Le portier vient de me le donner.

— Pourquoi maintenant?

— Je ne sais pas. Maman a téléphoné de Florence, comme tu vois.

— Je n'ai pas vu. Ah si!

Nils dissimulait à peine une évidente consternation. Je me sentis gêné, vraiment de trop. Que faisais-je, dans ce salon d'hôtel, transformé en caravansérail pour touristes suédois incompréhensibles?

— Eh bien, cela m'ennuie. Je ne peux pas dire le contraire, mes enfants.

— Vous dites mes enfants, remarquai-je.

— Oui, oui, je le dis.

— C'est très gentil.

— Je ne le dis pas pour être gentil, François. J'ai besoin de vous comme d'un fils ajouté à ma fille.

— Votre fille, fille de Sheena, fille de Kerstin.

— Oui.

— Kerstin, la pianiste, c'est cela, la grande pianiste?

— Oui, dit Lily. Kerstin Norrenlind.

— Norrenlind? Je ne la connais pas.

— Vous ne connaissez pas toutes les grandes pianistes. Ma grand-mère est grande pianiste, dit Lily.

— Attends pour jouer, dit Nils.

Nils se leva pesamment, trébucha, faillit renverser le fauteuil sur lequel il était assis.

— Attendez-moi. Je reviens tout de suite. Ne bougez pas.

Pourquoi aurions-nous bougé? Il tenait le message au bout de son bras tendu, comme une lampe, ou comme un papier enflammé. Il alla vers le hall en se retenant au dossier des fauteuils. Il avait enfin l'air d'un vieillard. Je le trouvai presque minable, poussif, avec cette grande fille dont il était « fou », cette épouse voyageuse, ces idées de bouquin à écrire sur lui, ces litres d'alcool qu'il allait maintenant vomir comme un marin, mais sur la moquette de ce salon, car je ne pensais pas qu'il pût rejoindre les toilettes... Lily se précipita :

— *Pappa* Nils! *Pappa* Nils!

Elle le ramassait, là-bas, juste devant les portes vitrées. Elle le soutenait. Elle le poussait ou bien elle le portait avec le même soin que la haute boîte noire du cello. Je vis la chevelure blanche et la chevelure blonde en une seule, et un seul regard, les yeux blancs de Lily qui m'appelaient :

— François! Viens aider moi!

J'y allai. Je les laissai à la porte des toilettes. Lily suffisait pour soigner cette espèce d'aïeul. Et je ne voulais pas entendre les vomissements.

Je revins près du violoncelle. Que faisais-je donc là? Autrefois, il y a bien un quart de siècle, on donnait dans ces salons des cocktails littéraires. Je restais debout trois heures à faire des grâces et des insolences. Je croyais être un écrivain en carrière. Je disais mon admiration au moindre académicien ignoré. Je me glissais dans le champ de tous les photographes. J'inventais des échos sur moi pour les courriéristes. Oui, Camus avait aimé mon petit livre sur la Suède et il me l'avait écrit. J'aurais le Nobel peu après qu'il l'eût reçu, sans doute, et pourquoi pas avant, hein? Très drôle. Quel crétin j'étais. Et suis encore. Là. Les mêmes fauteuils. Manquent les petits fours et le bourdonnement des voix.

Je n'aurais jamais bu autant, à cette époque. Je tenais trop à mon regard froid posé sur chacun et à chaque minute utile qui passait. L'ambition me tenait lieu d'ivresse. Et me voici ivre pour rien. Je m'approche de la boîte noire, debout à côté de moi comme une petite veuve de marbre. J'effleure cette silhouette d'un archet invisible. Je chantonne le concert que Lily ne nous a pas donné. Je m'amuse à imiter Charlie Chaplin, qui tiendrait cet archet très délicatement le long du ventre de cette veuve. Je me suis plié en deux. Je suis petit comme Charlot, petit comme un cello. Je chante encore un peu et puis je saluerai mon public bien-aimé et me retirerai sur la pointe des pieds.

J'allais partir. J'étais déjà devant le portier. Ils sont revenus. Nils avait l'air plus souriant. Je remarquai qu'il n'avait pas lâché le message de Sheena.

— Vous partez, Bastide, sans dire au revoir?

Il avança vers moi très vite, soudain.

— Ah! Je comprends. On veut paraître discret. On trouve plus élégant de décamper. Plus « français »! Mais, mon cher, c'est trop tard pour la discrétion. N'oubliez pas que je vous ai mis moi-même en pleine indiscrétion. Vous êtes dans tous mes secrets. Ceux où vous n'êtes pas, je vous y mettrai. Alors ce n'est pas la peine de jouer les petits effarouchés du Quai d'Orsay, les petits attachés péteux qui fuient devant les secrets de l'État. Je ne suis pas l'État. Je suis un vieil homme qui a trop bu et qui a une infirmière trop exquise.

L'infirmière ne comprenait pas la moitié de ce discours. Elle entendait seulement que je me faisais réprimander. Car Nils Söderhamn avait l'air furieux, même si je savais qu'il jouait encore.

— Bien. Je vous laisse partir. Après tout, cela a été une rude nuit, pour une première soirée. Mais on se retrouve demain, n'est-ce pas? Non, vous vous rendez libre! Nous devons nous voir. Appelez-moi vers midi. Ou bien je vous appelle. Je n'ai pas votre numéro. Où ça? Chez vous? A votre bureau des Éditions du Seuil? Laissez-moi votre numéro personnel, plutôt. Tenez! donnez-le au portier. Portier, notez!

Le portier me tendit un bloc. Sans même réfléchir, j'écrivis mon numéro exact à un chiffre près. Je ne savais pas si je souhaitais ou non revoir Nils Söderhamn. Dans le doute, je choisissais de me tromper exprès. Toujours les sandales. Et cela m'ennuyait davantage de n'avoir pas entendu le cello, de n'avoir pas marché dans le sixième arrondissement au bras de Lily, rien qu'une matinée, au soleil, rien qu'un verre d'eau, tous les deux, à une terrasse de café. Je ne la reverrais donc plus. Mais je ne voulais pas vouloir.

— Vous n'allez pas trouver de taxi. Téléphonez d'ici, plutôt.

— Non, non, merci, l'air frais me fera du bien... Je dis toujours ça, et je sais que ce n'est pas vrai.

— Alors pourquoi le dites-vous?

— Parce que ça m'amuse. Excusez-moi. Je suis mort. Bonne nuit, tous les deux.

Je fis un grand salut en souriant. Je dis à Lily :

— N'oubliez pas le cello, là-bas!

— Non, non! Au revoir, François.

Je marchai longtemps, à pas lents, la tête basse. J'essayais de continuer à m'amuser. Je me souvenais d'une conversation avec un ami musicologue. Nous nous demandions pourquoi il y avait tant de femmes excellentes et illustres pianistes, violonistes, et pour ainsi dire pas de violoncellistes, hormis des orchestres, qui n'arrivaient pas à égaler les Casals, les Rostro, les Fournier. Mon ami réfléchit un peu et me dit :

— Je crois que c'est très érotique pour une femme, d'avoir cette caisse entre ses cuisses. Les femmes violoncellistes, cela leur fait trop de plaisir. Elles ne vont pas plus loin que ce plaisir!

Je me demandai si c'était une boutade absurde, s'il y avait un peu de vrai ou bien s'il y avait une meilleure explication. Je me souvins de la seule celliste que j'avais connue, Bulgare, un peu excitée, noire, très belle; elle jouait dans un orchestre de la Radio, pas le meilleur...

Chez moi, j'écrivis quelques lignes, comme j'ai dit plus haut, sur cette nuit. J'entendis sonner les six coups. Il faisait tout à fait jour. Je n'étais même pas fatigué. J'attendais. Ni le sommeil, ni les rêves. Ni un appel, ni un livre, ni une femme, ni Lily.

J'ai été réveillé à midi par la voix de Nils Söderhamn.

— Vous m'avez donné un faux numéro exprès, salopard!

— Mais non, dis-je.

— Comment? Ne mentez pas. C'est un vieux truc. Je fais ça pour les emmerdeuses. Mais je ne suis pas une femme. A moi, on n'a jamais fait ce truc.

— Je vous assure...

— Écoutez, Bastide, vous êtes ridicule et je suis charitable. De toute façon, vous saviez très bien que je n'avais qu'à téléphoner à votre parti. N'est-ce pas?

— Oui, dis-je.

— Vous vouliez simplement que je me donne un peu de mal pour vous rattraper. C'est ça?

— Oui. Mettons...

— Très bien. La femme, c'est vous, mon cher. Une cocotte!

— Merci.

— Vous l'avez voulu.

— Madame Söderhamn est arrivée?

— Non. Ce soir, je pense. Qu'est-ce que vous proposez? Voulez-vous m'aider à l'attendre, ce soir, comme hier pour Lily? Ce serait assez gai, je trouve.

— Oui.

— Pas convaincu?

— Je réfléchis... ce soir... je suis à peine réveillé...

— On n'est pas obligé de boire autant, dit-il après un silence.

J'avais du travail, des rendez-vous, des téléphones, ma petite vie de fonctionnaire culturel, enrichi par les œuvres des autres, je lirais un roman en manuscrit, j'irais à une projection de film, puis à une générale de théâtre. Entre-temps, j'aurais lu *le Monde* et reçu une agrégée déçue par l'Enseignement, un jeune compositeur et un musicologue anglais spécialiste de Domenico Scarlatti. A quoi bon? Pourquoi préférer ma vie à celle de Nils, ou à celle qu'il me tendait? Si j'allais dîner avec lui, j'échapperais aussi à une soirée de travail autour du roman difficile d'un ami, qui saurait peut-être me l'expliquer. Si je refusais, si je rentrais chez moi comme tous les soirs, je ne penserais qu'à cette Sheena retour de Florence. Je voulais la voir. La mère de Lily, la femme de Nils, la fille de la pianiste, la comédienne de Bergman. Naturellement, Ingmar Bergman devait jouer un rôle, dans cette famille, que Nils m'avait à peine indiqué.

Ces Suédois, tous fous, auxquels je ne résisterais pas... Je dis à Nils que j'allais essayer de m'arranger. Mais que je devais, avant tout, boire beaucoup de café. Il me proposa aussitôt de venir le boire dans sa chambre. Il ferait apporter six « espressi » du bistrot. Je le trouvai touchant et insupportable.

— Je vous embête, François. Je suis un vrai pot de colle.

— Non, non. Excusez-moi. Je vous rappelle.

Je ne fis pas de café tout de suite. J'allai tournicoter autour de mon piano. Je l'ouvris. Je frappai de haut une note grave et j'attendis la fin de la résonance. Puis une autre, voisine, encore. Je m'assis et je vis Lily près de moi qui s'asseyait sur une petite chaise et relevait assez haut sa jupe de coton blanc. Je vis ses genoux et le bas de ses cuisses de garçon musclé, cette peau de blonde brunie et le duvet blanc qui courait dessus, imperceptible comme le parfum citronné. Elle posait sur moi ses yeux si clairs, si clairs, presque vides, aveugles, troués, qui regardaient au-delà de moi. Elle cessait de bouger. La jupe était convenablement disposée pour recevoir le violoncelle qui, soudain, lentement, basculait d'avant en arrière, de la pique à la volute, et qu'elle caressait maternellement de sa main gauche, tandis que la droite assouplissait le poignet, le métacarpe et le carpe jusqu'à la fin de l'archet, comme si celui-ci avait été le sixième doigt de cette longue main blanche, veinée de mauve, ployée par le rapport exact entre le poids de l'archet, la pression sur les cordes, la souplesse des crins, la tension de la corde et la hauteur du son qui allait naître, qui était déjà au bout de ces doigts serrés, un peu, pas trop, qui se desserraient, et la courbure de la main remontée légèrement, prolongeant le poignet, formant la voûte parfaite, l'arc à sons devenu incandescent, j'attendais l'éclair et non la note, je le reçus, je me trouvai assis devant mon piano, et huit de mes doigts frappèrent peu après l'accord correspondant. J'écoutai encore la résonance. Je fermai les yeux. J'écoutai.

J'ouvris les yeux. Lily n'était jamais entrée ici et n'y entrerait jamais. Je m'éloignai et fermai le couvercle du piano. J'appelai l'hôtel.

— Je viendrai, Nils, je viendrai, dis-je.

PREMIÈRE PARTIE

I

J'étais face au feu. Je ne jouais pas encore avec le feu. Je le regardais, fasciné par ce brusque théâtre suédois de flammes agitées et à peu près incompréhensibles, me signifiant mon imbécillité, mon néant. Je n'avais aucun rôle à jouer, nulle part, ni en art, ni en amour, ni en politique; aucun, du moins, qui me satisfasse. Je gagnais de l'argent pour faire vivre qui avait le droit de le recevoir et à qui j'avais le devoir, pas si déplaisant, de le donner. Mais lequel de mes trois enfants avait réellement besoin de me savoir à lui? Je m'exhortai à l'égoïsme. Je me persuadai que mon nouvel ami avait, lui, besoin de moi comme d'un petit frère inconnu. Je vis aussi que nous nous attendions l'un l'autre depuis longtemps. Des deux femmes autour de lui, je préférai ne pas m'avouer ce que j'attendais ni, éventuellement, ce qu'elles me demanderaient. Je fus prêt à tout.

Comme je le rejoignais au bar de l'hôtel, peu avant sept heures, je ne pus m'empêcher de l'agresser, de prendre je ne sais quelle revanche :

— Vous m'aviez dit que vous aviez rendez-vous avec Giscard?

— Quoi?

— Vous m'aviez dit que, naturellement, comme tous les sociaux-démocrates, vous iriez le voir.

— Oui, oui. D'habitude. Ce n'est pas d habitude. Et je n'ai

47

rien de particulier à lui dire. Il ne s'intéresse qu'au retour du socialisme en Suède. Il est vrai que nous reviendrons au pouvoir. Mais dans quel état! Vous allez voir ça, mon petit François!

— Qu'est-ce que je vais voir?

— Ça, chez nous, puis chez vous. Ou le contraire. Le socialisme, c'est comme une gigantesque, une éternelle fugue du père Bach, ça a tout le temps. On oublie, dans les divertissements et les contre-sujets, le sujet. Il ne revient pas toujours triomphant. Mais il fait son métier. Le sujet de la fugue porte l'espoir. Rien d'autre que ça, mais ce n'est pas rien, que des millions d'hommes de notre vieille Europe. Et je ne parle pas du tiers monde, ni surtout du quart monde auquel nous devrons bien, un jour, expliquer que nous ne sommes pas que des tribuns en Mercedes ou en Peugeot, vêtus de bleu rayé, confortablement assis pour gérer l'espoir des ouvriers, des employés et des paysans. Nous ne gérons rien que notre désespoir, notre traîtrise au monde du travail, et nous avons déjà dupé nos camarades européens!

C'était la première fois que Nils Söderhamn disait *camarades*. J'avais oublié le beau mot, le mot irremplaçable. J'avais pensé que ce député suédois n'était qu'un membre de la charmante franc-maçonnerie de son pays, qui se réunit au grand jour, dans des hôtels à son sigle, pour des banquets fraternels, sans plus. Soudain, le vieux Söderhamn avait l'air d'un vrai lutteur, capable de braver les ordres et les polices et d'édifier des barricades. Dans son pays, contrairement à ce que l'on croit, le socialisme ne s'est pas fait dans une bouillie de « consensus » patrons-syndicats-parti. Mais dans le sang et la sueur. Il y avait aussi la neige et la glace. Cinq morts en 1931 à Adalen! L'armée a tiré! En France, nos révolutions sont de printemps ou d'été. Là-haut, la nuit les protège et les sacre.

— Nils, vous vous sentez vraiment un traître aux camarades?

— Naturellement. Ne parlons plus de cela. Je vous expliquerai quand nous aurons le temps. Faites-moi penser, pour notre livre, à développer l'idée du socialisme porteur d'espoir comme le sujet de la fugue. Nous allons faire une fugue, François! Nous allons porter le feu, dans notre livre. Nous allons jeter du *whiskey* sur le feu! Du bourbon! Garçon! Avez-vous du *whiskey* bourbon *Four Roses*? Quatre roses sur l'étiquette? Cela vient de Louisville, Kentucky. N'est-ce pas? Vous en avez?

Le barman s'était approché. Il était encore tôt. Je vis les lèvres gourmandes de Nils. Et il vit que je voyais. Que j'avais peur d'assister à un nouveau départ vers sa folie.

— Rassurez-vous : je le noierai sous les glaces... Vous savez, j'ai appris un nouveau mot scientifique. Ça colle avec mon idée de socialisme et de progrès. C'est le mot *phéromone*. En grec : porteur d'excitants. Oui, les savants ont découvert que les animaux émettaient des ondes odorantes sexuelles. Et donc les hommes aussi. Je veux dire les hommes et les femmes. Nous sommes manipulés, instrumentés par nos odeurs, celles des gens forts, porteurs, nous sommes faits, désireux, excités par ce que nous respirons sur certains, et pas sur d'autres. A nous de porter ces excitants. Mais nous ne pouvons rien pour mériter, ou acheter le droit de les porter. C'est donné par Dieu ou ce n'est pas. Quelle injustice! Est-ce que vous croyez qu'Adolf Hitler sentait quelque chose de magique? Je crois hélas que oui. Et vous vous rendez compte qu'on découvre seulement aujourd'hui que les femmes apprécient le parfum de la sueur d'homme? Vous pensiez le contraire? Au point que, dans les after-shaves et autres stupidités mercantiles, on va introduire de l'extrait de sueur d'homme! De quel homme? De quel ouvrier parfumeur? Qui va suer pour les nanas, hein? De quel travailleur de l'*International After-shave Corporation limited* va-t-on pomper la sueur?

Nils gueulait déjà comme un sourd, mais comme un sourd qui sait que ce n'est pas la peine de gueuler dans un bar convenable, étouffé. On l'entend toujours. Je l'entendais trop. J'étais perplexe comme un psychiatre à son premier fou. Je ne savais plus quoi dire ni quoi faire. Je demandai timidement :

— Est-ce que Mme Söderhamn est arrivée?

— Mais oui, bien sûr. Ce n'est pas la peine de l'appeler Mme Söderhamn. Je vous signale qu'elle est connue sous le nom de Sheena Norrenlind.

— Le nom de sa mère?

— Oui. Rien que le nom de sa mère. Pas le même talent.

Mais vous ne savez rien, vous, ni de la pianiste ni de l'actrice!
Sorti de vos petites gloires françaises, et un peu américaines,
l'Europe n'existe pas. Et surtout pas les Scandinaves!

— Nils, je vous signale que nous avons un peu découvert, à
Paris, Ingmar Bergman.

— Je sais, je sais, il sait aussi. On nous a assez répété que
nous avions un génie sans le savoir nous-mêmes. Mais
Strindberg, vous ne l'avez même pas ouvert! Permettez-moi
de vous dire que Strindberg, c'est autre chose que ce Narcissius
Bergmanus!

— Vous le haïssez.

— Oui... François, vous m'énervez.

— Écoutez, Nils...

Je ne sais plus ce que je lui dis; je lui parlai à nouveau de
moi, de ma vie. Je lui fis sans doute mesurer le sacrifice,
l'effort, en tout cas l'extraordinaire de ma présence auprès de
lui, deux soirs de suite, sans raison. Je lui dis que ce n'était pas
normal, pour moi. Que je n'y comprenais rien moi-même.
Qu'il fallait qu'il y mette du sien.

Il se tut. Il fourra sa tête dans ses mains. Il avait l'air de se
réprimander lui-même.

— Vous croyez que je sais où j'en suis, moi? reprit-il enfin.
Vous me demandez si je vais voir Giscard? Vous ne me
demandez pas comment j'ai accueilli ma femme.

— Mais de quel droit vous le demanderais-je?

— Vous avez tous les droits sur ma carcasse, sur celle de ma
femme et sur celle de sa fille! Vous entendez! Tous les droits.
Et moi tous les droits sur vous!

— Oui, je comprends.

Je ne comprenais rien. J'ajoutai :

— J'aime quand vous parlez des camarades, Nils.

— Vous savez, je vais vous dire, je ne suis pas un de ces
apôtres immuables du socialisme. J'ai eu, surtout depuis deux
ou trois ans, la tentation de me tirer une balle dans la tête.
Plusieurs fois. Une fois, la tentation très forte. Le doigt
caressait le revolver. Et puis, je crois que j'ai été retenu par une
immense curiosité politique. Politique au sens large. Comment
va tourner le monde, comment va finir ce siècle? Pas :
comment nous reviendrons ou non au pouvoir et avec combien
de voix de majorité. Je me fous de ne plus être ministre. Je l'ai

été. Je peux le redevenir. Je sais qu'on ne peut pas faire grand-chose. Le vrai pouvoir c'est la TV, les journaux. Ou alors les gens qui écrivent des idioties sur le sexe, la société, la psychanalyse et les horoscopes. Cela commande aux hommes et aux femmes. Les ministres font ce qu'ils peuvent. Mais je suis impatient de lire ce qui se passe, partout, et d'essayer de deviner. Pas vous ?

— Si, si...

J'étais déjà fatigué. J'aurais dû, pensai-je, mettre une journée et une nuit de sommeil entre deux soirées. Il me regarda en se reculant dans son fauteuil et dit d'une voix suave :

— Vous allez voir que vous allez tomber amoureux de Sheena. Elle est une femme extraordinaire. Vous ne serez pas le premier. J'espère qu'elle résistera.

Alors, je crois que j'osai me fâcher et demander des explications un peu fortes. Qu'est-ce que cela voulait dire, que j'avais tous les droits sur *ses* deux femmes et sur lui, sur ses deux femmes ? Qu'attendait-il de moi ? Nous pouvions nous amuser un peu avec un magnétophone, certes, pour préparer un bouquin. Mais quand, où ? Combien de temps cela durerait-il ?

— J'ai une vie très organisée, dis-je. Je gagne cette vie à force d'organisation. C'est navrant mais c'est comme ça. Vous débarquez, et tout devrait changer. Ce n'est pas possible. Il vaut mieux que je rentre chez moi ce soir et que je vous laisse dîner en famille.

— Ah ! En famille ! C'est vous qui voulez dîner dans votre famille. Soit. Allez-y. Je trouverai une excuse pour Sheena. Je veux dire : je vous excuserai.

— Mais enfin, est-ce grave ? Elle s'en fiche, votre femme, de dîner ou non avec moi. Je ne suis pas Mitterrand !

— Mitterrand, c'est fait. J'ai déjeuné rue de Bièvre tout à l'heure.

— Ah bon ?

— C'était prévu, vous le saviez.

En effet. J'avais oublié. Comment avais-je pu oublier ? On m'avait prêté Nils Söderhamn pour une soirée. Mais on l'avait récupéré le lendemain. Je me demandai comment, après cette beuverie, il s'était comporté à la table du Premier secrétaire.

— Cela s'est bien passé?

— Très bien. Nous avons parlé de Strindberg. Mitterrand connaît, lui.

— Moi aussi. *Inferno* est un chef-d'œuvre. L'égal de Dostoïevski.

— Mitterrand le pense aussi. Il vous aime beaucoup. Si, si. Bon. Ne perdons pas de temps. Je vous raconterai la suite plus tard. Filez voir votre famille. Mangez en famille. Regardez la télévision en famille. Disputez-vous en famille. Vive la France, François! Surtout : préparez le terrain, doucement. Nous partons pour Stockholm après-demain matin.

— Vous voulez dire dimanche?

— Oui. Cela vous gêne? Vous allez à la messe? Je peux attendre, si vous allez à la messe très tôt.

— Nils, vous voulez dire que...

— Oui. Nous partons, vous et nous. Dans mon grand break Volvo. Vous conduirez sur l'autoroute française, limitée à 130; je ferai l'Allemagne, vitesse illimitée. Jusqu'à Lübeck où nous dormirons. Le lendemain, nous traverserons la mer.

— Mais Nils, je ne peux pas.

— Je sais. Mais vous devez pouvoir. C'est notre seule chance, à tous les deux. Sinon, je vais caresser mon revolver. Et même, si vous vous dégonflez, je vous laisserai à Paris dans un piètre état. Et même, je vous offrirai un revolver, à vous, voilà!

— J'en ai un.

— En bon état?

— Pas mal. Je ne le regarde jamais. Je l'ai depuis 1944. De toute façon, je préférerais l'eau, une rivière, un étang, au crépuscule.

Je me levai. Il se leva aussi. Il était à trois bons mètres de moi, dans ce bar où je reconnaissais quelques amis. Il fit deux enjambées énormes et me donna une sorte d'accolade. Je sentis qu'il tremblait, de ses épaules, de ses bras. J'eus aussitôt une pensée mesquine. Cet homme sait qu'il est physiquement incapable de ramener sa Volvo à Stockholm. Il me prend comme chauffeur. Mais je vis aussi ses yeux humides de bon chien blanc suppliant. Je dis à nouveau, comme ce matin au téléphone :

— Je viendrai, Nils, je viendrai.

Quand j'arrivai chez moi, le dîner était presque achevé. On me dit que L. me cherchait partout et qu'il fallait que je le rappelle avant neuf heures moins le quart. Il était moins vingt. J'appelai le numéro indiqué. Le bras droit du Premier secrétaire m'expliqua que notre ami suédois était un homme important, à l'Internationale socialiste. Étais-je discret ? On ajouta encore certaines évidences, que je n'ai pas à dire ici. Je dis que je partais avec Nils pour Stockholm, si on n'y voyait pas d'inconvénient.

J'étais prêt à expliquer à la terre entière que mon roman, ce vieux machin que je traînais partout depuis des mois, se passait en Suède, qu'il fallait que je le suive ; mais que ce ne serait pas long.

Je descendis me promener dans les jardins de l'Observatoire. Des gamins portugais jouaient au foot entre les arbres. Ils se tiraient des penalties dans des angles invraisemblables. Les ballons claquaient des pieds aux mains, ou aux marronniers, comme des pétards. L'air était doux. Les fleurs, inondées tout le jour par les jets d'eau, exhalaient un parfum 1900 où les géraniums dominaient. J'avais pris un bloc. J'écrivis des mots gais pour ma fille aînée et pour mon fils. Ils trouveraient, eux du moins, plutôt amusant que je file en Suède à la poursuite d'un bouquin. Puis, je fis des chèques. Au deuxième, je m'aperçus que je ne pouvais plus signer. J'annulai un chèque. Je recommençai. Je n'y arrivais pas. Le stylo dérapait soudain et dessinait une bizarre flammèche qui revenait à son point de départ. Je revissai mon stylo. J'essayai de comprendre. Ma banque m'avait demandé récemment de déposer une nouvelle signature car on avait observé que l'ancienne, de plus en plus modifiée par la vitesse, était devenue une simple griffe, trop facile à imiter. J'avais donc déposé n'importe quoi. Ce double prénom interminable et ce nom si brave... Mais je m'habituais mal et, quand je signais mon courrier, je changeais à peu près tous les jours, et même plusieurs fois par jour. Au point qu'en cet instant, au milieu de ces fleurs et de ces ballons, je ne savais plus quoi écrire pour signifier une quelconque appellation, au bas de ces chèques. J'avais presque envie d'inventer un autre nom. J'essayai. Je signai je ne sais plus quoi. Je déchirai. Il ne me restait plus beaucoup de chèques blancs. Je devais absolument y arriver. J'essayai sur mon bloc. L'ancien paraphe revenait aisément. Mais je ne voyais plus le nouveau. Qu'avais-je bien pu inventer? Je tentai de reconstituer, par étapes, en m'injuriant, en me traitant de gâteux. J'y parvins à peu près, en me souvenant de ma signature d'adolescent. Il me sembla que cela y était... Je m'exerçai encore, sur le bloc. Enfin, je repris le chéquier. Et j'eus comme une crampe, mon stylo piqué dans le papier, de mon épaule à la plume, et mon avant-bras, puis mon poignet puis mes doigts me firent mal comme si j'étais pris dans un étau. J'agitai le bras gauche. Je lâchai le stylo à grand-peine. J'agitai mon bras droit qui retomba aussitôt. Je pensai à une paralysie, peut-être un début d'infarctus. Mon cœur cognait, j'avais très chaud, j'entendais les ballons claquer comme dans mes oreilles.

Je renonçai. Je m'allongeai sur la pelouse et laissai ma tête aller en arrière, très lentement. Le garde allait siffler, venir m'engueuler, appellerait peut-être Police-Secours. Je ne demandais que cela. L'hôpital, un interne et une infirmière compatissants. Si je racontais la vérité, que je ne pouvais plus écrire mon nom, on m'enverrait dans un service psychiatrique. On me calmerait avec des pilules multicolores. Je dormirais. La famille, prévenue, saurait enfin que j'étais malade et fou. Un jour, je sortirais, guéri, beaucoup plus tard, après de longs mois et beaucoup de ces exquises pilules. J'inventerais une nouvelle signature, simple, heureuse. Comme un enfant qui signe pour la première fois. Et je partirais, tout seul, pour Stockholm, sans Nils, sans la femme de Nils, sans le revolver de Nils. Et à Stockholm, je ne verrais que des libéraux, des conservateurs, des agrariens... et des communistes si j'en trouvais; pas un socialiste. Sûrement pas un.

Le garde ne sifflait pas. Pourtant, je l'avais aperçu, c'était un Guadeloupéen, du genre sérieux; indulgent aux rêveurs, mais sérieux. J'aurais bien échangé quelques propos avec lui. Je lui aurais demandé conseil sur une signature possible. Je lui aurais signé un chèque barré de zéros. Ce qui nous ramenait au schéma précédent, la police et les pilules multicolores.

Alors, je décidai de ne plus m'occuper de ma main et de songer à Lily. J'avais, jusqu'ici, fait effort pour l'oublier. Elle revint car je me demandai ce qu'elle aurait fait, à ma place, de mon chéquier. Je m'aperçus que je ne connaissais pas son nom. Sa grand-mère s'appelait Kerstin Norrenlind. Soit. C'était la grande pianiste illustre, ignorée de moi. Sa mère, fille de l'ivrogne écossais et de Kerstin, s'appelait Sheena Norrenlind. Celle-là, c'était la fabuleuse comédienne d'Ingmar Bergman, mais elle m'avait aussi échappé. Soit. Je ne la voyais dans aucun film de Bergman. Soit. J'allais revoir ma filmographie bergmanienne et je découvrirais une femme de chambre, fabuleuse, en effet, dans *Cris et chuchotements*. Soit. Mais cette femme de chambre avait eu Lily d'un « comédien de cinquième zone », selon Nils. Il était peut-être partial. Ce comédien avait un vague nom. Celui de Lily. A moins qu'elle n'ait pris celui de son beau-père. Donc : Lily Söderhamn.

J'avais pris mon bloc. Je signai plusieurs fois *Lily Söderhamn,* d'une longue écriture allongée encore par le plaisir du désœuvrement.

Soudain, je compris. Je n'arrivais pas à signer parce que je n'avais pas entendu Lily jouer de son cello. J'avais vu Lily chez moi près de mon piano. J'avais vu l'instrument entre ses mains, et la pointe de l'archet, et j'avais imaginé la pression des doigts, le précieux équilibre, sur l'archet. Mais je n'avais rien entendu. Quelque chose, dans mon bras droit, s'était bloqué, cranté. Un cran, c'était bien cela. Un cran de plus à cette tentative de Nils pour s'approprier ma personne et décider à ma place. Me faire écrire son livre. M'avaler. Me voler mes mots et les faire sortir de lui. Non pas me faire parler de lui mais lui parler par mon savoir-faire.

Je m'applaudis en mon jardin. J'avais compris. J'étais l'égal du plus lumineux des analystes. Ma petite position instable, je la vis stable comme un rocher au pied d'une colline. Je me relevai. Je décollai de mon vêtement les brins de gazon frais tondu qui l'ornaient. Un à un. Des fétus verts comme de la paille de cirque. Je me dressai, l'acrobate après son saut. Je saluai le garde qui, mélancoliquement, sans la moindre méchanceté, avec, au contraire, toute la douceur antillaise, venait vers moi, parce qu'il le fallait bien, parce qu'il m'était peut-être reconnaissant d'être le premier noctambule de son jardin à ne pas mourir drogué ou en rut sous ses yeux mais, ayant médité, à me lever seul, proprement, sans même emporter le gazon avec moi, je le saluai, m'assis sur ma chaise, sortis mon chéquier, sous ses yeux, signai un chèque en blanc, d'une écriture ferme, claire, comme si j'avais attendu son regard pour retrouver mon nom. Je lui montrai le travail. J'applaudis à sa place. Il se pencha. Il chercha le chiffre. Je lui dis : « Secondaire! » Puis, je déchirai le chèque et mis les morceaux dans ma poche.

— Pour ne pas salir le jardin.
— Vous avez raison, dit-il.
Mais il pensait déjà à autre chose.

Je remontai chez moi. Tout était éteint. Je m'allongeai un moment; puis, j'allai prendre une petite valise. J'entassai quelques chemises et deux costumes; je fis ma trousse de toilette. Je ne voulus pas ajouter de chaussures, car il m'aurait fallu ouvrir un placard bruyant. Je vérifiai mon passeport. Je choisis deux ou trois médicaments utiles, dont un tube de pilules tranquillisantes jaunes. Je pris une enveloppe pleine de marks, de florins et de couronnes suédoises, huit mille francs, à peu près, que je gardais depuis longtemps. Mon trésor européen de guerre. Des reliefs de tournées de conférences ou d'émissions de télévision à l'étranger. Je pris aussi le manuscrit, commencé depuis longtemps, de ce fameux roman que je trimbalais partout sans jamais y ajouter beaucoup plus d'une page ou deux, de temps à autre. Je pris mon permis de conduire et une pommade pour les lèvres. Je pris enfin les vingt-quatre préludes de Chopin et ma petite Bible de poche, celle de Jérusalem. Jamais je n'avais eu de bagage plus léger pour un si long voyage.

Je me glissai dans la chambre de ma fille. Elle avait repoussé ses draps et ses couvertures. Elle dormait nue, le visage à demi masqué par son drap bleu roulé en boule, qu'elle tétait langoureusement, et je l'éloignai de son visage, avec d'infinies précautions, et je fourrai mon nez dans le parfum de Ninon, le meilleur du monde, fait de salive, de cheveux collés par un peu de transpiration, de chocolat et de crème de nuit. Je recouvris ce long corps si mince et si gracieux. Je posai mes lèvres sur le front, puis traçai « la petite croix » souvent réclamée, geste dont je voulais croire qu'il protégeait des mauvais rêves, et du diable des petites filles. Elle retint mon doigt dans ses doigts. Elle serra fort, comme l'oiseau le barreau de sa cage. Elle serrait rarement aussi fort et elle sentait rarement aussi bon. J'hésitai. Pourquoi la quitter? Même si je ne demeurais absent que quelques jours. Que lui dirait sa mère? Que diraient-elles contre moi?

— Tu dors? chuchotai-je.

J'aurais voulu qu'elle s'éveillât, qu'elle eût envie d'un verre d' « eau-menthe », comme parfois. Je serais allé le lui chercher et puis nous aurions parlé et je lui aurais demandé conseil, à elle, qui était la seule à ne rien pouvoir comprendre. Mais elle m'aurait bien conseillé, et je lui aurais obéi. Or on ne doit rien demander à ses enfants. Surtout si on est un lâche.

Nous roulions depuis deux bonnes heures sur cette autoroute sinistre de l'Est. Rien ne pousse sur les champs de bataille, sur les cadavres, hormis les vignes champenoises qui ont l'humour noir. Du moins, pour moi, le champagne a toujours été une boisson tragique. Laissons les morts affubler les cérémonies dites gaies, laissons le commerce faire son œuvre. Proust a réclamé du champagne quand il a su qu'il allait mourir.

J'avais eu longtemps une Volvo, moins immense que celle-ci, aussi sûre et pesante. Je n'avais jamais conduit de break et je me sentais convoyeur de cercueil ou ambulancier. Nils, à côté de moi, n'avait pas ouvert la bouche, sitôt les bagages minutieusement chargés. Derrière, Sheena et Lily chuchotaient en suédois. Elles étaient serrées l'une contre l'autre, la troisième place étant occupée par la boîte noire du cello, derrière Nils. Cette boîte, surmontée de sa tête cubique, légèrement de biais, pouvait, de loin, figurer un haut personnage figé par le torticolis. Les deux femmes ne cessaient de se raconter leurs voyages, sans doute, et j'en attrapais de rares bribes; mais aucune de ces évocations ne les faisait rire, ni même sourire, au point que mon œil, parfois, dans le rétroviseur, devait se demander si le troisième personnage n'était pas un vrai mort que nous conduisions chez lui. J'étais maintenant sûr que Lily ne pouvait tirer un seul son de ce violoncelle. Je doutais, même, qu'il y eût là-dedans un violoncelle. Des robes, peut-être, ou des armes. Pourtant, à la frontière, je serais fixé. Mais non : Nils voyageait sans doute avec un passeport diplomatique. Nous passerions comme des souverains, sans même nous arrêter. Bien évidemment, il prendrait le volant juste avant l'Allemagne.

J'avais à peine eu le temps d'entrevoir Sheena. Il m'avait semblé qu'elle était très grande, ni rousse, ni auburn, ni vénitien, mais un peu de tout cela, qu'elle avait le teint chaud et les pommettes osseuses de son père écossais. Je l'avais vue lancer de grandes enjambées dans le hall de l'hôtel, pendant que nous chargions les bagages. Elle était faite pour arpenter les landes, en luttant contre le vent d'ouest. Je la voyais aussi à cheval, courant de ferme en ferme, ne s'arrêtant que pour laper du lait cru. Je ne l'avais pas vue. J'avançais sur la longue route droite et j'imaginais à reculons, du côté de Sheena. Peu à peu, il me semblait la retrouver dans un film de Bergman dont je ne savais plus le titre, tourné sans doute dans l'île de Fårö. Il y avait une grande maison de bois peinte en rouge, une carcasse de bateau échouée, des goélands, un cimetière, plus haut, de la boue, des bottes et le regard d'un vieux pasteur essoufflé, plein de reproches. Quelqu'un avait couru vers lui. Une femme. Était-ce Sheena ? Et il avait, lui aussi, couru à sa rencontre.

Je n'en pouvais plus, de ce silence. Je demandai à Nils :

— Comment dit-on, en suédois, « faire la gueule » ?

— Quoi ? Comment ?

Il parut revenir d'un profond rêve. Il exagéra, de plus, ce retour, en se frottant les yeux avec ses poings fermés.

— Vous dormiez ? Pardon.

— Je ne dormais pas. Regardez la route. Ne me regardez pas... Ce camion va déboîter.

— Je sais. Je passerai avant. Il m'a vu.

J'écrasai l'accélérateur. Je refis un appel de phares. Le camion déboîta aussitôt. Je ne freinai pas. Il se remit à droite en tanguant sous son violent coup de frein. Je passai. Le camion m'envoya un énorme coup de sirène.

— Vous voyez, Nils ?

Nils n'avait pas bougé.

— Excusez-moi, dis-je.

— Je ne fais pas la gueule, dit-il, vous voulez dire : « mauvaise humeur » ?

— Non. Pire. Mauvaise humeur voyante exprès, si vous voulez.

— C'est un peu comme ça, en effet. Tout à fait comme ça. Regardez la route. Pas moi. Et pas trop souvent les femmes dans le rétroviseur.

— Pas les femmes, dis-je en riant. Je regarde la BMW qui va nous dépasser.

J'éclatai de rire très fort, un rire de théâtre, même pas : de doublage. La grosse BMW blanche nous laissait sur place. Elle était immatriculée à Sarrebruck. J'en fis la remarque, à voix haute, pour les femmes, comme si cela avait été une nouvelle très importante. Elles répondirent par un murmure faussement intéressé. Nils compléta :

— François a été en poste à Sarrebruck, quand il était très jeune. N'est-ce pas ?

Sheena émit alors le gloussement caractéristique des Suédois quand ils veulent dire *oui* en montrant qu'ils s'ennuient à mourir, ce *ia-hââ* bureaucratique, aseptisé, qui, en plein hiver, signifie le bagne.

— Vous avez reconnu l'immatriculation ? demanda Nils.

— Oui. C'est amusant. Je sais à peu près toutes celles d'Allemagne et d'Italie.

— Et de France ?

— Oui, naturellement.

— Combien en avez-vous ?

— Quatre-vingt-seize depuis que nous avons coupé la Corse en deux départements.

— Est-ce que les Corses souhaitaient cela ?

— Non, je ne pense pas. Ils souhaitaient mieux.

— Alors il ne fallait pas le faire. Dites-moi, et si vous me récitiez vos départements français, un par un, depuis le numéro 1... En Suède, nous n'avons pas de chance. Ces salauds du gouvernement ont tout changé ! Autrefois il y avait une lettre pour chaque ville. On s'y reconnaissait. On se faisait des saluts, sur les routes; à l'étranger notamment. Et aujourd'hui, ce sont des multitudes de lettres et de chiffres cabalistiques. Je suis perdu. Mais naturellement, l'ordinateur de la police s'y reconnaît. Quel est votre numéro 1 ? Allons, commençons !

— L'Ain. 01.

— L'Ain ? Jamais entendu parler. Je veux dire : pas réciter

bêtement. Mais en me disant quelque chose sur chacun d'eux.
Ce que vous voudrez. Paysages. Fromages. Monuments,
œuvres d'art. Députés, conseil général, couleur politique.
Économie en deux mots. Problème urgent. Conflit social.
Hommes célèbres. Vous voyez?

— Je vois très bien. Ce n'est pas facile. Je crois que je serais
assez nul sur quelques départements.

— Lesquels?

— Je ne sais rien sur la Mayenne, rien sur les Deux-Sèvres,
rien sur la Lozère, peu sur la Haute-Saône... Pas très calé sur le
Tarn. Évidemment, il y a la cathédrale d'Albi... Jaurès...

— Quel numéro, le Tarn?

— Juste après la Somme, qui est 80, donc 81.

— Socialiste?

— Majorité socialiste, oui.

— Alors, vous devriez savoir. Vignoble?

— Délicieux, léger. Écoutez, je ne pensais pas être inter-
rogé sur le Tarn... Une superbe petite ville fortifiée, Cordes.
Des artistes. Ne pas confondre avec Gordes, dans le Luberon...
J'ai envie de boire du gaillac!

— Alors, taisez-vous et regardez la route.

C'était une belle idée que Nils avait eue. Cette présentation
de la France depuis le numéro 1 jusqu'au numéro 96. On
aurait pu inventer un jeu électronique d'adultes si les Français
s'étaient un peu intéressés à leur pays. Dans mon enfance,
j'avais l' « Electro-Tutor ». Une carte muette, couverte de
petits plots de cuivre. Et des fiches électriques, reliées par des
fils à une pile, et une liste des départements et des chefs-lieux
et des sous-préfectures. Quand on tombait juste, quand on
touchait Tarn et Albi, la lumière s'allumait. Sinon c'était la
nuit sur toute la France. Je ne savais rien, à cette époque, ni de
ces villes ni de ces départements multicolores. C'étaient des
noms sonores comme la complainte de Beaugency-Vendôme.
Aujourd'hui, j'entendais les accents, je connaissais les équipes,
un peu, au moins celles de rugby, je plaçais à peu près les
fromages, les fourmes, les tomes et les bleus, un peu mieux les
vins. Mais c'est au jeu politique, aux masses grisées des
graphiques du *Monde*, que j'étais le plus fort. Pas comme un
véritable homme politique, certes, bien plus en amateur
fervent, mais tout de même, avec plus que du goût, et moins

que de la passion : toujours cette demi-mesure, ou cette mesure gardée qui toujours me freinerait... Je me mis à parler de la Savoie.

Quelques mois plus tard, le samedi précédant l'ouverture de notre congrès de Metz, j'allai errer à tout hasard dans le bureau de Michel Rocard, rue de l'Université, pour voir si je pouvais être utile. Je trouvai Michel et son adjoint Christian Blanc, seuls, face à une grande carte du pays, divisée en ses bizarres vingt-deux régions de programme, qui ne sont ni de vraies régions, ni des pays, ni, bien sûr, de vrais programmes autonomes. On venait de recevoir à peu près les résultats des votes, fédération par fédération, sur nos textes de congrès. On faisait les additions, par région, pour totaliser les mandats de notre courant par rapport aux autres. Parfois, à un résultat un peu surprenant, Michel avait un « tiens! tiens! » d'enfant, comme si les scores de l'Aude ou de l'Ariège avaient été vraiment étonnants ou délectables; ou un « bof! » résigné, quand la Nièvre ou le Var plongeaient plus encore que prévu. Je fis quelques additions, j'appelai quelques départements. On en oubliait toujours un quand on reconstituait la région. Moi, du moins, j'oubliais. Michel et Christian naviguaient là-dedans avec une ferveur et une effervescence admirables. Je me tus, les laissant faire. Je croyais entendre, à chaque résultat, le murmure des fédérations et des sections, les colères et les fausses sorties, un peu de « magouille » aussi, de manipulations inévitables, ou dites inévitables, et je voyais les dents serrées des secrétaires fédéraux s'efforçant à l'impartialité, et la déception de certains, et j'entendais la voix tonnante des grands notables, arrivés en retard mais pesant d'autant plus lourd sur les indécis, rameutant, montant au créneau, qua-drillant l'assemblée, promettant un fauteuil, un strapontin; car que faire, en politique, à moins qu'on ne promette. Comme on était loin des cathédrales et des vins! Mais était-ce si dégradant que je ne veuille y trop toucher? De quel droit préférerais-je vivre ce conflit de mon parti au niveau le plus haut et le plus intime, dans le bureau de Michel, plutôt que dans ma lointaine fédération? La réponse était hélas que je ne pouvais rien, ni là, ni ici, hormis quelques regards destinés à couvrir une page de livre. C'était donc là tout ce que pouvait l'intellectuel en campagne? Pas tout à fait. J'avais un peu ferraillé pour notre texte « rocardien » dans ma section de Biarritz. Mais sans le moindre espoir de « déplacer une seule voix ». Le Parti, comme toute institution, était tenu par quelques-uns. Le spontané, les vagues de fond ou les vaguelettes, la foi ou les abandons, tout aboutissait, inexorablement, dans les mains de ces quelques-uns. Même nous, même les seuls démocrates absolus de notre pays, nous étions encore loin de la démocratie. Nous étions dans la glu éternelle. Mais cela, je ne le dirais jamais à Nils. Ni même à un livre écrit par moi. Ou alors beaucoup plus tard, un jour, au crépuscule, lorsque, revenu de tout, enfoncé dans la médiocrité... Rocard interrompit mon rêve, tira un trait au bas de la région Provence-Côte d'Azur, la dernière qu'il eût examinée, se renversa en arrière dans son fauteuil et me dit :

— Mon cher François-Régis, il va nous falloir faire l'apprentissage de la minorité!

Je crus entendre médiocrité. Mais il avait les yeux brillants d'une joie étrange. Notre sort était prévu, certes; pas notre score, sans doute. Je n'osai demander si sa joie venait de la confirmation d'une « fourchette », de cet apprentissage qui, soudain retrouvé, lui apparaissait plus exaltant qu'une victoire, comme s'il lui permettait de renouer avec sa jeunesse.

Le jour tombait. Je me sentais de trop. Ils avaient tous deux à peaufiner un discours, ou une petite phrase, ou plusieurs, et sans doute une en particulier, une seule, une de celles qui pèsent au soir d'un congrès, quand on revient fourbu vers son département, quand on n'en peut plus des discours, une de ces petites phrases simples, claires, pareilles au petit pan de mur jaune de Proust, qui ne sont ni belles ni, parfois même, tout à fait vraies, mais qui sont reçues comme telles, superbes, et empêchent le mur du congrès de s'effondrer. Du moins, on essaie de le croire.

Nous approchions de la frontière. Nous venions de laisser Metz. Je ne le faisais pas exprès. Je ne savais pas encore qu'il y aurait l'an prochain un congrès à Metz. Je ne faisais rien exprès. La Volvo roulait pour moi mes rêveries. Sheena dormait, la tête enfouie dans les cheveux de Lily. La Volvo tournait bien et je ne la poussais pas. J'avais faim mais n'osais pas parler de déjeuner à ces gens habitués aux sandwiches, en voyage. J'espérais que Nils aurait, tout de même, envie de fromage et de vin. « Elle n'est pas encore finie, pensai-je de Sheena, elle n'a pas renoncé, elle ne renoncera jamais. Elle se cache dans les cheveux de sa fille, elle se tait, elle feint de ne rien voir ni entendre, mais quand elle se démasquera, ce sera terrible. »

Je me sentais à bord d'un canot, longeant une vaste lagune écrasée par la chaleur, une étendue sans bornes, et le canot glissait comme à l'abandon, poussé derrière moi par un courant qui nous entraînait vers des lieux inconnus de nous quatre.

II

Nous roulions en Allemagne depuis pas mal de temps. J'étais toujours au volant. Nils m'avait proposé plusieurs fois de me relayer; mais sans grande conviction. J'osai dire que j'avais faim. Lily applaudit.

— Eh bien, nous allons manger ensemble pour la première fois. Et boire. Moi je peux boire, puisque je ne conduis pas.

Il répéta « ensemble » deux ou trois fois et se mit à chantonner : *Tillsammans kan vi göra ett bra land bättre!* Je ne compris que peu à peu et je traduisis, à sa demande : « Ensemble, nous pourrons rendre un beau pays meilleur encore! »

— Voilà, mon cher, un beau slogan politique, hein? C'est notre illustre Olof Palme qui a trouvé cela pendant la campagne de 76. Il n'empêche que nous avons perdu. Ensemble. Si vous ne savez pas dire « tillsammans » à chaque phrase, vous n'êtes pas suédois. Est-ce que les socialistes français disent beaucoup « ensemble »?

— Cela ne m'a pas frappé, dis-je. Il me semble que nous n'abusons pas. De Gaulle avait un « tous ensemble » dans sa panoplie. Nous disons souvent « unis », « unité »...

— Parce que vous ne l'êtes pas!

— « Ensemble », en français, je ne sais pas pourquoi, a un côté gaulliste. Je crois. Il faudrait être expert en sémiologie et en sociologie politiques.

— Je sais. Vous, François, vous vous donnez beaucoup de mal pour n'être expert en rien!

Il m'avait donné un coup joyeux sur le bras droit, et la

direction fit un écart. A ce moment, j'entendis la voix très douce de Sheena, penchée vers mon oreille.

— Vous n'êtes pas obligé de jouer dans toutes les comédies de ce vieux fou.

Sheena reprit sa place, très digne, la tête haute, et je vis dans le rétroviseur qu'elle contemplait la route au-dessus de mon propre regard, comme pour le doubler, l'anticiper. Moi qui ai, d'ordinaire, tant de joie à conduire et qui peux, sans ciller, avaler des milliers de kilomètres d'autoroute jour et nuit, je m'aperçus que je m'acquittais d'une tâche, le mieux possible, en professionnel humilié. Il me sembla aussi que nous étions, Nils et moi, deux hommes particulièrement médiocres et maîtrisés par les deux femmes transportées, lesquelles nous dominaient de toute leur beauté, de leur silence, de leur calme; de leur indifférence, sans doute.

Nils m'arrêta soudain. Je vis qu'il avait choisi un restaurant un peu à l'écart de l'autoroute, cossu, ombragé. Je sortis et me dépliai à gauche du break. Il en fit autant à droite. Les deux femmes se coiffaient et ne cessaient de chuchoter en pouffant de rire. Puis, nous entrâmes tous les quatre, assez solennelle- ment, dans le jardin clos, sous les arbres. Lily portait sa grande boîte noire dans ses bras, en la tenant très haut. Nous allâmes ensemble vers les toilettes. Nils urina près de moi, bruyam- ment, en toussant, en crachant. Puis, il chantonna et se brossa les ongles sous l'eau chaude. Il enleva sa veste et mit sa tête sous l'eau froide. Il ruisselait.

— Est-ce que j'ai l'air d'un camionneur américain? me demanda-t-il en s'essuyant. Lily m'aimerait si je ressemblais à ça, j'en suis sûr!, ajouta-t-il.

Il remit sa veste, arrangea sa cravate, sa pochette, coiffa longuement ses cheveux blancs, où brillait un peu d'or, épousseta du revers de la main quelques pellicules sur son costume de flanelle blanche. Je le trouvai beau, et il vit que je l'admirais.

— Toi aussi, tu es bien, François.

Il s'approcha de moi avec son peigne et me caressa un peu les cheveux sur la nuque. Puis, il remit son peigne dans sa poche.

— Tâchons d'être très drôles. Elles s'embêtent. Il faut toujours faire rire les femmes.

— Je n ai pas très bien saisi, demandai-je, la langue que Sheena comprend le mieux. Le français, l'anglais?

— Elle comprendra ce que tu voudras. Mais ton mauvais suédois l'amuse beaucoup. On va se séparer. Par petites tables, mon cher!

— Comment cela?

— Eh bien, je déjeune avec Lily. Toi avec Sheena.

— Si vous voulez, dis-je.

— Elles voudront. Sinon, ça fait famille.

Il ajouta quelques mots rapides, à Sheena, en suédois. Ce n'était pas vraiment une impolitesse parce que je comprenais qu'il s'agissait de l'addition, à lui réservée. Je suivis Sheena dans un petit salon sombre au tapis très épais. En plein jour, on vint allumer les bougies. Je sentis la classique odeur des restaurants allemands : le cigare froid, le chou fumant et les airelles tièdes. Sheena prit la carte et traduisit en français tout ce qu'elle put. Huîtres d'Ostende, harengs de la Baltique, truites de la Souabe. Elle réclama, avant toute chose, de l'aquavit ou du schnaps. On nous servit de l'aquavit d'Alborg, convenablement glacée. Elle demanda la bouteille et but un deuxième verre. Je la regardais et n'osais dire un seul mot. Autant j'aurais eu plaisir à bavarder gaiement avec Lily, autant j'avais peur de Sheena. Je passais ma langue sur mes lèvres, mécaniquement. Je feignais d'avoir égaré mon briquet. Je m'occupais d'une bougie qui coulait sur la nappe. J'apprenais par cœur la carte des vins. Sheena chantonnait. Le maître d'hôtel s'approcha. Je passais maintenant un doigt sur mes lèvres, comme pour les nettoyer. Sheena demanda enfin :

— Tu as mal?

Je fis comprendre que le soleil, l'est, toute la matinée sur le pare-brise de la Volvo etc... C'était stupide, mais, de fait, mes lèvres étaient comme gercées.

— Attends, dit-elle.

Elle répéta : « Attends! », en allemand, au maître d'hôtel, qui ne bougeait pas. Elle sortit de son sac un tube de crème, bleu, en mit un peu sur son index et frotta délicatement mes lèvres, en pinçant les siennes, comme si j'avais été un enfant, ou peut-être un sauvage recueilli. Je sentis un parfum exquis de lilas.

— C'est une crème merveilleuse. J'en mets sur tout mon

corps, sur tous les petits endroits de mon corps; au moment de l'amour, par exemple. Maintenant, tu bois un peu d'aquavit et tu as tout à fait mon plaisir dans ta bouche.

Elle me parlait dans un anglais assez élémentaire, que j'essaie de transcrire aujourd'hui. Assez fidèlement, je crois. Et je sentais que le maître d'hôtel comprenait sans la moindre peine.

Je vis qu'il y avait une femme de plus devant moi, qui en avais connu pas mal. Que j'étais fatigué mais qu'il faudrait combattre encore. Que celle-ci n'était pas une des plus faciles à traiter. Je vis que les grands sentiments allaient nous submerger. La honte et l'honneur, la pitié, l'orgueil, le sacrifice, la dérision. Et qu'il y aurait là tout ce pour quoi je méritais de vivre. Et si je ne le méritais pas, j'aurais donc à disparaître. Je vis tout cela et j'eus peur, envie de courir vers la Volvo, dont j'avais les clés sur moi, et de rebrousser chemin.

Je regardai mieux Sheena, qui avait décidé de ne pas détacher de moi son œil vert ironique. Le parfum de sa crème sur mes lèvres se confondait avec celui de la lourde chevelure qui passait et repassait au-dessus des verres. Je me dis vulgairement : « Elle met le paquet! » Une femme qui agite ainsi ses cheveux met le paquet. Elle avait gardé sur ses épaules une légère cape de loden noir, à boutons d'argent, sur son pull-over gris-bleu à col roulé. La jupe écossaise à grands carreaux gris et noirs était tenue par une ceinture de cuir et soulignait la taille fine. J'avais aperçu les longues jambes, les chevilles très fines, sur des mocassins américains assez rouges. Sheena savait que je la contemplais et attendait. Elle rejetait sa cape et ses cheveux, du même mouvement, en arrière. Elle faisait paraître les seins aigus sous la laine grise. Partout le lilas, un parfum d'autrefois, de bal et de malentendus mondains, de feuilleton, tournait autour de nous. J'étais le deuxième violon, consentant, muet, d'un quatuor français légèrement transporté ailleurs, et si légèrement que personne ne s'en rendait compte. Je comptais, moi, mes mesures de silence. J'attendais l'attaque. Et Sheena chantonnait n'importe quoi, au hasard. J'osai demander enfin :

— Est-ce que Lily joue vraiment du violoncelle?

Je savais bien que ma phrase avait l'air d'une phrase de

méthode pour apprendre les langues étrangères, et je n'étais pas très fier de moi.

— Est-ce que tu t'intéresses à Lily ? me demanda Sheena.

— Oui. Bien sûr. Je ne la connais pas beaucoup.

— Est-ce qu'il faut connaître ?

— Non. Certainement pas. Mais nous avons passé pas mal de temps, la nuit, avec Nils, avec Lily.

— Je sais, je sais. Il fait toujours ça. François, Lily est la fille de Nils, n'est-ce pas ?

— Je sais. Lily est votre fille.

— Je dis que Lily est la fille de Nils.

— Je sais. Je dis aussi que Lily est votre fille et que son père est un comédien, comme vous êtes comédienne.

Je vis le visage de Sheena s'assombrir.

— Qui a parlé ? demanda-t-elle, Nils ou Lily ?

— Je ne sais pas. Les deux.

— Tu ne sais pas ?

— Nils m'a tout expliqué.

— Personne ne peut expliquer tout. C'est trop difficile.

Elle but encore un verre d'aquavit glacée. On apportait des truites fumées et, dans un seau, sous des linges blancs, à la française, du vin de la Moselle, mon blanc préféré, que j'avais choisi ; et j'avais faim ; et j'en avais assez de cette escrime. Je dévorai les truites et les toasts. Sheena me les passait, un à un, beurrés, et me les repassait, et les choisissait sous la serviette chaude, et me les beurrait, et s'arrangeait pour que ses ongles longs caressent ou piquent mes doigts avides, et elle s'arrangeait aussi pour contrôler le bon usage de sa crème sur mes lèvres, malgré le déferlement des nourritures grasses, et elle, sa bouche était toujours sèche d'alcool, de phrases courtes, de questions insolubles, et moi, je mangeais comme un affamé, comme un véritable chauffeur, et je n'étais rien d'autre, ni homme, ni père, ni écrivain, ni socialiste, j'étais un homme affamé caressé par une jolie femme imprévisible, sous les yeux d'un maître d'hôtel de demi-luxe sur une autoroute allemande.

Je demandai :

— De quoi parlent Nils et Lily ?

— Ils se demandent de quoi nous parlons, dit Sheena en riant.

— Où allons-nous dormir cette nuit?

— Dans le bateau ou bien à Travemünde, peut-être au hammam.

— Au hammam? demandai-je.

— Oui. Tu as peur? Tu es trop sale? Tu ne veux pas te laver et être lavé?

— Qui me lavera?

— Je te laverai, dit Sheena. Je te laverai et tu me laveras aussi. Nous avons besoin d'être propres les uns et les autres, et d'être nettoyés par nous-mêmes, entre nous-mêmes. Nous avons vécu des périodes sales, toi, moi; Lily aussi, je pense.

— Et Nils?

— Nils a toujours besoin d'être lavé. Est-ce que c'est dans l'Évangile de Johannes? « Je suis allé, je me suis lavé... » ou bien : « J'ai été lavé »? Est-ce que c'est bien : « J'ai été purifié »? Et comment s'appelle la fontaine où il est lavé?

— Sheena, je sais tout cela en latin, et vous ne savez pas le latin. Je suis un vieux catholique romain. *Abii.* Je voulais vous dire que je fais une folie en voyageant avec vous. J'ai peur. Puisque vous parlez de l'Évangile de Jean, est-ce que vous ne voulez pas me rassurer?

Sheena me regarda, le menton dans ses mains. Ses deux truites n'étaient plus que deux squelettes de carton dans son assiette. Elle avait mangé comme une chatte romaine, avec la foi et l'ardeur, l'angoisse d'une chatte de la Via Sistina. Elle ronronnait, maintenant, de plaisir, attendant la suite du festin.

— Répète encore en latin, s'il te plaît!

— *Et abii et lavi...*

— Beaucoup d'i. Comme c'est joli!

— ...*et video.* Je suis allé, et je me suis lavé, et je vois.

— Est-ce que tes lèvres te font moins mal?

— Sheena, qu'est-ce que nous faisons ici?

— Nous attendons le moment où Nils dira qu'il faut partir.

Sheena n'était pas heureuse. Elle ne l'avait jamais été. Elle avait aimé Nils quand elle était toute petite fille et il l'avait bercée, caressée, endormie, éveillée. Et un jour il l'avait éveillée pour de bon : pour lui-même. Et un autre jour, tout pareil, il l'avait laissée pour bercer Lily, la caresser, et voici qu'il était en train d'éveiller Lily pour lui-même. Mais à cela je ne croyais pas et il me semblait que Sheena n'y croyait pas non plus.

Elle n'était pas heureuse. Elle l'avait été, peut-être, à l'âge de Lily quand Nils l'avait éveillée. Mais elle ne s'en souvenait plus. Elle ne parlait aujourd'hui, elle ne me parla à moi, que de ses voyages en Italie ou en France. Seule, presque toujours. Avec une « amie », une « bonne amie », disait-elle. Elle était devenue une de ces femmes du Nord qui hantent les hôtels du soleil, les plages à jeunes nageurs méditerranéens en quête de femmes du Nord. Je les imaginais, elle et son amie, résistant plusieurs jours aux siffleurs siciliens, aux chanteurs romains et puis, énervées, cédant, et puis pleurant dans les bras l'une de l'autre.

Je pouvais me tromper. Je n'avais que mon imagination pour imaginer Sheena. Rien que quelques mots jetés entre des gorgées de vin. Rien qu'un regard de biais sur mes mains quand elles venaient, par hasard, à frôler les siennes. Aucun récit. Aucune réponse. Je ne pouvais, avec Sheena, comme il m'est advenu pour tant d'autres, bâtir mon habituel interrogatoire, par jeu d'abord, par passion peu à peu. Je ne pouvais plaisanter, essayer de deviner son signe zodiacal, endormir sa vigilance par des questions sur ses jeunes années, puis la surprendre par de vraies indiscrétions énormes. Mais Sheena ne me suivait pas, ni en anglais, ni en français. L'eût-elle pu, elle ne m'aurait pas suivi. Si j'avais été aussi suédois que Nils, si j'avais parlé leur langue, elle m'aurait tu l'essentiel et je n'aurais même pas tenté de l'entrevoir. Moi qui adore questionner des inconnues qui, d'ordinaire, me disent à peu près tout, en vrac, comme si elles étaient là pour ça, comme si j'avais juré de mourir sur leur récit ; moi à qui on raconte que, moi, cela ne compte pas ; moi qui sais si bien tout demander en expliquant que c'est là le seul intérêt des premières conversations, sans quoi on ne fait que bavarder, indifférents ; moi qui réussis à ce jeu parce que ce n'est pas un jeu, parce que tout peut devenir un jeu, parce qu'il faut montrer nos visages sur-le-champ, nous confesser les uns aux autres, nous aimer,

même si nous ne devons pas ou ne pouvons pas nous aimer;
moi qui ai tant écouté et qui mourrai en écoutant encore; moi
qui ai tout appris des femmes, sans qui je ne serais qu'un
miroir tourné vers moi; moi qui détiens tant de secrets, de
naissances cachées, d'amants insoupçonnés, des voyages, des
lettres qui courent encore, des trésors, des absences, des
trahisons, des retours incompréhensibles; moi qui sais tant de
détails intimes et de postures bizarres et de cris et de manies
sur des gens que je croise tous les jours, et sur des gens illustres,
et qui ne ferai jamais rien de mes mémoires entassées,
confondues, préférant oublier, croire que je me suis trompé ou
que je suis sourd et muet; moi qui... c'est à moi que Sheena fit,
pendant ce premier repas, le délicieux affront du secret
absolu.

Un peu avant le dessert, Nils vint vers nous en jouant au
patron des lieux. Étions-nous contents? Fallait-il apporter de
nouvelles bougies? Il me servit lui-même un peu de vin et
demanda une nouvelle bouteille, dont il voulut goûter. Sheena
lui demanda à son tour si tout allait bien à leur table. Nils se
pencha et effleura la nuque de sa femme; mais le baiser fut
posé en l'air. Nils semblait avoir soudain tout son temps. Et il
fit allusion aux beautés de Lübeck que nous pourrions visiter
demain matin. Ce qui dépendrait de l'endroit où nous
dormirions. Et donc du dîner. Mais nous n'aurions pas faim
avant longtemps. Grave problème. Il fit ainsi le mondain, posé
sur un pied, quelques minutes. A la fin, parce que je
commençais à le connaître, ses agacements provoqués exprès
chez moi pour me pousser à me découvrir, je lui dis, presque
sur un ton de colère :
— Nils, je voudrais quand même savoir où nous allons.
— Mais je n'en sais rien, je te le répète. Peut-être Lübeck,
ou bien Travemünde. A moins qu'on n'aille voir du côté de
Fehrman. Mais il faut me faire confiance, voyons! Ce voyage,
je l'ai fait deux cents fois. C'est ma petite banlieue, mon petit
Rambouillet de week-end. Ce n'est pas ça, du voyage!
Pourquoi? Tu as peur? Tu veux retenir à l'avance des dodos et
des bidets, comme les petits Français? Hein? Des dodos et des
bidets et des petits rideaux avec des petites fleurs, hein? C'est
ça?

— Nils, vous vous moquez de moi. Ce n'est pas de cette nuit que je parle. Vous le savez très bien.

— Ah! Alors Sheena va t'expliquer. A tout à l'heure.

Il pivota et repartit. Puis revint, après un bref entrechat ridicule, comme celui d'un comédien qui salue pour la quatorzième fois et qui en a assez des rappels.

— Mon jeune ami, je dois vous dire que je vous emmène à l'air pur. Dans ma maison de l'archipel, cela sent meilleur que dans la vie française, que dans la vie littéraire française et surtout que dans le socialisme français. Voilà. Quand j'étais en poste à Paris, on me racontait que pas mal de socialistes français faisaient du bateau. Je vous emmène en bateau. Voilà. C'est tout.

Il refit le même salut et courut presque. Je me demandai s'il connaissait le double sens de l'expression qu'il venait d'employer. Je regardai Sheena. Elle me regardait fixement et depuis longtemps. Du moins, elle avait l'air de me regarder depuis longtemps.

— Sheena, dis-je enfin, je voudrais vous parler longtemps et vous interroger longtemps. Et je ne sais pas combien de minutes, ou d'heures nous resterons ici. Il n'y a donc pas moyen de le savoir?

— Vous faites comme vous voulez. Tu fais comme tu veux, reprit-elle, dans un large mouvement de main.

— Vous connaissez Nils. Nous partons maintenant?

— Je ne sais pas, François. Tu n'as pas demandé. Tu as parlé des socialistes!

— Ce n'est pas moi! C'est lui! Vous n'avez rien compris!

— Je ne comprends pas tout à fait quand vous parlez le français. Vous parlez trop vite.

— Mais enfin, Sheena, vous avez été ambassadrice à Paris, plusieurs années!

— Oh! Je ne suis pas très douée, d'abord. Surtout, cela m'était égal. J'étais jeune. L'ambassade m'ennuyait. Et toutes les ambassades.

— Vous aviez quel âge?

— Je ne sais plus. Il n'y a pas si longtemps...

Elle éclata de rire. Je recommençai mes petits calculs d'âge.

— J'aimais les magasins, les concerts et les night-clubs. Castel, j'aimais, tu connais, rue Princesse? Et Deauville, j'adore!

— Vous alliez chez Castel avec Nils?

— Jamais. Il avait ses dîners. Je m'ennuie. Je vais chez Castel. Je danse.

— Vous rentriez tard?

— Très tard. Très tôt.

— Seule...

— Tu es la police? Immunité diplomatique, mon cher monsieur!

Je m'excusai. Je ne comprenais rien. Plus elle parlait, le peu qu'elle disait, moins je comprenais. Je voyais l'ambassade de Suède, celle de cette époque, sans doute rue de Bassano, où j'avais été invité deux ou trois fois. Je ne voyais pas les dates. J'avais besoin d'un calendrier, d'un aide-mémoire, d'un plan daté de la vie de Nils et de ses femmes. J'étais comme un romancier perdu sans son carnet. J'aurais voulu, près de moi, un beau travail balzacien, avec les naissances, les âges, les voyages, les sommes gagnées et dépensées, le prix du verre de scotch chez Castel aux années soixante, la liste de tous les ambassadeurs reçus rue de Bassano, les noms des ministres français à qui Sheena avait tenu des propos de table, le nombre de ses déjeuners à l'Élysée, chez de Gaulle, chez Pompidou. Quand, exactement, quand? Les concerts de Sviatoslav Richter, lesquels, le nombre de dîners chez les Russes, j'en étais sûr, je voyais un jeune conseiller de l'ambassade russe, rue de Grenelle, un peu bêta dans son trois-pièces de mauvaise serge bleue, mais beau, fruste, agreste, qui, toute une soirée, devant des flacons de vodka, avait tenu les jolies mains de l'ambassadrice Sheena en lui chantant des mélodies de Moussorgski; et à l'autre bout du salon, Nils, un œil jeté derrière lui, l'autre vissé dans le crâne de l'ambassadeur soviétique, pour lui arracher je ne sais quoi d'essentiel. Et puis la scène de jalousie, rue de Bassano, à l'aube. Et puis les cris. Eh non! Le silence. Nils savait se taire. Il était secrétaire de ses amours. Une tombe. Il travaillait. Il était fonctionnaire. Il serait à nouveau ministre. Paris n'était qu'un tremplin. Alors, Castel, le jeune conseiller soviétique en serge bleue, peu lui importait.

— Sheena, excusez-moi.

— Tout à fait, dit-elle. Visiblement, apparemment, je ne sais pas pourquoi, vous aimez beaucoup dire mon nom, mon prénom.

— C'est vrai.

— Cela te fait plaisir?

— Beaucoup, Sheena. Très agréable à dire, en français.

— C'est écossais.

— Nils me l'a dit.

— Que t'a-t-il dit? Vous avez bu comme des fous. Mais que t'a-t-il dit?

— Il m'a dit un minimum de choses. Mais sa vie est difficile à comprendre.

— Pas difficile du tout. Nous sommes des voyageurs. Des spectateurs. Moi, en tout cas. J'ai regardé tout ça. Lui, il agit, il n'agit pas. Comment dit-on! Il... il provoque. Il *magnète*. Il *enchante. Zauberflöte.*

— Il chante?

— Non. Il touche une petite chose, un détail, et il change la petite chose. Il te touche. Il t'a choisi. Toi. Il va te changer. Il va te... enchanter, charmer, comment dit-on? Tu fais l'idiot. « Tu te fous de ma tronche »?

Elle avait éclaté d'un rire vulgaire, appliqué.

— Tu as appris ça chez Castel?

— Oui. Quelque chose comme ça. Tu dois continuer à me dire tu. Nous sommes presque arrivés en Suède. Donne-moi ta main gauche.

Je la lui donnai. Elle la prit dans ses deux mains, comme pour la réchauffer, puis l'approcha d'une bougie et regarda ma main en transparence. Puis me la rendit, sans que je pusse comprendre quoi que ce fût à ce manège.

— Vous croyez que Nils aimerait vous voir ainsi, Sheena?

— Nils aime certainement. Écoute, François, ma mère...

— Kerstin.

— Oui, ma mère a été la femme la plus abandonnée de Suède, par Nils. Moi j'ai été, après elle, la femme la plus abandonnée de Suède, par Nils.

Elle s'arrêta. Je sentis un couperet. Je sentis qu'elle ne continuerait pas. Qu'elle ne ferait pas la moindre allusion à Lily. Parce qu'elle ne se doutait de rien. Parce qu'elle était la première à pouvoir deviner la suite de l'histoire, la seule, la plus sûrement avertie. Et elle ne savait pas. Comme ces grands médecins cancérologues, qui ont passé des années à déceler le mal et à l'annoncer aux malades ou à le leur cacher, qui l'ont vu mille fois sur des radios ou sur des biopsies et qui, soudain, le jour où le mal est sur eux-mêmes, diagnostiquent tout autre chose, plaisantent avec leurs confrères stupéfaits et meurent parfois, croyant à cette autre chose invraisemblable, bienheureuse.

III

Je ne sais ni où nous nous sommes lavés, ni où nous avons dormi, ni si j'ai rêvé, ni si je me suis levé seul ou bien si l'on m'a poussé dehors, dans la nuit. J'ai entendu pendant plusieurs heures des refrains d'ivrognes, couchés sur le pavé. Il s'était mis à pleuvoir; je cherchais un mot, un seul mot, en allemand ou en suédois; et un de ces ivrognes, la tête penchée de côté, me répétait en rotant : *Vasääjedu?* « Que dis-tu? » Et je ne savais pas.

J'ai aussi le souvenir de Sheena en face de moi dans un petit jardin près d'une église de briques rouges. Je n'entendais ni orgue ni chœur, mais un harmonica d'enfant. Sheena était debout, serrant sa cape noire autour d'elle, et je la voyais peu à peu s'affaler, s'effondrer comme une falaise sur mon épaule. Elle avait froid et je sentais aussi le froid me gagner. Alors, elle ouvrait sa cape et me protégeait en disant lentement : « Dans ma maison... » Le vent passait au-dessus de nous, agitait les feuilles des tilleuls argentés, éloignait l'harmonica et nous faisait trembler. Sheena me consolait, me réconfortait. « Courage, petit, courage! Il t'a repris mais je te protégerai. Tu seras dans ma maison, petit! »

Puis, des promeneurs grossiers, avinés, nous apercevaient et riaient de nous, de notre cape. Alors, Sheena me lâchait soudain, se retournait et s'avançait en sentinelle alertée. Elle ne faisait pas feu mais elle criait, et son cri claquait comme une détonation, afin que les promeneurs s'éloignent. Sheena revenait à moi et reprenait sa berceuse. Je pleurais sur mon sort, sur ma faiblesse. Je lui disais à peu près ce que j'éprouvais :

— Je n'aurais pas dû venir avec vous, Sheena. J'aurais dû dire non à Nils. Je ne voulais pas tout cela. Je n'ai pas voulu. Je n'ai rien voulu.

— Mais c'est vrai. Il a voulu pour toi.

— Je suis vieux, Sheena, déçu, à bout. Je n'ai plus beaucoup de temps devant moi. Nils est un sauvage Viking, une brute, on ne l'abattra pas. J'aurais tant souhaité vivre encore quelques années en paix, écrire un grand roman simple, profond, lisible par tous, une sorte de légende pleine de rivières, de glaces et de déserts brûlants, avec des bûcherons, des musiciens itinérants, un voyage vers une cité idéale, tu vois cela, un grand roman sain, un peu naïf, slave, idéalement lourd et devenant léger comme l'air, les soirs de victoire, avec des femmes, aussi, toutes bonnes et tendres comme toi, j'aurais voulu avoir la fièvre pendant toutes les années du voyage de ce livre en moi, et l'écrire non pas pour me délivrer ni pour me contempler, en l'écrivant; mais pour que mes trois enfants soient fiers de moi et heureux en le lisant. J'aurais voulu...

— Tais-toi. Tu vas travailler, dans notre île, tu verras.

— Mais non! Nils se moque de moi; et de vous deux aussi. Tu l'as entendu, cette nuit? Il prend plaisir à dire n'importe quoi pour me mettre en colère. Sur n'importe quoi. Tu as entendu quand il s'est mis à raconter que Beethoven ne valait pas mieux que Sibelius? Que ce sont « des musiciens qui disent tout sept fois »? Tu as entendu ses crétineries? Il fait exprès. Il est sadique.

— Naturellement. Il veut t'éprouver. Voir si tu résistes. Il a fait de même avec ma mère et avec moi.

— Avec Lily aussi?

— Il fera de même. Un jour, elle jouera de son violoncelle comme une fée et il l'insultera. J'en suis sûr.

— Il ne l'a pas encore insultée?

— Non. Mais il le fera.

C'est donc cette nuit que je me suis enfui? Quand? A quel moment de disgrâce particulière? Qui m'a fait sursauter et m'a dégoûté d'eux tous? Je sais que j'ai happé ma valise et mon sac à l'arrière de la Volvo et que j'ai couru. Nils a couru derrière moi. Je l'ai eu, de peu. Un taxi m'a ramassé. J'ai crié : *Bahnhof!* J'ai vu cette gare allemande, vieille, grise et rose, peu reconstruite. Ce n'était pas la gare de Lübeck. Je connais cette gare. C'était une autre. Des employés faméliques mais dignes m'ont laissé passer. J'ai vu un cendrier à pied renversé, les dalles jonchées de gros mégots de cigares écrasés. J'ai posé alors mon sac par terre et j'ai erré en portant ma valise. J'ai fait cela en sachant que je devais faire le contraire. J'ai pris un escalier roulant, à lattes de bois noir, disjointes, sous lesquelles paraissait l'acier mat. Puis, j'ai découvert un train en partance pour Cologne. Cela me suffisait. Cologne, c'était bien, catholique, rhénan. Je suis revenu prendre un billet. Alors, j'ai cherché mon sac et ne l'ai pas trouvé. J'ai posé ma valise et j'ai couru vers mon sac. Puis, j'ai craint de manquer le train et j'ai décidé de le prendre sans ticket, si j'y parvenais. Je me suis assis sur un banc et j'ai compté mes marks. Une sorte de jeune vieille fille hautaine, à lunettes noires, m'a croisé et nous nous sommes regardés comme deux myopes. Je lui ai parlé français et elle m'a répondu en allemand; mais elle parlait français, je ne m'étais pas trompé, elle l'enseignait, et il me restait huit minutes pour la convaincre de m'aider, ma valise ici, mon sac là, la guerre est finie, ma chère, et où alliez-vous donc sans moi? Elle m'a dit qu'elle s'appelait Marianne et qu'elle habitait Swedenborgstrasse 10. Je lui ai dit : « Je m'appelle Balzac et, au nom de Swedenborg, je te pardonne tes péchés! » Elle a ôté ses lunettes. Elle avait les yeux à peu près mauve clair, mais je n'avais plus le temps de vérifier quoi que ce fût. Elle avait pris ma valise, pour m'aider, de ses mains fortes de luthérienne vacante. Alors j'ai entendu des ricanements. Une petite meute de boy-scouts ou de bénévoles de la Croix-Rouge. Ou quelque chose de ce genre. Ils se moquaient de nous. L'un d'eux, vert écrevisse vivante, brandissait mon sac. L'autre prit la valise. Je criai. Nils Söderhamn cria plus fort et me tapa sur la tête avec un magazine plié. Il m'avait rattrapé et il ne me lâcherait plus.

— François, tu es idiot. Et ridicule. On ne me fausse pas compagnie dans les emmerdements! Viens! Il faudra t'y faire. Je savais où te retrouver. Car je savais que tu ficherais le camp.

78

— Nils, pourquoi? Quels sont vos emmerdements? Et qu'y puis-je, moi? Pourquoi moi?

Il éclata de rire. D'un rire immense. Les voyageurs nous regardaient, pensant que nous allions peut-être nous battre. Alors je vis que Nils était vêtu d'une chemisette noire et d'un jean bleu délavé. Sous cet accoutrement de jeune, il paraissait plus vieux mais plus fort, sans aucun ridicule, comme si, jeune, il s'était déguisé en vieux à cheveux blancs. Il cessa de rire et devint solennel. Dans le silence, de nouveaux voyageurs grossirent le cercle autour de nous, de vrais voyageurs et des vagabonds de gares, des touristes perdus, des ivrognes mal dessoûlés, deux religieuses, espagnoles ou sud-américaines, au teint cireux comme de vieilles poupées. Enfin, quand il eut tout ce monde suspendu à ses lèvres, Nils ouvrit le magazine qu'il m'avait asséné et en sortit une enveloppe de papier kraft, dont il retira une lettre qu'il me tendit. Je vis l'en-tête du *Riksdag*, le Parlement de Suède, et je lus, écrit en majuscules à l'encre noire : *J'autorise François-Régis Bastide à dire et à écrire n'importe quoi, vrai ou faux, à mon sujet. Signé : Nils Söderhamn, ancien ministre, ancien ambassadeur, député de Xköping.* Je murmurai :

— C'est déjà dit.

— Ce n'est pas fait. C'est à faire, mon vieux.

— Je ne comprends pas, Nils, ce que vous attendez de moi. L'histoire du livre n'est qu'un prétexte, sûrement.

— Tu n'as donc jamais été amoureux? me demanda-t-il en baissant la voix.

— Naturellement. J'ai surtout été heureux... d'une autre manière. Que je ne retrouverai plus jamais.

— Tu te trompes. Je suis là pour t'aider.

— Nils, pour tout vous dire, la nuit que nous avons passée ne m'aide en rien. Si c'est là une de vos méthodes d'assistance psychique suédoise pour Latins en déroute, cette méthode ne me convient pas.

— Je t'en supplie. Donne-moi quelques jours dans mon île.

— Est-ce que ce sera la même chose?

— Absolument pas. Je te le promets. C'était un simple test, cette nuit. Je te le répète.

Il avait repris son air de bon chien, la tête penchée

légèrement à gauche; et il tirait sur la ceinture de son jean trop large. Il posa doucement sa main sur mon épaule, comme s'il avait eu peur de me voir fuir à nouveau si cette main se posait trop impérieuse, et il voulait montrer ainsi qu'il pourrait être d'une infinie douceur, patient jusqu'à m'apprivoiser, pourvu que j'accepte.

Cette nuit de « test », je ne m'en souviendrai jamais. Jamais complètement. Nous avions traversé Lübeck dans la brume d'une petite pluie fine. Nous étions entrés, un peu plus tard, au hammam, à cet endroit que Nils nommait ainsi, et que j'avais cru une sorte de parc d'attractions, un Tivoli crasseux, un peu clandestin, difficile d'accès; il y eut un conciliabule avec deux garçons efféminés, les cheveux teints en blond-roux. L'un d'eux m'avait toisé, quand j'avais suivi les deux femmes et Nils, puis avait tenté de m'attirer à l'écart, en me parlant un français incompréhensible. J'avais couru, il me semble, vers Lily, j'avais pris son bras. Puis il y a eu cet énorme brouillard d'eau chaude et j'ai aperçu, en déchirant un à un les rideaux, des gens nus, de toutes sortes, de tous âges, mimant la convoitise. J'ai détourné la tête plusieurs fois. J'étais contraint d'aspirer l'air et je sentais l'odeur bizarre, pour moi, d'une herbe orientale, aromatique; mais je me persuadais que ce n'était rien, que ce ne pouvait être aussi grave, que nous étions en pays contrôlé, que je n'avais jamais entendu parler de pareils dangers courus dans cette Allemagne prospère, que je me trompais, que Nils, ou Sheena, je ne savais plus, avait parlé de nous laver, et qu'il n'y avait là rien de mal, que ce serait un zeste de santé germanique et scandinave, que j'avais même, autrefois, connu le sauna en Dalécarlie, par un hiver glacé, et que j'avais trouvé le courage d'imiter les Suédois en me roulant, tout fumant, dans la neige... Mais en Dalécarlie, nous étions entourés, ma femme et moi, de violons champêtres et de vertueux encouragements. Ici... je crus entendre des voix téléphoniques bégayant au travers de câbles, de filtres ou de fibres, et la musique s'éleva. Du « rock » battant plus vite encore que dans ma poitrine. J'ai bu je ne sais quoi. Je me suis senti absent et squelettique. Je voyais cette foule comme les déportés d'un travail abominable, les prisonniers éternels du chaud, de l'humide, du bruit, de l'herbe orientale. Je ne vis plus rien.

J'ai ouvert les yeux, étendu dans une sorte d'infirmerie, où j'étais près d'un gros homme qui geignait. Lily, vêtue d'un peignoir blanc et rose, tenait ma main. Elle murmurait, à intervalles réguliers : « Pauvre François! »

Nous avions repris la route. Nils était au volant et conduisait en chantonnant de vieilles chansons d'étudiants. Nous avions traversé la mer, sans doute à l'aube, sur le car-ferry. Je dormais, ou je demeurais hébété, à l'arrière, près de Lily. Sheena était devant. Parfois, le cello, entre nous, me tombait dessus, je criais, et Nils éclatait de rire. Lily essaya de trouver un système de fixation, avec des ceintures et une vieille chaîne de bateau, entortillée dans des chiffons; mais elle dut renoncer, accusant *Pappa* Nils de faire des embardées ou des « coups de volant » exprès. Elle riait, elle aussi, de ces heurts qu'elle m'imposait. Et moi, j'étais inconscient de mon désarroi comme du désarroi environnant. Je savais que ces trois êtres avaient vécu des drames et en vivraient d'autres devant moi. Je ne savais pas pourquoi je devais être victime, moi aussi. J'avais sans doute trop parlé de moi à Nils, dès notre première soirée. Je lui avais donné barre sur moi. Il voulait me sauver en se sauvant.

A écrire ceci aussi simplement, aujourd'hui, je vois bien que j'aplatis tout et que mes phrases ne ressemblent en rien à ce que j'ai vécu. Il va donc me falloir conter clairement les nuits claires de la Baltique, en juin, toute cette blancheur immobile de l'été; il va me falloir être capable de répondre, après tout ce temps écoulé, aux questions demeurées insolubles. J'écrirai pour dévoiler, comme un traducteur modeste. Nils m'a, en tout cas, parmi tant d'autres bienfaits, appris à ne plus écrire pour ne rien dire. Il lui a suffi de passer quelques heures à feuilleter un jour mes anciens livres pour me persuader que je n'étais qu'un habile phraseur, un professionnel des « roulades », comme il disait, une sorte de chanteur à voix mais sans musique. Il m'a précipité dans son île comme dans un néant d'où je devais émerger riche et sonore, plein, fort, pacifié. Il m'a humilié, traité en idiot, et j'ai à peine bronché sous ses assauts. C'est que je voulais sans doute les mériter.

Il savait que je n'étais plus capable de conduire le break. Il feignait de le regretter. Il introduisait même, dans ses couplets de chansons suédoises, des petits quolibets en français, à la façon d'un improvisateur arabe, destinés à excuser ma mauvaise santé, ma petite nature, ma sensibilité extrême aux alcools, aux vapeurs chaudes, aux herbes, aux plaisirs. Chaque fois, il se tournait vers Sheena et vers Lily, en tapotant sur le levier de vitesses, guettant leurs sourires. On ne se moquait pas vraiment de moi. On voulait seulement m'indiquer qu'on aurait pu...

Peu à peu, l'air du pays, de la mer, parfois longée, les prés verts et les saules pleureurs des carrefours excitaient la joie de Nils. Depuis que nous roulions en Suède, depuis Malmö, la chaleur montait. Nils, à un poste d'essence, ôta sa chemisette noire et se frappa le torse. Le jean clair faisait apparaître sa peau plus hâlée. Les poils blancs étaient encore blonds par endroits. Il rit. Il cria comme un bûcheron. Il frappa le capot de la Volvo du plat de sa main. Il cria encore, d'un cri aigu. Il eut une brève quinte de toux.

— Alors? demanda-t-il, les bonnes femmes sont heureuses? Le petit Français va mieux?

Comme nous approchions de Kalmar, il me demanda de lui parler d'Öland, l'île de mon beau-père, et je vis qu'il n'avait pas parlé aux « bonnes femmes » de mon premier mariage avec une Suédoise, trente ans plus tôt. Lily ne dit rien. Sheena parut plus intéressée et me posa quelques questions. Je voulais et ne voulais pas me souvenir. Je ne voulais pas mêler ma femme et mes enfants à ce vagabondage. Je racontai ma première arrivée en Suède, par la mer. Mon beau-père, Sven-Erik Sjöholm, mort aujourd'hui, administrateur de la Compagnie maritime *Svea*, nous avait offert un voyage en cargo, de Rouen à Stockholm, en 1950. Le cargo s'appelait *Berkel*. C'était un petit bâtiment. Nous avions une cabine simple et charmante. Nous prenions nos repas à la table du commandant, en compagnie des officiers. Le voyage avait duré cinq ou six jours, avec des escales dans quelques-uns de ces ports hanséatiques, pleins d'odeurs de poisson fumé et de fromage italien. Un soir, on m'avait cherché dans tout le navire et on s'était inquiété. J'étais dans la cabine d'un jeune officier mécanicien qui me racontait en anglais ses amours avec une Danoise. Le commandant avait froncé les sourcils.

82

Ma femme avait paru comme agacée. Moi, j'avais oublié le temps. J'en aurais donné davantage à la mer. J'avais encore l'âge d'embarquer. De me rendre utile à bord d'un quelconque rafiot, de faire l'interprète. J'aurais appris plus encore de langues, de celles que j'avais vaguement caressées, l'allemand, le néerlandais, l'italien... Mais la vie sérieuse venait de commencer. J'acceptai le froncement de sourcils du commandant. Je souris à ma femme, qui me sourit aussi.

Je racontai cette traversée comme si elle avait été une fable, une petite vie en marge. Lily demanda :

— Le jeune officier mécanicien était beau ?

— Comme toi, répondis-je aussitôt. Beau comme toi ! Et je crois qu'il aimait vraiment la musique.

— J'en étais sûr, dit Nils. Lily a eu la même idée que moi.

— Vous êtes stupides, dit Sheena.

— Oui, ajoutai-je. Vous êtes stupides.

— Je suis dans le camp de François, ajouta Sheena.

— Eh bien, *restez-y, ma chère*, dit Nils.

Nous nous étions arrêtés pour prendre de l'essence, boire des jus de fruits, et je contemplais le pont immense qui unit maintenant Kalmar à l'île de mon beau-père. Un pont gracieux, sinueux, appuyé en son milieu sur un îlot minuscule qui semblait attendre depuis toujours ces quelques arches. J'admirai. Je regrettai les « ferries » blancs que j'avais connus.

— C'est une idiotie, ce pont, dit Nils. Je sais exactement ce que cela a coûté. Du beau béton. Inutile. Les bateaux étaient suffisants et plus gais.

— Est-ce que c'est déterminant pour le tourisme de l'île ? demandai-je. Nous avons les mêmes histoires, ajoutai-je, avec nos îles atlantiques. Cela fait des comités pour ou contre...

— Et des pots de vin fabuleux, dit Nils. Chez vous comme chez nous.

— Tu as reçu du vin, pour ce pont, *Pappa?* demanda Lily.

Il ne répondit pas. Il se tut un long moment, s'éloigna, se baissa, s'accroupit pour mieux regarder un détail du pont, qui était à quelque trois cents mètres de nous, mit ses mains en visière, recula, avança. Il avait l'air de l'architecte du pont, inquiet soudain, guettant la fêlure possible, comme si le pont s'était rapproché et qu'il eût été construit non pas en béton mais en fine porcelaine blanche.

— J'aimerais bien boire du vin, dit Lily.

— Tu as voté pour ce pont, Nils, n'est-ce pas? demanda Sheena.

— Bien sûr, répondit-il très vite.

— Qui a voté contre? Quel parti?

— Je ne me souviens pas.

— Ah! Les jolis messieurs sociaux-démocrates se sont bien amusés avec l'argent suédois! Des ponts californiens, des ponts de nouveaux riches engraissés de taxes idiotes! Vous vous êtes pris pour des Américains!

— Nous sommes les Américains de l'Europe, dit Nils. D'ailleurs, je te signale que près de cent mille Suédois de cette province ont émigré en Amérique. Les gens de Kalmar, d'Emmaboda, surtout, de Nybro aussi, je crois. Nos émigrants en avaient assez d'être pauvres et opprimés...

Il continua. Il nous entraîna loin de la voiture. Il marchait vite. Nous le suivions. Le vent de mer nous apportait les mots enflammés de Nils. Il discourait un peu. Sheena poussait Lily du coude, en se moquant de lui. Il continuait en suédois. Il se croyait au Parlement. Sheena cria vers lui :

— Tu sais combien les Américains ont bitumé de leurs terres?

— Non. Pas du tout... Bitumé?... Beaucoup.

— Tu sais combien? Bitume, béton, pierre?

— Non.

— Neuf millions d'hectares, mon cher!

— Ce n'est pas énorme, je trouve. Par rapport à la superficie des États-Unis.

— Pas énorme? Ça fait tout un État.

— Lequel? Cela dépend.

— Cela fait, en tout cas, la superficie du Portugal.

— Intéressant, dit Nils.

— Un Portugal de bitume, de béton, de routes, d'aéroports, de villes, de parkings, d'usines!

— Il en faudrait un peu, au Portugal, dit-il.

— Nous sommes d'accord, dit Sheena. Je ne dis pas autre chose. Il faut partager. Et ton pont de Kalmar, les Portugais en voudraient, sûrement.

— Non. Pas besoin. Ou alors il faudrait un pont jeté sur l'Atlantique vers leur Brésil. Bonne idée, non?

— Crétin! dit Sheena. Et tu as voté!

— Tu as oublié, dans tes millions d'hectares, que les Américains ont aussi construit pas mal d'abris antinucléaires. Dans un excellent béton...

Elle le regarda. Elle ouvrit la bouche. Elle attendit. Puis :

— Pourquoi dis-tu cela? demanda-t-elle.

— Parce que c'est vrai.

— Pourquoi le dis-tu *maintenant*?

— Tu verras bien.

Il s'était retourné. Il la toisait. Il passa sa main dans ses cheveux ébouriffés. Il la regarda avec une sorte de haine à peine dissimulée. Il avait envie d'en dire plus. Il gardait cela pour un moment plus cruel. Je n'y comprenais rien. Le mot « abri », qu'ils répétaient tous deux en suédois, était important pour eux. Il y avait quelque chose. J'étais sûr de le savoir bientôt. Je devinais qu'il y avait à deviner. Sheena soutint le regard de Nils et se retourna vers moi en murmurant Dieu sait quoi. Elle me signifiait que j'étais un témoin inutile, incapable d'entendre, mais qu'elle n'avait pas de meilleur témoin. Elle posa sa main sur mon épaule. Elle titubait presque de colère.

— Tu as voté ce pont, hein, Nils? Tu as touché de l'argent pour ce pont, hein? Tu peux le dire ici. Cela ne risque rien!

Il éclata de rire, d'un rire énorme, comme s'il voulait être entendu à Öland. Des goélands et des mouettes répondirent. Quand il eut fini, je demandai, d'un ton de journaliste faussement ignorant, comment cela se passait, en Suède, les trafics d'influence, les rapports élus-entreprises privées de travaux publics, je demandai si c'était, comme presque partout, par le biais de bureaux d'études para-municipaux, plus ou moins liés aux caisses noires des partis. Je fis soigneusement l'imbécile.

— Écoute, François. C'est plus difficile à expliquer, dans ce pays. En un mot, nous, politiciens, nous sommes plus honnêtes que vous, que vos politiciens. En général.

— Nous avons beaucoup d'hommes politiques irréprochables, dis-je. Beaucoup.

— Non. Pas beaucoup. Très peu. On trouve toujours de bonnes raisons. L'argent circule de main en main. Tu n'y es pour rien. Tu n'y touches pas. Tu n'en demandes pas. Tu en refuses. Tu as la tête haute. Tu te rengorges. Et pourtant, un peu d'argent est entré dans ta poche, comme du sable, comme dans un jeu d'enfants sur la plage. Tu peux même avoir perdu, à ce jeu de plage, et t'en revenir chez tes parents, la tête basse, en pleurant. Et ta maman trouvera pourtant du sable dans tes poches. Ce n'est pas de l'argent sale, c'est du sable. Mais François, je me fous des cris de Sheena et je te dis, à toi : Je n'ai pas touché une couronne sur ce pont. Et cela n'a d'ailleurs aucune importance!

Sheena écouta Nils et se tut. Elle l'avait provoqué et elle avait eu ce sourd désir de le quereller pour rien, et moi je savais qu'il était question d'abri antinucléaire. Mais je ne le savais pas vraiment. Elle l'eût provoqué pour un autre motif, qui serait devenu l'argent du pont, ou encore autre chose... Elle ne pouvait pas ne pas le « chercher ». Elle ne le supportait plus. Elle avait été éloignée de lui, elle avait voyagé en Italie, elle le retrouvait mais elle voulait le perdre encore, ou s'éloigner. Et ainsi posait-elle sa main sur mon épaule, comme pour me signifier : « Laissons là ce vieil homme qui refait ses discours au *Riksdag* face à la mer, et qui veut te donner des leçons d'honnêteté politique! »

Nils revint vers nous. Il jeta un dernier regard vers le pont, comme s'il avait décidé de ne plus le revoir, avant un cataclysme inévitable. Il prit le bras de Lily, proposa à Sheena de marcher avec eux, chercha un coin de route où nous aurions pu marcher de front, tous les quatre ; finalement, il me prit à part et recommença de discourir. Les deux femmes se tinrent à distance.

— Il faut, me dit-il, que je fasse attention quand je te parle politique. Dans quelques jours, nous ouvrirons le magnétophone. Ce sera plus sérieux. Je ferai davantage attention. Note bien, tout de même, cette histoire de sable, pour l'argent. Ce n'est pas mal. Pas mal du tout. C'est exactement comme ça.

Mais je te le dirai mieux, à micro ouvert. Je sais que je pense mieux quand je ne parle pas pour l'air de la mer et les mouettes!

Il serra mon bras très fort. Je vis des nuages blancs et roses tournoyer au-dessus de nos têtes. J'aspirai cet air, cette mer étrangement plate, vide. J'avais oublié l'abstraction baltique, l'inflexibilité, le silence, l'immobile, la mort retenue à chaque souffle, la mer sans sel, ou si peu, le glacis plombé, le froid brûlant de ces eaux gelées, puis soudain ouvertes au printemps, puis à la nuit du jour sans nuit, chauffées, reprises par le vent, à nouveau cassantes, pétrifiées... Moi, natif d'Atlantique, familier de Méditerranée, comment se peut-il que, de toutes les eaux du monde, je préfère celle-ci? Pourquoi ce lac doux, légèrement guindé, me cherche-t-il? Pourquoi demeuré-je, chaque fois, devant lui comme devant un juge amical, ou devant un bandit, mon complice? Qui me cherche? Qui m'attend, le doigt sur la bouche? De quel monde suis-je ici le servant muet?

Les femmes étaient maintenant posées, presque arrêtées, et je les regardais, du coin de l'œil. Mais Nils m'entraînait encore plus loin, le long d'une jetée. J'entendis le moteur d'un bateau de pêche, puis je le vis, vert et noir, puis j'entendis le commandement sec d'un marin à un enfant, perdu dans ses filets gris.

— Il faut que je fasse attention à ne pas te choquer, dit Nils. Si je te dis tout ce que je pense et tout ce que je sens, tu te tires une balle dans la tête.

Il réfléchit.

— Par exemple : comment cela s'est passé pour toi, Mai 68?

Je ne m'attendais pas à cette bizarre question, ici. Je souris, d'abord. Comme il insistait, en me bourrant de petits coups félins sur le sternum, je racontai nos aventures syndicales, dans la grande maison ronde de la Radio-Télévision. Je dis comme j'avais failli pleurer le jour où nous avions dû cesser de nous battre, d'espérer. Je dis que « savoir finir une grève » est la phrase la plus monstrueuse de toutes les logomachies. Je claironnai ainsi, comme un ancien combattant. Je n'ai, de Mai 68, que des souvenirs heureux. Je vois le dérisoire, si je raisonne. Mais je ne vois plus, devant ma route, d'espoir comparable. J'essaie de n'être ni triste, ni résigné; ni nostalgique... Il m'interrompit. Pendant que nous militions pour les ondes libres et que nous organisions une future communication entre « les gens » (« les gens », nous disions « les gens », et j'aimais ça), Nils Söderhamn était ambassadeur à Paris de son pays furieusement neutre, mais vaguement sympathisant. Il relisait Proudhon, Fourier, Rousseau. Il essayait de comprendre tout ce que ces fous de Français faisaient pour trouver une brèche entre capitalisme et anarchie. Nils ne comprenait pas. Il était d'un peuple où les avancées sociales s'étaient peu à peu conquises, fureur et raison mêlées, en bonne compagnie. Il m'avoua qu'il était allé à la grande rencontre de Charléty, où nous aurions pu nous croiser, et qu'il avait revêtu pour la circonstance « un costume de péquenaud en goguette », et qu'il avait eu la surprise de se trouver à quelques pas d'un autre ambassadeur, d'un pays beaucoup plus important que la Suède, pareillement déguisé, au bras d'une jeune fille à foulard noir, et que les regards des deux Excellences s'étaient croisés dans un sourire discret.

— Le lendemain soir, continua Nils, j'ai dîné chez les grands patrons de votre sidérurgie. Dîner prévu de longue date. Pas annulé. Ils étaient parfaitement paisibles. Ils s'amusaient de votre petite révolution. Ils racontaient les slogans du Quartier latin comme s'ils avaient récité des phrases d'Aragon ou de Breton à la Closerie des Lilas en 1923. Il y avait deux anciens ministres, jeunes (Nils me dit leurs noms), un peu moins rassurés. Depuis, ils sont redevenus ministres, comme tu sais. Je me suis retrouvé, après le dîner, à côté d'un haut fonctionnaire des Finances, qui avait peu parlé. Socialiste SFIO, il m'a raconté la réunion de sa section, quelques jours plus tôt, dans le quatorzième ou le quinzième arrondissement. Pas un seul jeune. Une dizaine de vieux jauréssiens ou de guesdistes, un bon tiers de francs-maçons, toujours chaleureux, comme tous vos maçons, mais tous très opposés aux chaleureux de Mai. Furieux de ce désordre. Tous pendus aux transistors. Fous, contre cette jeunesse écervelée, cette grève générale incontrôlable. De temps en temps, l'un d'eux sortait du placard le grand drapeau rouge et entonnait *l'Internationale*. On le suivait. On revenait aux transistors. On écoutait leur *Internationale*, à eux, et ce n'était pas la même.

Finalement, le secrétaire de section s'est écrié : « Mais qu'est-ce qu'ils foutent, les flics ? On a des copains, dans la police, moi je vais leur dire, tiens ! Mais qu'est-ce qu'ils attendent pour nettoyer tous ces petits cons ! »

— Qu'a dit le socialiste des Finances ?

— Je ne sais pas. Il m'a raconté cela en simple observateur. Je crois qu'il était partagé entre l'espoir du nouveau, et la peur de l'anarchie. Et qu'il se sentait déjà trop vieux pour parier. Il pouvait avoir quarante ans.

— Qu'est-ce qu'il faisait à ce dîner, chez les patrons ?

— Mon cher, je n'en sais rien. Il y a beaucoup de chemins entre patrons, fonctionnaires et socialistes. Il faut que cela soit ainsi.

— Vous en êtes sûr ?

— Sûr, pour nous. Un peu moins pour vous. Vous n'êtes pas encore prêts. Vous voyez de la pourriture à chaque consensus possible. Vous préférez être arrogants, seuls, et ne pas prendre le pouvoir. Tant pis pour vous, et votre belle gauche en miettes. Continuez à réciter vos slogans. Ils sont moins beaux que ceux de Mai 68. Tout aussi irréalistes. Un beau cadeau à votre éternelle droite !

— Vous allez me répéter souvent des choses comme ça, Nils ?

— Oui, très souvent. Quand tu reviendras de chez moi, tu seras changé. Je te l'ai dit. Et tu pourras changer tes amis.

Sheena et Lily étaient devant une boutique de chaussures, à quelques pas du break. Lily montrait du doigt, tout excitée, une paire d'escarpins blancs italiens.

— Tu te rends compte ! Ils ont des chaussures inouïes, ici, à Kalmar !

— Lily a toujours adoré les chaussures, me dit Nils en souriant. Quand elle était toute petite, elle m'entraînait dans les magasins et nous achetions plusieurs paires. Elle aurait pu ne jamais s'arrêter d'essayer, d'hésiter, et puis de faire tout remballer. Elle était, dans les parfums du cuir, comme une sorte de joyeuse furie. Elle applaudissait les chaussures. Et tu me disais, tu te souviens, Lily ?

— Je te disais : « J'aime quand *Pappa* s'occupe de moi ! »

— C'est ce que disent toutes les femmes. Tu le disais à sept ans, déjà.

— C'est, dit Lily, ce que je dirai à tous les hommes!

— Très bien, très bien, dit Nils.

Sheena était entrée dans le magasin, avec la mine d'une femme qui a déjà trop de chaussures mais qui s'ennuie, sur la route de Stockholm. Puis, Lily la rejoignit. Alors, Nils m'attira vers le break en murmurant : « Comment tout cela peut-il finir! François, est-ce que tu as une idée?... »

J'apercevais, glissée sous un essuie-glace, une contravention. Je la lui fis remarquer. Il ne dit rien. Il tournait autour du break, tâtant les pneus du dos de la main. Ce n'était pas une contravention mais un petit prospectus rouge, édité par l'Église de Philadelphie, qui nous encourageait à lui rendre visite, avec l'appel suivant : « Est-ce qu'il n'y a pas quelqu'un que tu as oublié? » Je lus deux extraits de Matthieu et de Jean. Je devinai à peu près le sens, au moins du premier : « Que servirait à l'homme de gagner le monde entier s'il ruine sa propre vie? » Je le montrai à Nils.

— Oui, dit-il, toujours le même vieux machin, de ce Matthieu! Comme si nous étions nombreux à vouloir gagner le monde entier! A qui, mais à qui parle-t-il?

— Pas à moi, c'est sûr, dis-je. Je souffre de n'avoir pas la moindre envie de pouvoir, ni de richesse. Mais vous, peut-être, Nils?

— Complètement idiot, ce verset! Si j'ai mis ma propre vie en ruine, c'est pour autre chose. Matthieu est mieux inspiré ailleurs. Par exemple : « Je ne suis pas venu apporter la paix mais le glaive. Je suis venu opposer l'homme à son père, la fille à sa mère... » etc. Après cela, il y a, je crois : « Nous aurons pour ennemis les gens de notre famille. » C'est Matthieu qui raconte ce qu'a dit Christ. Et il faut obéir à ça. Et ça, c'est terrible. Dire adieu aux siens après les avoir querellés. Aimer Christ plus que ton père ou ta fille et suivre Christ. Flanquer notre vie par terre, tout chambarder. « Qui aura perdu sa vie à cause de moi la trouvera. » Ça, c'est épatant. Formidable. Matthieu, au chapitre X, je crois. J'ai toujours eu envie de faire ça. J'ai commencé, en claquant la porte au nez de mon père, quand j'avais vingt ans et j'ai décidé de devenir professeur de littérature française.

— Que souhaitait votre père?

— Médecine, juriste, des bêtises.

— Mais, Nils, le Christ ne dit pas de chambarder notre vie ni de nous disputer avec notre famille...

— Si, il le dit.

— Il dit de faire tout ça, de perdre pour lui, à cause de lui. D'aller vers une vie nouvelle : la sienne. Ce n'est pas facile. C'est ça, le glaive. Enfin, j'ai toujours compris cela.

— Ah! Parce que tu es catholique et instruit de ces choses. Nous, nous rabâchons la Bible comme des automates. Vous, vous la lisez peu, mais plus profondément. Tu as peut-être raison. Je n'avais pas compris. Tant pis. Je vais donc me réconcilier avec Sheena et cesser de jeter le désordre dans le cœur de Lily. Je vais redevenir un honnête père de famille, riche et puissant, dans la paix. Dommage.

— Vous parlez si légèrement! Comme s'il s'agissait des règles du tennis. On m'a toujours reproché d'être superficiel. J'ai changé, pourtant, depuis quelques années. Saturne me travaille les reins. Mais vous, vous êtes vraiment léger, Nils. Ou alors, dites que vous vous moquez de l'Évangile!

— Non, non! Je dis que je ne sais pas encore le lire.

— C'est aussi fait pour ça.

— Ah bon? Alors, c'est bien... Mais pourquoi est-ce fait pour ça?

— Pour qu'on ait envie de lire, de relire, et qu'on n'épuise jamais ces livres, à la différence des autres livres.

— Il y a d'autres livres inépuisables.

— Lesquels? demandai-je.

— Je ne sais pas. On parle toujours d'Homère et de Dante, non? On les parcourt, quand on est jeune. On se fait des cadeaux coûteux avec ces livres. Personne ne les ouvre. Non? Tu lis *l'Odyssée* tous les jours, toi?

— Non.

— Voilà. Les touristes, quelques phrases par-ci, par-là, en Grèce... Et Dante, c'est rasoir. C'est fou ce que c'est inépuisable. Personne n'a lu : le puits est profond! Personne n'a *bu*, François!

Nils me regarda de côté, comme il faisait souvent, en penchant la tête, pour jouir de l'effet de son petit numéro.

— Au moins, dit-il, Matthieu nous amuse!

— Regarde les belles chaussures que ma-man - m'a - a - che
- tées!

Lily gambadait en lançant ses jambes en avant. Les
escarpins blancs étincelaient. Elle embrassa Nils. Puis elle
m'embrassa aussi. Ses joues étaient chaudes comme lorsqu'elle
était une petite fille. Sûrement ainsi. Et Nils embrassa
Sheena.

— Je ne suis pas venu apporter le glaive, mais la paix!
dit-il.

Sheena me regarda, interloquée.

— C'est un truc philadelphien que nous avons trouvé,
dis-je.

Sheena dit qu'elle n'y comprenait rien mais que nous
n'avions plus le temps, qu'il restait pas mal de route avant
Stockholm.

C'était la nuit, puisque nous venions de dîner. C'était le
jour. Le soleil ne descendait pas. Ou bien il y avait plusieurs
soleils. C'était de jour comme de nuit, avec tous ces phares
allumés des voitures qui nous croisaient. C'était la Ville, je
voyais des maisons, des palais, des monuments. C'était la terre
et nous enjambions des ponts, nous disparaissions sous la mer et
elle nous retrouvait, luisante de bateaux. Personne, dans ce
pays de nuit, ne se serait déplacé sans lumière. Même en ce
jour proche de la Saint-Jean, zénith de l'été, point extrême,
culmination de l'espoir, mais provisoire triomphe, même sous
ce soleil blanc : chaque Suédois s'avançait illuminé. Je ne
savais toujours pas où nous allions. Nils et sa femme s'étaient
mis à chanter devant Stockholm comme autour d'un sapin de
Noël. Je devais comprendre qu'ils agissaient toujours ainsi.
Que c'était un rite. Je respectais. Je ne demandais rien.

Je n'ai rien demandé pendant trois jours, où nous avons
habité l'appartement de Nils, au cœur de la vieille ville,
Gamla Stan, non loin de l'église allemande.

Ils avaient tous des choses à faire. Nils au Parlement et au
parti. Sheena avec un metteur en scène de théâtre qui
comptait l'engager, à *Dramaten*, pour jouer une pièce anglaise
à la rentrée. Lily à son école de musique, à quelques
kilomètres de Stockholm, dans un château, propriété, si je

comprenais bien, de la radio suédoise. La vie allait bientôt s'arrêter, les Suédois quittaient leur pays pour l'étranger. L'approche de la fête du début de l'été les rendait impatients, cassants comme des soldats appelés au feu. Ils disaient « l'étranger » pour parler des Canaries ou des Baléares, comme on dit « l'étranger », dans Dostoïevski, pour désigner la Suisse. Nils, lui, disait « notre île », et qu'il allait mettre les bouchées doubles pendant ces trois jours, pour la rejoindre au plus vite. Mais il y avait tant à organiser! Et je ne pouvais aider en rien.

— Non, François, tu ne sais pas assez le suédois. Tu as trois jours pour l'apprendre. Promène-toi, marche dans la ville, le jour, la nuit, tu vois que c'est pareil en ce moment. Parle à des inconnus, n'hésite pas à les assassiner de discours. Voici de l'argent. Emmène-les boire de l'aquavit. Ne couche pas avec nos prostituées : les Turcs et les Yougoslaves leur ont donné ce que Stendhal appelle la *c. de p.* Ne couche avec personne. Fais comme moi. Ton couvert est mis à déjeuner, pour notre petit repas. Le soir, c'est moins sûr. Nos femmes sont libres. Sheena va retrouver ses cabotins. Lily ses camarades. Elles voudront peut-être de toi. Je ne crois pas, en fait. Donc, tu es seul. Ce n'est pas la mort. Pense à moi, qui ai été si seul à Paris, en 45, tout un été. Moi, aucune île ne m'était promise, ni aucune femme ravissante, ni aucun politicard à cheveux blancs. J'avais la Bibliothèque nationale et les derniers bordels de Montparnasse. Et j'avais presque trente ans! Comme le temps passait! Toi, tu as une chance formidable! J'espère que tu sais. Au revoir! *Be a good boy*, mon cher!

Sheena et Lily, sans rien me dire de ce genre, semblaient avoir changé, en une nuit, à mon égard. Elles me traitaient comme une sorte d'enfant invité ou d'étudiant imposé, pour la bonne marche des relations culturelles franco-suédoises, ou de futur maître d'hôtel français, dans l'île, pour l'été, *quel luxe, mon cher*! Elles ne me dirent plus rien, voilà, exactement. Rien. Elles m'abandonnèrent, pour que je les abandonne.

L'appartement était grand, simple, tout en boiseries de bateau, claires, cirées, en cuivre et en plantes vertes. Le bureau de Nils était une bibliothèque de vieil universitaire, où je vis, du premier coup d'œil, toute la NRF d'avant-guerre. La chambre de Sheena était un boudoir rose, ouvert sur le salon bleu et blanc, meublé en Karl Johan. Lily habitait à l'étage au-dessus, dans un petit studio laqué blanc, décoré de photos de cellistes, Casals, Rostro, Fournier, et de Beatles et du Che Guevara. Lily avait tout pris, de sa génération, en supplément à la musique. Quand elle me montra son studio, où elle déposa précieusement son cello, je lui demandai de me jouer enfin quelque chose. Elle sourit. « Dans l'île, tu entendras », me dit-elle. De fait, je ne l'entendis pas jouer un seul son, pendant ces trois jours. Ce qui m'étonna. « A moins, pensai-je, qu'elle ne profite de mes absences. Mais pourquoi ? »

Ma chambre était une sorte d'annexe de la bibliothèque, un grand tas de livres autour d'un canapé recouvert de tapis épais. L'odeur du vieux papier et des reliures en maroquin me plut. A peine avais-je disposé mes vêtements dans un placard, je descendis pour contempler la petite place et le jardin de l'église allemande. Les cloches de toute la vieille ville sonnaient des bribes de chorals très carrés. Je remontai, après quelques minutes. Je croisai Nils qui était « en retard », me souffla-t-il. J'avais deviné. Je savais qu'il avait fouillé ma veste. Je n'avais même pas besoin de vérifier. Je le fis, pourtant. Il m'avait bien pris mon passeport et ma carte d'identité et les avait remplacés par sa carte de visite, comme un cambrioleur mondain. Au-dessus de son nom il avait écrit le mien, suivi de la mention : « En visite chez... » C'était là mon seul viatique, si je venais à être ramassé par la police. *Monsieur le député d'Xköping*. Et c'était mon seul interdit : ne pas franchir les frontières du pays.

Je demeurai, la carte de Nils à la main, à la fois incrédule et enchanté d'avoir deviné. Je ris. J'essayai de rire tout seul à la manière effrayante de mon hôte. J'entendis Lily me répondre, de son petit rire frais. Comme si elle avait su pourquoi je riais. Je songeai naturellement à me présenter dès demain à notre ambassadeur, M. Gaussen, que j'avais connu consul général à Venise en 1950 ou 1951. Je pourrais soit lui dire que j'avais égaré mes papiers, soit lui exposer mon aventure par le menu. Dans les deux cas, il me ferait établir de quoi rentrer en France. Je n'en doutais pas. Et je n'y songeai qu'un instant, pour repousser cette idée banale. J'appréciai l'amicale déportation. Je réussis à rire une seconde fois. Je n'entendis pas la réponse de Lily. Elle venait de sortir sans doute, elle aussi.

J'allai vers le téléphone. J'avais envie de parler à ma fille Ninon, de lui dire des bêtises, de lui annoncer des cadeaux suédois, des souliers multicolores de toutes les pointures et de l'entendre rire, elle. Je m'aperçus que je ne savais pas appeler la France et que je ne comprenais rien aux indications de l'annuaire téléphonique. J'appelai, presque au hasard, un numéro qui me paraissait être celui des renseignements. J'eus une voix exquise, prête à deviser en anglais. L'anglais m'humilia. Je lui dis que j'étais français et pas fou. Elle raccrocha. Je sortis.

Le lendemain, au petit déjeuner, je remerciai Nils, d'un ton administratif, pour sa carte de visite. Il me répondit par une rapide inclination de tête, en avalant son œuf. Normal. Tout cela était normal. Il me volait mes papiers. Il avalait son œuf. Il me tendait du sel pour le mien. J'étais son invité.

Je songeai à appeler mes rares amis de Stockholm. Ingrid, l'amie de ma femme Monica. Je ne l'avais pas vue depuis vingt ans. Elle faisait des décors de théâtre et d'opéra. Je lui parlerais de Sheena. Un dominicain français naturalisé suédois et professeur de théologie, le P. Jean Paillard. Il devait connaître Nils. Des amis peintres, les Beckman, qui habitaient Drott-ningholm. Je feuilletai l'annuaire. Je vérifiai que tout ce monde-là, si ancien, existait. Il y avait naturellement ma belle-sœur, la sœur de ma femme. Elle ne parlait que le suédois. Je trouverais quelque chose à lui dire. Je ne pouvais lui avouer la vérité, ni sur moi, ni sur la vie en général. Ce serait idiot. Nous avions fêté la Noël ensemble, en 1952, me semblait-il, à Upsal, où elle habitait avec ses enfants. Nous avions chanté, allumé des bougies et mangé des biscuits au gingembre. Nous avions marché sur des skis très courts et des raquettes, dans une forêt. Le soir, ma belle-sœur nous avait montré les films de ses dernières vacances avec son mari, mort électrocuté. Je ne me souviens pas avec précision. Je crois qu'il avait un beau bateau et que le mât avait heurté une ligne à haute tension. Son fils s'appelle Mats et il est toujours mon neveu. Ma belle-sœur montrait ces films Pathé-Baby à ses enfants. Personne ne pleurait. C'était la nuit de Noël.

Je m'en voulais de ne pas avoir assez dit à Nils que je n'étais pas totalement étranger à la Suède. Que je n'étais pas un petit crétin de Français perdu dans cette nuit claire de juin. Que j'avais près de deux années de Suède derrière moi. Murées, mais pas détruites.

Je n'appelai personne. Je sortis encore. Je ne me décidais pas à quitter la vieille ville. J'avais peur des quartiers nouveaux que je ne connaissais pas. Je n'aimais pas trop, hormis Strandvägen, le Stockholm bourgeois. Je me blottissais dans ce que je connaissais. La ville entre les ponts, la vieille ville, qui est à la fois l'île Saint-Louis et le Saint-Germain de Stockholm. J'y avais passé tout un hiver chez ma fiancée, Norradryckes-gränd. Je ne voulais pas y penser. Et j'y pensais. Et toute la « mauvaise conscience » du Nord m'y ramenait . Nos bougies sur la nappe de dentelle. Notre peu d'argent. Notre bonheur. Nos joies familières. Nos longues soirées de neige et de nuit avec nos amis. En ce temps, je savais faire les « courses » en suédois, je me débrouillais dans les magasins, je demandais « de la viande rouge pour Français, très rouge! » Et le boucher riait, et me parlait argot. J'apprenais quelques mots.

Un matin, Nils a vu que j'avais acheté des journaux français. Je lui ai dit que je commençais mes journées par une promenade vers la gare, où on me gardait de l'encre assez fraîche, *Franska Tidning*, et la marchande me répondait toujours en français. Alors il m'a dit qu'il avait *aussi* pensé à ce petit problème et qu'il avait commandé un abonnement au *Monde*, qui nous rejoindrait dans l'île.

— Un abonnement? demandai-je.

— Oui. C'est le seul moyen. Je savais que tu ne pourrais t'en passer.

— Merci, merci.

— J'ai pris pour un an. On verra bien.

— On verra. Merci.

Il me fit un petit sourire et ajouta :

— Cela ne signifie pas que j'ai pris un abonnement d'un an à ton passeport. Si tu pars, je lirai ton journal à ta place.

— Bien sûr, Nils.

Je trouvais tout étrange, dans la ville. Je voulus trouver tout incompréhensible. Je vis, sur les autobus, des affichettes interrogeant la population : « As-tu rendu quelqu'un heureux récemment ? » J'eus besoin d'un dictionnaire pour traduire le *nyligen* (récemment). Je ne vis plus que cette phrase, partout. Je décidai que c'était une campagne d'une Église, genre Philadelphie, ou pentecôtiste. Mais cela pouvait émaner aussi de l'Église d'État, puisque les véhicules publics étaient chargés de poser cette question. Je méditai. Quel heureux socialisme chrétien, associatif et chaleureux! Quelle belle invitation! J'imaginai que Giraudoux, s'il avait gouverné la France, au lieu de Pétain, de 40 à 44, nous aurait proposé un grand nombre de questions exquises de ce genre et qu'il aurait transformé les Français et les Françaises — les jeunes filles et les écoliers, surtout — en volontaires du bonheur. Il aurait fait tout cela pour les piscines municipales et les théâtres, pour les pêcheurs à la ligne et les supplétifs des Eaux et Forêts. Pour la France occupée, il aurait copié sur la Suède neutre, en ajoutant une pincée d'héroïsme, mais pas trop, une bouffée de tragiques grecs, mais poncés, assimilables par les Limousins et les Provençaux, pour que nos maquis même, nos résistants, nos combattants du rail, nos poseurs de mines, nos messages vers Londres et nos passeurs vers l'Espagne, pour que la guerre, et même les victimes des SS, soient proprement heureux. J'étais enchanté de ces autobus.

Je le dis à déjeuner. Ils éclatèrent de rire. Ils me trouvèrent désopilant. Ce que j'avais pris pour de la morale n'était qu'une campagne publicitaire payée par le téléphone national.

— Nous sommes suréquipés en téléphone, m'expliqua Nils, et les prix des communications sont les plus bas du monde. Il faut faire rentrer de l'argent dans les caisses. D'où l'appel au peuple, et par conséquent au bonheur. Vous y viendrez aussi. Tu vas voir cela. Tout le monde occidental y viendra avant cinq ans. Il ne s'agira plus seulement de gentils coups de téléphone, mais de télématique, de bureautique, et toute cette quincaillerie céleste, véhiculée par les satellites, ou souterraine, par les fibres optiques et les télé-câbles. Notre civilisation se prépare à mourir de non-solitude, dévorée par les machines communicantes. On nous forcera à communiquer n'importe quoi. Tout l'argent que nous n'aurons pas voulu dépenser en eau, en graines, en maisons, pour le tiers monde, nous l'engloutirons dans les images parlantes. Nous nous appellerons sans cesse, de chez nous, pour nous prouver que nous existons. Nous n'aurons plus besoin de sortir pour aller vers l'autre. Nous nous contemplerons les uns les autres sur nos petits écrans. Nous serons transparents. Nous nous contrôlerons mutuellement. Nous n'aurons même plus besoin de nous poser la question de l'amour des uns pour les autres. Nous nous connaîtrons. Mais nous n'aurons plus rien à nous dire. La faillite de tout, l'engloutissement, ce sera la signification disparue. Toute chose signifiant quelque chose, tout signifiera rien.

Nils avait crié, à la fin. Je croyais à ce qu'il me disait. J'y avais souvent pensé. C'est moi qui proposai, pour la première fois, de noter ce qu'il venait de me dire. Il eut l'air heureux. Il prit son air modeste, à peine joué. Il me dit qu'il achèterait dès aujourd'hui un magnétophone grand comme un paquet de cigarettes, et des kilomètres de cassettes. « Tu n'auras qu'à l'avoir toujours sur toi. Comme un espion. Tu le poseras près de nous. Tu le mettras en marche. Tu l'arrêteras quand tu jugeras bon. Et cela t'occupera les doigts. Tu fumeras moins de cigarettes. Tu fumeras mes baratins, qui ne donnent pas le cancer. Et moi, je tâcherai de ne pas parler pour ne rien dire. Ah! Comme cela va être excitant! »

Je ne vis plus la ville d'aujourd'hui que comme un embryon des catastrophes décrites par Nils. J'y fus aidé par ma difficulté d'expression et de compréhension. Ne pouvant rien communiquer, ou si peu, ni rien recevoir, je vis le monde ainsi : peuplé d'idiots de mon genre, ne signifiant même plus la fureur, à peine un léger bruit de vocables, de phonèmes en suspension dans l'air illuminé.

Je marchais beaucoup, ou j'empruntais la bicyclette bleue de Nils. J'essayais de me fondre dans cette petite foule silencieuse de cyclistes et de patineurs. Ces derniers me fascinaient, penchés en avant sur leurs roues de bois et de caoutchouc, silencieux, précis comme des martiens, coupant les files de voitures aux pires embouteillages, dévalant les rues en pente, se jetant des disques, des soucoupes volantes blanches par-dessus les arbres; je les trouvais insolents, provocants, et surtout résolus à ne rien faire, sortis de cette locomotion glissante. Parfois, ils s'arrêtaient au bord de l'eau pour regarder un journal de bandes dessinées. Puis ils repartaient, en happant une banane de Côte-d'Ivoire. Ils portaient souvent un havresac d'excursion, bourré de pommes rouges. Parfois, ils se jetaient des capotes anglaises pleines d'eau au visage. Enfin, il y avait les chefs, les nantis de ces bandes, les porteurs de feu, c'est-à-dire de sons. Ceux-là se pavanaient sur leurs patins en arborant d'une seule main d'énormes transistors à doubles haut-parleurs incorporés, balayant l'air de « disco » ou de « rock ». Ils s'arrêtaient aux feux rouges, en mimant l'obéissance, mais balançaient leur musique vers les voitures ou les autobus. Sans même ricaner, sans agressivité, les dents serrées, angéliques et muets, tout leur langage possible confié à leurs machines noires chromées, toute leur vieille âme enfouie sous ces décibels portatifs. J'en vis certains, épuisés d'avoir sillonné la ville, vautrés près d'un bateau blanc, hurlant et tapant sur des bidons d'huile vides, mais tapant quoi ?

Je passais des heures assis sur un banc, avec des « pensionnés », sous les arbres du Jardin du Roi. Ils échangeaient peu de mots. Ils s'étaient tout dit depuis des années. L'un d'eux détenait le journal du jour, qui passait de main en main, mais qu'on évitait de lire. Un autre entreprenait de découper la page des programmes de télévision, avec ses doigts et ses ongles, et de la plier pour en former une sorte de petit livret, le livret du soir, au moment où les programmes commenceraient. Il n'y avait plus longtemps à attendre. Ça allait parler de nouveau. Comme la veille, comme les autres veilles d'hier et de demain. Jusque-là, il n'y avait qu'à attendre, à l'ombre des hauts arbres frais. Un peu plus loin, autour d'un échiquier géant dessiné dans le sol, deux « pensionnés » s'affrontaient, déplaçant des pièces hautes comme des gamins, en pin, noires et blanches. Ils humaient l'air, méditaient en grommelant, lâchaient parfois un « Diables! » et se décidaient à manœuvrer une pièce. Une vingtaine de semi-vieillards et d'Asiatiques sans âge les contemplaient, en chuchotant toutes les dix minutes.
Je ne m'ennuyais pas. Ou, peut-être, pour la première fois de ma vie m'ennuyais-je, n'ayant strictement rien à faire, qu'à

attendre d'embarquer pour l'île. Je me soumettais délicieusement à l'attente, au vide, à ce qui était sans doute de l'ennui,
mais comme à une épreuve initiatique. Dans l'île, je ne serais
jamais seul et je serais, j'en étais sûr, le témoin d'événements
effrayants, comme au hammam de Travemünde, peut-être
pires... Peut-être moins insupportables mais plus insidieux.
J'essayais d'imaginer. Et puis le vide me reprenait, se
refermait autour de moi, comme un filet soyeux, bruissant de
poissons dorés. Le soleil venait de traverser l'ombrage. Je
laissais ma tête aller en arrière, pour me baigner de lumière,
imitant mes compagnons « pensionnés », me faisant victime,
comme eux, du long hiver noir et reprenant, avec eux,
confiance. Ou, toujours à leur imitation, je dodelinais un peu
et parvenais à dormir presque.

Je sursautai : je pouvais me croire revenu à Paris, dans les
jardins du Luxembourg, que, d'ordinaire, je traverse tous les
soirs pour rentrer chez moi. Je voyais, devant l'Orangerie, les
petits vieux du Sixième, assis devant leur belote, faisant
claquer les cartes sur les tapis verts, publicités pour un apéritif.
Mais ceux de Paris parlaient, criaient, s'injuriaient, avec les
accents variés de toute la France. Ici, au Jardin du Roi, le
silence était infini, et la durée désertée par les sentiments.
C'était, du moins, l'apparence. Je n'avais pas à juger. Je savais
trop de quels clichés un visiteur étranger pouvait désigner les
joueurs de belote du Luxembourg. Ce monde urbain en
marge, à Stockholm, ce n'était pas ma faute si je le sentais aussi
lointain qu'une autre planète. Mais il me manquait sûrement
deux ou trois clés toutes simples...

Une nuit, malgré les conseils de Nils, à qui j'en avais parlé et
qui m'avait représenté tous les dangers que je courais, j'osai
m'aventurer à Berzelii Park. J'étais vêtu comme un habitué,
en chemisette et en jean. J'avais peu d'argent sur moi. La carte
de Nils dans une poche fermée par une fermeture éclair. Les
mains vides. Des cigarettes suédoises très dénicotinisées.
L'obscurité était presque totale, sous les marronniers et les
saules pleureurs. Mais les terrasses du grand restaurant et des
petits cafés, toutes proches, pleines de gens paisibles devant
leurs boissons fruitées. Je m'assis près de deux filles apparemment désœuvrées, qui riaient au moindre mot échangé.
Peut-être avaient-elles peur. Peut-être voulaient-elles se rassurer en riant et justifier leur bravoure.

Il était neuf ou dix heures mais il faisait aussi clair qu'à midi, au-delà des arbres. La nuit finirait bien par tomber, après minuit. Tous les bancs étaient occupés par des gens qui l'attendaient et qui avaient maintenant à se plaindre du jour. Un homme, en face de moi, les yeux transparents et les longues moustaches de Rilke, lisait un gros livre relié en cuir rouge. Je l'entendais toussoter à intervalles réguliers.

Soudain, j'aperçus un policier qui tenait un fusil mitrailleur dans sa main droite et un émetteur HF dans sa main gauche. Il venait de harponner deux jeunes gens aux cheveux noirs et leur parlait d'une voix très douce. Plutôt une confession extorquée qu'une admonestation. Il avait l'air de s'excuser pour le tracas. Il les palpait avec respect. Les jeunes gens avaient élevé légèrement leurs bras au-dessus de leur tête. Ils répondaient à peine, en souriant. Mais il n'était pas question de fuir. Le policier chuchota dans son HF. Il y eut un grésillement à peine audible. Je pouvais être à vingt ou trente mètres d'eux. Les deux jeunes filles regardaient aussi et le monsieur rilkéen paraissait légèrement intéressé, mais pas plus que par un combat de chiens dans un parc. Il est vrai qu'on ne voit ni chiens ni chats dans Stockholm, et qu'un tel combat eût été une attraction.

Il y eut une légère montée de ton et il m'apparut que les deux jeunes gens étaient méditerranéens mais déjà gagnés par la pudeur scandinave : leurs exclamations et leurs gestes tournaient court. Là où, chez eux, ils eussent provoqué un attroupement et une vraie tragédie de l'innocence bafouée, il n'y avait ici que banale méprise inexplicable, très provisoire. Encore quelques chuchotements...

Ils se séparèrent, chacun de son côté. Les deux Méditerranéens partirent l'un vers la ville, l'autre vers la mer ; le policier fit grésiller son HF et s'éloigna lentement. Il passa devant moi. Je vis qu'il avait de longs cheveux blonds et qu'il marchait comme distraitement. Attendait-il que son HF le rappelle ? Était-il là, à ma disposition, envoyé par l'honorable député Söderhamn, pour me convaincre de cet imminent danger : les hommes ne communiquant plus que par machines électroniques ? Me faisait-il la démonstration que j'attendais ? Ou bien voyais-je tout le monde, déjà, avec les yeux de Nils ?

Le grésillement reprit et le policier rebroussa chemin, sans presser le pas. Il revint à l'endroit exact où il avait bavardé avec les jeunes gens. Il fit un pas de côté, presque mesuré en centimètres, tendit le bras vers le tronc d'un arbre et sortit d'un trou, sans doute, un petit paquet blanc, qu'il mit dans sa poche. Alors, il disparut en sifflotant.

IV

Le dernier de ces trois jours, Nils rentra vers onze heures du matin. Je l'avais entendu partir très tôt. Il monta dans ma chambre. Il paraissait en proie à une colère froide qui l'empêcha de me parler pendant plusieurs minutes. Il s'assit lourdement sur mon lit et souffla du nez, de la bouche, toussa, se racla la gorge. A la fin, il se laissa aller à la renverse et dressa ses jambes immenses vers le plafond, en disant :

— Mon parti est un parti de petits cons orgueilleux et impuissants. J'en ai assez!

Il continua sur ce ton. Il m'expliqua que la session parlementaire allait s'achever sans qu'on ait abordé le problème, à ses yeux essentiel, de la décadence de l'Éducation. Les chefs du parti s'y opposaient. J'eus droit à toutes les manœuvres, aux procédures, au règlement du *Riksdag*. Je comprends déjà mal les mécanismes de notre Assemblée nationale. Ceux-ci semblaient plus souples, mais je ne pouvais les assimiler aussi vite qu'il l'aurait souhaité. Il m'engueula littéralement, parce que je lui faisais préciser des points élémentaires. Je ne l'avais jamais vu ainsi. Il en arrivait à me parler suédois, comme si j'avais été l'un des siens; et je devais l'interrompre pour lui rappeler que ce n'était pas le meilleur moyen de m'éclairer. Il s'excusait, il se radoucissait un instant.

— Tu devrais, me dit-il, être touché de voir que c'est à toi que j'ouvre mon cœur!... C'est que je n'ai plus beaucoup d'amis sûrs. Tous me lâchent ou vont me lâcher. La démocratie sécrète elle-même ses propres poisons destructeurs et s'en délecte comme de parfums exquis. J'aimerais mieux être le sujet d'un sorcier nègre, la bonne femme d'un chef sioux. Là, au moins, il n'y a pas tromperie sur les décisions. On marche. Ici, on piétine, on rêvasse, on fait des bulles de mots, on ronronne, et le pays va sombrer. Et quand je le dis, on m'insulte, on me met du côté des traîtres bourgeois. Et on veut m'empêcher de parler! Les salauds!

Il allait parler quand même. Il s'était fait inscrire pour la séance de l'après-midi. Je compris à peu près qu'il avait dû manœuvrer contre le groupe social-démocrate, mentir, « signer un faux », flatter un complice du parti libéral. Il y avait aussi une femme dans le coup, épouse d'un ministre, employée elle-même du *Riksdag*. Elle avait fait quelque chose pour Nils, de tout à fait illégal. Personne ne le savait. Personne ne comprendrait. Mais Nils tenait la feuille, la *Talarlista*, la liste des orateurs inscrits, et il me la fourrait sous le nez, comme étant la preuve et d'un forfait et d'une victoire. Je lisais le nom de mon ami, entre un Petterson et un Gustafsson, à qui cinq minutes étaient allouées, tandis qu'après le nom de Nils, je lisais : « six min. ». Je ne comprenais même pas si le forfait était à cette minute supplémentaire (mais j'apercevais aussi qu'un certain Fredriksen parlerait « dix min. »), ou à l'inscription sur la liste.

Le plus clair : je devais suivre Nils au *Riksdag*, l'écouter, chercher avec lui des formules incisives, cruelles, sur cette décadence de l'Éducation, et donc de la Culture. Il attendait aussi de moi que je lui fournisse le résumé d'une résolution de l'Unesco, que j'avais vaguement lue. Au besoin, je n'avais qu'à inventer, si je ne me souvenais pas.

J'entrepris de le calmer. Je lui représentai que tous les parlements du monde, et tous les partis, connaissaient les mêmes imperfections. Je lui donnai à admirer la démocratie suédoise, la liberté, la parole également répartie, la rigueur des droits et devoirs respectifs de la majorité et de l'opposition... Rien n'y fit. Il était désespéré. Je ne parvenais pas à voir pourquoi. Car il ne me disait pas la vérité, j'en étais sûr. Sa colère cachait quelque chose de plus grave, qu'il ne me dirait jamais ou que j'apprendrais peut-être, mais de qui? Et il répétait : « J'aime mieux les Soviets, voilà ce que j'aime par-dessus tout. Les bottes claquent, les gorges et les bouches sont voilées, le fouet siffle! La neige tombe au dehors; le peuple ne s'endort pas, car il chante en secret. Et moi, là-bas, j'accepte de me taire parce qu'il n'y a pas d'autre moyen de survivre! »

Il restait peu de temps avant le moment où Nils devait intervenir. Il voulait écouter cinq ou six orateurs avant que vînt son tour. Nous allâmes à pied. Il me fit admirer des massifs de rhododendrons mauves. « Dommage que je n'arrive pas à en faire pousser dans l'île! » Il me conduisit à l'entrée du public, Drottninggatan. Je vis une jeune femme derrière un bureau, au pied d'un ascenseur. J'attendais que Nils me donnât un laisser-passer, ou dît un mot à la jeune femme. Il me dit seulement de prendre l'ascenseur. Et devant mon étonnement :

— Ah ce n'est pas comme votre Palais-Bourbon! Vous autres, il faut être dans les petits papiers pour entrer! Avoir un ami dans la place! Ou écrire à son député, peloter son député, qui aime être peloté, qui vient vous chercher, qui est sorti de séance spécialement pour vous, qui fait l'important, qui vous montre ce qu'il est devenu grâce à votre bulletin de vote : un grand homme à Paris! Et vous, l'humble paysan, la casquette à la main, le moujik : « Merci, monsieur le député, de me donner ainsi l'occasion d'assister à cet important débat sur l'Europe verte et la fixation des cours du maïs! » Nous, mon cher François, on entre ici comme à l'église, ou au théâtre, ou à la piscine. Et c'est gratuit. Éteins ta cigarette. N'applaudis personne. Mais tu peux prendre des notes, des photos, tu peux même apporter un magnétophone, une caméra. Nous sommes un spectacle transparent. A tout à l'heure. Je te retrouve pour dîner à la maison. Nous partons demain, quoi qu'il arrive!

— Quoi qu'il arrive, répéta-t-il.

Il allait presque m'embrasser. Il me donna une sorte d'accolade-bourrade, un peu à la façon d'un parlementaire italien, avec un clin d'œil à la fois complice et désespéré.

En sortant de l'ascenseur, je fus accueilli par deux huissiers souriants. L'un me remit une brochure bleue frappée aux trois couronnes jaunes, qui devait m'expliquer le fonctionnement de la maison. L'autre me demanda si je venais pour la première fois. Très intéressé par ma nationalité, il redoubla de prévenances et s'enquit du point de l'ordre du jour qui me sollicitait précisément. Sans comprendre ma réponse, à vrai dire peu claire, il se lança dans un petit discours obscur, mais toujours aimable. J'avais le sentiment d'être admis, et souhaité depuis longtemps, dans une loge fraternelle. Il me conduisit à regret vers les travées du public. A regret, car il m'apparut que si je l'avais désiré, on m'eût peut-être fait asseoir parmi les députés eux-mêmes et pourquoi pas, demandé de siéger à la place d'un absent, par exemple, d'où le moindre « bon mot » aurait pu être lancé, en français, ou un message d'encouragement, de la part de la France, aux députés suédois épuisés par cette fin de session.

J'étais dans une immense boîte à cigares en pin blond, passée au vernis bateau mat, rehaussée de tentures murales gris et mauve, du genre artisanat de luxe. Les députés siégeaient dans des stalles de pin identique, rehaussées du plus beau noir design. La séance était présidée par une femme à cheveux gris, fine, attentive, une écharpe de soie bleu clair nouée autour du cou. Son bureau, comme ceux des vice-présidents et des secrétaires, était décoré de plantes vertes et de bouquets de zinnias jaunes. Devant les sténographes, l'amorce d'un escalier en spirale ouvert comme une trappe, où s'engouffraient les uns, d'où émergeaient d'autres.

J'observai qu'il y avait beaucoup de femmes parmi les députés, j'aurais dit un quart au moins, et que la plupart des hommes ne portaient pas de cravate. Autour de moi, le public était considérable. Une majorité de jeunes, et un vieux marin en sabots.

L'équipement audio-visuel était celui d'un grand studio de concerts, et de larges baies, au mur, montraient les cabines techniques. J'écoutai le débit calme, sans éclat, des orateurs qui se succédaient à la tribune et qui étaient tous brefs, secs, jamais applaudis ni raillés. Parfois, la présidente donnait la parole, en annonçant : *replik,* à tel Petterson, qui dépassait rarement les deux minutes. Je ne comprenais rien, ou presque. J'entendais des mots internationaux, comme *inflation, recession, produktion.*

J'aperçus Nils Söderhamn qui entrait et restait debout, au

fond, seul, sans se mêler au petit groupe des députés qui hésitaient à siéger. D'en haut, il me sembla plus grand encore, dans ce costume de lin écru qui faisait étinceler ses cheveux blancs. Il tenait un petit bloc et écrivait un mot de temps à autre.

Puis, je reconnus Olof Palme qui avançait et dont la présidente annonça aussitôt le nom. Le leader social-démocrate courut presque à la tribune. Il portait une chemisette bleue largement ouverte. Je fus surpris de le comprendre beaucoup mieux que les orateurs précédents. Il se dandinait de côté, la main rivée aux deux barres de métal noir de part et d'autre du pupitre. Il brocardait le député modéré Bohman et lui donnait une leçon sur le ton : « Est-ce que Gösta Bohman s'imagine que... Est-ce que Gösta Bohman a vraiment lu et compris le texte dont nous parlons?... » C'était le sarcasme, la supériorité intellectuelle, ricanante. C'était sans doute éclatant; et parfaitement insupportable. Et soudain, il prononça le nom de son « vieil ami Nils Söderhamn » et je ne compris plus rien, car une sorte de débat s'instaura entre l'orateur, la présidente et quelques députés, qui, de leurs bancs, criaient. Tout cela tournait autour du droit qu'avait Nils de choisir entre proposition, motion, interpellation ou question. A la fin, Palme fut prié de conclure. Il lança un petit rire, ramassa ses papiers et revint, toujours en courant, à sa place.

Nils s'avança lentement et le silence revint. Il dit à peu près ce qu'il m'avait annoncé. Le déclin du niveau de l'enseignement, des examens, l'égalité des chances devenue nivellement par le plus bas, la démagogie, le laxisme des professeurs, l'inutilité de faire progresser les formes avancées de l'art, de la musique, du théâtre, de subventionner des écrivains et des bibliothèques si, bientôt, le nombre de Suédois à même de suivre devenait ce qu'il allait devenir : voisin de zéro. Il répéta : « Zéro, zéro! » Puis, il utilisa ses deux à trois dernières minutes à célébrer le combat, déjà ancien, des universités populaires, de tous les camarades qui avaient élevé le niveau intellectuel du pays. Il parla des savants sortis des forêts, des médecins issus de l'usine. Sa voix monta, chaude, tendue, et chacun put entendre qu'il était ému. Chacun devait savoir mieux que moi pour quelle raison. Il répéta plusieurs fois : *sista gång* (dernière fois), et joua de ce mot-gong, sans doute, mais avec tant de force que l'effet ne me parut pas forcé. Je me demandai s'il ne menaçait pas de démissionner. Il adjura ses collègues, il parla au-dessus de son parti et des partis, il répéta qu'il était un vieil homme et qu'il avait voulu parler pour les jeunes, pour eux seuls, car il comprenait leur dégoût de la politique. Son dernier mot fut « réactionnaire » et je devinai que la phrase exacte était quelque chose comme : « Et maintenant, traitez-moi, si vous voulez, de réactionnaire! »

Il salua la présidente d'un bref mouvement de tête. Une sorte de clameur sourde, coupée d'applaudissements très brefs mais en une seule salve unanime. A côté de moi, des jeunes filles, très jeunes, applaudirent aussi. Nils passait entre les travées. Il rayonnait. Il posait sa main sur les cheveux de quelques-uns de ses collègues. Il prenait son temps. Il les regardait, chacun d'eux, et ne s'arrêtait pas. Il croisa Olof Palme, qui s'était levé et marchait vers lui.

Il sortit.

Je me levai aussitôt, espérant aller à sa rencontre, si je faisais le tour du bâtiment. Puis, dans la rue, je me ravisai. Je le verrais à la maison. Il n'avait pas besoin de moi, en ce moment. J'imaginai qu'il avait regagné son bureau et je souhaitai qu'il eût une secrétaire amicale, familière, à qui il pourrait se confier et qui saurait le conseiller.

Je me retrouvai Drottninggatan. J'avais sans doute assisté à quelque chose d'important mais je n'étais pas sûr d'avoir compris. Un incident, vraisemblablement. Peut-être dramatique.

Dans cette rue piétonne, étincelante d'aluminium et de verre, j'aperçus des magasins qui proposaient des objets chinois, péruviens, des poteries et des châles, du bambou et des tambours. A une terrasse, près du théâtre Clara, des gens buvaient de l'eau gazeuse. Le théâtre jouait une pièce américaine. Une histoire idiote d'hémiplégique dans un hôpital, qui rêve de tripoter les cuisses de l'anesthésiste. J'entrai dans un magasin. Je regardai distraitement la marchandise artisanale tiers-mondiste, la même qu'à Saint-Tropez. J'allai m'asseoir à cette terrasse et demandai, exprès, du vin rosé, qu'on me refusa sans sourire. Je souris et demandai de l'eau. J'aurais voulu que Lily fût avec moi, qu'elle m'eût accompagné au *Riksdag*. Elle m'aurait aidé à comprendre

Pappa Nils. Et maintenant, nous pourrions bavarder et boire de cette eau glacée. Personne ne nous regarderait, à cette terrasse, comme on nous eût regardés à une terrasse de Paris, où j'aurais été si fier de me montrer près de cette longue fille blonde. Je songeai à deux ou trois copains de Paris. Je leur aurais dit qui était Lily. Je leur aurais demandé de l'imaginer, avec son violoncelle, je leur aurais fait admirer la finesse de ses poignets et la longueur de ses doigts spatulés, striés par les cordes. Je leur aurais bien expliqué que tout cela n'était qu'un rêve. Lily ne restait pas à Paris, comme elle n'était pas restée dans son *loft* de New York, comme elle demeurait invisible dans sa ville, dans Stockholm. Il fallait, pour aller la voir, traverser la mer, cheminer dans le dédale de l'archipel et ne pas se perdre en route. Il y avait 24 238 îles, dans cet archipel, et qui se ressemblaient. Aucun de nous ne découvrirait celle de Lily. Et il n'y avait pas de violoncelle, naturellement.

V

Le break était à nouveau devant la maison. On avait rabattu la banquette arrière et entassé toutes sortes de caisses, de valises, de cartons de nourriture, de vins et d'alcools. Je comptai deux caisses d'aquavit et trois de bourbon. Un jeune homme frêle à lunettes de fer s'occupait de tout. Il ne parlait pas un mot de français. Je lui demandai comment nous allions voyager, puisqu'il ne restait plus que les deux places avant. Il ne comprit pas. Ou bien il comprit, mais cela l'arrangeait peut-être de faire comme si mon suédois était vraiment trop incorrect. Je fis exprès de ne pas renouveler ma question en anglais.

Je pensai : « Nils va conduire le break, Sheena près de lui. Lily et moi nous suivrons à pied ; Nils ira assez lentement pour que nous ayons l'impression de marcher derrière un fourgon mortuaire. Et ce ne sera pas trop long, ni trop épuisant, puisque la mer n'est pas loin. A bord, il y aura des places assises pour tout le monde... »

Le jeune homme frêle se précipita vers Nils et lui tendit une pile de journaux. Je vis qu'il avait encadré de bleu certains articles, agrafé certains autres. Nils se plongea dans cette lecture, en s'excusant auprès de moi :

— Mon truc d'hier a fait du bruit !

Il s'éloigna un peu de nous pour lire paisiblement. Je demeurai près du break, ma valise et mon sac à mes pieds. Je parus très intéressé par les gens qui passaient, généralement des touristes américains. Je vis aussi une troupe de gens de congrès, avec leurs badges en plastique à la boutonnière, tous habillés de bleu marine, portant des attaché-cases publicitaires. Ils marchaient comme des pingouins. Ils pouvaient être des paysans du Sud venus à Stockholm se faire expliquer les performances de nouvelles machines agricoles. Ils étaient abrutis de technologie sur diapositives. Un autre groupe de jeunes bacheliers, reconnaissables à leurs casquettes blanches, les croisa et il y eut, de part et d'autre, échange de railleries étouffées, sourdes, et de petits rires, et plusieurs fois le mot « Diables! » Les uns et les autres se jalousaient. Les pingouins auraient préféré être bacheliers et les bacheliers riches paysans.

Et moi, j'attendais sans nulle crainte. Nils venait d'appeler le jeune homme, qui devait être un étudiant en sciences politiques. Nils criait, maintenant, dans le jardin de l'église allemande. Il ne voulait pas crier près de moi. Il engueulait le jeune homme, ou les journalistes. Peut-être Olof Palme, après le discours de Nils, avait-il fait une sorte de rectification, pour préciser que le point de vue de Nils n'engageait pas le parti. Chez nous, ça se serait passé ainsi. Finalement, j'allai rejoindre les deux hommes et je fis part à Nils de ma supposition:

— Oui, dit-il, c'est à peu près cela. Pas tout à fait mais ça revient au même. En fait, il fallait que l'un de nous se rende impopulaire et réaliste et j'ai voulu être celui-là. Et maintenant, mes amis font semblant de m'engueuler. C'est le jeu. Mais jusqu'où va le semblant? Où commence le lâchage, la lâcheté, jusqu'où les lâcheurs vont-ils cracher? C'est la question, jeunes gens! Et moi, jusqu'où ai-je poussé la déraison? Et pourquoi suis-je de plus en plus, en vieillissant, attiré par la déraison, tout en sachant de mieux en mieux où est la raison? Cela aussi, François, c'est une foutue question!

Le jeune étudiant nous regardait, visiblement furieux de ne rien comprendre. Nous marchions lentement sous les arbres du jardin. La cloche venait de sonner longuement. L'air était doux, pastoral. Deux mouettes picoraient presque entre nos jambes, distraitement; j'eus l'impression qu'elles étaient déjà gavées de poissons. Au loin, on entendait les sirènes des steamers en partance pour la Finlande. Ces longs mugissements, à la fois lourds et joyeux, s'étendant sur les prairies de la mer, prolongeaient les bruits de la ville et appelaient à une sorte de traversée immobile, bien plus qu'à une séparation. Je savais pourquoi. Un jour, j'embarquerais à bord d'un de ces

111

bateaux de la *Silja Line*, vers Helsingfors, énormes masses blanches à deux cheminées, et je boirais jusqu'à plus soif, au milieu de ces centaines d'assoiffés, embarqués pour ça, pour rouler sous les tables, pour s'emplir et se vider d'alcools glacés, du crépuscule à l'aube, j'irais tituber sur le sable finlandais, quelques heures, je chanterais, je dormirais, et j'embarquerais à nouveau, du crépuscule à l'aube, pour le triste retour à la vie sèche. Je ne savais pas si je ferais ce voyage seul ou avec un compagnon fort en gueule, ou avec Sheena, qui boirait plus que moi ; seul, je m'y voyais seul, interpellé par des hommes furieux de m'avoir pour témoin, et je n'aurais d'autre ressource que de boire plus qu'eux, de chanter plus fort mes vieilles chansons de soldat, sans craindre d'inventer des couplets, puisque je serais seul à chanter dans ma langue.

Je ne savais rien de ces bateaux, rien de ces gens. Je rêvais par ouï-dire. La Baltique m'énervait comme Rouen madame Bovary. J'avais peu navigué. J'aime flâner dans les ports, contempler ceux qui partent et ceux qui débarquent, et les mouchoirs agités, et les mines responsables des officiers. En ce moment, perdu dans les discours et la revue de presse autour de Nils, je n'étais même pas sûr de le suivre. Il pouvait fort bien, au dernier moment, me laisser. Que signifiait ce break bourré et ces deux seules places à l'avant ? J'osai interrompre l'avenir du parti social-démocrate suédois pour quelques secondes :

— Nils, excusez-moi. Il n'y a plus que deux places à bord.

— Oui, je sais. Lily vient avec moi. Tu suis avec Sheena, dans une autre voiture. Une voiture italienne. Cela te convient ?

— Italienne ?

— Je veux dire : d'un Italien.

— Et l'Italien nous accompagne ? demandai-je.

— Sûrement pas. Tu deviens chauffeur « à l'italienne », mon cher. Et tu pourras même, si tu veux, dépasser légèrement notre vitesse maximale, ridicule. Tu auras, dans le cul, une superbe plaque « Corps Diplomatique ».

— Bon. Je n'y comprends rien, mais j'ai l'habitude.

— Sheena t'expliquera. Je voulais te dire quelque chose de plus important. Je reviens à la raison et à la déraison. Connais-tu les derniers mots de Gide ?

— Non, dis-je. Ni les premiers, ni pas mal du milieu. Je n'aime pas le bonhomme.

— Parce que tu ne le connais pas. Moi, je l'ai connu et je le connais. Je peux parler. Nous verrons cela plus tard. En tout cas, avant de mourir, Gide... Bengt!

Il rappelait l'étudiant qui en avait assez, et qui s'éloignait.

— Bengt! Tu connais Gide? Au moins de nom? André Gide! *Nobelpriset* 1947! Non? Tu ne sais rien. Sorti des petites manœuvres politiques, il ne sait rien. Alors, à tous deux, je vous explique.

Il parla tantôt en suédois, tantôt en français. Bengt avait ôté ses lunettes et les essuyait d'un coin de mouchoir, comme si la littérature, jugée supérieure à la politique, eût exigé cet éclaircissement. Nils expliqua en deux phrases qui était Gide, méprisantes pour Bengt, qui ne méritait sans doute pas davantage. Puis, il dit:

— Alors, il décida de partir pour le Maroc. C'était en 1951, en plein hiver. Mais il eut à la fois un accident au cœur et un autre au poumon. Je crois me souvenir qu'il est mort assez rapidement, sans trop de souffrances. Il a dit: « C'est toujours la lutte entre ce qui est raisonnable et ce qui ne l'est pas... » Il est mort là-dessus.

Bengt n'avait pas l'air profondément bouleversé par cette phrase traduite en suédois; et je dis:

— Nils, entre nous, de toute façon, je me méfie des dernières phrases. Celle-ci peut être d'un petit copain de Gide, ou de la « petite dame » ou de je ne sais quelle éminence de la NRF. Cela fait « arrangé ». Et si cela ne l'est pas, c'est pire, parce que c'est banal à pleurer. Gide est mort de banalité!

— Quel idiot tu es! C'est une phrase banale, si c'est une phrase de bien-portant. Naturellement! Mais quel idiot!... Voilà un homme qui meurt et qui se demande s'il ne doit pas lutter, ou ne pas lutter, pour savoir, ou ne pas savoir, s'il peut, ou ne peut pas, imaginer le déraisonnable. C'est-à-dire l'au-delà et Dieu. Tandis que toute sa vie l'a peu à peu raisonnablement convaincu de ne rien imaginer d'autre qu'un morceau de terre sur ses ossements. C'est une phrase sublime, terrible pour un mourant! Tu n'as rien dans le cœur, pas d'âme, et toi, à ta mort, tu n'auras certainement pas la moindre idée de « toujours la lutte » ! François, si tu vis sans lutte, tu meurs de même; et donc tu es déjà mort.

— Nils, c'est vrai. Depuis que je te connais, je n'ai pas la moindre envie de lutte. Je suis quelqu'un qui part en vacances du plus profond de la fatigue.

— Mais tu te réveilleras bientôt et cela fera du bruit. François, quand tu te réveilleras, ce sera comme une brise marine parfumée du jasmin de toute la Sicile. Nous n'avons pas ce parfum-là, dans notre archipel. C'est pourquoi nous partons à sa rencontre, dans nos folies. Tu dois comprendre cela. Nous avons nos îles, et vous ne les avez pas, et vous ne les connaissez pas, et tu vas les connaître. Alors, tu te réveilleras et je m'éteindrai. Il y a quelque chose comme cela, dans les Psaumes de David : « A la place des pères, viendront les fils : Tu en feras des princes parmi toute la terre. »

Il traduisit encore, comme il avait fait pour Gide, à l'intention de Bengt, qui prit l'air contrit, convenable, de tout Suédois à qui l'on assène du psaume. J'avais envie de rire et, en même temps, je voyais bien la gravité de Nils et j'essayais d'imaginer ce qu'il y avait sous ses paroles. Mais j'imaginais de travers, ou bien je ne voulais pas courir le risque de me tromper. Alors, je m'abandonnais et j'attendais la suite, le récit du conteur, et je me sentais parfaitement capable de demeurer ainsi, avec Bengt, l'air idiot, les lunettes éclaircies, puis à nouveau embrumées, devant un break appareillé, sans jamais voir venir le départ.

L'heure sonna encore, à l'église allemande, et les ormes et les bouleaux du jardin s'agitèrent devant la maison. Il était dix heures et il faisait déjà chaud. Je n'avais jamais pensé avoir si chaud dans cette ville. Je portais une sorte de combinaison de pompiste, que j'avais achetée la veille, et je devais avoir l'air d'un vieux soldat qui reprend du service. J'étais nu sous ce vêtement et j'avais déjà envie de prendre une deuxième douche. Je ne me voyais pas du tout devenir, ce jour, « prince parmi toute la terre ». Du reste, je soupçonnais Nils de nous réciter des psaumes à lui, en prenant le ton noble. Ma petite Bible de Jérusalem était dans le fond de ma valise. Sinon, j'aurais bien vérifié. Je dois à la vérité de dire aujourd'hui, fort de mes notes et de mes souvenirs, que j'ai vérifié : chaque fois que Nils citait l'Ancien ou le Nouveau Testament, c'était, à quelques détails de traduction différente près, le texte même.

Nous revînmes à pas lents devant la maison. Nils tendit le tas de journaux à Bengt, qui les fourra à l'arrière du break, entre les caisses, pour caler le chargement. Puis, après un bref salut, il s'esquiva. Nils reprit son visage privé. Au bas de sa maison, il siffla dans ses doigts comme un marin; un coup strident. Je crus encore qu'il trichait et qu'il avait un sifflet. Il comprit et me montra ses mains vides. Il recommença. Lily parut à sa fenêtre et dit, d'une voix claire, renvoyée par les maisons d'alentour : « Je viens! »

Elle était là. Son grand sac de toile bleue et son violoncelle dans les bras. Il restait la place nécessaire pour l'un et l'autre; mais rien de plus ne serait entré dans le break. Elle nous aida, Nils et moi, sans ouvrir la bouche. Enfin, elle me regarda et me fit sa révérence ironique. L'orgue éclata, dans l'église, pour quelques brefs accords, brillants, précédés d'appogiatures qui ne parvenaient pas à soulever la masse brune de la tonalité d'ut mineur. J'en fis la remarque à Lily, qui se tut, comme si mon pédantisme musical lui paraissait inconvenant. J'insistai :

— Qu'est-ce que c'est, Lily?

— L'organiste répète.

— Pourquoi maintenant?

— C'est l'heure.

— De notre départ?

— Non! Ce soir, elle donne son concert. Il n'y aura que des touristes. C'est une vieille fille aux jambes courtes. Mais elle joue assez bien. Un peu nerveuse, je crois.

— Tu es nerveuse quand tu joues de ton cello?

— Jamais, dit-elle. Avant, après, toujours. Jamais quand le cello sonne. Où est maman? ajouta-t-elle.

— Je ne sais pas.

— Elle va arriver, dit Nils. Nous pouvons partir, Lily.

— Bon. François, attends ici! A bientôt!

Elle s'installa à côté de son *Pappa* et boucla sa ceinture. Nils fit de même. Je jetai un regard piteux sur ma valise et sur mon sac à mes pieds. Nils éclata de rire. Il venait de mettre en route. L'orgue s'était tu. Puis, la dame aux jambes courtes essaya les mixtures, un cornet; une arabesque légère caressait les arbres et revint sur les vitraux. Le vent s'était levé, me faisant croire un instant que l'organiste usait parfois de sa boîte d'expression. Mais non, c'était bien le vent, parcouru par le cri strident des mouettes.

— Alors, vous me laissez? demandai-je.

— Mais non, imbécile! cria Nils.

Il avait démarré en trombe, comme un jeune gandin qui veut étourdir sa proie. Lily me fit un grand geste du bras, qu'elle essaya de rendre sicilien. Je vis ses yeux blancs s'agrandir, tandis qu'elle s'éloignait. Il ne resta plus, sur la petite place, que ces yeux et un sourire flottant autour de moi. L'énigme absolue. Et, en outre, Nils me traitait d'imbécile. Cela devenait une habitude, chez lui. Et je ne savais même pas le nom de son île. Il m'avait montré un minuscule caillou, vaguement, très loin des côtes, sur une carte, dans son bureau et il m'avait aussi montré le port d'embarquement, qui m'avait semblé distant de Stockholm d'au moins cent cinquante kilomètres.

Je pris ma valise et mon sac et rentrai dans la maison. Je montai les deux étages. J'ouvris la porte de l'appartement. J'entendis de la musique. J'allai vers la chambre de Nils. Il avait laissé la radio allumée. Je montai le son. C'était du jazz, très « cool », genre MJQ. J'ouvris la fenêtre. L'organiste me battait, aux décibels. J'écoutai les deux musiques à la fois, la fugue de Bach, peut-être pas, de Buxtehude, dans l'église allemande, et le piano, le vibra, les balais, une touche de saxo ténor, de loin en loin, comme une goutte d'huile dorée. J'éprouvai un grand bonheur à ce double concert. J'en oubliai mon sort.

Puis, j'allai à la cuisine et me confectionnai un *smörgås* de pain noir et de harengs aux girofles. Je bus une bière légère. Sheena ne viendrait pas. Elle était sortie très tôt; je l'avais entendue. Depuis trois jours, nous n'avions pas échangé deux mots.

J'errai comme un voleur dans l'appartement. Je n'avais envie ni de voir ni de voler. J'étais là comme une sorte d'invité clandestin à un banquet décommandé. Je pensai sérieusement à l'abandon. Nils s'était bien amusé de moi. Il me restait à appeler notre ambassadeur. Je rentrerais à Paris, les épaules basses.

J'allai dans la chambre de Sheena. Je caressai le bord du lit blanc, ouvert. Je contemplai les flacons, presque tous ouverts, dans la salle de bains. Des parfums français, américains, des mélanges de crèmes dans des tubes argentés sans étiquette. Je vis une édition en suédois du théâtre de Tchekhov. Je tournai les pages. Je vis que Sheena s'était intéressée à *la Mouette* et, plus précisément, au rôle de la comédienne célèbre, Arkadina. L'édition provenait, d'après le cachet, de la Radio-Télévision suédoise. Sheena n'avait donc même pas, à elle, chez elle, un Tchekhov. Je réfléchis sur ce point. J'étais sans indulgence, d'abord. Puis, je fis des comparaisons avec des comédiennes françaises que je connaissais, de l'âge de Sheena, quarante ans. Chacune de celles auxquelles je songeais avait chez elle deux ou trois éditions différentes de Tchekhov. Mais j'étais en Suède. Je ne devais pas oublier cette infériorité des langues parlées par peu de gens. Ce drame — ce devait en être un pour les écrivains, et pour les comédiens — d'être à la recherche de leur art dans un véhicule minoritaire. A Paris, la moindre nouvelle *Mouette* faisait parler d'elle, comme à Londres, à New York ou à Milan. Je m'interrogeais. J'avais bien vu cinq ou six *Mouette* depuis que j'allais au théâtre, dont la première à l'Atelier, en 1948. J'avais vingt-deux ans. Et si j'avais été suédois, j'aurais vu autant de *Mouette*, mais vues par quelques milliers seulement de Suédois. Et rien ne démontrait que les troupes françaises fussent meilleures que les troupes suédoises, ou scandinaves en général, ou néerlandaises, ou catalanes. Je fus même assuré, soudain, qu'il devait y avoir eu à Barcelone, aux années 1950, un fabuleux Trigorine dont on n'avait parlé qu'à Barcelone, et qu'en catalan, le ton lassé, douceâtre, de Trigorine pour dire qu'il a envie d'écrire quelque chose, et qu'il voit passer un nuage en forme de piano à queue, et qu'il compte utiliser cette impression dans une nouvelle, et puis, et puis, que le temps passe, et qu'il ne sera pas Tolstoï, je décidai qu'il y avait là une sonorité spécifiquement catalane de Tchekhov. Bref, que c'était trop injuste de ne pas savoir si Sheena était ou non une grande comédienne. Et je ne trouvai pas de solution. Elle n'était peut-être qu'une faiseuse d'embarras. La voiture de l'Italien diplomatique n'existait pas. Il n'y avait aucune raison pour qu'on remplisse les journaux parisiens de Tchekhov parisiens, plus ou moins satisfaisants, tandis que je tenais là, dans cette salle de bains odorante, où je cherchais la crème qui avait oint mes lèvres sur l'autoroute allemande, une fantastique Arkadina, suédoise, inconnue.

Et du reste, absente. En fait, je pourrais m'installer dans cet appartement, et laisser Nils à Lily, Sheena à l'Italien.

J'entendis sonner les douze coups de midi. Il n'y avait plus d'orgue. J'avais éteint la radio. J'allai voir les livres de Nils. Je vis ces vieilles éditions de l'avant-guerre française, ces NRF jaunies, un Proust complet, haut et rose, les Valéry, les Claudel, les Gide. Beaucoup de Cocteau. Je vis *l'Analyse spectrale de l'Occident* de Keyserling. Je pris ce livre, que j'avais tant lu et aimé. Je me promis de relire le chapitre « Suède ». J'aurais du temps. Je tâtonnai dans les Gide, qui me faisaient peur. Sans même le vouloir, je superposais ma propre bibliothèque à celle de Nils. Il y avait ces dix ans d'âge entre nous, énormes. Ce n'était pas la bibliothèque d'un grand frère, mais d'un demi-père. Je voyais où j'étais plus fort, côté Bernanos, côté Giraudoux ou Aragon, et où il me devançait, côté Gide, côté Strindberg. Encore que mon rayon Strindberg fût, je le voyais exactement, je savais où j'avais fourré tout ça, très honorable.

Mais j'étais dans la bibliothèque d'un Suédois né le 14 juillet 1916, et j'étais né le 1ᵉʳ juillet dix ans plus tard. Et cet homme avait été étudiant en langues romanes à Upsal en 1938, et s'était destiné à l'étude de la littérature française et l'avait, de fait, enseignée dans un lycée, il m'avait dit lequel, de 1941 à 1945. Tandis qu'à cette époque, je découvrais, il enseignait déjà.

Il avait tout Gide. C'était énorme, indécent. Et je détestais Gide. J'étais là devant ce bloc de notre pseudo-Goethe, devant notre inquiétant rongeur de livres, tenancier de « journal », frôleur d'Arabes dans les cinémas de Biskra, devant notre pédant à la voix de moine frileux, gourmand d'assonances et de délectables allitérations... J'entendais sa voix radiophonique, ses inepties sur Chopin, cette façon précieuse de ne rien dire en ayant l'air d'assener des originalités inouïes. Je l'avais haï dès mes dix-sept ans. Gide avait été, pour moi, le repoussoir, l'écrivain à fuir. Ou alors : ne pas devenir écrivain. Le politique embarbouillé de pathos et de poses, le malade qui n'en finissait pas de se bien porter, pour le plaisir de se dire, à l'heure du thé avec la « petite dame », pas très « en forme ». Et crevant « en forme », avec cette ridicule phrase au coin des lèvres, celle que Nils admirait tant... « C'est toujours la lutte... », crevant d'encre aux commissures des lèvres, mais sans une goutte de sang.

Je pris au hasard un exemplaire de *Si le grain ne meurt*. C'était l'édition de 1926. Je découvris la dédicace du Maître, aussi ridicule que possible : « A Nils Söderhamn, dont la visite m'a fait plaisir, et qui devra revenir. » Dédicace de satyre à écriture et paraphe chantournés pour un jeune Viking. Nous sommes le 19 août 1938. Mais qu'est-ce que fait ce Nils de vingt-deux ans à Paris, dans la chambre de Gide ? Devoirs délicieux de vacances ? Un, parmi d'autres, de ces adolescents fiévreux qui ont l'idée d'une thèse sur Gide ?

Ce n'était plus seulement Gide, le prix Nobel 1947, que je haïssais, mais Nils, soudain. Je n'étais pas capable de formuler la chose ; mais c'était une sorte de jalousie. Comme si je n'avais pas été Gide. Plus compliqué ? Pas du tout. Aussi simple que ce bonjour-là d'un écrivain français, sûrement pas immense, au vieil imposteur qui avait su fasciner Nils le 19 août 1938.

J'ouvris *Si le grain ne meurt*. Je ne l'avais pas lu depuis mon adolescence. Je ne savais même pas ce qu'il y avait là-dedans. Je croyais le savoir. Au fond, c'était peut-être meilleur que je ne le pensais. Je lus au hasard, vraiment au hasard, un fragment de séjour à Sousse (Tunisie). Je lus : « Paul, à de certaines heures, me quittait pour s'en aller peindre ; mais je n'étais pas si dolent que je ne pusse parfois le rejoindre. Du reste, durant tout le temps de ma maladie, je ne gardai le lit, ni même la chambre, un seul jour. Je ne sortais jamais sans emporter manteau et châle... »

Je jetai le livre à l'autre bout de la pièce. Il se cassa en deux. Bravo, les colles d'avant-guerre ! J'éclatai de rire. Alors, Gide, il collait ses pages avec son sperme tunisien ? J'allai ramasser le livre. Je relus la page, qui s'offrait à moi comme une prostituée familière des fouets. Cet « à de certaines heures », ce « que je ne pusse », toute cette dolenterie de capes, de châles, tous ces lainages de vieil Occidental pneumatique, en quête de jeunes jambes nues et noires, tout cet argent d'avare dépensé pour un frisson, sous de vagues prétextes d'aquarelles coloniales... Je lus un peu plus avant. Je vis le jeune Arabe « nu comme un Dieu », et son corps, contre le narrateur, « aussi rafraîchissant que l'ombre ». Je jetai à nouveau le livre. J'étais le Vatican, avec Gide. Je rejetais. A l'Index. Aux ténèbres. La haine. J'aurais voulu le griller sur le bûcher, lui et ses châles, et ses précautions grammaticales. Pas « à de certaines heures ». Pour l'éternité... Mais ma fureur eût dû m'inquiéter.

J'essayai de réparer le livre, à l'aide de papier collant que j'avais trouvé dans un tiroir. Je n'ai jamais été très adroit de mes mains et, en cette circonstance, je les laissais faire seules. Je décidais qu'elles décidaient. Si j'y arrivais, si ce pauvre Gide s'en sortait vivant, cela signifierait que j'embarquerais. Sinon, je restais ici à attendre Sheena ; qui ne viendrait pas ; qui était ailleurs. Ou, au contraire, me donnant un peu de mal (mes mains seules, pour moi), puis beaucoup de mal, je réussissais, et je n'embarquais pas, et un fonctionnaire du *Riksdag* venait me déloger, sur ordre du roi et du parti, et on me reconduisait aux frontières, ou au hammam de Travemünde, drapé dans un grand drapeau bleu à croix jaune.

Je collai, décollai, lus, relus le livre abhorré, serré, pressé. Je m'amusais au plus haut point autour des deux mots *relire* et *relier*, lorsque Sheena entra, en claquant toutes les portes qu'elle put. Je l'entendis me dire très distinctement, comme une réplique de boulevard, à laquelle on pouvait ajouter du saugrenu :

— François, je ne suis pas une bonne maîtresse ! Je ne me suis pas occupée de toi, de ton linge. Tu as sûrement du linge à laver, avant de quitter la ville !

— Tu veux dire « maîtresse de maison » ?

— Oui, oui ! Je dois m'occuper de ton linge, de tes chemises, de tes slips, de toutes ces choses. Tu es un Français, habitué aux mains des femmes dans l'eau, le savon, tout ça...

— Je ne veux pas, Sheena, que tes belles mains soient abîmées par ma saleté. Du reste, je ne suis pas sale. Personne n'est sale, à Stockholm. Je n'ai jamais vu une ville plus propre, lavée partout, avec toutes vos machines aspirantes et projetantes !

— Qu'est-ce que tu dis ?

— J'ai lavé, dans la douche, ce qu'il y avait à laver. Mon

linge et aussi mon corps. Je suis parfaitement propre. Je suis allé dans ta salle de bains. J'ai vu toutes tes crèmes. Je n'y ai pas touché.

— Veux-tu? François, tu veux de mes crèmes?

Sheena avait une voix extraordinaire de hautbois grave, à l'extrême limite du registre, et qui lui coûtait plus de souffle qu'à n'importe quelle voix, car elle descendait chaque fois qu'elle voulait parler fort, et ne remontait que lorsqu'elle parlait ordinairement, de sorte que les cris « au feu! » ou « au secours! », par exemple, auraient été inaudibles. Mais elle ne criait pas. Elle me disait un flot de paroles merveilleuses à entendre, dansantes, incertaines. Je ne me souviens plus. Elle allait de plus en plus vite. Sheena pouvait être virtuose de la douceur et du non-sens. Nous allions sûrement partir ensemble et rejoindre son mari et sa fille. Cela, c'était la donnée bourgeoise, donc inutile. Il y avait longtemps que j'avais cessé de m'arrêter à ce genre d'informations. Je trouvais plus important, comme Sheena, de considérer les variations de la température, les reflets de sa robe de coton noir satiné, le baiser que sa bouche donnait sur la vitre de la fenêtre, la trace de ce baiser, la buée, l'écho de l'orgue qui venait de reprendre, et ce minuscule problème d'un ongle incarné, légèrement, qu'elle découvrait à son orteil droit, et cette façon naturelle qu'elle avait de me prier : « S'il te plaît, passe-moi *le* pince et *le* lime, François! » considérant que, de tout temps, j'avais su et les genres et les places de ces instruments dans cette maison où j'avais dû naître, une nuit, avant Sheena. Et je m'asseyais, les jambes en tailleur, tout alangui, le cœur attiré par une rhapsodie impalpable, sans commencement ni fin, pour contempler l'ongle de Sheena, voilé et dévoilé tour à tour sous la chevelure rouge. C'était maintenant le plein midi, c'était Biskra, mais j'aurais attendu la nuit, les deux seules heures de nuit, dans douze ou treize heures, j'aurais assisté à la mise en pièces de mon code génétique, je me serais tu, je n'aurais cessé d'écouter. Je n'aurais jamais dit je suis, ou je voudrais, ni je trouve, je me serais incliné à tout instant qu'elle eût décidé, devant cette voix ascendante, quand le visage plongeait encore vers l'ongle, déclinante quand Sheena daignait piquer ses yeux verts dans les miens et dire :

— J'ai. J'ai. François, j'ai.

Que répondre? Je dormais, les oreilles murées, le regard engourdi. J'étais affamé, assoiffé et rien au monde ne me contenterait plus que le spectacle de Sheena, me représentant l'incertitude.

— On ne va pas s'amuser toute la vie comme ça, non? dit-elle en soupirant.

Elle se leva. Elle fit un entrechat.

— On part. On est en retard. On est déjà grondés. On n'aime pas ça, pas du tout. J'ai! ajouta-t-elle.

Et je ne me demandais pas ce qu'elle voulait dire. C'était une sorte de *gée*, de *jaih*. Cela n'avait rien à voir avec le verbe avoir. C'était autre chose, et que m'eût-elle dit? Et comme j'aimais ne pas le savoir!

Nous avons fermé la maison, comme un parfait petit couple qui part en vacances. Les stores, les robinets, les compteurs, les abonnés absents au téléphone, l'eau dans les bacs de plantes vertes. J'ai pris un plaisir particulier à écouter l'enregistrement de la maîtresse de maison pour ses correspondants : « Sheena Norrenlind est absente du milieu de l'été à la fin de l'été. Elle se prépare à tourner, en automne, un film dirigé par Stig Löwenskjöld et ne peut donc accepter aucune autre proposition. Néanmoins, en cas d'urgence, vous pouvez appeler l'agent Erland Nykvist ou les Fria Filmares Produktion, et spécialement M. Israelsson; ou bien Sandrew Film och Teater, Floragatan 4. Merci. Adieu! Merci! »

Elle enregistra, puis écouta, puis je voulus écouter à nouveau, puis elle brancha le répondeur, puis je demandai à écouter encore :

— Je t'en prie, Sheena, c'est si beau! Rien qu'une fois!

— Tu es un gamin? Ou bien tu es amoureux, ou quoi?

— Laisse-moi écouter! J'aime tellement, tu ne te rends pas compte de la beauté de votre langue, tous ces bruits étouffés, tous ces chuintements et ces accents toniques si inattendus! C'est beau comme du Racine!

— Mais pas du tout! Je connais Racine. J'ai vu, une fois, à la Comédie-Française, je n'ai rien compris. *Armes, Charmes, Larmes...* Très monotone!

— Parce que tu ne connais pas assez le français.

— Si tu connaissais mieux le suédois, mon message te paraîtrait beaucoup moins exotique.

— Je sais. Je suis comme un petit nègre devant les Blancs du Nord.

— Devant la rousse du Nord aussi, hein?

— Je n'ai pas dit cela. Je n'ai pas fait la moindre allusion à ta voix sublime, ni à ta diction extraordinaire, ni à ce souffle de tes inspirations, entre les phrases...

— Merci.

— Je ne te flatte pas. Je sais qu'un Italien s'en charge.

— Je vois, dit-elle, que Nils a encore parlé de ce qui ne le regarde pas.

— Nils est ton mari. Cela le regarde. Et il fallait bien m'expliquer comment nous irions dans l'île. Peu importe. Je m'habitue.

Elle remit le répondeur en position d'attente.

— Je ne peux pas écouter une dernière fois? demandai-je.

— Non.

— Alors, je t'appellerai de l'île, tous les matins.

— Il n'y a pas de téléphone, à Yxsund. Et je serai à Yxsund.

Je crus comprendre qu'il y avait néanmoins des moyens de transmission par radio, dont seul Nils savait se servir; et qu'il y avait peu de chance pour qu'il perde son temps à écouter le message de sa femme, sur ce répondeur.

— Est-ce une île aussi belle que le dit Nils?

— Tu verras.

— Elle est grande, elle est belle, nous serons seuls?

— Tu verras. Dans Strindberg, il y a « Belle Ile » et « Méchante Ile ».

— Je ne connais pas.

— C'est dans *Rêverie*, une pièce que Strindberg a écrite en français. Tu pourrais au moins connaître ce que Strindberg a écrit en français. Le pauvre! Il tenait tellement à avoir une gloire en France! Quel travail! Quel écrivain français a été assez fou pour écrire en suédois? Dis-moi un nom, un seul! Les Français ne sont pas assez fous pour cela...Toi, tu voudrais que je te fasse un exposé précis et complet sur la géographie d'Yxsund, les bâtiments, les arbres, les fleurs, les distances par rapport aux autres îles...

— Justement! Est-ce que nous serons loin des autres?

— Très loin. Nous pouvons hurler, nous entre-tuer et personne ne nous entend. En général. Cela dépend, en fait, ajouta-t-elle, du vent et des saisons; ce n'est pas une règle. Cela peut changer quelquefois...

— Donc, tu ne réponds pas. Je n'en sais pas plus.

— Tu verras, François. Tiens, prends ce livre.

Elle me tendit un exemplaire de *Rêverie*, la pièce de Strindberg. C'était un fac-similé du manuscrit écrit à l'encre brune. Elle me désigna les premières lignes de la préface : « L'auteur a voulu imiter la forme incohérente et en apparence logique du rêve. Tout se fait, tout est possible et vraisemblable. Le temps et l'espace n'existent pas; sur un fond de réalité insignifiant, la fantaisie va filer et tisser de nouveaux dessins : mélange de souvenirs, de choses vécues, de faits controuvés, d'absurdités. »

— Emporte-le. Tu le liras dans l'île.

— C'est beau. Cocteau aurait dit la même chose. Je vais te le lire en imitant la voix de Cocteau. C'est une de mes spécialités.

Je lus, avec la voix métallique, inflexible, et les allongements sur les mots *rêve*, *espace*, et les sifflantes exagérées sur *possible* et *absurdités*.

— Tu ne connais pas Cocteau, dis-je en saluant, raide et droit.

— Qu'est-ce que tu penses? Ingmar m'a montré au moins trois fois *Orphée*.

— Ingmar, c'est Bergman.

— Naturellement, il adore *Orphée*. Il l'a dit souvent.

— Cocteau et Bergman sont du même signe. Qui est aussi le mien, ajoutai-je.

— Je sais, et de Nils! Quelle famille d'écrevisses! Le rêve qui se regarde marcher en arrière! Dis encore le « rêve » comme Cocteau, s'il te plaît... Le *raîve*!

— Dis-le en suédois, Sheena.

Elle le dit. Je le dis. Nous éclatâmes de rire.

— Nous sommes en retard, dit-elle.

— Mais nous sommes en retard avec plaisir.

Je la regardai fixement. J'osai. J'agrandis mes petits yeux et je plissai mon front. Nous étions debout, face à face, à quelques centimètres l'un de l'autre. Elle lança ses cheveux en arrière. Elle passa sa main sur son front. Aucun de nous n'avança ni ne recula.

— Est-ce que nous attendons le plaisir? demandai-je.

— Nous l'attendons... Non, je t'en prie!

J'avais dû, malgré moi, bouger de quelques centimètres.

— Je t'en prie. Cela ressemblerait trop à ce que Nils imagine. Il est sûr que nous faisons l'amour, au lieu de rouler. C'est pour cela que nous ne devons pas le faire. Il faut qu'il ait tort.

Elle attira ma tête dans son épaule et me caressa comme une mère, et me tapota le dos comme une oursonne, et me lécha les tempes comme une coiffeuse madrilène, et je ronronnai. Puis, elle alla chercher une bouteille de lait dans le réfrigérateur, l'ouvrit, et nous bûmes, à même le goulot, le merveilleux lait de Stockholm, crémeux et bleu. Alors, elle entrebâilla la porte du congélateur et la bloqua avec un coussin jaune du salon. Et elle bloqua, de même, la porte du réfrigérateur, avec un autre coussin jaune. Nous vîmes la grande armoire blanche, avec ses deux bébés jaunes, sortant des deux ventres, et nous nous amusâmes encore. Nous aurions pu traîner pendant des heures, dans cette maison, et faire n'importe quoi, sauf ce qui était trop grave.

Nous quittions la maison comme des voleurs de nous-mêmes. Il m'est arrivé, comme à chacun, de laisser un désir inachevé. Celui-ci me ravissait. J'y pense aujourd'hui avec délectation. Le père Gide, fourré entre ses jambes nues et noires et agiles, en Tunisie, qu'il me pardonne, peut aller se rhabiller.

Il n'y avait aucun véhicule devant la maison. Je le savais, pour avoir regardé plusieurs fois par la fenêtre. Je portais mes bagages et le lourd sac marin de Sheena. Elle referma la porte. Je dis:

— Et alors?

— Viens, dit-elle. Ce n'est pas trop lourd?

— Cela dépend si je dois marcher longtemps. Je te préviens que je ne suis pas un athlète.

— Je sais, je sais. Cent mètres, ce n'est pas trop?

— Cent mètres?

C'était un peu plus. Pas beaucoup plus. Nous sommes

descendus, par la Svartmangatan vers Järntorget, qui est une petite place, toute proche du quai Skeppsbron. Je butais sur les pavés disjoints comme un vieux cheval. Parfois, pour me reposer, je faisais mine de m'intéresser à un antiquaire, ou à une de ces étranges échoppes, vaguement pornographiques et écologiques, dont on ne sait si elles vendent des illusions ou prophétisent la destruction de la planète; ou les deux. Mais Sheena, à quelques pas devant moi, fièrement cambrée, avançait, les mains libres. A la fin, elle me largua convenablement en me criant :

— Encore un peu, tout droit, et tu es sur la place, et je vérifie!

— Très bien, dis-je en soufflant.

— *I check!* répéta-t-elle.

Le véhicule annoncé par Nils était bien là. C'était une sorte de petit camion militaire, peint en vert bronze, de marque Fiat, immatriculé en Suède, orné du CD diplomatique et d'un drapeau italien de soie, sur l'aile avant gauche. On aurait dit un bakchich de la Democrazia Cristiana, offert aux rejetons d'un émir du Koweit, pour faire joujou à la guerre dans un parc. C'était ridicule. Je déposai, quand je vis cet attelage, tout mon chargement. J'étais à quelques mètres mais il me fallait rassembler mes esprits. Je réfléchis fortement. Il s'agissait, probablement, d'un véhicule de l'ambassade d'Italie à Stockholm. Soit. Et qu'allions-nous faire là-dedans? Et comment Sheena avait-elle l'usage de ce véhicule?

— C'est un prêt de ton amant?

— Ce n'est pas mon amant, mais un ami.

— Il te le laisse pour l'été? Tu as les papiers?

— C'est ce que je vérifiais, dit-elle. Je les ai, reprit-elle après avoir fouillé dans la boîte à gants.

— J'ai le droit de conduire ça?

— Naturellement. Guido le conduit lui-même, et il est pédé, je te signale.

— Ah! Bien! Dans ces conditions...

— Il faut se dépêcher, dit-elle, nous sommes en retard. Nous avons dépassé le temps pour l'amour. Et il faut acheter de la nourriture. Va, va vite!

Je suivis le chemin qu'elle m'indiquait et j'arrêtai le jouet italien devant le marché de Saluhall. C'est une grande halle.

Grande, pour Stockholm, où l'on voit si rarement des magasins alimentaires. Minuscule, pour une capitale. Avec des petits bistrots où l'on peut consommer, entre les achats. Et de merveilleux étalages de viandes et de poissons fumés.

— J'ai très faim, dis-je à Sheena.

— Moi aussi. C'est l'amour. Toujours la même chose!

Elle se retourna vers moi en éclatant de rire et me tendit un sac de toile bise. Il me sembla qu'on la reconnaissait. Qu'on s'écartait sur son passage. En tout cas, la marchande de fromages, qui choisit pour nous du vieil édam, lui parla de je ne sais quel film, à la TV, vu récemment, et lui fit force compliments. Et le marchand de harengs, un immense gaillard, trempa ses mains dans la saumure et fit mine de les passer sur les cheveux de Sheena, en criant que c'était pour les rendre encore plus éclatants, « amis du Soleil ». Il improvisa une sorte d'ode brève. Apprenant que j'étais français, il ajouta l'inévitable allusion au petit vin blanc, le chantonna un peu et me dit qu'il était allé à Paris l'an dernier, qu'il avait plu tout le temps, mais que les femmes étaient jolies dans la rue, etc.

J'attendais, derrière Sheena. On attendait longtemps, à chaque marchand. J'avais le temps de regarder ailleurs, tandis que le sac s'alourdissait. Saluhall n'est guère plus grand que la halle de Biarritz, et même assez comparable. Je regardais les étals de Stockholm en songeant à ceux de ma ville, les fruits basques, les viandes, les huîtres d'Arcachon, les merlus de Saint-Jean-de-Luz, le fromage des Pyrénées, les sandales d'Hasparren, à l'entrée, dont j'ai parlé au début de ce livre. J'étais là, enfant, avec ma mère, et j'écoutais bavarder. Puis avec ma femme, descendue de Stockholm, et mes enfants. Beaucoup plus tard, pendant la campagne électorale de 1977, mais très discrètement, car je ne voulais pas avoir l'air de ramasser des bulletins de vote, essayant de comprendre les problèmes du commerce et des courants d'air dans une halle.

Et Sheena, maintenant, avançait, achetait toujours, et me tendait d'autres sacs de toile bise, qu'on remplissait et que je ne payais pas. Je n'avais jamais fait le marché de cette façon-là, que je trouvais douce, vaguement humiliante, mais plus douce : il me sembla qu'une sorte d'archange, ou d'ecclésiastique italien, payait pour Lily et Sheena, pour Nils et pour moi, et pour tous nos invités futurs, et que je ne le connaîtrais pas.

Au bout d'une heure, nous sommes sortis et je suis allé

chercher la camionnette, au parking. Sheena est restée posée au milieu de nos sacs odorants. Une femme lui a tendu quelques roses, pour qu'elle m'attende avec plaisir. Comme je manœuvrais, une troupe de violoneux dalécarliens, en costumes, s'est approchée et a donné la sérénade du mi-jour à tous ceux et toutes celles qui sortaient de la halle. J'ai écouté, chanté en moi-même les vieilles danses à trois temps, avec leur premier temps scandé, talonné. J'ai contemplé les visages de ces hommes, certains de vieux marins, d'autres d'enfants blonds et roses, serrant les dents pour ne pas manquer l'attaque. Ils jouaient pour eux, pour nous, ils ne réclamaient pas d'argent, ils n'étaient pas rétribués par la Ville; ce n'était pas une de ces « animations » spontanément calculées, par quoi les municipalités se donnent la bonne conscience culturelle sur les lieux de marché.

Sheena a écouté et contemplé comme moi, d'un air à la fois lassé, charmé et un peu mondain, tout de même. J'étais à quelques pas d'elle, j'avais bien calé mes reins contre le capot de ma calèche diplomatique. Je devais avoir l'air d'un chauffeur militaire d'opérette, d'un figurant pour un de ces télé-films qui semblaient la source de sa gloire, ici, pour Sheena. Elle était radieuse, souveraine parmi son petit peuple. J'essayai de voir à qui la comparer, sur un marché parisien, rue de Buci, par exemple. Je trouvais bien des comédiennes françaises célèbres, dont une ou deux étaient de mes amies. Je ne trouvais personne qui eût cette grâce, cette insouciance et, en même temps, cette volonté de combattre, de vérifier les factures, les sacs, de respecter l'horaire, de s'enquérir quant à l'huile de la camionnette, quant à la pression des pneus... Elle partait pour Yxsund comme un homme à la guerre. Elle jeta une rose, délicatement, à un violoneux, qui la porta aussitôt à sa bouche et sourit. J'ouvris la porte du hayon, et j'engouffrai les cinq ou six sacs. Sheena m'aida et dit, à la fin, essoufflée :

— C'est très bien. Plus nous aurons de choses dans l'île, plus le loup aura de peine à y entrer.

— Il n'y a pas de loup dans l'archipel, dis-je.

— Tu te trompes. On en voit. Seuls à la barre sur des barques bleues et noires. On en voit, François. Tu en verras.

VI

Ai-je trop longtemps retardé, pour le lecteur, le moment d'aborder à l'île de Nils Söderhamn? Ce qu'on appelle « retard », en musique, a une signification et une utilité savoureuses. Ai-je su vous les communiquer? Et les décalages, dans le rêve, les sautes du temps, le ralenti des mouvements du rêveur, puis l'affolement soudain et l'arrivée dans un pays entrevu de loin : il faut bien dire que je poursuis un rêve, ici, pleinement vécu mais dont je ne parviens pas à croire, en l'écrivant, qu'il fut tel. D'où mes difficultés et mes scrupules, mon insistance sur certains détails, mon oubli volontaire d'autres, le désordre, plus je remets de l'ordre; l'ordre, plus je traduis le désordre. Et je m'avance aussi incertain, finalement, que vous. Je n'écris pas, je vous écris. Je suis aspiré par une voix ténue, là-bas. Tendue sur un fil au-dessus de la mer. Je ne fais pas ce que je veux. Les conteurs qui prétendent le contraire, qu'ils sont maîtres de leurs contes à chaque soupir, mentent. Et donc ne content pas mais recopient des procédés. Je n'ai pas de procédé. En ce moment, Sheena a posé sa longue main sur ma cuisse droite, délicatement, comme si elle voulait me faire appuyer davantage sur l'accélérateur de la Fiat, et je ralentis. C'est toute la résistance que je peux opposer au roman. Là se limite mon rôle. Avançons encore. « Ote cette main, Sheena! »

Nous avons pris l'autoroute. Nous faisons du nord-est. Ce véhicule grotesque n'avance pas. Il ne peut s'agir que d'un modèle expérimental avec réducteur de consommation. Sheena m'a dit que nous avions cent petits kilomètres jusqu'au bateau. Nils et Lily m'ont quitté depuis plusieurs heures. Que font-ils? Ils préparent le bateau. Lily aussi? Bien sûr. Elle est très minutieuse. Elle fait les pleins. Elle est chargée tout spécialement de l'embarcation annexe, un canot pneumatique, si je comprends bien, et de son petit moteur anglais. Il se trouve que je connais un peu ce petit moteur, que l'on plante dans l'eau comme un périscope. Pourrai-je aider Lily? En aucun cas. Elle est seule responsable. Mais Nils est un excellent marin, depuis sa toute petite enfance. Tous les Suédois sont marins. Nils a vécu dans cette île, seul, longtemps. Il sait tout faire. C'est un intellectuel du type sauvage. Le chancelier Helmut Schmidt est venu dans notre île, il y a deux ans. Il n'a pas été question de politique une seule fois. On a parlé de la Bible, de la pêche, des bateaux, de tous les bateaux du monde. Le chancelier aime notre île. Le bateau de Nils a plus de quarante ans. Il est en bois, naturellement, gratté, peint, verni très souvent. Par Nils lui-même, aidé de Monsieur Arne Sjöberg, qui habite l'île toute l'année. *Sjöberg* signifie *montagne de la mer*. Il y a un grand metteur en scène de théâtre et de cinéma qui s'appelle Alf Sjöberg. J'explique que c'était un ami de ma femme et que nous avons travaillé un peu pour lui. J'explique rapidement, car je veux surtout écouter Sheena, qui a été souvent dirigée par Alf. A l'heure où j'écris, Alf est mort depuis peu. Il a fait de superbes Strindberg et Molière. Une *École des Femmes*, notamment, que je devrai voir. On tâchera de trouver des places. Ce sera difficile. Mais quand? A l'automne. A l'automne, Sheena, je serai reparti pour Paris. Ce n'est pas évident du tout. Il ne faut pas vivre prisonnier de dates et de projets. « Tu peux aussi être mort, à l'automne. »

Le chant des violoneux dalécarliens m'escorte. Je chante. Je reprends les refrains. Sheena m'aide quand je me trompe. C'est une musique pleine d'énergie, de gaieté conquise sur la nostalgie, la tristesse et les morts de l'hiver précédent; le rythme inflexible est plus fort que tout. C'est pourquoi Sheena aime cette musique.

Quelle étrange loi, qui fait obligation aux Suédois de rouler tous phares allumés, même au cœur du jour! Ce n'est pas assez de ce soleil permanent; il faut encore qu'on joue à s'éblouir, comme si l'été nous imposait le devoir de faire concurrence à la lumière, de la saluer, de la remercier, de la narguer, de la prolonger, de l'augmenter encore, de la capter dans nos phares et de nous en soûler, en prévision de la nuit hivernale. L'air est de plus en plus chaud et bleu, lilas, ivoire scintillant. Les bouleaux, le long de la route, (nous avons quitté l'autoroute et roulons sur une petite route à soixante à l'heure) brillent aussi comme des balises et renvoient, par éclats brefs, les phares des automobiles. Nous traversons un espace lunaire, à la fois ouvert, gigantesque, infini, et clos sur lui-même. Rien ne changera. Rien ne sera différent. Nous l'emportons et il nous transporte.

Beaucoup plus qu'en ville, dans mes petites pérégrinations solitaires des jours derniers, j'éprouve l'angoisse de ne pas voir la nuit tomber. Comme si je m'étais trompé d'heure, comme si je venais de me lever, comme si j'étais revenu de San Francisco en une seule minute et que j'eusse cet impossible décalage à rattraper. Comme si on avait versé dans mon café un hallucinogène déguisant la nuit en jour. Il fait sûrement nuit. Il vient de faire nuit. C'est moi qui ne sais pas voir. Si je n'apprends pas à voir, à mon âge, comment survivrai-je? Comme j'aimerais m'enfoncer dans cette forêt, là, à droite. Là, au moins, il y a de l'ombre, un crépuscule, de l'humidité brune... Mais non : au cœur de la forêt, j'ai distingué des éclairs de feu, des buissons comme incendiés; ce sont des genêts transpercés par le soleil qui entre partout où il veut, salue, inonde et reste posé sur les terres les plus secrètes.

Nous n'échapperons pas. Nous ne serons jamais protégés contre lui. Nous pourrons boire très tard, sur l'île, en le contemplant. Il ne disparaîtra qu'au moment où nous n'en pourrons plus de le voir. Et nous ne saurons même pas qu'il a consenti à disparaître une ou deux heures, car nous croirons avoir dormi. Or nous ne dormirons pas. Plus jamais. Je serai debout, nu, contre Sheena ou contre Lily et nous nous tiendrons bien, car nous attendrons le retour du chancelier, qui a oublié sa casquette marine, dans l'île. Nils n'en finira pas de chercher la panne de son moteur, d'un de ses moteurs, car Sheena m'a dit qu'il y a des tas de moteurs, sur l'île, où il faut tout fabriquer soi-même. Je me souviens : à Paris, Nils m'a dit que j'aurais du travail manuel. Pour cela aussi, je ne vois pas comment je dormirais, car je suis maladroit, et Nils aura des exigences au-dessus de mes moyens. Je travaillerai en râlant, mais je travaillerai. Nils ne m'avait pas promis le bonheur.

En passant à Penningbyr, Sheena m'a montré au loin, sur la mer, un point, et m'a dit que c'était l'île de Strindberg. Elle m'a dit cela exactement comme si August nous attendait, en principe, pour le dîner, mais il se trouvait que nous n'avions pas le temps. Au-delà, elle m'a désigné une grande île nommée Yxlan et m'a rappelé que notre île s'appelait Yxsund. Ces orthographes me paraissant bizarres, elle a ri et m'a montré Yxlan et Yxsund sur une carte marine. J'ai voulu m'arrêter et étudier la carte.

— Non, François, Nils m'a demandé de ne pas te laisser consulter la carte.

— Mais qu'est-ce que ça veut dire! Vous me prenez pour quoi?

— Écoute : Nils t'expliquera. Ne dis pas que je t'ai montré cette carte, même quelques secondes. L'île est considérée comme domaine militaire, stratégique, je ne sais quoi. En fait, tu n'as pas le droit d'y aller. Nils prend cela sous sa responsabilité. Il a dû écrire des papiers, faire des promesses. Mais tu ne peux pas être là.

— Je ne peux pas et j'y serai?

— Oui.

— C'est comme l'île où habite Bergman, où les non-Suédois ne peuvent aborder?

— Un peu la même chose. Mais plus sévère chez nous, car Nils est seul responsable, avec Monsieur Arne Sjöberg.

— Et on va me faire jurer sur la Bible? Et me bander les yeux?

Sheena ne souriait pas. Je repris :

— Et pour Helmut Schmidt, par exemple, comment avez-vous fait?

— Je ne sais pas.

— C'est un personnage autrement dangereux que moi pour la sécurité militaire de votre royaume!

— Je ne sais pas. Il y a eu une autorisation spéciale, je pense.

— Et pas pour moi? Moi, je ne vaux pas ça? On préfère me débarquer clandestinement sur Yxsund? Comme un ouvrier cinghalais? Qu'est-ce que c'est que ce racisme?

Je voulais plaisanter. Sheena ne voulait pas rire. Du coup, je m'inquiétai davantage, comme si j'avais été sur le point de deviner un secret. Je le dis :

— Il y a une chose cachée, il y a quoi? Tu ne peux rien me dire?

— Il y a toujours des secrets.

— Et Nils t'a chargée de me préparer un peu?

— Pas du tout. Je ne suis chargée de rien.

— Et nous sommes dans une voiture diplomatique italienne...

— Cela va bien, dit Nils. Vous n'êtes ni en avance ni en retard. Vous êtes à l'heure.

Le bateau était là. Le port ressemblait à un port. Il y avait de vrais bateaux de pêcheurs et des bateaux d'excursion, et même des bateaux-taxis.

— Pourtant, dis-je, la camionnette italienne est un veau.

— Aucune importance. Vous êtes là.

Nils ouvrit le hayon et regarda tout ce que nous avions entassé. Les deux femmes n'avaient pas échangé un mot. Pendant près d'une heure, personne ne parla. Il fallait transborder dans le bateau, installer, équilibrer, et je fis de mon mieux. Nils portait des poids effrayants, doubles de mes charges. J'avais naturellement fait allusion à ma vieille hernie discale. Nils avait souri : « Maladie pratiquement inconnue chez nous! Nous ne sommes pas un peuple de ronds-de-cuir! Et t'avais qu'à faire du sport! »

Je regardais le bateau avec surprise. J'avais imaginé un long et puissant voilier. C'était une sorte de petit chalutier de bois très clair, avec un gros moteur diesel, un roof dégagé, large, une cabine pour cinq ou six dormeurs, une cuisine sommaire, une belle armoire frigorifique, deux escaliers d'acajou et un gros mât unique où s'enroulait une voile épaisse, bleu délavé. Cette voile ne pouvait servir que d'appoint, en cas de panne de moteur, ou pour étaler le gros temps. Une longue barre franche commandait un gouvernail peint en noir brillant. Ce bateau pouvait naviguer longtemps avec sûreté. Il me sembla que la quille était courte et qu'on devait pouvoir passer partout entre les innombrables « cailloux » de l'archipel. Je remarquai surtout une débauche d'instruments de navigation électroniques, une radio puissante, un radar compliqué. De temps en temps, une voix grésillait et Nils se précipitait aussitôt dans la cabine pour répondre.

— C'est Monsieur Arne Sjöberg, me dit Lily.

Il était évident, pour Lily, que sa mère m'avait parlé d'Arne Sjöberg; et je ne comprenais pas pourquoi c'était si évident.

Les deux femmes allèrent à l'avant et je les vis changer de vêtements. Elles communiquaient par interjections, borborygmes et petits jurons. Nils, à son micro, était aussi laconique. Je n'osais pas m'attribuer une place à bord. Je contemplais les amarres, qu'on me demanderait sans doute de larguer au bon moment. Je repérais les nœuds, imaginant la façon la plus rapide de les défaire. Je ne suis pas un fameux équipier. J'ai navigué avec un trop bon capitaine, jusqu'ici. Je n'ai rien appris; et puis je n'aime pas apprendre. On m'a dit pourtant que j'avais réussi une assez bonne entrée, de nuit, à Saint-Hélier (Jersey) par vent de force 5, un peu trop portant, et que j'avais correctement tenu mes alignements. J'avais eu très peur. Il est vrai que c'était de la vraie navigation, à voile. Là, devant ce gros esquif, lesté de cinq cents litres de fuel, je ne voyais pas d'où pouvait venir la moindre aventure.

— Tu n'aimes pas mon bateau? demanda Nils, comme s'il m'eût deviné.

— Au contraire. Beaucoup. Solide. J'avais cru que ce serait un voilier.

— Passé l'âge, mon cher. Depuis longtemps. Et ce ne serait pas adapté à notre île. Il faut pouvoir entrer et sortir à toute heure. Et tu n'aimes pas ma femme?

— Beaucoup, dis-je.

— Tu ne l'as pas possédée. Tu as bien fait. Ce n'est pas grand-chose de posséder une femme de plus. C'est bon pour les marins étrangers, pour les paysans qui s'ennuient, ou pour les impuissants qui essaient, une fois de plus... Et ce n'est pas une nécessité. C'est une nécessité pour les frelons qui butinent les lavandes, et c'est une nécessité pour les lavandes d'être butinées. Cela, c'est une nécessité.

134

— « Butinées », répétai-je, d'un ton assez stupide.

— Oui, car l'un sans l'autre meurt de faim. Mais pour nous, la possession d'une femme n'est pas une nécessité absolue, n'est-ce pas?

— En effet. On peut s'en passer.

— A la bonne heure, dit Nils joyeusement. Tandis que, reprit-il après un bref instant, subjuguer un homme, voilà qui est intéressant, voilà qui donne un sentiment de force. Et ne pas le lâcher. Pas comme le frelon qui passe à une autre lavande, pour comparer et compléter. Ne pas le lâcher, comprends-tu, François?

— L'embarquer, somme toute, n'est-ce pas?

— Voilà. L'embarquer. Tu ne dois pas avoir peur. Tu es un marin bourgeois et tu ne connais rien à nos îles. Monsieur Sjöberg veillera sur toi. Il vient de me confirmer que ton lit est fait, dans le moulin, au Nord. Tu as une couverture écossaise, très chic, bleu et noir. Tu n'auras pas froid. Tu peux rassurer ta maman, si tu veux, d'une carte postale qui partira un de ces jours. « Maman, je vais bien dormir, sous une couverture écossaise bleu et noir. Je t'embrasse. Ton fils bien-aimé. »

Il me regarda de biais. Ses cheveux me parurent plus longs. L'énorme crinière blanche en bataille bougeait au vent.

Ce fut ce vent qui nous emporta. Un bon vent frais de noroît, régulier, qui n'avait l'air de rien mais qui portait d'un bord vers l'archipel. Nils avait démarré le moteur et j'avais largué les amarres, enroulé sur le pont tout cela, qui sentait l'huile aigre. Les femmes avaient évité de l'avant, avec pas mal d'habileté. Et soudain, nous n'avions pas parcouru un mille, Nils coupa le moteur et alla hisser la voile, où le vent arrière s'engouffra joyeusement. C'était une voile presque carrée, beaucoup plus grande que je n'avais cru, faite de coton lourd, bleu, rapiécé de noir par endroits, à gros points. Ce noir me parut plus léger, peut-être de nylon, et formant de petites cloques fragiles, qui sifflaient. Nils établit soigneusement sa voilure, vint m'indiquer le cap sur le compas et me demanda de ne pas le perdre, si je pouvais.

Je serrai les dents. Cette barre avait bien deux mètres de long et pesait des tonnes. Je la mis entre mes cuisses et je m'arc-boutai sur mes mains, empoignant l'extrémité. C'était tenable. J'avais un peu froid. Je jetai ma cigarette. Lily sortit de la cabine et me passa sans dire un mot un gros lainage orange. Elle aurait fait la même chose pour le chancelier d'Allemagne, pour le roi de Suède ou pour un clochard ramassé dans l'île Saint-Louis. Pendant ce temps, Nils allumait les feux de position, le vert et le rouge, inutiles mais réglementaires, et rangeait tout sur le pont. Parfois, il revenait à sa radio et murmurait. Monsieur Sjöberg lui répondait. Cela ne pouvait être que Monsieur Sjöberg, qui appréciait la manœuvre, notre vitesse, l'heure probable de notre arrivée, peu avant minuit, si je comprenais bien.

Mais je ne comprenais pas. J'avais jeté un rapide coup d'œil sur la carte interdite. Je voyais que nous nous trouvions plein vent arrière, et dans une mer hautement civilisée. A bâbord comme à tribord, je pouvais apercevoir des îles et des îles, et des maisons de bois rouge ou de bois blanc, et je voyais les lumières et j'entendais les musiques, les voix, les cris d'enfants. Je voyais même des bateaux assez semblables au nôtre, allant d'une île à une autre. C'était la mer et c'était la Suisse. C'était la Bretagne sud et un peu les lacs italiens, où je m'attendais à voir les jeunes filles de Larbaud, tout de blanc vêtues, minces et longues, agitant les mains, les mouchoirs, tendant des lettres cachetées à d'hypothétiques fiancés.

Pourtant, comment nous y prenions-nous? Pourquoi avoir embarqué si haut, sur le continent, pour redescendre ensuite? Alors que j'apercevais des ports tout à fait convenables, à tribord, d'où la route eût été plus directe. A moins que Sheena ne m'eût montré une fausse direction. Exprès? Sur ordre? Mais je ne rêvais pas. Pourquoi être monté, sur terre, si loin au nord, pour faire, sur mer, du sud-est? Car le compas me montrait bien du sud-est. A moins que le compas ne fût faux, exprès. Je ne rêvais pas. J'étais réveillé, sobre, affamé. Je ne fumais plus. Je respirais à pleins poumons cet air de mer léger, moins poisseux que la Méditerranée, moins entêtant que l'Atlantique, moins dru que la Manche. Mes comparaisons s'arrêtaient là. Je n'avais navigué sur aucune autre mer. J'avais toujours eu peur, en mer, de me tromper, de toucher, de m'échouer, d'une voie d'eau, d'une explosion à bord, de geler seul, à la barre, la nuit, et de me réveiller empalé par un paquebot illuminé que j'aurais pris, dans mon sommeil, pour un port très lointain. Cette nuit, je n'avais peur de rien et je savais que je courais là mon premier risque sérieux, emporté par une famille de fous, qui ne m'adressait plus la parole depuis que j'avais été poussé à bord.

Comme si elle m'avait entendu, Lily revint et me tendit un *smörgås* de jambon et une petite bouteille de bière. Nils approuva d'un battement de paupières. Je vis qu'il ouvrait un coffre bourré de glace, qu'il en extrayait un flacon d'aquavit givré. Il en vida la moitié, comme si c'eût été de l'eau.

— Tu ne peux pas, toi, tu es à la barre, me dit-il.

— Je peux sûrement en boire un peu, dis-je.

J'en mourais d'envie. Ce flacon embaumait, recraché par l'haleine de Nils. Il me le tendit. J'avalai deux ou trois lampées, que j'éteignis aussitôt avec la bière. J'allais demander un autre sandwich à Lily mais je vis la lumière s'allumer dans la cabine et le violoncelle sortir de sa boîte noire.

— Tu barres très bien, François, dit Nils. Tu vas être récompensé. Je devine ça. Tu barres régulièrement. Tu ne nous déroutes pas. Nous filons droit sur l'île. Ma parole, tu fabriques le bon vent!

Je ne voyais plus Sheena. Je ne devais pas lever les yeux au-dessus du compas. Je vis les mains blanches de Lily, l'archet, le bois blond du cello, et Lily piqua l'instrument dans le bois, au milieu d'une latte de pin clair, et j'entendis le début d'un mouvement lent de Bach, d'une *Suite* que je connaissais mais dont j'oubliais le numéro. Je reconnus tout de suite ces tenues étalées, hésitantes, et la plainte monta, du bois, contenue dans le bois, vers la mer, lancée du bois, renvoyée par cette grande brave caisse navigante, dispersée par le vent, arrêtée par la voile bleue, gouvernée, respirée par cette fille muette qui s'adressait à nous et prenait son temps. Comme si non seulement cette Sarabande, peut-être, mais toutes les autres et toutes les *Suites* de Bach, les six, devaient nous escorter, bien au-delà d'Yxsund, car le temps de notre traversée ne suffirait pas, et il faudrait laisser l'île à bâbord, descendre encore, couper la route des cargos, écouter tout Bach en rejoignant les ports baltes, qui sait, Riga, sans doute, je n'avais pas la Baltique en tête, ni Bach, ni le temps, j'avais entendu le cello toute mon enfance, celui de mon père, le soir, après le dîner, le cello lugubre dans le grand studio de Biarritz, l'hiver, pendant l'occupation, j'avais faim, je pâlissais sur mes versions latines, mon père répétait cent fois les mêmes traits décomposés de ce Bach, d'un autre, Lily était donc entrée chez nous, en 42, en 43, et m'avait rassasié d'un mirifique *smörgås* dépêché dans ma bouche par la fière Suède, neutre mais bienveillante; Lily avait traversé le studio, caressé l'orgue de mon père, le Gaveau noir de mon père, ses deux celli italiens, préféré le petit, le trois-quarts, comme mon père, au son doux de gambe éteinte, elle avait encouragé mon père à étudier inlassablement cet instrument qu'il disait « diabolique », mais il le disait en pouffant de rire, la bouche sur le talon de l'archet, et peut-être avait-elle pris l'archet et sonné de l'ut mineur plein, funèbre, pour nous adjurer, toute la famille, de tenir bon, le latin, les Allemands, la guerre, la faim, elle reviendrait, elle, Lily, de là-haut, elle ne ferait pas que passer, elle s'installerait dans le cœur de mes parents et de notre maison atlantique, nous n'aurions plus jamais peur de rien, et surtout pas des fausses notes, notre obsession, elle détenait, elle, le sens, la vérité des *Suites*, elle me les restituait, à moi seul, depuis le temps que je ne croyais pas à ce cello, elle se jouait maintenant, avec gravité, de mes doutes, elle me jetait à la tête, entre barre et compas, les volutes, les soupirs, la tension ascendante, puis déclinante, de cette plainte irrésolue...

Je n'y tenais plus. Je voulais aussi voir. Je lâchai la barre. Nils la prit en souriant. J'entrai dans la cabine. Je m'assis sur une couchette. Sheena était étendue sur l'autre. Le cello sonnait là-dedans comme nulle part au monde, comme des milliers de violoncelles à l'unisson. Lily regardait à peine ses doigts et les cordes, les yeux jetés vers le pont, la mer, le ciel. Parfois, elle s'arrêtait et reprenait, quand elle pensait avoir manqué un passage. Elle ne jouait pas pour être écoutée, ni pour elle-même, mais pour ce qu'elle jouait et qui ne lui appartenait pas encore, qui ne lui appartiendrait jamais. Elle jouait comme avec son dernier souffle, le dernier sur le point de s'échapper de ses poumons. Elle tenait le cello comme un Christ entre ses bras de mère, elle le berçait et le laissait l'emporter, puis le ramenait à elle. Elle avait changé de visage, vieilli, durci, je ne comprenais pas comment elle était la même, la collégienne espiègle découverte au salon du Pont-Royal, et elle me jetait, pourtant, deux ou trois fois, un petit sourire mutin, de l'air de dire : « Hein ? Tu ne pensais pas, tu ne croyais pas ?... » et se chargeait aussitôt de douleur, de péchés du Fils détenus en Lui au nom de tous les hommes.

J'avais quitté le bateau pour un autre, car l'île de Nils est une embarcation rocheuse, arrimée depuis des millénaires, très loin des autres îles de l'archipel, dernier point fixe, peut-être, avant les eaux que l'on traverse pour aller en Finlande. Longue de près de cinq cents mètres et large de plus de cent cinquante, par endroits, elle est couverte de mousse et de buissons sauvages, ombragée par des arbres de toutes sortes. La côte est, rocheuse, est assez escarpée. La côte ouest, au contraire, offre plusieurs petites plages de sable gris clair et blanc, piqué de milliers de points brillants, micaschistes, grenats et tourmalines. Il me sembla reconnaître aussi, mais je n'en étais pas sûr, notamment à l'aube, quand j'allais à la pointe nord, des fragments de cette roche que l'on nomme l' « or des fous », mais dont j'oublie toujours le nom géologique.

En allant du nord au sud, on rencontre les bâtiments suivants. A la pointe, le moulin qui m'avait été attribué, de bois rouge, composé d'une salle obscure, fraîche, en bas, de bois naturel, et d'une chambre, au-dessus, à laquelle on accède par l'ancienne échelle de meunier, à l'extérieur. Plus bas, la maison principale est une imposante villa bâtie vers 1930 par le père de Nils, le pasteur Erik Söderhamn, professeur de théologie à Upsal. Tout est blanc, d'un blanc légèrement bleuté ; les proportions sont harmonieuses ; deux perrons, à l'est et à l'ouest, surmontés de légères colonnes en bois, de style colonial, donnent accès aux salon, bibliothèque, salle de musique. Aux deux étages sont les chambres, petites, une dizaine en tout. Les murs et les parquets sont aussi peints en blanc. Les plantes intérieures rejoignent, par les fenêtres ouvertes, des poteries elles-mêmes emplies de fleurs dont j'ignore tout, et qui appartiennent à des familles inconnues de moi. On ne distingue pas, de la sorte, où commencent et où finissent le jardin, les buissons, la petite forêt et les salons envahis de végétation. Quand elle est trop pressante, on claque une fenêtre, tout simplement, quitte à couper une tige.

Partout, des arrosoirs de cuivre rouge, mis comme au hasard, permettent d'arroser fréquemment, en poursuivant la conversation. Il y a peu de meubles mais tous sont anciens, comme dans la maison de la vieille ville, et du même style, Karl Johan, qui s'apparente à notre Directoire rustique. Ils sont, pour la plupart, peints en blanc, rehaussé d'un filet d'or. Aux murs, de nombreux miroirs à trumeaux, de l'époque Gustave III, le XVIIIᵉ suédois, représentent des fêtes et des gentilshommes, des paysannes, des luths et des épinettes. De nombreux meubles, les canapés, notamment, fragiles, sont ébréchés comme des porcelaines et recollés grossièrement. On ne fait pas la chasse à la poussière, qui est ici une fine poudre marine, un sel à peine odorant. Et on déplace sans cesse les objets et même l'ordre des pièces, au gré des moments. Il y a quelques tapis d'artisanat et de nombreux filets de pêche, bleu marine, noirs, lourds, rapiécés, courant d'une pièce à l'autre, qui obligent à marcher précautionneusement. Ces filets sont presque mobiles. On en emporte un morceau, parfois, en prenant l'escalier qui va vers les chambres, on trébuche, on rit, et on laisse là ce petit piège pour la personne qui vous suivra; mais il n'est pas interdit de la mettre en garde. Si un problème sérieux était posé par ces filets, on demanderait son avis à Monsieur Arne Sjöberg, qui le donnerait et prendrait la décision convenable.

Ayant quitté la maison, en descendant toujours vers le sud, et en obliquant un peu vers l'ouest, c'est-à-dire vers les plages, on aperçoit assez vite la petite maison de Kerstin Norrenlind, première épouse de Nils. C'est de là que s'échappent, très tôt le matin, les trilles et les arpèges du piano, courageusement lancés à l'assaut du ciel. On n'entre pas dans cette maison. On en fait le tour de loin. Elle est blanche, un peu moins bleutée, renfoncée dans les arbres, mais largement ouverte au soleil couchant, dans les saisons où il se couche, c'est-à-dire toutes, hormis celle de mon arrivée. On entre dans cette maison lorsque Kerstin vient vous en prier, là où vous vous trouvez. On verra que je fus prié, et je parlerai alors de Kerstin.

Plus loin, mais en obliquant vers l'est, plus inhospitalier, avec ses roches tourmentées et la rumeur plus forte de la mer, on rencontre la maison de Nils, qui est la plus petite, composée d'une seule pièce tendue d'un velours bleu, remplie de livres, pas tous dans des bibliothèques vitrées, souvent répandus à même le sol, qui est peint en noir mat. Nils dispose d'un canapé, d'une table de marbre vert veiné de blanc et de coussins multicolores. Protégés par d'autres vitrines, face à la mer, on peut contempler un grand nombre d'objets du culte, crucifix, ciboires, calices, patènes, sans que l'amateur non éclairé puisse faire la part des provenances, catholique et luthérienne. Tous ces objets sont en argent étincelant. Quelqu'un doit y veiller jalousement. J'ai tout de suite soupçonné Nils, car j'ai vu des peaux de chamois à portée de sa main, sur la table de marbre, et j'en ai vu aussi dans les vitrines. Un jour, il me parlera du crucifix de son père et de celui de sa mère. Mais ceci est pour beaucoup plus tard.

Un immense drapeau suédois flotte en haut d'un mât d'aluminium, à côté de la maison de Nils. Il n'est pas une maison de l'archipel qui n'ait son drapeau suédois, comme on sait, mais celui-ci est particulièrement imposant. L'aluminium est exceptionnel, pour une famille, qu'elle soit riche ou pauvre. Ce mât est peut-être propriété du ministère de la Défense ou de la *Hemvärn*, sorte de milice formée de citoyens-soldats, ou encore don spécial, ou prêt consenti au maître des lieux. Je n'ai aucun moyen de le savoir et, autant le dire, je ne le saurai jamais. Ce mât détonne, brille comme s'il remplissait une fonction.

Un peu plus bas, et presque à l'extrême sud, se trouve une maison d'amis, où trois personnes peuvent loger convenablement. Elle est gris clair. Elle semble la plus récente. Elle est fermée. On la réserve aux hôtes d'honneur, qui bénéficient ainsi de l'accès direct au petit port. Là, sont amarrés le bateau qui nous a amenés, une grosse barque de pêche, un petit canot à moteur et deux voiliers d'enfants, en assez mauvais état, que Sheena et Lily, à vingt ans de distance, auraient pu sérieusement éprouver. Il est à craindre que les enfants de Lily arrivent trop tard pour les utiliser sans danger.

De l'autre côté du port, ouverte plein sud, se trouve la « baraque » de Monsieur Arne Sjöberg, ainsi nommée parce que son hôte s'est amusé à la peindre comme un manège de foire, ou comme une énorme boîte à musique de Nuremberg, ou encore comme une collection d'ex-voto siciliens. On peut passer beaucoup de temps, et j'y ai pris plaisir, à contempler les fresques naïves qui disent l'histoire de l'île et de ses occupants successifs.

Autant, grâce à la « baraque », dire ici en peu de mots cette histoire que devait me conter Nils, d'abord, d'une voix lassée de l'avoir si souvent dite, puis Monsieur Arne Sjöberg, avec beaucoup plus de flamme et d'épique, et force tapes dans mon dos, aux moments intenses.

Au début de ce siècle, vivait à Yxsund une honnête famille de pêcheurs, nommée Sjöberg. L'aîné naquit en 1918. Le second en 1920. L'hiver 1929 fut des plus rudes et les glaces s'étendirent sur l'archipel plus loin que jamais. Le père, Ivar Sjöberg, fit de son mieux, comme tous les ans, pour pêcher et saler ses harengs et ses saumons. Sa femme, Gertrud, l'aida. Les deux garçons, qui connaissaient déjà la mer, travaillèrent aussi. On ne manquait de rien. On avait des provisions de pommes de terre, deux bonnes barques, et tout ce poisson saumoné au saloir, vers le sud-est de l'île, sous un amas de pierres jointes, et un peu d'aquavit achetée au printemps à Blidö, la grande île la plus proche. L'hiver dura. Les glaces se firent d'acier. Ivar, qui n'était plus jeune, continua de pêcher, en cassant la glace, avec sa ligne appâtée. Un soir, ou bien la glace cassa, ou bien il se sentit mal et se laissa plonger dans le trou qu'il avait fait. Il disparut. Sa femme tenta de le rechercher. Les deux garçons l'aidèrent, avec des grands pans d'écorce de bouleau mis bout à bout. L'hiver durait encore. Ivar ne remonterait pas de là. Gertrud s'efforça de le remplacer, en pêchant à sa façon, aidée de ses fils. Mais elle ne savait où mettre et ne pas mettre les pieds. Elle disparut à son tour, sous les yeux des petits, qui avaient, à l'époque, onze et neuf ans. Ils crièrent plusieurs nuits et plusieurs jours. Ils changeaient de place. Ils criaient du nord, du sud, de l'ouest le plus souvent, face à la côte si lointaine et aux autres îles. Le silence des arbres enneigés et des glaces avalait leurs cris. Ils mirent le feu à leur baraque, pensant être vus. Le silence s'étendit. Alors, après plusieurs jours, et comme le dégel commençait, ils virent reparaître leur mère, d'abord, puis leur père, gelés tous deux, à peine mordillés par les poissons; ils les mirent au saloir, parmi leurs harengs. Les deux enfants attendirent encore le printemps, mangeant devant leurs parents qui dégelaient. Un jour, un bateau les vit et les recueillit.

Le pasteur Söderhamn faisait sa tournée sacerdotale et entendit parler de cet exploit. Il était alors à Nortällje, au cœur du Roslagen. Il inaugurait à sa façon deux pierres runiques récemment découvertes et cherchait à les rapprocher des habitants au nom de Dieu. Il fit venir les deux garçonnets et parla d'eux devant les habitants comme de vieux Vikings, demandant pour eux l'« aide de Dieu et de la mère de Dieu ». Il ne fut guère écouté. Chacun avait ses enfants à soi. L'aîné s'enfuit pour toujours. Le second, qui avait neuf ans, demeura. Le pasteur Söderhamn acheta l'île pour une somme symbolique, déposée à la banque au nom de cet enfant, nommé Arne, et l'établit. Le pasteur avait un fils de treize ans. Il dit à Arne : « Mon fils Nils sera ton grand frère, désormais, et tu lui apprendras la mer, le poisson, le saloir, la glace, le courage. Il te dira toujours *Monsieur* et t'obéira ». Le pasteur Söderhamn construisit la maison, y vint souvent et y mourut. Il avait reçu de nombreux dons, pour construire sa maison. Son fils Nils y passa le plus de temps qu'il put et fit les agrandissements que j'ai dit. Notamment le moulin, sur les conseils de Monsieur Sjöberg, qui avait trouvé le moyen de faire pousser du froment sur l'île et à qui on en apportait, des îles voisines. Il y eut d'autres hivers et d'autres solitudes, pour Monsieur Sjöberg. Mais le pasteur Söderhamn, d'abord, puis sa famille, Nils, et ses femmes, les lui firent oublier. Il ne s'était jamais marié. Il avait peu vieilli. A cinquante-huit ans, il avait l'air d'un vieux gamin. Il allait parfois, une fois par mois, au maximum, sur le continent, faire quelques achats, prendre des cuites mémorables et, prétendait Nils, coucher avec des paysannes compatissantes, au demeurant ravies de sa force.

Il sait tout, de son domaine, et ne demande qu'à recevoir des visites.

Ayant ainsi fait le tour, je n'ai rien dit; ou plutôt, j'ai omis. Premièrement ma surprise à découvrir Kerstin Norrenlind dans l'île. Jamais on ne m'avait fait la moindre allusion à sa présence. Je savais que la femme de Nils, qui a un peu moins que son âge, vivait quelque part, donnait des concerts et dispensait un enseignement à Stockholm. Je n'imaginais pas qu'elle pût vivre là, même pour des vacances, avec sa fille et sa petite-fille, sous l'œil de Nils. Et puis, à la réflexion, ce statut me sembla le seul normal. « Kerstin est la plus gaie de nous tous », me dit Nils. Il était si désespéré que le mot « gai » lui venait souvent à la bouche.

Deuxièmement, parcourant l'île, j'ai omis de parler d'un endroit capital, entre la maison de Nils et la « baraque » de Monsieur Arne Sjöberg. Il y a là toute une zone pelée, caillouteuse, où ne pousse aucun arbre, et cette zone est relativement limitée. C'est un « accident », disent les géologues. Son allure est celle d'un chevauchement épiglytique probablement d'âge tertiaire. Il y a eu une poussée nord-sud, c'est certain, mais là seulement, comme si la branche nord-est s'était déversée sur la branche sud-est, juste au-dessus de la « baraque ». Cela a pu se passer lors d'une phase tectonique post-hercynienne. Le résultat est une masse de granit, hérissée de pics terrifiants.

Si j'emploie ce langage rébarbatif, c'est à dessein. Il me faut bien fuir la vérité, ou la contourner. A moi, on n'a pas prodigué ce genre de ménagements. A moi, dès le lendemain de notre arrivée nocturne, dès le petit déjeuner dans la maison principale, comme je descendais, encore ébouriffé, de mon échelle de meunier, tout a été dit clairement entre le café et les gâteaux beurrés.

— Tu l'as donc fait ! a crié soudain Sheena.

— Quoi ? a répondu Nils

— Ne fais pas l'idiot !

Ils se sont mis à parler suédois, beaucoup trop vite pour moi. Lily me regardait, ses yeux bleus embusqués derrière le grand pot de lait , en terre brune. Elle regardait pour voir si je suivais. Et elle paraissait moins surprise que Sheena. Comme si elle avait su, elle, depuis longtemps, ce que venait de découvrir sa mère. Mais je peux me tromper. Peut-être s'en moquait-elle et ne voulait-elle que jouer à lire ma surprise, mon incompréhension.

Je pourrais dire tout de suite la vérité, qui tient en une phrase toute simple. Je la diffère, pour mieux montrer ce que j'ai senti en cet instant. D'un côté, Nils, goguenard, vêtu d'une sorte de grand pyjama de laine écrue, à capuchon, qui lui donnait l'air d'un frère prêcheur. De l'autre, Sheena, toutes griffes dehors, en duffle-coat jaune, sur lequel ses cheveux roux battaient à chaque phrase. Au loin, les exercices de Kerstin devant son piano, dont je ne perdais pas une note. Du beau travail sérieux, du bon conservatoire classique, quartes et sixtes, gammes de tierces, arpèges, octaves frappés staccato et tout le tremblement matinal d'une pianiste qui n'entend pas rouiller. Au milieu, Lily muette, comme j'ai dit, derrière son lait, se passant sur les lèvres un doigt trempé dans ce lait, puis essayant sur les sourcils, pour voir si on va la considérer comme une adulte ou si on va lui faire une remarque du genre : « A quoi penses-tu ? » Mais qui aurait fait une pareille remarque ?

Et moi, bon, j'avais oublier de me coiffer, mais je m'étais lavé et rasé, à jeun, ce que je déteste, et habillé très convenablement, digne de figurer parmi la suite du chancelier d'Allemagne, s'il avait été là. Et c'était comme si j'avais dormi encore. Ou comme si on ne m'avait pas invité. Ou comme si on avait décidé, au contraire, de m'inviter pour me faire exploser cette affaire au visage. Et qu'y pouvais-je ? Et quel avis, quel parti, que dire ? Le vent de la nuit était tombé. Il faisait déjà chaud. C'était un palais de Rabat ou une demeure cotonnière de Savannah. Des mouettes noires piquées de blanc venaient manger entre nos pieds ce que nous laissions tomber, Lily et moi, en affectant d'obéir à des ordres, de remplir une tâche importante.

Nils et Sheena en vinrent à se quereller comme des chiffonniers. Le ton monta. Je n'avais pas encore vu, à cette première heure de mon séjour, Monsieur Sjöberg. Il me tardait de le voir paraître. Sheena hurlait. Nils la traitait de folle. Je ne comprenais toujours rien. Sheena désignait le sud-est, la maison de Nils, ou bien la « baraque ». C'était là. *Là!* Là!

— Tu l'as donc fait! Tu as profité de mon voyage en Italie! Tu avais dit que tu ne le ferais pas, que je t'avais convaincu! Tu as claqué ton sale argent là-dedans! Il y a des gens qui meurent de faim, tu aurais pu nourrir tout un village du Cambodge pendant des années avec cet argent! Tu l'as fait, non seulement parce que tu as peur pour toi, mais parce que tu continues à lutter contre moi! Je te hais, je te hais!

Ce ne sont là que des bribes du discours de Sheena, reconstitué après coup grâce à Nils et à Sheena elle-même, qui devait le reprendre à mon intention. Nils réussit à déclarer posément :

— Nous laisserons François juger. Juger sur pièces, ma chère. Nous allons lui faire visiter le Bunker. Dès que nous aurons achevé ce délicieux petit déjeuner.

Sheena fut si interloquée qu'elle se tut. Nils se plongea dans la lecture du journal. Il avait posé ses fines lunettes d'or à l'extrême pointe de son nez. Il avait l'air d'un entomologiste. Lily se versa un grand verre de lait, qu'elle but à petits coups. Nils sortit de sa lecture pour dire :

— Tout de même! Un drôle de pays que le nôtre! On a arrêté, dans une petite rue proche de Malmskillnadsgatan, une petite fille de treize ans qui jouait à la putain. Aux policiers, elle a déclaré qu'elle faisait cela « avec la bouche, car cela va plus vite. Je voulais acheter un cheval et mes parents n'étaient pas d'accord. Maintenant, j'ai presque de quoi ». Voilà notre pays, mon cher François!

— Ceci se produit aussi ailleurs, dis-je, et ce que je trouve assez beau, c'est cette passion d'une petite fille pour un cheval.

— Bien sûr, dit Nils. L'avocat jouera là-dessus. La solitude de la petite fille entre ses parents. « Ma bouche pour un cheval! Mon royaume d'enfant pour une monture de femme libre! » Ce sera une émouvante plaidoirie. On mettra la petite dans une maison spécialisée, trois mois. Quand elle en sortira, elle sera devenue une vraie pute. François, tu aurais dû être avocat! Bravo!

— Qu'est-ce que tu proposes d'autre, *Pappa*? murmura Lily. Quand j'ai eu envie d'un cello, tu m'as offert l'un des plus beaux du monde. Et tu m'aurais offert, pour le prix, un troupeau d'étalons et de juments!

Nils la regarda longuement et elle ne baissa pas les yeux. Il regarda la chevelure de Lily, ses yeux, sa bouche, et il ne pensait pas à des chevaux, ni à un cello. Et Sheena, j'en suis sûr, vit ce regard posé sur sa fille. Et elle ne pensait plus à ce Bunker, dont il avait été question.

— Il faut aussi que je te montre ma petite roseraie, dit Nils.

Il s'adressait à moi, sans doute, en contemplant la cime des arbres et aussi un sorbier agité par le vent.

— Deux choses me sont indispensables, reprit-il : soigner

mes roses et travailler pieds nus sur une peau de mouton. Le mouton, même mort, s'il a été convenablement traité de son vivant, et après sa mort, dégage une énergie qui parvient à ma tête. Les roses, c'est le contraire : elles aspirent notre énergie, car elles nous invitent à penser avec elles, à imaginer où se feront les pousses, et elles nous déjugent sans cesse!

— Elles nous déjugent? demandai-je.

— Elles nous déjugent. Non! Elles ne jouent plus. Ou bien elles jouent contre nous. C'est cela?

— Elles nous déjouent, donc, dis-je.

— C'est cela. Elles nous déjugent. C'est ce que je disais.

Nils faisait sans doute exprès. Mais je n'en étais pas sûr. Et il y avait là matière à discussion. Si les roses nous jugent, ce qui est possible, elles ont le droit de se déjuger; mais celui de nous déjouer? Ce genre de question me fascine. J'ai le sentiment d'être devant une pile de dictionnaires, où manque celui qu'il me faudrait. Et chaque fois que j'en consulte un, il me donne raison car il prend un malin plaisir à m'embrouiller. Ici, par exemple, se déjuger signifie changer d'avis. Or déjouer est, avant tout, un terme de marine, qui s'applique aux « pavillons » et aux « girouettes ». Et les girouettes sont réputées changer d'avis. Et Nils, je commence à le connaître, c'est quelqu'un qui cherche le vent pour se divertir, s'éloigner, déjouer les complots contre lui, quitte à se déjuger.

Il y avait là, entre Sheena et lui, une histoire grave. J'aurais voulu connaître l'avis de Kerstin et de Monsieur Sjöberg. Je ne savais pas pourquoi, mais il me semblait que ces résidents permanents de l'île pouvaient, en cette affaire, me donner un avis sain. Certes, je faisais là du Nils. Je fuyais. Et je fuyais là où je ne pouvais fuir, puisque je ne connaissais ni Kerstin ni Monsieur Sjöberg. J'entendais Brahms monter sourdement, de chez la première. Du second, je ne savais ni ne voyais rien. J'entendais bien les accents de Brahms et les triolets rageurs. Et peut-être des coups sur du bois, une hache, un maillet, irréguliers mais quiets. A la réflexion, ils ne pouvaient venir que du vieux petit garçon de cette île.

— Viens, François, nous allons voir mes roses, et tu vas m'aider. Sheena, tu sais que les roses sont le chemin logique vers le Bunker. Nous irons aussi. Mais en passant par les roses.

VII

Il m'entraîna derrière lui. Il marcha à pas allongés, en évitant des souches d'arbres ou des rocs qui affleuraient, et en me les désignant du doigt, pour que je les évite aussi. Après quelques mètres, il ôta le haut de son bizarre vêtement blanc et courut à petites foulées, en le tenant au-dessus de sa tête. Il se retourna pour vérifier que je suivais. Nous ne prenions pas le chemin de sa maison mais nous arrivions sous les fenêtres de Kerstin. J'entendis le Brahms, intermezzo ou ballade, dans ses moindres nuances. Je m'arrêtai. Nils s'arrêta aussi.

— Nous allons chez Kerstin Norrenlind. N'est-ce pas?

— Pas du tout. Je voulais seulement te faire écouter.

— Mais j'aimerais lui être présenté, l'écouter calmement.

— Cela se fera, François. Ce n'est pas urgent. Pour l'instant, elle se fiche de toi. Elle sait, parce que je le lui ai dit, que nous avons un invité français socialiste. Mais je pourrais cacher ici un ancien nazi, ce serait la même chose. Elle serait délicieuse avec lui, et éviterait seulement de nommer Félix Mendelssohn. C'est tout. Elle sera délicieuse avec toi.

— Quand la verrai-je?

— Oh! Peut-être ce soir, si elle est libre, si elle n'a pas d'invités, ou demain... Tu sais, elle fait une foule de choses!

— Je trouve tout de même que ce serait convenable d'aller me présenter. Quelques minutes...

— Tu n'es pas ici pour être convenable. Tu dois m'aider.

Ce qui est urgent, c'est cette histoire de Bunker, pour me sortir du guêpier de Sheena. Je suis « dans la merde », mon cher. Je l'avais prévu.

— Ne pourrais-je au moins apercevoir Kerstin?

— Si tout s'arrange, si tu arranges tout avec Sheena, tu verras Kerstin.

— Je vais finir par croire, dis-je, qu'elle est la plus belle des trois et la plus captivante.

— C'est la plus vieille, c'est tout. Ou la moins jeune. Mais tu as raison. C'est la plus belle. Viens! Allons *déjouer* le Bunker par les roses. Joli, non? Pour un vieux philologue scandinave...

Nous arrivâmes derrière sa petite maison. La roseraie était modeste, de dimensions, mais d'une extraordinaire variété. Nils se lança dans de longues considérations, sur la terre, d'abord, une terre de bruyère naturelle, renforcée par une terre venue de Hollande, puis sur les roses elles-mêmes, leurs espèces, leurs noms, leurs croisements, leurs boutures. Et surtout la taille. Quand j'entendis : « sur le deuxième œil... », ou peut-être : « juste au-dessous du troisième après la floraison », j'eus un éblouissement, le vertige du déjà entendu, déjà subi.

Ce n'était pas difficile à retrouver. Le temps se déroulait majestueusement à l'envers et me transportait de ce sexagénaire jardinier à un autre. A Latche, chez François Mitterrand, un an plus tôt : en août 77. Mon déjeuner annuel. Ce n'était pas encore la défaite. Elle était prévisible. François Mitterrand la prévoyait, sans en dire un seul mot. Il y avait, à table, parmi la dizaine d'invités, un jeune loup du parti qui brûlait de parler de sa circonscription future, un jeune homme provençal aux prunelles de charbon et au teint bistre, rampant, presque, aux genoux de François Mitterrand, pour obtenir que les accords avec le Mouvement des Radicaux de Gauche n'aboutissent pas à la désignation du candidat radical, mais à la sienne. Il chuchotait, il susurrait. François Mitterrand, qui écoutait aussi une autre conversation, très à l'aise dans ce genre d'exercice — qu'il savoure, peut-être —, inclinait la tête vers le jeune loup et lâchait deux ou trois phrases, à peine, des murmures étouffés, qui déformaient légèrement ses lèvres. Il lui répondait très exactement du bout des commissures. Pas plus. Pour en finir, au cinquième ou sixième assaut, il lâcha à ce jeune homme, à voix haute, cette fois : « Circonscription intéressante. » Ce qui ne voulait rien dire, en fait de promesse. Dans les marchandages nationaux, on la donnerait peut-être au radical.

Il y avait aussi, à cette table, un historien spécialiste de l'anti-communisme, ancien communiste lui-même, qui tenait des propos terrifiants sur les communistes français. François Mitterrand écoutait, sans broncher, en se contentant de corriger une date, un lieu, même sans importance. Un journaliste, plutôt de droite, écoutait tout cela. Et je me demandais ce qu'il pouvait penser, de la table du grand leader de la gauche encore unie. Si on tenait de pareils propos, ici, en ce mois d'août 77, la rupture était donc fatale, souhaitée peut-être? Ou alors, on tenait à montrer que, quoi qu'il arrivât, on n'était pas dupe? Je me souviens que j'en eus assez, que je fis taire, moi, pourquoi moi, l'historien; et que je le traitai de névrosé de l'anti-communisme. Il y eut un silence, et François Mitterrand ne me jugea pas plus qu'il n'avait jugé l'orateur précédent. On parla d'autre chose. Il y avait aussi une foule de photographes et de journalistes, embusqués derrière les arbres, presque à portée de voix de notre table. Et notamment des gens du magazine allemand *Stern*, dont un journaliste courtois et compétent. J'allai m'entremettre. On lui avait promis dix minutes d'interview. Il était là, avec ses photographes, il devait reprendre un avion. Avait-il une petite chance? Nous parlâmes allemand. François Mitterrand était toujours imperturbable : « Mais bien sûr, nous aurons ces dix minutes, c'est entendu, dites-le-lui, j'arrive, dites-le-lui, François-Régis... » Il y eut encore beaucoup d'autres sollicitations et de téléphones, qui obligeaient François Mitterrand à se lever pour aller vers son bureau, et il en revenait à très petits pas, la mine gourmande devant son assiette, attendant le prochain appel mais happant, pour l'heure. tout ce qui passait à portée de main.

Je restai le dernier. J'avais tout mon temps. Je n'avais aucune circonscription à quadriller. Juste une ou deux petites choses à réclamer, pour mon travail dans le parti. François Mitterrand m'entraîna sous les arbres, comme Nils aujourd'hui; alla d'un côté, puis de l'autre. Il savait que les photographes ne cessaient de le mitrailler. Et on entendait les déclics et le cliquetis et le coup sec des chargeurs, comme ces détonations que font parfois les pommes de pin s'ouvrant au soleil une dernière fois, avant de tomber au pied des arbres. Je ramassai l'une d'elles, que je fourrai dans ma poche, en souvenir. Je l'ai toujours. François Mitterrand a vu mon geste. Puis, il m'a entraîné devant le massif de rosiers plantés à l'entrée de son bureau, plein sud, je crois. J'ai regardé les roses. Je ne voyais rien. Je pensais à ce que François Mitterrand venait de me dire, et qui avait trait à Gaston Defferre. Et le Premier secrétaire fit exprès de me laisser mariner dans mon jus en me tenant des propos d'une haute technicité sur ses roses, sur la taille, « là, pas là, le deuxième œil, le troisième œil, pas là, comprenez-vous, François-Régis, jamais là, ce serait fatal, ici, tenez : cela a été une erreur », et il était penché en avant, toujours pieds nus dans le sable gris et chaud, presque arc-bouté sur ses roses et le cliquetis redoublait. J'ai ces photos, que *Stern* m'a aimablement adressées, où je suis raide comme un Esquimau devant la Méditerranée, et François Mitterrand, la tête dans les roses, me regarde et me montre du doigt l'endroit idéal de la taille. Je me souviens, maintenant : j'ai dû caser quelque part, car il fallait bien faire semblant d'écouter, le mot « engrais », et il a feint de n'avoir pas entendu ; et je me suis replié sur cette bévue.

Depuis lors, chaque fois que j'essaie de mettre un peu d'ordre dans mes rosiers, soit chez ma mère, à Biarritz, soit chez moi, dans le Var, où je suis aujourd'hui, où j'irai tout à l'heure débarrasser, au moins, les feuilles de ces tenaces « boudragues », qui les déchiquettent, chaque fois que je prends un sécateur, j'essaie de compter les yeux, et je vois ceux, impitoyables, de François Mitterrand, et j'entends le cliquetis de *Stern* sous les cigales, et je n'ai rien appris, je taille à ma façon, mal, sans doute, et je bine la terre acide du Var, et j'écarte le gazon frais de celle de Biarritz, en ruminant sans cesse les pensées que j'imagine celles de François Mitterrand, au jour d'aujourd'hui, où est-il, que fait-il, qu'a-t-il pensé de tel ou tel événement de politique internationale, ou nationale ? Où pèse-t-il ce qui compte et ce qui passera, qui a-t-il eu à sa table, qui a-t-il feint d'écouter en feignant ouvertement de ne pas écouter, tout en écoutant le voisin de gauche mais en revenant à celui de droite, quel livre a-t-il lu, quel rêve, vers quelle ferme des Landes a-t-il marché longtemps, à quel fermier a-t-il demandé un verre de lait à peine trait, comme on m'a dit qu'il faisait parfois... Et a-t-il su, en me fourrant dans les pattes de Nils, vers le milieu du mois de juin 78, qu'il m'envoyait vers une île plus radieuse, maléfique ou bénéfique, capitale pour moi, combien plus capitale que la plus « intéressante » des circonscriptions ?

Nils était pareillement le nez dans ses rosiers. J'ai cru qu'il prenait la pose-Mitterrand pour *Stern*. Il a vu très vite que je ne m'intéressais pas à ses explications. Je lui ai parlé de mes propres rosiers, sauvages, mais si pleins de bonne volonté qu'ils me donnent des roses plusieurs fois par an. Alors, je les remercie de mon mieux, en taillant où bon me semble. J'aime mon désordre, je hais les méthodes. On verra bien. Je lui ai dit, en allemand, cette phrase apprise par cœur d'une Viennoise, il y a longtemps : « *Ich habe eine schlampige Beziehung zur Realität* »; qu'on peut traduire par quelque chose comme : « J'ai un rapport fantaisiste et délicieusement pagaille avec la réalité. » Nils m'a dit :

— Et tu es fier d'articuler de pareilles bêtises ?

— Non. Pas fier. Conscient de dire la vérité.

— Tu es fier de ta pagaille d'amateur distingué. Tu penses toujours t'en sortir par un tour de magie. Tu te crois plus fort. Tu es d'un orgueil idiot et vain. Bien, reprit-il avec effort, mes roses ne t'intéressent pas. Soit. Quittons la beauté et allons affronter les difficultés !

Il se releva. Il me jeta un regard lourd. Il joua soudain au vieillard, lui qui faisait tant pour m'éblouir de sa jeunesse. J'entendis la voix du piano, douce et chantante, musardant, alanguie comme une fin de jour, et je me dis que Kerstin devait être une femme admirable : j'aurais l'honneur de la découvrir. Il quitta la roseraie, non sans avoir rageusement arraché deux ou trois mauvaises herbes. Il me dit enfin :

— Tu sais, mon petit, tu peux t'envoyer Sheena quand tu veux.

— Vous croyez ?

— Simplement : ne faites pas ça sous mes yeux.

— Je ne suis pas venu pour *ça*, Nils. Et je n'ai pas si grand désir...

— En ce moment, peut-être, non. Seules les femmes sont excitées à cette période de l'été. Nous, nous tenons le coup. Quoi? Nous tenons le coup, hein? C'est notre ramadan!

Je vis bien qu'il pensait à Lily.

— Et puis tout ça, continua-t-il, à quoi bon? Une femme ou une autre... Des trous ouverts, des larmes et des cris, n'est-ce pas? Pourquoi se compliquer la vie!

— Bien sûr, Nils. Je suis de votre avis. Ne nous en faisons pas. Je ne me vois pas du tout couchant avec votre femme si cela doit vous causer la moindre peine. Et il y a d'autres femmes!

— Tu veux dire qu'il y a Lily?

— Pas du tout. Elle est trop belle pour moi. Je n'ai jamais pensé à Lily.

— Tu parles comme un Américain de bandes dessinées.

— Mais je dis ce que j'ai envie de dire.

— Viens, alors!

Il m'a conduit devant le Bunker. La mer, là-bas et à nos pieds, grise et rose, battait, à petits coups, léchait la roche hostile. Je la contemplai, j'aspirai à pleins poumons, tournant ostensiblement le dos à Nils. Je me retournai enfin. Je vis des traces de béton frais, sur le sol, et des madriers dispersés à la hâte. Je crus entendre des appels de cors, car Nils se mettait à crier des « han! » et des « ho! »

— Ce que je vais te montrer va te révolter, je te préviens. François, j'ai mal parlé des femmes, à l'instant. Il n'y a qu'elles. Il n'y a que la vérité de nos passions, les uns pour les autres. Toi, tu n'as pas de passion. Et tu en auras. Moi, j'ai fui ici. J'ai déraillé exprès. Mais je ne le regrette pas. Car je crois avoir raison.

— Qu'est-ce que tu as donc fait?

— Voilà.

Je vis, au-delà des madriers, encastrée dans la falaise, l'entrée, la meurtrière du Bunker, qui me rappela aussitôt les ouvrages du Mur de l'Atlantique édifié par les Allemands sur nos côtes. C'était plus petit, mais cela imposait la même peur.

— C'est à peine terminé, tout frais! dit-il.

Il appuya sur un bouton dissimulé dans le tronc d'un vieil aulne. J'entendis un glissement sourd et un panneau de béton s'effaça. Nous entrâmes dans l'abri. Il alluma. Je vis une longue pièce basse, verte, des canapés sommaires et des tables en bois brut. Des murs de placards frigorifiques. Des livres et deux ou trois bouteilles sur une des tables. Puis, je distinguai une muraille énorme, plus haute que les autres, faite d'électronique, d'écrans vidéo, de récepteurs et d'amplis, comme dans une régie de studio, mais avec du kaki, du vert militaire et des poignées de cuivre qui semblaient permettre l'ouverture d'autres portes. Il fit très froid. Le panneau venait de se refermer.

— Qu'est-ce que c'est que cette histoire, Nils? demandai-je.

— Eh bien, tu comprends tout seul, je pense.

— C'est un abri antinucléaire?

— Exactement.

— C'est pour cela que Sheena est furieuse? Parce que cela coûte cher?

— Énormément cher.

— Mais Nils, cela ne sert à rien!

— S'il n'y a pas la guerre, cela sert à réfléchir sur la guerre. S'il y a la guerre, cela permet pas mal de choses.

— Mais enfin...

J'eus une horrible « pensée bourgeoise », comme il me l'aurait dit. J'avais bien écrit à trois éditeurs français pour parler d'un éventuel livre fait de conversations avec le social-démocrate Nils Söderhamn. J'avais écrit ces lettres sans grande conviction, j'avais fait mon métier habituel de rabatteur de bouquins, parce que je savais que je serais pris, pour la première fois de ma vie, au piège du magnétophone, et que je ne voulais pas travailler pour rien. Je pensai soudain que ces lettres ne me vaudraient que des réponses polies et attentives. Qu'on me dirait que tout dépendait du ton, des révélations. Je n'aurais pas répondu autrement. Que faire, en France, du livre d'un député suédois inconnu! Mais si je racontais cette histoire d'abri anti-atomique, si je décrivais par le menu ce que je venais à peine d'entrevoir, il y avait là, peut-être, un peu d'intérêt, non? L'Europe, dès maintenant suréquipée en audio-visuel et en électro-ménager. allait se tourner vers l'abri. Il y avait là un marché à prendre, et qui serait donc pris. Il me semblait même avoir déjà vu des articles sur ce sujet, et peut-être des publicités. Si l'on possède déjà une chaîne *hi-fi*, un

154

enregistreur vidéo, toutes les machines à laver et un *pace-maker*, que posséder encore? L'abri s'impose, Occidentaux gavés, dans les jardins de vos résidences secondaires, à la pointe de la technologie, pour vous et les vôtres. Vous et votre femme, vous et vos enfants. C'est un *must* évident.

Je ris à la face de Nils. Je le trouvai ridicule, minable. J'avais suivi cet homme jusqu'ici, pour qu'il me joue un concerto de gadgets! Le silence du béton, Dieu sait combien de mètres au-dessus de nous et autour de nous! Je répétai, ne sachant quoi dire d'autre :

— Mais enfin, Nils, cela ne sert vraiment à rien!

— Tu penses comme Sheena, parce que tu ne sais pas grand-chose.

— Je ne nie pas les risques de guerre internationale. Mais si cela éclate, ce sera au Moyen-Orient, par exemple, pas ici.

— Pourquoi pas?

— Parce que. Le général de Gaulle dirait : « La Suède et la Finlande étant ce qu'elles sont », on ne voit pas de bombe atomique arrosant cette île, ni cette mer.

— C'est ton avis. Ce n'est pas le mien. J'ai toujours pensé que la guerre éclaterait lorsque les pays du bloc soviétique se réveilleraient. D'accord?

— Non. Ils ne bougeront plus.

— Bon. Écoute. Pas la Tchécoslovaquie, nostalgique et érotique. Pas la Hongrie, masochiste. Pas la Yougoslavie, qui n'a pas d'existence. Pas la Roumanie, qui fait du maquignonnage. Je ne parle pas du reste. Mais il y a...

— Quoi?

— La Pologne. Tu ne cites pas la Pologne? Tu ne me dis pas, de toi-même, la Pologne? Cela prouve que tu ne sais rien, que tu ne lis même pas les journaux. Tu lis vos petits journaux satiriques, cela t'amuse et cela te suffit, cela te nourrit en potins politiques parisiens. Tu ne lis même pas sérieusement *le Monde*. Tu ne lis rien sérieusement. Pour toi, la terre tourne autour des potins de Paris qui amusent vos ministres et vos hauts fonctionnaires. Vous êtes un peuple superficiel et rigolard. Tu n'as même pas cité la Pologne!

— Mais j'adore la Pologne, Nils! J'y ai des amis...

— Ah voilà! Tu es comme les antisémites qui disent : « J'ai des amis juifs... »

Je repris :

— J'y ai des amis de toutes sortes, catholiques, communistes. Cela ne bougera jamais. A la moindre grève de mineurs, on vous rameute la trique soviétique et on se rendort[1].

— Tu es nul et non informé. Le sursaut viendra de là. Et le front nucléaire sera là. Là et autour. Ici, par exemple.

— Et tu t'enfermeras dans ton trou de béton, avec le piano de Kerstin, le cello de Lily et les cheveux et la voix furieuse de Sheena? Et tu compteras jusqu'à combien? Et tu sortiras, ensuite, pour tailler tes rosiers?

Il me regarda durement, d'un œil vague de clown maniaco-dépressif. Il prit une bouteille d'aquavit non décachetée et fit mine de me la casser sur la tête. Il la posa sur la table et dit :

— Mon petit, ce n'est pas si simple. Si tu n'as plus de passeport, réfléchis, c'est parce que ce n'est pas si simple. Réfléchis bien dans ta tête!

Il s'était assis confortablement dans un fauteuil de pin et de toile écrue, aux coins de cuir brun. Il était comme à un club confortable pour hommes seuls. Il attendait la guerre. Sur ces tableaux de bord, sur ces écrans, des clignotants enfin s'allumaient, annonçant la destruction alentour. Et lui, précautionneusement, décachetterait sa bouteille numéro un d'aquavit numéro deux, prévue pour le jour J. Ensuite, il ouvrirait sa grosse Bible, celle de son père, et lirait le fragment de l'Apocalypse approprié, programmé pour l'heure $H + 1$: « Car une heure a suffi pour ruiner tout ce luxe! » (Ap., XVIII, 17). Puis, Lily jouerait du Bach, ou se tairait, simplement, ou chantonnerait du Bach, les lèvres serrées.

Je n'avais plus envie de rire mais de me battre contre ce vieux fou. De lui casser sa bouteille, moi, sur la tête. Je l'étourdirais. J'irais demander à Kerstin un de ses petits bateaux et je m'enfuirais comme un voleur, heureux de n'avoir pas volé.

Il y avait dans cette cave hideuse une odeur de machines froides et de science-fiction pour nouveaux riches. J'avais rêvé,

---

1. Ceci a été écrit en juin 1980. Je le relis aujourd'hui, 16 août. Le gros titre du *Monde* est : « L'aggravation de la crise polonaise. Le mouvement de revendication des ouvriers prend un aspect de plus en plus politique. »

au bar du Pont-Royal, d'un homme différent, nouveau, et je me trouvais face à un banquier suisse, sexuellement malade, politiquement pourri, infantile, blotti devant ses compteurs Geiger et ses microprocesseurs comme devant une collection de soldats de plomb.

— Je voudrais boire, dit-il. Je n'ai pas le droit de toucher à cette bouteille.

— Le sacrifice n'est pas très pénible. Tu as toutes les bouteilles que tu veux à trois pas d'ici.

— Mais ici, ce serait bon de boire. Cette bouteille, à deux, m'aiderait à t'ouvrir les yeux. François, tu ne sais même pas où tu te trouves. Et tu me juges sévèrement. Injustement.

— Je suis dans l'île d'un député suédois socialiste. Député de Xköping. Et d'abord, pourquoi ne m'as-tu pas montré ta circonscription? Qu'est-ce qu'on pense, chez tes électeurs? Pourquoi n'es-tu pas sur le terrain? N'y a-t-il aucune maison de pensionnés à inaugurer? Aucune « salle polyvalente »? Est-ce qu'on ne se plaint pas de ton absence? Est-ce que tu n'accrédites pas la légende de Nils Söderhamn, député cosmopolite, itinérant, littérateur absent? Est-ce que...

— Assez. De toute façon, le troisième dimanche de septembre 79, je serai battu. Je ne serai plus rien. Autant me montrer discret, d'ici là.

— Pourquoi seras-tu battu?

— Parce que je n'aurai pas l'investiture de mon parti. Parce que je ne vais pas assez souvent à Xköping. Parce que cela me barbe. Je vais échouer. Autant savourer mon échec à l'avance. Qu'est-ce que c'est qu'un député? Je souhaitais bien davantage. Palme me hait. Il ne me pardonne pas d'être plus socialiste que lui. Ce qui n'est pas difficile. Et je n'aurai plus d'argent. Et si on apprend ce que j'ai fait, je suis compromis à jamais. Et on l'apprendra.

— Pourquoi? Ce n'est pas un crime. Si tu as pu te payer ce jouet, pour toi et ta femme... et pour Monsieur Arne Sjöberg, sans doute... Sa place est prévue?

— Naturellement.

— Tu sauves trois femmes, dont une jeune, et un solide marin suédois. C'est épatant, Nils! Tu auras le Nobel de la paix, quand la guerre aura tout détruit, hormis la rutilante Scandinavie!

J'étais debout. Lui, toujours vautré dans son fauteuil, cherchant machinalement un verre à lamper. Il se leva d'un bond et me jeta dans un autre fauteuil.

— Écoute-moi! dit-il.

Ses mains m'avaient broyé les épaules.

— Pour l'instant, tu raisonnes, si j'ose dire, comme Sheena. Avec cette différence qu'elle n'a pas vu cet endroit. J'en avais vaguement parlé. Elle était opposée. Ce matin, très tôt, elle est venue rôder et a vu les traces du chantier. Et puis Monsieur Sjöberg a dû lui confirmer... A la pêche. A quelques milles d'ici. Ne m'interromps pas. Sheena a explosé. Toi, tu raisonnes. Elle, je vais l'amener ici, et Kerstin, et Lily. A tous mes proches et à mes éventuels visiteurs, je montrerai ma trouille de la guerre nucléaire et ma passion de la vie, des livres, des femmes et de l'aquavit. De la musique, naturellement. Et on se moquera de moi, comme toi. Peu importe. Car ce n'est pas l'essentiel. Ce n'est même rien. *Rien.*

Il s'était arrêté encore. Il reprit la bouteille de verre brun, à l'étiquette rouge et blanche, avec des caractères fin xixᵉ. Il tripota la capsule rouge.

— Ce que je vais te dire, seuls quelques ingénieurs électroniciens et moi le savons. Ces ingénieurs dépendent de nos services secrets... Cela vaut une gorgée, ajouta-t-il.

Il dévissa la capsule et s'enfonça la bouteille dans la bouche. Il but. Il me la tendit. Je refusai.

— Il faut que tu comprennes une chose. Tu ne peux pas savoir parce que tu n'as pas assez voyagé, François. Pour comprendre le monde, il faut avoir beaucoup voyagé. Premièrement. Et puis il faut savoir oublier les voyages. C'est comme en poésie, dit Rainer Maria Rilke. Il dit à peu près ça : « Pour écrire un seul poème, il faut avoir vu beaucoup de villes. Avoir des souvenirs. Il faut savoir les oublier quand ils sont trop nombreux... » Je ne sais plus la suite, qui est superbe. La poésie n'est pas différente du monde international. Moi, j'ai écrémé le monde et les eaux et les terres et les gens. A part quelques pays comme le Kenya et l'Afrique du Sud. A part quoi d'autre... l'Australie, c'est vrai. Mais il n'y a rien à dire de l'Australie, ni à apprendre. A part quoi... c'est vrai qu'il me manque deux ou trois pays d'Amérique latine. Le Honduras, par exemple. Mais cela ne compte pas. Ce sont les Baltes de l'Atlantique. Dévorés. J'ai donc voyagé. J'ai su oublier, ici, dans mon île. Pendant des mois entiers d'hiver, ici, coupé de tout par les glaces, je me suis transformé en hareng au saloir. Et le sel du monde, qui devait s'évaporer, s'est évaporé. Celui que je devais garder s'est incrusté. Je suis arrivé à l'idée souveraine que notre avenir dépend de deux pays.

J'interrompis bêtement, exprès, en sachant qu'il ne citerait pas ces deux-là.

— URSS, USA, dis-je.

— Ne m'interromps plus! Surtout pour dire des conneries.

Il but une deuxième rasade.

— Pologne. Brésil. Dans l'ordre d'entrée en scène. Le premier fera échec à la domination de l'URSS. Le second fera échec à celle des USA. Le premier avant 1981. Le second tout de suite après. Cela, c'est mon idée. Si tu ne l'acceptes pas, je m'arrête. Tu peux t'en aller.

J'acceptai, naturellement.

Il continua, une bonne heure. Il démontra sans se lasser la vérité de son idée. Je ne dirai pas ici ce qu'il me dit, et qui se trouve dans le livre que nous avons écrit, qu'il m'a dicté. Je ne peux pas courir à la fois après mon roman et après ce livre de Nils, bien que le livre de Nils soit aujourd'hui achevé et qu'aucun éditeur, à la date où j'écris, ne veuille le publier avant mon roman, qui « présente l'auteur ».

On m'a dit — et cet éditeur-là n'aura plus jamais une ligne de moi ni d'aucun de mes amis — que Nils Söderhamn étant un inconnu absolu, hormis des Suédois et de quelques sociaux-démocrates européens, professionnels de la politique, mon roman serait peut-être la « lessive qui le lancerait ». Cela m'a été dit ainsi. Cet éditeur ne m'a pas dit : « Ton roman va lancer Nils comme une lessive. » C'est ce qu'il voulait dire, j'espère. Mais il s'est trompé. Embêtant, un éditeur qui ne sait pas mettre les mots dans le bon ordre. Il m'a dit que mon roman serait une rampe, une rampe-lessive de lancement. Voilà où nous sommes tombés, dans notre malheureuse Europe culturelle médiatisée, lavée par les lessives!

Je ne peux même pas résumer ce flot de paroles. Je l'écoutais à peine. Il me semblait que le nombre de rasades d'aquavit rendait le discours suspect. On ne pouvait boire autant, avant même midi, et penser juste. Il y avait là un mélange d'économie et de religion, d'arsenaux militaires et de PNB par habitant, et de tonnes-équivalents-pétrole, qui me donnaient le vertige. Sur le Brésil, il me sembla retenir que lorsqu'un pareil pays recèle à la fois tant de richesses naturelles, un climat religieux puissant et un tel déséquilibre entre milliardaires et affamés, il éclate. Sur la Pologne, il me dit des choses aussi évidentes, qui m'étaient déjà apparues, que j'avais sans doute lues mais auxquelles je n'avais prêté que l'attention distraite d'un Occidental égoïste. Sur la Pologne, Nils claironnait, assenait. Il me fatiguait. J'avais envie d'acquiescer à tout et de me rendormir. Il parlait de Gierek avec un ton de familiarité, une foule de détails, il me parlait des sourcils et des ongles de Gierek. Puis, il enchaînait sur la fréquentation des églises polonaises et le nombre des séminaristes, qu'il rapprochait de celui des « syndicalistes clandestins » — ce dernier terme me demeurant tout à fait obscur — et m'annonçait des grèves dans les mines, des contestations estudiantines, des sportifs qui refuseraient d'aller à Moscou en 80 [1]...

Tout me paraissait clair et fumeux, élémentaire et improbable. Je n'avais vu André Malraux qu'une fois dans ma vie où, ayant décidé de toucher en moi le musicien, le ministre m'avait expliqué les rapports entre Piero della Francesca, Stravinski, Beethoven, Dürer, Luther et Spengler, dans une bouillie approximative — au moins pour ce qui concernait la musique —, sonore et néanmoins fascinante par la gestuelle qui l'accompagnait, les trous dans les joues, les reniflements, les aspirations bronchiques et les expirations nasales. En moi-même, je m'étais moqué de ce pathétique dont le disque

1. Sur ce dernier point, Nils s'est trompé. Mais je rappelle aussi discrètement que possible au lecteur la date où je relis et corrige ces pages : 16 août 1980. Je viens d'écouter le « flash » de midi, et d'apprendre la « dramatique entrevue Brejnev-Gierek ». On parle de la « poudrière de la Baltique ». La tête me tourne et j'ai soudain peur de me lire. Quand Nils me disait ce qui précède et ce qui suit, on ne parlait pour ainsi dire pas de la Pologne. Ni quand j'écrivais ce qui précède et ce qui suit. Je ne change rien à ces pages. Je me contente de nettoyer la prose, de mon mieux. Quant au lecteur, je ne lui demande pas de juger Nils prophétique. Je l'adjure seulement de me croire. Il n'y aura plus de note en bas de page, désormais.

tournait, imperturbable, comme s'il s'était agi de convaincre Ramsès II de la valeur du président Kennedy pour la plus grande joie de Napoléon.

Et Nils me contraignait à ne pas le prendre plus au sérieux. Avec ce désavantage supplémentaire qu'il n'avait même pas la notoriété de Malraux. Je pourrais un jour écrire que j'avais vu Malraux et qu'il ne m'avait pas « eu ». Je ne pourrais pas dire de Nils la même chose, car on commencerait par me dire qu'on s'en fichait. Qui était Nils?

Or je ne m'en fichais pas. Je savais que le numéro politique annonçait autre chose. On me brossait une fresque pour m'expliquer qu'un abri antinucléaire n'était pas un abri antinucléaire. C'est là que j'attendais, et cela m'intéressait beaucoup plus que le coup de Piero della Francesca.

Il vit une mouche et parut furieux. Il ouvrit un petit placard vert sombre, fouilla, prit un aérosol et lança un jet citronné sur la mouche. Il remit l'aérosol en place, méthodiquement. Je regardai le nombre de ces petits placards, tous numérotés. Je n'entendais même plus le zézaiement de cette mouche mourante, à nos pieds.

— Les choses sont comme ça, reprit-il. Notre mer, celle-ci, cette Baltique ignorée par le reste du monde, est le théâtre du plus formidable combat militaire possible. Personne ne parle des manœuvres aéro-navales soviétiques, est-allemandes et polonaises. Personne ne veut admettre que d'énormes sous-marins se promènent librement et vont rôder à quelques enca-blures de Londres. Je dis *Londres*, mon petit. Il y a surtout les bateaux gros porteurs d'unités de débarquement, avec des engins blindés entièrement nouveaux. Pas les T 72, dont on parle quelquefois. D'autres, terribles. Comprends-tu? Il n'y a pas que des marins jouant à la bataille navale. Il y a des hommes, des dizaines de divisions. Je sais naturellement le chiffre exact. Alors, de temps en temps, les Américains envoient une escadrille de surveillance, venue de Houston (Texas), qui fait des ronds dans l'air, prend quelques photos et repart cracher son chewing-gum sur le béton du Texas. Et alors? Ce n'est pas tout. Ces hommes, ces militaires aguerris et spécialement entraînés, ont appris le suédois et le danois, et même le scanien. Ils le parlent parfaitement. Ils peuvent être débarqués là où on voudra, habillés en paysans, en pasteurs, en ouvriers, et s'infiltrer chez nous. Quand je dis des hommes, j'entends qu'il y a aussi des femmes. Chacune et chacun se prépare et peut jouer son rôle sans faute aucune. Tu ne m'écoutes pas? Regarde!

Il prit une carte de la Baltique, plastifiée, et l'étendit entre nous. Du cul de sa bouteille, il me montra l'île danoise de Bornholm, l'île suédoise de Gotland, une petite ville de la côte polonaise, nommée Puck, très proche de Gdansk. Cela faisait un triangle. Il en fit un autre dont le sommet était Stockholm et les deux angles Puck encore et Riga. Et la bouteille tourna au-dessus de ces deux triangles dont le premier, le petit, tenait à l'aise dans le grand. Il me dit que les Russes avaient occupé Bornholm en 1944 et qu'on trouvait dans cette île des tas de petits cosaques devenus grands, aux yeux bridés, fils et filles des femmes vikings. Ce qui ne me paraissait pas menacer la paix internationale. Je le dis.

Il frappa aussitôt la carte du plat de sa main. Le papier plastifié se zébra comme d'un éclair. Il se leva encore, ouvrit un petit placard vert, prit un rouleau de papier collant transparent et recouvrit l'éclair, en soufflant sur ses triangles.

— Je me suis donc trompé. Tu es complètement idiot. Et en outre, tu ne veux pas comprendre.

— Mais, Nils, qu'est-ce qu'il y a à comprendre? Il y a des manœuvres d'armées et de flottes, je le sais. Les armées et les flottes sont faites pour manœuvrer, en attendant la guerre. Qu'est-ce que tu peux dire contre ça?

— Mais l'infiltration des territoires par des humains parlant nos langues?

— Naturelle. Internationale. Mondiale. Mao Zedong avait fait former des escouades de petits Chinois et de petites Chinoises parlant nos langues de Bretagne, de Provence et de Savoie. Il paraît que c'était à s'y méprendre. Mais hautement comique. Tu vois la petite Chinoise, un châle noir sur ses épaules, chantant l'aïoli et la farigoule? Ou la faridondaine? On lui aurait proposé un bol de riz, à la mignonne, du côté de Manosque! Il est vrai que...

Il m'avait vu me rembrunir soudain.

— Il est vrai? demanda-t-il.

— Je me souviens, pendant l'occupation allemande en

France... Les contrebandiers basques faisaient passer la frontière aux jeunes gens qui voulaient rejoindre de Gaulle par l'Espagne. Ils trompaient toutes les patrouilles. Et un jour, on s'est aperçu que des officiers allemands s'étaient déguisés en contrebandiers basques et qu'ils se livraient à de terribles razzias. Les jeunes Français aboutissaient à la prison de Biarritz. Dont mon père était le médecin. Et les faux contrebandiers parlaient le basque comme des Basques. Ils l'avaient étudié depuis dix ans. Pour ça. Pour le jour où... Et le basque, c'est difficile!

— Ah! Tu vois bien! dit Nils.

— Mais les faux contrebandiers allemands-basques et les faux Russes-Scandinaves, c'est intéressant mais c'est secondaire. Ça ne déclenche pas une guerre.

— Qui te dit des Russes? Ce sont des Polonais qui s'apprêtent à nous envahir. Des Polonais, mon cher. Et c'est là l'affaire. Car il y aura un grand nombre de Polonais asservis, obligés de nous attaquer en douce. Et un grand nombre qui ne seront pas d'accord. Et les uns et les autres se préparent. Et c'est là où ça se brise, comprends-tu? C'est là la faille, la cassure... La révolte polonaise, c'est cela!

Je le regardai. Il croyait. Il savait. Et je ne savais pourquoi il voulait me dire ce qu'il m'annonça alors, très lentement, à la fois parce qu'il avait bu et parce qu'il voulait que je retienne ces mots très simples :

— François. Ceci est un abri antinucléaire de haute sécurité. Je peux avoir ça chez moi. Je peux l'expliquer à ma famille. Grâce à toi. Ce que je ne peux pas expliquer, c'est que c'est un *prétexte* pour installer ici le matériel qui permet d'écouter tout ce qui se dit, dans toutes les langues, à bord de ces flottes dont je t'ai parlé. Et aussi d'intercepter les renseignements transmis par les satellites de transmission directe à ces flottes. Ce n'est plus du hertzien!

— Mais qui écoutera?

— Nous avons des gens pour cela. Cela va commencer dans quelque temps, moins de trois semaines, à la période des grandes manœuvres de toutes les troupes du Pacte de Varsovie. Voilà.

— Des gens vont venir habiter ici, sur l'île, ils écouteront, ils écriront des rapports et les transmettront à...

— A qui de droit. Et moi, j'organise. Je suis le vieux député qui se fout de sa carrière et qui préfère écouter sa femme Kerstin jouer du piano, ou sa fille Lily jouer du cello, et les deux ensemble. Beaucoup plus important que les activités culturelles et sportives, et que les associations de consommateurs de Xköping. Mes électeurs, je les abandonne à leurs salades de petits égoïstes vaniteux. Ils veulent tous être président, secrétaire de leurs associations. Ils le seront. Tous!

— Est-ce que tu n'es pas le plus orgueilleux, toi, en organisant ton système, Nils?

— Sûrement. Mais n'oublie pas que je n'en tire aucune gloire. Personne ne sait cela. Naturellement, je ne parle pas de nos services secrets. Mais le secret est leur métier.

— Nils, excuse-moi, alors pourquoi moi?

— Je vais te le dire... Même pas. Tu comprendras sans que je te le dise.

— Et tu avais pensé me le dire quand nous nous sommes rencontrés?

— Tout de suite. Non, pas tout de suite. Pas pendant le dîner. Un peu au bar.

— Et le livre que tu voulais que nous fassions ensemble? C'était aussi un *prétexte*?

— Non, oh non! me dit-il gravement. Nous allons le faire. J'en ai besoin. Sheena comprendra que nous travaillons.

— Nous pouvions travailler sans que tu me dises ton secret.

— Non. La réponse est non. Cherche du côté de Sheena. Je peux recevoir ici des tas de gens qui viendront s'enfermer dans mon Bunker, et repartiront, et seront remplacés par d'autres. Ni Kerstin ni Lily ne se poseront la moindre question. Elles ne seront pas effleurées par ça. Elles appartiennent à la musique. Elles ne savent même pas, je ne peux pas te dire, elles sont moins que des enfants devant la politique. Pas une ligne de journal, pas une image de TV. Mais il y a Sheena. C'est là que j'ai besoin de toi.

— Je ne comprends pas.

— Ce sera très facile. Pendant le déjeuner, elle va recommencer à hurler. François, tu as compris que je la hais. Nous allons parler du Bunker. Tu vas me donner raison. Vous allez vous disputer. C'est cela qui m'intéresse. La suite de la dispute.

Il nous mit à l'eau. Nous étions tous dans la mer et il avait pris le large. Une famille de vacanciers suédois, rangés en bataille comme des saumons disciplinés, le père plus loin que les autres. Il n'était déjà plus en vue, nageant un lent crawl puissant, quatre brasses, une inspiration à gauche, quatre brasses, une inspiration, il traçait notre route vers une barque revenant vers nous, dont je vis tout de suite qu'elle serait celle de Monsieur Arne Sjöberg. L'air était brûlant, l'eau tiède, à peine salée, moite et morte comme un bain froid réchauffé par les algues et les exhalaisons de mille poissons heureux de notre visite. On entendait, au loin, la musique d'une bande de jeunes. Plus loin encore, on percevait la sirène sombre des steamers filant vers la Finlande avec leur cargaison d'assoiffés. Cet alcool flottait sur la mer, si parfumé que j'en buvais et ne le recrachais pas. J'étais le moins bon nageur, le moins régulier. Sheena me battait, d'une nage filée, souple, et tentait de rejoindre son mari. Lily nageait en brasses coulées, souvent sur le dos, peut-être pour s'amuser, ou pour se reposer, ou bien pour voir où j'en étais. J'avais froid. J'étais trop maigre. Je n'avais jamais nagé si longtemps. J'avais peur de m'éloigner. Je me mettais aussi sur le dos et j'apercevais le grand drapeau bleu à croix jaune battant si loin, déjà, si loin... Peut-être un mille. Il faudrait aussi revenir... Heureusement, il y avait la barque noire de Monsieur Arne Sjöberg. Je comptais là-dessus pour m'en sortir. Je recrachais mes cigarettes, mes poumons de vieux tabagique. Là-bas, j'entendais Nils parler à Monsieur Arne Sjöberg, puis chanter à tue-tête un vieux refrain, peut-être une comptine d'écolier. Cela marchait fort, entre les deux hommes. Je ne comprenais pas comment Nils pouvait, ayant bu ce qu'il avait bu, nager au milieu du jour, à son âge, m'ayant dit ce qu'il m'avait dit, Sheena à ses trousses, et le Brésil et la Pologne, et le Pacte de Varsovie sous des périscopes, là, peut-être, pointant entre nos jambes.

Lily se laissa flotter pour que je la rejoigne.

— Je fume trop, dis-je, entre deux spasmes. Vous nagez tous trop vite !

— Moi non! dit-elle. Je me promène. J'ai faim. Tu veux qu'on rentre? Tiens, voilà Kerstin!

Je me retournai. C'était donc Kerstin, qui avait faussé compagnie à Brahms et qui se croyait avec lui sur le lac de Thune. Je vis une tête fine, coiffée d'un bonnet blanc. Je vis deux mains longues découpant la mer. C'était donc la dame de soixante ans, qui rejoignait les gamins, sur le dos. Elle cria : *Lillan Lily!*, c'est-à-dire : « Petite Lily! » et les deux femmes se rejoignirent sous mon nez. Il y eut une petite présentation. Lily dit : « Ma grand-mère! » et je me mis, je ne sais pourquoi, peut-être pour Brahms, à parler allemand. Kerstin me répondit en français, en tirant sur la grammaire en même temps que sur ses jambes. Je ne la voyais toujours pas. Je fis allusion, toujours ma bannière culturelle au vent, au fait que j'avais reconnu Brahms ce matin, mais que j'hésitais sur l'opus. 117, 118? Kerstin ne répondit pas, comme si elle avait été choquée par mon érudition déplacée ici. Ou on nage, ou on joue du piano. Elle me fila sous le nez comme un trille.

Je pris le parti de regagner l'île sur le dos. J'avais le drapeau en point de mire. J'essayai de nager droit. J'avais le cœur battant et je voulais l'oublier. J'avais aussi faim que Lily. Je ne pensais qu'à dévorer du pain, du beurre, des harengs à la crème piquetée de *dill*, l'aneth suédois.

A ma grande surprise, je vis que Lily avait laissé sa grand-mère et me suivait posément.

— Moi aussi, j'ai faim, Lily!

— On va manger, me dit-elle.

— On va manger tous les deux, dis-je. Tant pis pour eux! ajoutai-je.

Je m'efforçai de nager dignement, en coulant bien mes brasses, en respirant à fond, en allongeant bras et jambes, sans me fatiguer à parler. Je regardai le fond de l'eau. Peut-être une onde, un laser sub-marin, un œil invisible me guettaient-ils? A écouter Nils, je nageais sur une guerre imminente, qui retenait son souffle tandis que je prodiguais le mien. Lily vint à me toucher, presque :

— Ça va? OK? me demanda-t-elle.

— Ça va.

De toute évidence, elle avait un peu peur de cet exercice trop fort pour moi et auquel je n'étais pas préparé.

— Je ne comprends pas comment fait Nils pour nager si vite! Il a dix ans de plus que moi, le salaud!

— Tu as quel âge, François?

— Cinquante-deux.

— *Pappa* Nils nage depuis toujours.

— Je sais.

— Et il va rentrer dans la barque de Monsieur Sjöberg. Tiens! Regarde! Ils trichent, les vieux! Nous pas!

Elle me montrait Monsieur Sjöberg qui, en effet, recueillait successivement Nils, Sheena, et bientôt Kerstin.

— Ils vont faire de la pêche ensemble. C'est très bien. Comme ça, si *Pappa* Nils et ma mère continuent à se disputer, Monsieur Sjöberg leur donnera des coups sur la tête avec la, avec le...

Elle voulait dire avec un aviron.

— Ils restent à peine deux jours sans se disputer, ajouta-t-elle. C'est fatigant. Ils devraient divorcer.

Nous étions sur la petite plage grise. Lily s'étendit sur le sable blanc. Elle tordit ses longs cheveux blonds en tresses. Elle ouvrit ses jambes, les referma, fit ainsi quelques mouvements de gymnastique. J'étais debout. Je la regardais. Je tremblais un peu.

— Si Nils divorçait, est-ce qu'il épouserait à nouveau Kerstin?

— Sûrement pas. Il serait trop humilié. Mais Kerstin est beaucoup plus belle que maman. Elle est si gaie...

— Plus belle que toi aussi?

— Bien sûr! Énormément plus belle!

— Aussi douce que toi?

— Bien sûr!

Elle me regardait, les yeux immenses à peine clignant sous le soleil de midi. Elle croyait ce qu'elle disait. Elle ne devait jamais mentir. Elle était nue, simple, vivante, calme, et moi je ne m'étais jamais trouvé avec une fille comme cela, sur aucune plage du monde. J'expliquai ce que j'éprouvais à ma façon et à sa façon, sans coquetterie ni désir de séduction.

— Nous sommes donc tout seuls sur l'île, dis-je.

— On n'est jamais seul, ici, répondit-elle. Peux-tu voir la barque?

— J'ai mon âge, Lily, mais de très bons yeux !

— Peux-tu voir *Pappa* Nils?

Elle se retourna sur le ventre et ôta le soutien-gorge de son maillot.

— Oui, je peux le voir, dis-je.

— Il a des lunettes, comment dit-on, des...

Elle se retourna, se leva, je vis ses deux seins hauts et blancs, et elle m'expliqua, ses poings devant ses yeux, que Nils nous observait avec des jumelles. Je ne regardai plus Lily mais tentai d'apercevoir les jumelles. C'était trop loin.

— Et toi, Lily, peux-tu voir?

— Non. Moi non plus. Mais je suis sûre. Il voit mes seins. Il va arrêter la pêche et demander à rentrer.

— Pourquoi?

— Parce que.

— Alors, allons dans la maison.

— Oh non!

— Nous restons ici, donc.

— Oui, François, je reste. Tu peux aller manger, si tu veux. Je dois rester.

Je m'assis et elle s'assit près de moi. Nous éclatâmes de rire ensemble. Il fallait qu'elle demeurât en vue de Nils et moi aussi. Ce n'était pas difficile à comprendre. Je pouvais me nourrir seul. Je pouvais m'éloigner, mais sans elle. Nous pouvions aussi reprendre la mer. Et je vis la barque, après s'être rapprochée de l'île, s'arrêter et ne plus progresser. Nils s'affairait, à l'avant. Monsieur Sjöberg était à la barre, vêtu de jaune éclatant. Au milieu, Kerstin et Sheena, très proches, jusqu'à se confondre.

— *Pappa* relève les filets, dit Lily.

— C'est long?

— Ça dépend. Tu vas t'ennuyer?

— Je ne pense pas. Raconte-moi ta vie.

— C'est vite fait.

— Ton père.

— Mon père? Mon père, c'est un comédien, comme maman. Beaucoup moins bien que maman. Il est ivrogne, complètement, tous les jours et toutes les nuits. Cela n'a pas marché du tout avec maman. Un an. Même pas. Je n'étais pas née. Maman tournait dans un film avec Ingmar Bergman.

— Quel film? En quelle année?

— Je ne me rappelle plus le titre. C'est un film historique.

168

Et puis maman a joué *la Mouette* avec Ingmar comme régisseur. *La Mouette*, tu connais?

— Très bien. Elle jouait la mouette?

— Oui.

— Le rôle de la mouette?

Lily ne comprenait pas. Je vérifierais. Non, j'aurais honte de vérifier, et quelle importance! Ce que Lily disait était transparent. Aux années 58, donc, Nils avait quarante-deux ans, il avait élevé et adoré Sheena, qui avait quitté la maison pour cet ivrogne et qui, de plus, était tombée amoureuse de Bergman. Une parmi tant d'autres. Et Lily ne voyait jamais son père. Et elle ne disait rien de précis sur Bergman. Ni sur son père. Sauf qu'elle ne le voyait pas. Qu'il habitait Göteborg, où il faisait des petits trucs à la télévision. Toujours des rôles de paysan ivrogne à la fin du XIXᵉ siècle. Un soir, elle l'avait vu, sur l'écran, et elle avait pleuré. Puis elle était montée dans sa chambre et elle avait joué très longtemps du Bach en pensant à son père. Elle ne voulait pas parler longtemps comme cela. Elle voulait que je parle de mon propre père. Et j'en parlai, ce qui m'est toujours source de joie. Je dis à Lily que, pour moi, c'était le contraire. J'avais adoré mon père et j'avais vécu le plus longtemps possible près de lui et maintenant, dans mes rêves, dans mes livres, il revenait régulièrement, je le vois s'avancer vers moi, avec sa casquette anglaise, ses guêtres, sa canne, sa démarche un peu distraite, je l'entends chantonner, bouche fermée, il va se laver les mains, ses mains immenses et si belles, il met de la crème Yardley, car il s'est lavé les mains souvent, aujourd'hui, avant et après chaque visite aux malades, et il monte ouvrir la boîte noire de son petit cello, un Balestrieri, je crois, dont il tire des sons déchirants. Pas vraiment beaux. Papa est organiste, mais cela l'amuse de commencer le cello à soixante ans, et il trouve les résultats encourageants...

— Tu as de la chance, dit Lily.

J'essaie de revenir à Sheena, à Bergman. Je ne suis pas ici pour parler de mon père à une jeune celliste nue. Mais pourquoi suis-je ici? Je regarde les ongles si courts de Lily et je pense à ceux de mon père, peut-être un peu longs, et qui accrochaient les cordes. Lily a des doigts aussi immenses, des phalanges démesurées, bleues, et des ongles si courts, dépassés par les bourrelets de chair rose, les coussinets du son sur les cordes, le gras du son, entre corde et bois... Elle vient de prononcer les noms de Gabriel Fauré, de Claude Debussy. Je ne sais pas où je suis. Le temps s'étire voluptueusement. Je resterais ici des années, à attendre le retour de la barque sur la Baltique. Qu'ai-je à faire d'autre? J'ai la chance d'être perdu et d'avoir une amie.

Elle me raconta soudain, comme si personne d'autre que moi n'eût voulu écouter son récit, la fête, à New York, à Carnegie Hall, après son année de *spring-course*. Elle était exaltée comme une collégienne. Elle avait travaillé dix heures par jour, seule, en groupe, en orchestre, en quatuor, avec son maître russe, dont je ne connaissais pas le nom, mais qui était un « copain de Rostro ». Il y eut cette fête, où des centaines de pianistes, violonistes, cellistes, flûtistes, venus du monde entier, se mirent en fracs et en robes du soir. Lily avait emprunté une robe de soie indienne. Il y eut un concert pour tout le monde. Plus un concert « entre nous ». Et de la vodka et du champagne californien. Et Lily but tout cela et joua quand même son *Élégie* de Fauré, accompagnée par un pianiste israélien nommé Thomas, aux boucles blondes. Il y eut des cadeaux de tous les élèves aux professeurs attendris. Des cadeaux idiots d'étudiants pauvres. Des blagues. Des fleurs en papier. Des bouteilles de marins. Et, chaque fois, les professeurs riaient et les élèves applaudissaient. A la fin, Isaac Stern prit la parole et dit des choses formidables. « Faites de la musique avec votre cœur, pas avec vos doigts. *Be in love with music! God bless you!* » Isaac Stern, tout rond, son violon à la main, lança le bal viennois qui suivit et tous les étudiants de tous les pays dansèrent très mal, car ils étaient tous, comme Lily, fatigués, mauvais danseurs et trop heureux pour danser. Lily dansa avec l'Israélien Thomas, qui ne voulait pas coucher avec elle mais lui parler d'Israël et des *Passions* de Bach. Lily sentait sa tête tourner. Thomas était beau comme le Josué de la Bible. Il lui avait aussi acheté un cadeau, à elle, une chose italienne, en bois, une sorte de triptyque hideux se voulant vénitien. Et Lily pleurait de fatigue.

— Tu sais, me dit-elle, les joues rouges de plaisir à cette

évocation, cela m'est égal si je ne deviens pas une grande celliste!

— Qu'est-ce que tu veux dire?

— Si je suis bonne quartettiste, c'est très bien. Si je suis bonne dixième pupitre d'orchestre, c'est aussi bien. Si je suis professeur à l'école locale d'une petite ville de Suède, avec des enfants gentils, c'est bien. Si je joue seule, pour moi, dans le bateau, comme l'autre jour, ou comme ce soir, avec Kerstin, une sonate de Beethoven, pour vous tous, c'est bien.

Elle se mit à chanter l'adagio de la cinquième sonate, et elle le chanta très doucement, comme un luth, sans le moindre effet, ni rubato, comme une sorte de déambulation hiératique, du bout des lèvres, une voix d'alto, basse, la voix de Sheena, cuivrée, chaude, et elle parut surprise de ne pas m'entendre chanter l'accompagnement du piano, me fit un signe, un clin d'œil, le chanta aussi, en se débrouillant, et j'eus honte de ne pas savoir.

— Mais tu vas l'apprendre, ce soir, Kerstin va te l'apprendre. Ce n'est pas difficile. Tu peux! François, tu dois!

Qu'est-ce que je devais? Affronter Beethoven, ou la barque se rapprochant, ou le Bunker, ou Sheena? J'avais de plus en plus faim de harengs et de pain noir. Il était au moins une heure. Peut-être deux. Ces gens ne mangeaient donc jamais? Pourquoi avoir fait ce marché somptueux, avec Sheena, si c'était pour tout congeler et jeûner? J'avais le ventre plat, gargouillant. Lily reprenait son adagio, depuis le début, et s'étendait sur le sable. Je m'étendais aussi. J'écoutais cette voix et celle des oiseaux de l'archipel, et le battement des avirons de Monsieur Arne Sjöberg, qui se rapprochait, avec d'autres chantonnements dans sa barque.

VIII

J'avais noté un jour, mais je ne l'ai pas retrouvée, une
description de l'enfer par Swedenborg. Le damné était
hébergé dans un palais ravissant; sa vie était douce et il se
croyait non point en enfer mais au nombre des élus éternels.
Peu à peu, les délices s'estompaient et aucun geste ne
permettait de les retrouver. A la fin, le malheureux damné
s'apercevait qu'il était prisonnier dans une cabane pourrie,
cernée par des tas d'excréments.

Ma vie à Yxsund était à la fois comparable et exactement
différente. J'avais cru aborder à un enfer et l'avais accepté, en
pleine conscience, décidé à le surmonter par ma seule
non-volonté de le fuir. Et les jours passaient, apportant chacun
sa moisson de disputes et de drames mais rebondissant, ou la
nuit suivante, ou le lendemain, sur des moments de bonheur
parfait. L'île possédait une grâce dont Nils s'appliquait à nous
détourner pour mieux nous la faire apercevoir. Aucun
malheur, aucune crise, nul cataclysme mondial ne pourraient
nous abattre. Nous étions murés dans une chambre royale,
secrète, ouverte si nous le souhaitions, refermée au moindre
soupir. J'en oubliais de vivre, de penser, de dormir, d'aimer. Je
rêvais mais comme un dormeur sans sommeil, debout sur
l'eau. Ainsi, il y avait, près de mon moulin, un bosquet,
plusieurs touffes de lantanas jaunes et orangés, piqués de
pourpre, qui semblaient fort heureux de croître dans cette
terre. Je croyais voir ceux de ma maison du Var, si souvent
contemplés; et parfois, même, transporté là-bas, ou n'ayant

pas quitté le Var, il m'arrivait de penser le plus sérieusement que l'île d'Yxsund n'existerait jamais ailleurs que dans le Var et que je recevrais un jour, chez moi, par un soleil de feu, Nils Söderhamn « de passage, mon cher, chez des Suédois du Var, qui ont planté définitivement leur tente chez vous, alors : comment ça va, le socialisme varois ? ». Il me fallait alors rentrer la tête basse, dans mon moulin, escalader l'échelle, tâtonner pour trouver ma valise, enfouie sous une étagère obscure, l'ouvrir, prendre mon portefeuille et regarder, une à une, les photographies de ma maison, les lauriers-roses et les lantanas au pied de l'oranger. J'avais encore rêvé.

— Quand Sheena nous a quittés, me dit Nils, Kerstin et moi, pour son ridicule baladin, quand il a fallu dire oui ou non au mariage, j'ai été malade. Malade comme un chien, comme d'une maladie tropicale, une fièvre énorme, éruption de pustules sur tout le corps et tétanos de la mâchoire... On dit tétanos? Trismus maxillaire, tétanisation. Un jeune, enfin : encore jeune député, quarante ans, qui ne peut plus ouvrir la bouche. Bravo! Je suis demeuré deux mois ainsi. Tous mes amis médecins se sont succédé à mon chevet. Ils branlaient du chef, ils gloussaient, fouillaient dans leurs livres et surtout dans mes récits de voyages. Ce devait être l'eau de Chine, c'était le fromage de chèvre, les cuisses de gazelles, les germes de soja... Tout cela ne serait pas arrivé si j'étais demeuré à Stockholm, pérorant au *Riksdag,* nourri de nos patates et abreuvé de notre bière. Voilà ce qu'il en coûtait d'aller étudier les littératures d'Amérique latine. Personne n'a pensé au mariage éventuel de la fille de ma femme avec un petit crétin. Cette fille étant elle-même la fille d'un petit crétin. Je me voulais le seul homme possible de ma famille. Le seul père, le seul géniteur, le mari unique, le frère, le cousin absolu, engendrant, regardant croître, attendant, épousant, engendrant encore, et me perpétuant indéfiniment. Sans engendrer.

« Sheena, tu comprends, je l'attendais depuis qu'elle était née, ou presque. Je l'avais déjà épousée en épousant Kerstin. Je l'adorais. Il m'arrivait d'interrompre un rendez-vous important, au lycée, pour aller la chercher à son école. Elle jetait ses bras autour de mon cou et nous courions vite. C'était juste à la fin de la guerre. L'avenir était radieux, pour moi. C'est ça, en 1947-1948. Sheena est née le 16 novembre 1938. Ça t'intéressera, pour tes astres. Le même signe que notre indomptable reine Christine. Elle me domptait. Elle obtenait n'importe quoi de moi. Nous courions acheter une saucisse chaude dans un petit pain à la moutarde et elle se barbouillait les joues de moutarde, et elle m'obligeait ensuite à lécher, de ma langue, sur ses joues, cette moutarde. Et je le faisais, mon cher. J'étais à genoux, dans la rue, pour lécher cela. Moi, jeune professeur, auteur d'une thèse très appréciée sur « Gide et le gidisme », futur professeur à l'université d'Upsal, invité déjà dans des colloques à Paris, j'avais à peine un peu plus de trente ans, il ne fallait pas manquer ma carrière, il fallait faire attention aux chausse-trappes (vous ne dites plus beaucoup " chausse-trappes "?) et aux pièges posés par mes collègues et délicieux rivaux. Moi, seul dans la rue, par — 20°, à quelques pas d'une école de filles, léchant les joues de la fille de ma femme, et devant les mamans assemblées!

« Un jour, un de mes collègues m'a suivi, sans que je le sache, et m'a observé. Il a fait son rapport au directeur de notre lycée. Ainsi donc, j'avais manqué une importante réunion de professeurs pour aller faire cela à une petite fille, dans la rue. Ce collègue était un vieux petit homme sec, probablement impuissant, médiéviste, qui avait pâli toute sa vie sur les manuscrits de Tristan, de Lancelot, du Graal; tu connais. Je prétends, entre parenthèses, que les médiévistes, spécialistes de l'amour courtois, sont les poids morts des études françaises. Ils n'ont pas su nous faire aimer, ils n'ont pas su relier votre XIIᵉ siècle à vos romantiques, et aux romantiques allemands et aux lakistes anglais. Passons. Je peux me tromper. Bref, mon vieillard espion, qui avait gardé sa toque d'astrakan sur son crâne chauve, était, pour une fois, rouge de colère. Voilà ce qu'il avait vu! Et il me montrait du doigt aux trente ou quarante professeurs assemblés. Notre directeur, le Dr Olin, attendait gravement ma réponse, ma défense. Je me suis levé et j'ai dit alors :

« " Mes chers collègues, il est vrai que je considère comme une chose très importante d'aller chercher la fille de ma femme à l'école. Cette enfant a subi un choc, quand sa mère a divorcé pour m'épouser. De plus, sa mère ne quitte pas son piano volontiers, et c'est une chose normale, vu son talent immense et, j'ajoute, vous le savez, déjà reconnu. Il m'appartient, à moi, de me substituer au père et à la mère, et d'ajouter à mon métier de pédagogue une vie de père-pédagogue. J'estime que j'enrichis ainsi mon étude et ma connaissance de nos élèves bien-aimés. Les meilleurs pédagogues, c'est bien connu, sont des célibataires, frustrés de la paternité ou de la maternité, et non pas encombrés de marmots qui braillent, détestables, à la maison. Meilleurs encore, dois-je le rappeler, sont les pédérastes, et il est au moins trois d'entre nous qui le démontrent brillamment (le Dr Olin, notre directeur, était pédéraste). Mais les meilleurs de tous, selon moi, mais vous êtes libres de ne pas me suivre, sont les demi-pères, les faux pères, les voleurs d'enfants, les épouseurs de mères. Un jour, mes chers collègues, je ferai une étude là-dessus. Je démontrerai, par exemple, d'où est venu le génie de La Fontaine. Pourquoi Rousseau, avant d'écrire son *Émile* génial, met ses enfants aux Enfants trouvés. Pourquoi Gide n'a pas d'enfant de sa femme, mais d'une autre, et quelle voluptueuse nécessité de distance, et puis de fascination... Mais je vois que je parle hélas à une majorité de pères de familles... souvent nombreuses... excusez-moi. Condamnez-moi, mes chers collègues, pour avoir léché de la moutarde sur les joues d'une fille qui est presque la mienne! Allons, du courage! "

« J'avais tonné, François, comprends-tu. J'avais calqué mon débit et ma voix sur le ton de mon père quand il engueulait ses ouailles, à l'église. L'effet a été radical. Personne n'a élevé la voix. Le Dr Olin a grommelé en latin. J'avais gagné. J'ai pu me permettre d'ajouter, *in cauda venenum* :

« " J'ajoute, mes chers collègues, que j'aime ma femme Kerstin, mais que j'adore sa fille Sheena, d'une adoration débridée, sans la moindre retenue ni pudibonderie. C'est comme cela que cela doit être. Cette enfant, je peux vous dire que je l'ai bercée et langée mieux que la meilleure mère. Quand je dis langée, je veux dire que j'ai aimé jusqu'à l'odeur de sa crotte, qui sentait bon, la rose-thé. Et lorsqu'il m'arrive aujourd'hui, où elle est propre, bonne écolière, bientôt pubère, lorsqu'il m'arrive, à sa demande, par jeu, de lécher la moutarde qui barbouille ses joues, j'évoque le plaisir des langes. Voilà. J'ai pris le risque de vous avouer ces choses pour

175

que vous me connaissiez mieux et que chacun de nous dise ses secrets. Par ma confession, vous êtes tout prêts à faire, devant nous tous, des confessions analogues. Luther a dit, en effet... »

Nils s'était tu. Il se tenait prostré devant moi. La nuit vibrait autour de nous, à la chaleur des bouleaux et des érables chauffés nuit et jour, depuis tant de jours de ce juillet.

— Qu'a dit Luther, Nils?

— Je ne me souviens plus. Je sais que j'ai cité Luther.

— Et tu as vraiment dit tout cela, en 1946 ou 1947, dans une réunion de professeurs de lycée à Upsal?

— Oui, François, je l'ai dit. Je voulais les avoir jusqu'au fond, jusqu'au fondement, et les faire trembler. J'en tremble encore, tu vois...

Les femmes étaient ensemble, chez Kerstin. On entendait des éclats de rire. On parlait sans doute de nous comme au harem on plaisante gaiement, même si les hommes ont été abominables pendant le jour. Elles étaient plus fortes. Kerstin avec son piano, Sheena avec ses rancœurs, ses projets et, Nils venait de m'en parler, son « analyste italien », Lily dans sa soumission au cello. Nous, Nils et moi, nous nous interrogions sans cesse sur le bon usage de ces créatures énigmatiques, génératrices de toutes nos fautes.

— J'ai passé près de vingt ans à l'attendre, François. Après l'école, à son cours de théâtre, puis à *Dramaten,* quand elle a commencé à faire l'actrice. Je l'attendais devant la petite porte rouge, à l'endroit exact où Strindberg attendait la comédienne Harriet Bosse, qui avait trente ans de moins que lui, et je me traitais d'imbécile, car je voyais Sheena sortir avec ses camarades et j'étais très évidemment de trop. Alors, j'allais marcher le long de la mer et j'essayais de ne pas imaginer les soirées de Sheena. Mais elle me les racontait. Elle avait beau rentrer tard, très tard, elle savait qu'elle pouvait s'asseoir sur mon lit et me parler. J'écoutais. Je caressais les mèches de feu. Je posais des compresses bleues sur ses yeux fatigués par la tabagie. Je lui faisais réciter ses rôles. Strindberg. Tchekhov, Shakespeare. J'étais crevé par ma journée. Je n'avais pensé qu'à elle. La politique commençait à m'ennuyer, mon vieux, parce que Sheena avait dix-huit ans, dix-neuf ans... et que j'allais en avoir quarante. Elle est partie avec le plus grand mignon et le plus nul de ses petits camarades. Elle est revenue. Elle a pleuré. Je l'ai consolée. J'étais ravi. Il lui avait fait l'amour comme un Pygmée. Elle voulait commencer une analyse. Ou se convertir au catholicisme. Elle hésitait entre deux de nos modes. Elle était enceinte de Lily, qui est le portrait de ce grand mignon. Mais Lily est belle. Elle ne voulait pas avorter et je ne le voulais pas non plus. Mais je la laissais libre. Sa mère était à Genève, à Paris, à Rome, à Salzbourg. J'allais la retrouver parfois, et nous ne parlions plus que de Sheena. Il fallait faire face à tout. J'allais être nommé ministre. Je voulais cela. J'étais prêt, digne. Et puis on me le devait. Et il y avait, en outre, ce marmot fabriqué par Sheena et son type, dans un studio de télé, ou dans un hôtel de tournage, " entre deux prises "! J'ai dit à Sheena : " Fais ce que tu veux. Catholicisme. Psychanalyse. Fais-toi nonne dans un couvent. Deviens folle. Inscris-toi au parti. Deviens féministe. N'importe quoi. Mais garde le bébé du grand mignon. Et quitte-le. "

« Est-ce que tu me trouves rétrograde? Je n'ai jamais supporté l'idée de l'avortement. Nous sommes le pays le plus civilisé, de ce côté. Il y a plus de trente ans que nous vendons de la contraception à nos enfants, du caoutchouc avec leurs premiers chewing-gums. Ils ont compris très tôt. Mais je ne m'habitue pas à ces mains de chirurgiens arrachant des bébés à des ventres. C'est notre grand péché. Notre damnation. Une de nos secrétaires, au parti, fait cela deux fois par an. Elle l'annonce fièrement. Elle va faire cela et revient parfois le soir même, si nous avons à travailler. Elle a les lèvres bleues, pincées, devant sa machine à écrire. Elle est devenue une avortée robotique. Je dois être un des rares députés de notre groupe à ne pas l'avoir sautée. Elle sent le sang. Tu veux un cigare?

Nous étions face à face. Comme au bar du Pont-Royal. Je ne parlais pas. Parfois, il me demandait mon avis, ou plutôt une comparaison avec ma propre vie. Et il disait exprès : « Et toi, ta sale propre vie? » et je racontais mes propres lèvres bleues, pincées, dans ma vie. Nous étions d'accord sur tout. Nous avions fait le mal. Nous étions deux jeunes vieux messieurs prêts à demander pardon et à nous abîmer dans la rédemption, l'offrande, le sacrifice pour une femme et une seule, l'éducation d'enfants nouveaux, bien à nous, la douceur familiale, la lecture de la Bible, un peu moins d'alcool si Dieu l'exigeait absolument, pourvu qu'il nous adresse sur ce sujet un message vraiment clair. Nous ne demandions pas la vie éternelle, ni à être honorés comme des bienheureux, mais la paix des cœurs et des sens, la nuit sereine, les sourires de cet été pour tous les étés qu'on nous permettrait de vivre. Nous ne ferions plus jamais le mal. Nous essaierions d'écrire un livre bref, simple, lisible par tous, où nous parlerions de ce siècle foutu, en proposant une dizaine de principes sûrs. Et nous ne demanderions pas de récompense pour cela. Nous avions pesé notre mauvaise conscience et notre bonne volonté. La seconde faisait pencher davantage la balance. Ce n'était déjà pas si mal, pour deux jeunes vieux messieurs.

— Elle a gardé l'enfant. La coupe était pleine, comme vous dites! En même temps qu'elle, j'attendais les biberons et les langes. J'étais malade comme une femme. Et elle? Pas du tout! Enceinte de Lily, délivrée de son crétin, elle s'est mise à tournicoter autour de Bergman. Là, mon vieux, la coupe a été vraiment trop pleine. Nous habitions Karlavägen. Kerstin allait à pied à l'académie de musique et nous abandonnait en chantonnant son Schumann, son Schubert. Et Sheena devenait une comédienne suédoise « négociée » par Bergman. Je ne peux rien dire. Je ne sais même pas ce qui a pu se passer entre eux. Je ne veux pas et n'ai jamais voulu le savoir. Mais il ne faut pas me faire trop souvent le coup de Bergman.

« Du jour au lendemain, elle a changé de coiffure, de voix, de démarche, parce qu'elle jouait un petit rôle dans un film de ce bonhomme. Elle est venue farfouiller dans la bibliothèque pour me demander des livres que j'avais, que j'avais lus, et dont elle n'avait jamais voulu entendre un mot. Mais que l'autre avait dû lui signaler.

« C'était l'hiver 58. Elle était près de lui, dans sa bande, à tourner un film en Scanie, qui n'a jamais été achevé. Elle se prenait pour Ingrid Thulin. Bergman la faisait ramper dans la terre glacée en imperméable noir. Et elle devait crier, pleurer, et on ne savait même pas si on garderait cette scène, au montage. C'était une intéressante expérience de notre génial réalisateur... Qu'est-ce qu'il y a, François?

— En 1957, Bergman a tourné *les Fraises sauvages*. J'ai été bouleversé. J'ai souvent revu ce film. Je t'assure que tu es injuste. Je ne connais pas Bergman. Je comprends que tu aies pu le haïr, mais je dois protester...

— Proteste, proteste, mon cher! Je le connais. Son père est pasteur. Le mien aussi. Son père a été pasteur chapelain de Sa Majesté le roi de Suède. Pas le mien. Mais je m'en fous. C'est un honneur d'avoir eu mon père, et pas un autre père, chapelain ou pas. Je te dis que Sheena bouffait de la terre humide. Cela suffit, non?

— Tout dépend. Qu'est-ce que c'était que ce film?

— Je n'en sais foutre rien! Je ne sais pas par cœur les innombrables films de cette truie!

— Truie. Tu veux dire Ingmar Bergman?

— Absolument.

— Tu es idiot, Nils.

— J'ai pris ma voiture, foncé là-bas, j'ai engueulé tout le monde, j'ai enfourné Sheena sous mon bras avec Lily dans son ventre et j'ai ramené tout ça à Stockholm. J'ai quitté Kerstin et Karlavägen. J'ai épousé Sheena. Je peux te le dire : elle n'attendait que ça.

Il s'interrompit pour consulter sa montre.

— C'est l'heure, me dit-il. Ce ne sera pas long. Il faut que j'aille au Bunker.

— Écouter? Recevoir? Émettre?

— Si tu veux. A tout de suite.

Il me fit un grand geste de la main et courut vers le Bunker. Je demeurai seul, ce jour-là. Il devait être près de huit heures du soir. Nous n'avions pas encore dîné. Sheena était partie le matin pour Stockholm et Monsieur Arne Sjöberg l'attendait au port avec un canot. Lily travaillait son cello, enfermée. Kerstin travaillait son piano, toutes fenêtres ouvertes. Je me remis à peindre.

Nils et moi avions entrepris de repeindre tous les volets de l'île, un par un. Nous en étions à la maison principale — que nous appelions, par jeu, en français, La Principale, comme si elle avait été la proposition majeure de cette phrase multiple, avec ses subordonnées et ses incidentes — de l'île. Je m'appliquai, mon lourd pinceau à la main, pour la deuxième couche de cette épaisse peinture blanche de bateau. Il y avait aussi toutes les parties en cuivre, rouge ou or, qu'il fallait soigneusement éviter. Il y avait surtout les hauts de fenêtres, les tranches, « que ces cochons de peintres pseudo-profession-nels oublient toujours, laissant le bois à nu, alors que c'est là le point sensible... », disait Nils.

J'étais heureux, à cette tâche pacifiante. Je travaillais comme à ma propre maison. Mieux, davantage, avec l'ambi-tion de contenter Nils et de le remercier pour tout ce qu'il m'apprenait. Je rajeunissais, ce pinceau à la main. J'étais un étudiant invité chez son maître; j'étais probablement amou-reux d'une des filles de la maison, et peut-être en rupture avec la société, ou bien en crise métaphysique. En tout cas volontiers accaparé par cette peinture thérapeutique. J'aimais surtout cette qualité du bois suédois, des gros clous de cuivre, des montants de laiton marin, des charnières, des tiges graduées pour l'ouverture ou la fermeture, ces gonds éternels, tout ce soin que le père de Nils, puis Nils lui-même avaient mis aux moindres détails. Je respectais cette demeure plus encore qu'un haut chef-d'œuvre d'art, car je savais qu'elle durerait après Nils, après nous tous et que les enfants de Lily en prendraient un soin pareil, conduits par leur mère, et qu'il y aurait encore des hivers rudes et de brillants étés, des disputes, des scènes, des gonds détraqués par des colères, des soûleries, des arbres frappés par le vent, inclinés jusqu'à ces fenêtres, des cris de joie, des retours de pêche, des mots d'amour, là, au bord de cette fenêtre que je peignais amoureusement, chuchotés par des enfants ou par des vieux, et que mon travail, non seulement ne serait pas perdu mais, parfois, là où je serais plus tard, mort, damné ou glorieux, me reviendrait aux oreilles, dans ce bruissement des bouleaux, continuant à me parler de l'île d'Yxsund. Cette pensée m'encourageait à peindre de mieux en mieux, à couvrir épais ou fin, à croiser, à obtenir un effet de laque mate parfaite, pour les générations futures. Ce qui, en définitive, valait mieux que de poursuivre un roman.

Et le roman revenait, sous les traits de Nils, tout excité par ses « messages » :

— Ah! J'ai de plus en plus raison, pour la Pologne. Voici ce que j'apprends. Et que nos journaux ne diront pas, ni nos media. Voici, mon petit François, que le drapeau rouge et blanc, là-bas, s'agite fièrement! Il y a des manifestations antisoviétiques. On fleurit tous les jours, ou plutôt toutes les nuits, la tombe de Katyn. Cela ne te dit rien? Au cimetière militaire de Powazki, on salue les milliers d'officiers polonais exterminés près de Smolensk, exterminés par les Russes, même si les Russes disent depuis toujours : « Ce n'est pas nous, ce sont les Allemands! » Les Polonais savent que ce sont les Russes qui ont fait cette boucherie. Et on va, la nuit, des bougies à la main, à Katyn. Tu te rends compte? La force, l'obstination de la mémoire polonaise! Et cela suppose des hommes et des femmes décidés, audacieux. Pas des mauviettes faisant joujou avec le syndicalisme à l'intérieur de nos systèmes libéraux pourris. Aucun syndicaliste français, aucun syndicaliste suédois ne risquent leur peau. En Pologne, oui. Tu diras cela à tes copains Séguy et Maire. Aux miens, qui sont de pires petits-bourgeois, je l'ai déjà dit. Voilà, mon cher, les nouvelles du drapeau rouge et blanc. Attention! Aux premiers froids, cela va chauffer davantage!

— Mais Nils, que vas-tu faire de ces nouvelles?

— Tu m'en demandes trop, François! Veux-tu une lampée de mon vieux *straight bourbon whiskey* ?

— C'est une réponse, sans doute. Tu travailles pour la CIA? Tu t'amuses à tripoter des boutons, des micros et des bandes, et on te paie pour cela? On t'a choisi? Tu étais volontaire? Notre île est un bastion avancé de l'Occident militaire au cœur du Pacte de Varsovie? On te paie? C'est donc pour cela que tu es si riche?

Je m'arrêtai. J'aurais voulu aller plus loin. Demander enfin à l'honorable parlementaire socialiste comment il faisait vivre ce paquebot, cette île éloignée de tout, avec ses générateurs japonais d'électricité, ses pompes à eau, ses filtres, ses cuves à mazout, ses bateaux, ses femmes, comment il descendait dans des palaces et pas seulement à Paris, comment il s'habillait à Rome, où il avait sans doute acheté le cello de Lily, « un des plus beaux du monde », par quel miracle le fils du pasteur

Söderhamn, devenu jeune universitaire romaniste et gidien, puis inébranlable socialiste, se retrouvait mener la vie d'un embusqué du fisc suédois, égal des plus grands voyageurs de la *Jet society*, et néanmoins pourfendeur de son propre parti...

Il avait pris la bouteille de bourbon, l'avait décapsulée d'un revers de main. Il la reposa sur la table. Il écouta le piano qui nous parvenait, avec les bouffées du vent. Il soupira. Il dit enfin :

— Je savais que tu penserais cela. Et j'espérais que tu le garderais pour toi. Que tu n'oserais pas me le dire. J'ai eu cette pensée simple, à ton propos : que tu n'aurais pas de pensée *aussi simple* à mon propos. Mais tant pis! Déception! Je ne te répondrai pas. Double déception! Je te dirai seulement : Je ne suis pas payé par les Américains. En ce cas, je n'aurais pas commis la folie de te parler si ouvertement, et de te mettre dans un secret aussi énorme. Il n'y a pas d'USA ni de CIA ici. Réfléchis, pauvre James Bond! Si j'étais un agent stipendié, aucun mot, sur cette île, n'échapperait à mes stipendieurs. Tu dois chercher ailleurs. Tu ne trouveras pas. C'est in-trou-vable! Pas une petite larme de bourbon?

— Non, Nils, dis-je. Nous buvons trop.

— Tu n'es pas obligé de me suivre. Je ne suis pas obligé de te suivre.

— Bois seul, si tu veux.

— Non.

— Mais si! Nils, j'aime mieux t'entendre parler de Sheena, de toi, et pas de ces messages du Bunker.

— Vous voici, les Français légers! Je te fais part de nouvelles capitales. Tu préfères qu'on parle de cul! Les femmes, c'est du cul! Il n'y a rien d'autre!

— Je ne peux rien pour les ouvriers polonais, Nils!

— Ils travaillent pour toi. Ils se feront égorger pour toi!

— Sans doute. Je suis un égoïste, un paresseux, un aboulique, un intellectuel parisien timoré. Où faut-il aller? Au Cambodge, en Iran, dans les prisons espagnoles, marocaines, au Goulag? Comment faire la part des paroles et de la mort, du complot international de l'or et des héros?

Il me regardait fixement. Ses yeux bleus ouverts, vides, enfoncés dans son crâne tanné par le soleil. Il ne pensait qu'à cette lampée de bourbon éloignée. Je repris :

— Tu m'as demandé de t'aider, pour Sheena. C'est l'unique chose que tu m'as demandée. Tu ne m'as pas envoyé en Pologne, ni au Brésil. Tu m'as dit d'arranger cette affaire de Bunker, entre ta femme et toi. Je l'ai fait, Dieu sait comment. Et, depuis plusieurs jours, elle se tait.

— « Dieu sait comment! » Tu me raconteras...

— Non.

— Je la déteste de plus en plus, dit-il les dents serrées.

— Alors explique-moi comment tu en es arrivé là. Cette petite fille, dont tu léchais la moutarde sur les joues, que tu voulais pour toi seul, et vous voilà vous haïssant...

— Je vais te le dire.

Je ne sais plus, aujourd'hui, l'heure qu'il était ce jour-là. Comment me souviendrais-je du temps, puisque nous vivions tous à peu près sans heure, dans un temps étiré comme un fauve dormant. Nous n'avions pas, comme chez moi, les repas à peu près fixes, les travaux organisés ou les visites. Il y avait pourtant ces repas, pris tantôt tous ensemble, dans La Principale, tous au grand complet, avec Kerstin et Monsieur Arne Sjöberg; ou pris séparément, Sheena et moi; ou Sheena, Lily et moi, ou Nils en invité; ou moi seul dans la cuisine; ou encore, et c'était une vraie petite fête secrète, Lily m'apportant un plateau de poissons au moulin, et deux flacons glacés, l'un d'eau, l'autre d'aquavit, enroulés dans des linges blancs. Sur le plateau, il y avait une bougie éteinte et un bouquet de cinq ou sept fleurs encore humides de la mousse et des roches de l'Est. Lily allumait la bougie et nous mangions sans presque nous parler, en nous effleurant les doigts et en nous excusant aussitôt. Chaque fois, Nils venait rôder autour du moulin, faisant semblant de lire sa Bible ou de poser une ligne de pêche. Jamais il n'entra. Sauf un matin, qui viendra plus tard.

Il m'avait bien dit qu'il avait aimé Sheena en même temps qu'il épousait Kerstin et qu'il n'avait cessé d'attendre cette petite fille qui devenait grande. Il ne m'avait pas dit la même chose pour Sheena et Lily. Il m'avait bien dit qu'il était fou d'amour pour Sheena, et qu'il y avait, en outre, Lily, là, dans les bagages de Sheena. Il ne m'avait jamais dit que Lily avait détraqué son amour pour Sheena. Et surtout, je voyais tous les jours que Sheena n'avait pas le moindre soupçon du côté de sa fille. La faille n'était pas venue de là. Le député d'Xköping, à quarante-deux ans, épouse la fille de sa femme, quitte la maison de sa femme et s'installe dans l'appartement de Gamla Stan que je connais. C'est un scandale dans toute la Suède. Nils adore en parler et me cite des phrases de journalistes. « Nous sommes une petite province, dit-il ; luthérienne à la bordelaise, et nous nous ébrouons dans nos cancans comme vos Chartrons aux entractes du Grand Théâtre. » Nils a fait face au scandale, en riant. Kerstin a donné un récital. Sheena et Nils étaient au premier rang, ont applaudi debout et ont participé au souper, ensuite, avec discours, gerbes, écrins de bijoux. Les photographes s'en donnaient à cœur joie. Kerstin et Sheena enlacées tendrement, et Nils photographiant les photographes photographiant les deux femmes.

— Le plus astucieux, dit Nils, c'est celui qui m'a photographié photographiant. Superbe photo ! J'ai l'air de m'amuser. C'est vrai que je m'amusais... Les électeurs ? Penses-tu ! J'ai été réélu en 1960 avec davantage de voix. Mon meilleur score. Les électeurs et les électrices adorent ça. Naturellement, je faisais mon métier de député d'une façon convenable. Je changeais de femme, tout le monde semblait ravi, du côté des principales intéressées ; et on parlait du député d'Xköping plus que du roi, dans les journaux. Où diable voir le mal ?

« Mais enfin, reprit-il, pourquoi te soucier à ce point de mes électrices et de mes électeurs ? J'ai été un député comblé. D'autre part, un député n'est rien qu'un agent de transmission, fabriqué pour faire coïncider le désir et l'administration ; qui ne coïncideront jamais. Enfin, un député, chez nous comme chez vous, comme partout, ne peut pas grand-chose et doit passer sa vie à démontrer le contraire. Au point qu'il finit par se persuader lui-même. C'est tout. En fait, mon pauvre François, tu as la nostalgie, tu " nostalges ", comme nous disons, d'une écharpe tricolore. Tu n'as donc pas vu fonctionner votre machine parlementaire d'assez près... Elle est navrante !

Je me taisais quand il embouchait sa trompette. Je n'hésitais plus. Au début, j'avais cité tel ou tel député socialiste français, ou italien, ou tel radical italien, ou français, marquant leurs territoires comme des animaux, puis les modelant peu à peu, et changeant véritablement la vie chez eux pour les habitants. Dieu sait que j'avais des exemples et que je les ai encore. Il y a partout des députés imposteurs, dormeurs ou véreux. Il y a partout d'éclatants exemples de réussite pure et désintéressée. Mais c'était le mot à ne pas employer :

— Ah! Comme s'ils ne savaient pas rappeler au bon moment leurs petits travaux! Et se faire photographier devant leurs stades, leurs écoles et leurs jardins! « Désintéressés »!

Il hurlait de rire. Je l'interrompis net :

— Tu penses être battu, l'an prochain, n'est-ce pas, Nils?

Il me regarda, surpris, penaud.

— Pourquoi dis-tu cela? Je ne sais même pas si je me représenterai. Mais pourquoi dis-tu cela? Tu veux me jeter un sort?

— Non.

— On t'en a parlé? Qui? Tu ne connais personne. Qu'est-ce qui te permet! Ah! Je vois! C'est Sheena. C'est elle, n'est-ce pas? Il lui tarde de me voir mordre la poussière. Et alors je reviendrais vers elle, en l'implorant. C'est elle?

Je ne dis ni oui ni non. A la vérité, je ne savais plus. Il me semblait que Sheena m'avait donné les preuves techniques, irréfutables, de la baisse d'audience de Nils non seulement dans sa circonscription mais dans son parti. J'avais tout de même perçu quelque chose de grave, au *Riksdag*, l'autre jour, quand Nils avait parlé, puis fusillé Olof Palme du regard. J'expliquai tout cela à Nils. J'ajoutai ma conviction la plus récente, mais la plus déterminante. Quand un homme, qui a eu du pouvoir mais n'en a pas eu sa dose, se détourne de ce pouvoir en le jugeant insuffisant ou vain, il cherche alors une cause plus haute, internationale et, surtout, secrète. Là, il prendra sa revanche. Seuls quelques-uns la mesureront à sa juste valeur. Il sera au-dessus de tous et on n'en saura rien. Il fera triompher un idéal quelconque en apaisant son orgueil. Je dis à peu près cela à Nils, en lui faisant reconnaître que beaucoup d'espions, par exemple, étaient des politiques insatisfaits. Je citai des exemples, dont celui d'un Français et d'un Anglais, récents.

Je dis espions (précautionneusement) entendant bien ne pas

traiter Nils d'espion. Je le dis, néanmoins. Je prononçai le mot.
Je dis cela et un peu le contraire, comme toujours, avançant
une phrase, pour reculer ou diverger à la phrase suivante. Mais
enfin je le dis. Et il m'écouta sereinement, ne m'interrompant
à aucun moment de mes embrouillaminis, qui montraient que
Sheena m'avait sans doute parlé de la défaite probable du
député d'Xköping, que je lui avais fait admettre le Bunker
comme un précieux abri-test encore secret, mais bientôt
popularisé dans le monde entier, pour que les dirigeants des
grandes puissances sachent que, sous la pression des peuples,
on les contraindrait à dépenser autant en abris qu'en armes; et
je fis enfin une allusion à Monsieur Sjöberg, qui m'avait laissé
entendre que notre île recevrait bientôt de nouveaux visiteurs.
Ce qui était faux. Je n'avais que peu parlé avec Monsieur
Sjöberg, dont le suédois grommelé et grondé m'était fort
difficile à suivre. C'était faux. Ce pouvait paraître vrai. Et la
barrière de la langue, en cas de confrontation, me servirait
d'alibi.

Nils reçut tout cela d'un air humble, contrit. Il avait
repoussé la bouteille de bourbon. Il s'était penché en avant, à
peine posé sur sa chaise, et il joignait ses longues mains, et il se
tapotait le front contre ses ongles serrés en buisson, plusieurs
fois, par brèves secousses. Il se taisait. Il se tut longtemps. Je ne
dis plus un mot. Il faisait un effort surhumain pour ne pas me
répondre. Il avait peut-être envie de me dire une vérité
interdite, inaccessible. Il hésitait peut-être. Ou bien il était
condamné à se taire et à être percé à jour par moi. Et je sentais
que j'avais touché juste, que j'avais ébranlé une part de ce bloc
en apparence si solide, que je lui faisais exquisement mal... Les
médecins parlent de cette « douleur exquise », qui est le point
extrême où la douleur, localisée au plus précis, est si forte
qu'elle rejoint un point de plaisir parfait, et ces deux points se
confondent un bref instant. Précieux, pour le diagnostic. C'est
là... C'était là, sur Nils.

Il me regarda enfin, de ses yeux suppliants de bon chien
blanc.

— Je pourrais te dire beaucoup de choses. Il me faudrait du
temps. Nous l'aurons... François, il me venait une idée.
Personne ne prie. On ne prie plus. Je suis sûr qu'on ne prie pas
pour les Polonais courageux. Ni pour personne. Dans les églises

186

et les temples d'Occident, on prie pour soi et pour les siens, pour des malades, pour des candidats aux examens, pour des chômeurs, pour des adultères voilés. On ne prie pas, on se plaint. On a peur pour soi et pour les siens. Personne n'a l'idée de convoquer des assemblées, qui pourraient être immenses, et de prier pour un combat, et de s'unir à des combattants. Avec la TV et les radios, ces prières monteraient vers les combattants et leur donneraient du cœur. Regarde, lis Jérémie. François, attends...

Il prit sa Bible sous sa chaise. Il ôta un signet blanc entre deux pages. Il me lut, d'une voix plus sourde, Jérémie L, 8,9,13 : « Sortez! Soyez comme des boucs en tête d'un troupeau. Car voici; je vais susciter contre Babylone une réunion de grandes nations. Arrivant des pays du Nord, elles se rangeront contre Babylone... Ah! Réjouissez-vous! Triomphez! Vous, les ravageurs de mon héritage! Bondissez comme des veaux jetés dans l'herbe. Hennissez comme des étalons! »

Il traduisait au fur et à mesure du suédois ce texte admirable et il cherchait, et il trouvait lentement, en hésitant, les plus beaux mots français. Il avait hésité sur l'impératif du verbe hennir, et je ne l'avais pas aidé, sachant qu'il le dirait à sa façon, en déplaçant l'accent tonique... Il s'arrêta. Il voulait être sûr d'avoir bien traduit. Je dus aller chercher, sur sa demande, ma Bible de poche et comparer avec lui « mes veaux mis au pré » et « ses veaux jetés dans l'herbe ». Il trouva mon texte pédant. Il préférait jeter ses Polonais dans l'herbe des ports de la Baltique, et il voyait toute la mer se couvrir de champs d'herbe et les combattants s'affronter en criant, des ports baltes aux ports finlandais, des ports polonais aux ports scandinaves. Il voyait notre mer se peupler d'armes et de sang. Il était lui-même comme un vieux guerrier viking repris par l'aventure. Il aurait levé l'ancre, si le Bunker le lui avait enjoint. Il m'aurait embrigadé parmi ces étalons. Et moi je regardais nos deux Bibles, la mienne, petite et noire, la sienne, grande, lourde, sur papier rosé et vergé, criblée de notes et de feuillets intercalaires, la Bible du pasteur Söderhamn. Il me dit, plus lentement encore :

— Tu ne veux pas prier, nous deux? Tu trouves cela ridicule? Tu as honte? Essayons. Mets-toi comme tu veux.

Debout. A genoux... Reste où tu es... Il n'est pas indispensable de se fourrer la tête dans les mains, comme font ces malades qui vont à Bayreuth écouter la musique de Wagner. Nous pouvons prier tous les deux là où nous sommes, assis, à jeun, clairs, et nous unir avec nos frères qui luttent si loin de nous. François, le Dieu éternel, Yahvé, unique et souverain, Dieu de toutes les religions, que nous nommons Yahvé, nous croyons, toi, moi, les Polonais et les Brésiliens, qu'il est le nôtre et nous écoute. Prions, François, humilions-nous en mémoire des sacrifices des pauvres, des chômeurs, des mendiants, des paralysés, des oubliés de la terre, sans qui le Ciel ne serait pas. Nous croyons, toi et moi, que nous les retrouverons et que nos mains seront dans leurs mains. Nous sommes, toi et moi, des bourgeois repus, vivant sans courir le moindre danger, assis sur nos fesses. Nous sommes, toi et moi, des fornicateurs bien habillés, coquets, et nous n'imaginons même pas qu'une pensée pour nos frères affamés, pour tous ces petits enfants à la peau tendre sur des os saillants, pourrait au moins les effleurer et les nourrir, un bref instant. Nous avons chanté mille fois l'*Internationale*, parce que cela nous arrangeait, nous avons récité les évangiles, et les épîtres de Paul, nous avons suivi les voyages de Christ et nous l'avons écouté, parce que cela nous arrangeait, et nous n'avons rien fait de sa Parole, parce que cela nous dérangeait... François, veux-tu prier avec moi ? Si nous prions, nous deux, d'autres nous rejoignent, en un instant. Personne n'est seul. Je ne suis ni fou ni soûl. Crois-moi. Je suis sobre. Je n'ai rien bu, de cette bouteille. Prie avec moi. Dis, avec moi, seulement : « Dieu ! »

Nous avons prié en silence. Parfois, Nils disait un mot ou deux en suédois, que je ne comprenais pas. Il avait réellement l'air du berger de notre prière commune. Il ne trichait pas. Cette fois-ci, je le croyais entièrement. Il priait et m'entraînait à l'imiter. Cela ne m'était pas arrivé depuis longtemps. J'avais prié dans des églises françaises, et, moins souvent, à ma table ou allongé sur mon divan ; mais parfois aussi sur des autoroutes quand j'éprouvais, à grande vitesse, de nuit, la disparition de l'espace poursuivi par le temps.

Je n'ai pas scrupuleusement obéi à Nils. J'ai prié pour les

peuples qu'il m'avait dits, certes, mais ma pensée s'est mise à errer autour des miens, ce qu'il m'avait recommandé d'éviter. J'ai prié pour ma mère, mes femmes, mes enfants, mes amis, mes amis morts, avec mes amis morts, toujours les mêmes, qui reviennent près de moi quand je m'adresse à Dieu, et qui semblent m'indiquer le chemin, un doigt sur les lèvres. Le doigt bouge, tremble imperceptiblement. J'entends alors un vent sourd à mes oreilles. Je ne me prends pas pour un mystique mais pour un bonhomme un peu perdu et qui écoute ce grondement, en refusant de le nommer, de l'interpréter, de lui arracher la moindre promesse. La prière ne m'annonce rien qui ne me soit déjà annoncé et ne me change pas de mon état misérable. Il arrive seulement que la plus grande solitude soit peut-être partagée et, par conséquent, diminuée. Et je remercie Dieu de protéger les miens, ne lui demandant, pour moi, que l'indulgence, pas le mépris que je mérite, ne lui demandant pas de fermer les yeux. Pas le pardon, que je ne mérite pas. Je ne promets rien. Je ne réponds pas de moi. Je m'abîme et c'est assez. Pas la punition. Je la vis tous les jours et la vivrai tous les jours. Je ne suis qu'un fétu de paille dans ce vent qui va où il veut. Je ne mérite aucune louange parce que je le sais et le dis. Le silence sur moi. La bénédiction sur tous. Que votre volonté soit faite pour eux, par eux, même si elle demeure incompréhensible et injuste. Tous mes amis que vous avez accablés de la souffrance et que vous avez tués... Qu'oserais-je encore réclamer pour moi! Que votre volonté s'étende encore plus obscurément, que la nuit soit plus impénétrable et la mort et l'injustice plus scandaleuses. Ainsi vous suivrai-je les yeux plus fermés, l'âme quiète, le souffle plus court jusqu'au dernier.

Monsieur Arne Sjöberg s'approcha et demeura à nous contempler. Il me sembla qu'il savait ce que nous faisions. Soit qu'il eût déjà vu Nils ainsi. Soit qu'il eût participé lui-même à une prière avec Nils. Soit qu'il l'eût souhaitée depuis long-temps. Le fait est qu'il s'assit entre nous, les jambes en tailleur, croisa ses rudes mains grises de sable, et se tut, aspiré dans notre silence, qui en devint plus fort. Je parvins à ne pas me laisser distraire. Au moins quelques minutes. Puis, je dus céder, me désunir, j'éprouvai comme une douleur de poitrine et au poignet, puis dans le dos, à des vertèbres, et je dus me renverser en arrière, pour défaire la contraction, en ramenant mes genoux vers le menton. Je repris. Mais j'étais distrait. Je ne pensais qu'aux songes de Monsieur Arne Sjöberg. Pouvait-il avoir la moindre idée des intentions de Nils, pour notre prière ? Les Polonais, Nils l'en avait-il instruit ? Monsieur Arne Sjöberg me rappelait soudain mes amis du Maroc, ceux de ma petite guerre, les spahis de Meknès et de Marrakech, quand nous étions assis devant nos gamelles. en Allemagne, nous protégeant du vent glacé entre les pneus arrière de nos automitrailleuses, et nous regardant les uns les autres, écoutant les détonations, là-bas, se rapprochant... Monsieur Arne Sjöberg, s'il priait avec nous, me parut renforcer notre petit embryon œcuménique, par ce rappel de la foi du Coran.

Je ne serais donc jamais sérieux ! Je m'amusais de ce rien : un pêcheur baltique regardé comme un spahi marocain. Je m'en amusais vraiment, luxueusement. Etait-ce interdit, après tout ? Mais j'étais perdu pour la prière. Nils devait le sentir, car il redoublait de pesanteur et son visage était changé, le regard perdu très loin. Il allait me reprocher de le gêner, de ne pas être digne, de ne pas pouvoir imiter Monsieur Arne Sjöberg, transformé, lui, en bloc de bois, la gorge râlant parfois de ne point oser cracher le tabac; mais rigoureusement immobile. Combien de temps encore ?

Je perdis une nouvelle fois le temps. J'avais beau m'être distrait, je vis bien que je ne savais plus ni où j'étais ni où j'allais. J'étais l'un des trois hommes d'une île arrimée, fixée au sol sur la mer plate. Le feu pouvait jaillir, ou l'eau, entre nous, ou la terre se fendre et nous engloutir, ou le vent nous emporter, tous les trois soudés ensemble.

Nils parla le premier. La brebis de Monsieur Arne Sjöberg et les deux agneaux nous avaient rejoints et paissaient la mousse au maigre sel, presque à nos pieds. Les trois animaux si doux, aux têtes étranges, hautaines sur des corps lourds et bas, gris et noirs, paissaient et parfois, tous les trois ensemble, nous regardaient, surpris, puis reprenaient leur mélancolique pâture.

Nils parla donc des agneaux avec tendresse et de la brebis. Monsieur Arne Sjöberg renchérit. Je ne comprenais pas un

traître mot. Puis, Nils me traduisit. Ils parlaient de la naissance de ces deux agneaux. Cela s'était passé en février et il y avait
— 34°, ce jour-là.
— — 34°? C'est possible?

Monsieur Arne Sjöberg grommela que oui, que c'était diablement possible. Il s'étendit sur les froids de l'archipel. Il m'avait déjà parlé, à peu près dans les mêmes termes, de ce sujet. Il recommença. Nils le regardait avec un bon sourire. On sentait que c'était là le grand sujet du bonhomme. Parler du froid en été et de l'été chaud sous les glaces. Et ainsi depuis toujours. Il prenait le temps qu'il faisait et il le mettait à l'envers, pour voir; et il voyait, sans doute. Bref, la brebis était sortie de son étable derrière la cabane, par ce froid terrible, par ce vent du diable, et elle avait diablement marché, à peu près exactement où nous étions là, en train de parler. Monsieur Arne Sjöberg, heureusement, s'était aperçu de la disparition, avait enfilé sa grosse houppelande noire (il me la montrerait, c'était au diable promis, avec Ministre Söderhamn pour témoin) et couru de son mieux vers le nord. Il avait trouvé la brebis devant deux tas de chair, de sang et de saletés humides déjà gelés. C'étaient les deux premiers, morts sitôt que sortis dans ce froid. Même pas besoin de les enterrer. Frigorifiés. Comme des rochers rouges. Alors, Monsieur Arne Sjöberg avait pris la brebis dans ses bras. Elle pesait diablement lourd, avec les deux autres dans le ventre. Mais il ne savait pas encore qu'il y en avait deux autres. Il ne pensait qu'à la sauver de sa foutue connerie d'aller foutre ses agneaux dehors par un temps aussi foutu. A peine dans l'étable, elle avait livré les deux autres. Ceux-là que nous avions sous les yeux; et elle les avait léchés pour les réchauffer et ils avaient tété diablement vite, sur leurs pattes de vieilles danseuses!

— Pourquoi de vieilles danseuses? demandai-je en riant.

— Parce qu'il en a vu au cinéma, dit Nils, ou je ne sais où, peut-être une attraction de forains, et qu'il a ri, ce jour-là, et il y a pensé de nouveau quand les agneaux se sont levés.

Nils parlait à la place de Monsieur Arne Sjöberg parce qu'il avait déjà entendu plusieurs fois ce récit, comme tous les récits de son frère; et il les écouterait encore souvent, avec le même plaisir.

Nous restâmes là à parler des animaux, de la pâture

insuffisante, du fourrage qu'on irait chercher sur le continent, du lait, des arbres, du froid tel qu'il avait été et tel qu'il serait. Monsieur Arne Sjöberg s'enhardit et demanda à Nils, à la fin d'un silence :

— Toi, le Français, est-ce qu'il reste longtemps?

— Oui, dit Nils en riant.

— Ah!

La question n'était pas désobligeante et nous rîmes tous les trois. Simplement, il y aurait un problème de logement, puisqu'on attendait encore ces trois messieurs de Stockholm, pour l'abri antiguerre. On pouvait, certes, ouvrir la maison d'amis. Mais cela faisait encore une maison ouverte, et du tintouin. On pouvait les caser ensemble, dans le moulin, et ils y seraient aussi bien que la brebis et ses agneaux dans leur étable. Mais il faudrait me mettre à l'étage, moi, dans La Principale, avec Mlle Lily. A moins que Kerstin n'ait plus de visite et qu'elle ne veuille du Français, qui était quand même diablement encombrant, avec ses longues jambes, dans un lit. Sans parler de son appétit, surtout pour les harengs! Jamais vu manger autant de harengs et être aussi maigre!

Cette fois-là, seuls Monsieur Arne Sjöberg et moi éclatâmes de rire. Nils s'était rembruni. Il n'avait pas oublié les trois visiteurs mais il préférait sans doute qu'on ne lui rappelle pas leur visite. Il dit en marmonnant, pour moi, en français, que ce n'était pas pour tout de suite, d'une part, et que sans doute la maison de Kerstin serait la solution « la plus convenable ».

— Tu dis comme un de nos anciens Premiers ministres, dis-je.

— Ah oui? Lequel?

— Couve.

— Ah oui! Couve! En effet. « La France estime peu convenable cette solution. » Tout à fait Couve. Je te remercie de la comparaison. Vous avez eu et vous aurez pire que Couve. Je t'assure!

Il nous prit, Monsieur Arne Sjöberg et moi, chacun sous un bras.

— Allons boire chez moi, un petit peu, très peu! Il commence à faire frais. Je me demande si Couve aurait jugé notre prière pour la Pologne « convenable ».

— Il est protestant, dis-je.

192

— Je sais. Calviniste. Ne dis jamais « protestant », comme tous les catholiques français. Aucun rapport entre vos luthériens d'Alsace, par exemple, et vos calvinistes du Sud, par exemple.

J'admis que je n'y connaissais pas grand-chose. Mais que j'aimais, en bloc, les protestants.

— Alors ça, mon petit, *z'en ont rien à fiche,* que vous les aimiez. *Auriez mieux fait* de ne pas les étriper comme des bandits de grands chemins. La France, s'il y avait chez vous tous les luthériens et les calvinistes qui devraient y vivre aujourd'hui, ce serait un pays rudement plus costaud. Je ne dis pas ça pour le Nord ni pour la Bretagne. C'est dans votre Sud que l'absence des nôtres est la plus grave. Enfin, cela ne me regarde pas...

Nous marchions lentement, enlacés tous les trois, précédés des trois ovins. Ils voulaient peut-être nous montrer l'herbe rare, les dégâts de cet été si chaud. C'est ce que pensait Monsieur Arne Sjöberg, qui se consolait en nous montrant où les pluies de septembre feraient verdir l'herbe en premier, puis le sureau et le genévrier, où cela ruissellerait, et après viendrait le froid. Il recommençait. Et Nils répétait : « Eh oui! » et ils chantaient une vieille chanson d'été. Je commençais à la connaître à moitié, car Monsieur Arne Sjöberg me l'avait chantée, un matin, dans sa barque, tandis que nous relevions les lignes. Je chantai un peu. Mes fautes les mirent en joie. J'allai plus fort. Eux aussi. Nous allions boire. Mais nous chantions comme les trois poivrots de l'île, espérant bien arracher à une des trois femmes un cri de colère, ou aux trois ovins, faute de femmes. C'est cela que Nils chantait, maintenant, en français : « L'île où tout marche par trois, par trois, par trois! » A la fin, il eut ce qu'il voulait. Sheena parut à la véranda de La Principale et hurla :

— Tous des fainéants! Ivrognes! Rien à manger pour ce soir si vous vous soûlez déjà! Honte sur vous! Allez à terre vous soûler mais ne nous emmerdez pas. Merde pour vous!

Je courus aussitôt vers elle et lui dis que nous faisions seulement semblant, pour nous amuser. Elle vit bien que je n'étais pas ivre.

— Mais alors pourquoi vous amuser ainsi? Et surtout : pourquoi viens-tu me le dire?

— Sheena, je n'aime pas te voir en colère. Surtout si c'est sans motif. Il faut être en paix avec nous, Sheena!

— Ce que tu aimes, c'est répéter *Sheena*. Je veux bien être en paix avec toi. Tu le sais. Mais je ne te vois jamais. Le temps vole, ici. On n'a le temps de rien.

Elle me fit une révérence de soubrette. Elle rentra dans la maison. Je rejoignis les autres et demandai à Nils pourquoi on appelait toujours Monsieur Arne Sjöberg, *Monsieur*.

— Demande-le-lui, à lui.

— Je le lui ai demandé, l'autre jour, et je n'ai rien compris à ce qu'il m'a dit. Mais il a surtout grommelé. Je suis sûr que c'était incompréhensible, en suédois aussi.

— Demande-le-lui à nouveau.

Je posai ma question en suédois. Monsieur Arne Sjöberg me regarda comme un frère convers transfiguré. Il aimait bien cette question. Il aimait aussi répéter plusieurs fois ses réponses, sur l'hiver et sur l'été, ou sur son nom. Je ne pouvais juger exactement son degré d'intelligence. Je savais son histoire, son père, sa mère, la glace, le saloir, les cris dans la nuit, tout un hiver. Je ne savais rien d'autre. On ne fait pas, en Suède, de résumés biographiques des êtres. On vous laisse tâtonner et on pense, je pense aussi, que c'est mieux. On vous les livre, vous vous livrez, et chacun vous revient, ou vous laisse échapper, ou bien vous oublie pour toujours.

Monsieur Arne Sjöberg bredouilla, comme la première fois, mais en nous regardant joyeusement. Il préférait cette question à toutes les autres parce que j'étais français et qu'on m'appelait François et, peut-être, sans doute, ne faisait-il pas la différence. J'étais le premier Français qui lui demandait pourquoi on l'appelait Monsieur, terme dont il savait seulement qu'il était français. C'eût été pareil si on lui avait donné, à lui, Suédois, du *Sidi* et que j'eusse été le premier musulman à lui demander l'explication de cette anomalie. Il se lança dans un discours chaleureux pour Nils et pour son père. Je ne comprenais rien. Nils prit enfin la parole :

— Tu sais le début de l'histoire, François. Mon père acheta l'île et reçut les deux garçons. L'aîné s'enfuit aussitôt. Arne demeura avec nous. Il fut élevé avec moi et mon père me pria de le traiter en frère. Comment cela se passa-t-il? Il me faudrait des nuits pour te l'expliquer. J'étais fils unique d'un père qui m'adorait et que j'adorais. J'étais son roi unique et il était mon roi unique. J'apprenais le français, je deviendrais professeur de français. C'était mon seul différend avec mon père. Je parlais français. Je suppose que, très tôt, par jeu, je dis Monsieur à mon frère d'île. Puis, plus tard, j'appris que Monsieur est le frère du roi, chez vous. J'avais, sur Arne, la supériorité de l'instruction. Sur moi, il avait celle de la vie, du monde animal, végétal. Il m'apprit tout. J'appris tout, de lui. Je lui enseignai peu. Aucun des enseignements que je recevais ne lui était transmissible. Je n'allais pas lui apprendre Montaigne et Rousseau, ni Gide ni Valéry. Nous nous respections et nous nous aimions. Il n'y eut jamais le moindre heurt entre nous. J'étais mieux habillé, plus gourmet et mieux instruit que lui. Il était plus fort, meilleur marin, meilleur pêcheur et meilleur planteur que moi. Meilleur fornicateur aussi, si tu veux mon avis. Moins fréquent mais infiniment plus puissant. Nous nous complétions, aux vacances, comme deux mains d'un même homme. Et mon père nous regardait grandir comme les robinsons d'une même île bénie. Il a traité Arne comme un second fils. C'est vrai. Et pourtant, très tôt, j'ai éprouvé l'injustice. La disqualification d'un homme. La mise à l'écart. La protection condescendante d'une classe sociale. La fêlure horrible. Je ne sais pas comment et pourquoi je suis devenu profondément et aussi naturellement socialiste, alors que tout me destinait, mon père conservateur, mes études, mes goûts esthétiques, à la droite la plus éclairée mais durable. Il y a eu des tas de raisons pour me faire basculer. La plus simple, c'est l'existence de cet Arne qu'on appelait *Monsieur* chez nous, comme vous vous seriez amusés, chez toi, à dire *Señor* pour un républicain espagnol réfugié que vous auriez engagé, recueilli... Est-ce que c'est possible? est-ce que je me trompe?

Je fermai les yeux. J'en avais tant vu, dans mon enfance, de ces « rouges » honnis à Biarritz, faméliques et si fiers. J'avais, j'ai tant d'amis parmi eux. Mon père aurait dit *Señor* Manuel à un jardinier de la villa Bastide, à Biarritz. Peut-être... Ma mère, qui parle si bien l'espagnol, l'aurait baptisé *Señor?* Mais ma famille n'aimait pas ces gens, et devait mettre tant d'années à lâcher Franco, l'ordre, la puissance religieuse et militaire... Je regardai Monsieur Arne Sjöberg, qui me souriait toujours, comme s'il eût compris notre débat. Je le regardai comme un vaillant républicain baltique, exilé à Yxsund, attendant la mort de la Bête fasciste, de l'autre côté d'Irun, à Stockholm. Je dis seulement :

— Chez nous, même chez nous, dans notre famille, excuse-moi, Nils, mais *Señor* Arne serait allé à l'école très vite et m'aurait peut-être rattrapé. Et la France l'aurait invité parmi ses fils. Il n'y a pas eu autant d'injustice, chez nous. Nous avons d'effroyables défauts, nous sommes racistes, antisémites, intolérants, mais nous avalons et nous digérons. Chez nous, cet homme aurait eu un fils, qui pourrait être ministre. Comme toi. Je pense à quelqu'un de précis, en ce moment. Ma république est plus unanime, même droitière, que ton royaume socialiste.

— C'est vrai, François. C'est vrai. Je sais.

Il était sincèrement contrit, accablé. C'était là, et je ne l'avais pas fait exprès, un point sensible de sa vie. Il était le frère de *Monsieur* et n'avait pas su l'élever vers lui. Il s'était contenté de l'histoire confortable des deux mains complémentaires, l'intellectuelle et la manuelle. Pire : il avait su voler du manuel à son frère. Nils était ministre et, de surcroît, savait désormais abattre un arbre, ferrer un saumon, accoucher une brebis, à peine moins bien que *Monsieur*.

— C'est une question capitale, me dit-il. Il faudra en parler longuement dans notre livre. Je reviendrai à Gide, là-dessus. Je sais, cela te déplaît. Mais j'ai sur toi la supériorité d'avoir entendu Gide me parler du Congo, du Tchad et du Maroc. A moi, qui avais vingt-cinq ans. C'est à moi, peut-être pas à moi seul, qu'il a parlé des « grandes compagnies concessionnaires », avec beaucoup plus de détails que dans ses livres, et qu'il a bien montré, comment te dire... Il y a le fric oppresseur, le capitalisme. Cela peut se supprimer d'un trait de révolution. Il y a pire, qui ne s'en va pas aussi aisément. Il y a l'orgueil de l'intelligence s'émerveillant au spectacle de son animal correspondant. C'est une question de peaux mutuellement fascinées, d'odeurs. La brousse, pour l'intellectuel, sent l'ouvrier. L'usine sent le contraire de l'encre de nos livres. Tu peux apporter des milliers de livres à ton usine, et les offrir à tes ouvriers, et écrire ton compliment sur cet accès, sur cette conquête, tu ne fais qu'appeler les ouvriers *Messieurs*. Ce qu'il

196

faut savoir : c'est qu'ils le savent. Et que nous ne le savons pas tout à fait. Nous tenons des discours impeccables, là-dessus. Nous n'avons rien résolu. Nous avons fait nos bibliothèques d'entreprises, visitées par des écrivains pour animer des débats. Avec d'humbles mines de mandarins-moniteurs, juste un peu inquiets. Tu as fait cela, non ? Nous aussi, je t'assure! L'intellectuel à l'usine, comme votre sous-préfet aux champs! Alors?... Arne est mon seul frère. Laisse-moi l'appeler *Monsieur*.

IX

Sheena avait raison : le temps volait, ici. Je ne la voyais pas plus qu'une autre. Elle nous quittait souvent, pour aller chez son *psi* italien, d'après Nils, qui nous annonçait cela en ricanant. On pouvait imaginer autre chose, à partir de ce Guido. Lily travaillait ou se taisait. Je n'avais été admis qu'une ou deux fois chez Kerstin, dont je n'ai pas encore parlé. Ceci ne mérite pas d'explication. Monsieur Arne Sjöberg pêchait, réparait les moteurs et les pompes, allait à terre chercher des paquets. Nils passait un tiers de son temps dans sa maison, souvent avec moi, un autre tiers dans le Bunker, le reste avec nous, ou bien à se promener en lisant, de préférence sur la côte est.

Moi, je recevais *le Monde* et le lisais assidûment, comme un prisonnier privé de tout contact extérieur. Je lisais tous les articles que je « sautais » généralement, à Paris, les informations boursières, les petites annonces, les articles sur de lointains pays, tous les programmes de radio et de TV, que je n'écouterais ni ne verrais. Je recevais peu de courrier. J'avais accrédité, dans ma famille, l'idée que non seulement je fabriquais plusieurs choses, un roman, un essai, un essai de traduction d'un Suédois avec l'auteur, mais que je suivais aussi une sorte de cure à base d'oligo-éléments, car un grand médecin, ami de mon hôte, avait par hasard découvert que je manquais de métaux et de métalloïdes, notamment de zinc et de nickel. D'où mon asthénie de ces dernières années. Quelques semaines encore et je me porterais comme un

Viking. Seulement, la cure, intensive, était éprouvante; on devrait l'interrompre, puis la reprendre. Sans quoi, je ne pourrais mener à bien tous mes travaux intellectuels.

Mes lettres à ma famille disaient cela, et d'autres bizarreries, sur un ton pénétré. Je recevais des réponses brèves. De toute évidence, on ne me croyait pas, ou alors on me croyait fou. Je préférais appuyer sur la deuxième hypothèse et, par exemple, je remerciai pesamment des vœux pour mon anniversaire, le 1ᵉʳ juillet, en soutenant que j'avais complètement oublié cette date. Ce qui paraîtrait une trace de profond déséquilibre, car j'étais assez maniaque de mon anniversaire, qu'il fût doux ou amer.

Surtout, on n'avait pas ma véritable adresse. Le courrier m'était envoyé à une boîte postale de Norrtälje, où quelqu'un de l'île le prenait une fois par semaine. Et je n'avais pas donné le nom de mon hôte, disant seulement qu'il était un important personnage de la social-démocratie européenne. Seul, donc, un télégramme m'annonçant un accident, une maladie grave, m'aurait obligé à rentrer. En effet, dans ce cas, la boîte postale pouvait lancer un appel radio à Nils. A ma mère, toutefois, j'écrivais fréquemment des lettres plus longues et paisibles, en lui demandant de ne pas les communiquer mais de faire savoir que je semblais aller de mieux en mieux. Grâce à cette cure. Parfois, au contraire, j'écrivais n'importe quoi, mais sur un ton si gai qu'elle devait s'y perdre. Ce que je ne souhaitais pas.

Ce courrier n'intéressait guère Nils. Il se contentait de dire « bravo! » quand je lui annonçais que tout le monde, chez moi, allait bien. Il n'attendait, de mon courrier, qu'une lettre : celle d'un éditeur parisien me donnant le « feu vert, contrat suivra » pour le livre que nous écrivions. Malheureusement, on me répétait les mêmes choses. Auteur peu connu; livres sur la politique ou d'hommes politiques très en baisse, en cet été 78, après la défaite de la gauche et surtout ses divisions. Et puis, c'étaient les vacances... « Les vacances ont bon dos! Les salauds! Tes petits copains éditeurs parisiens sont des salauds! Nous donnerons cela à un grand *publisher* américain. J'en connais. Et tes copains devront se battre entre eux, ensuite, à la foire de Francfort, pour acheter les droits français du best-seller de l'année... du siècle! »

199

La seule chose qui le réjouissait : un livre d'Olof Palme traduit en français n'avait eu chez nous qu'un petit succès.

— Et en même temps, vous ne connaissez rien à notre littérature. Ni d'ailleurs à nos savants, qui valent largement les vôtres. Quand j'étais en poste à Paris, j'organisais des tas de dîners, pour les faire se rencontrer, vos médecins, physiciens, biologistes, chimistes et les nôtres. Je me donnais un mal de chien. Pas seulement des dîners mais des petits colloques entre spécialistes de nos deux pays, pendant une longue journée, avec rapports préliminaires traduits et remis à l'avance, traduction simultanée, etc. Il n'y a pas beaucoup d'ambassadeurs qui font ça, je te prie de le croire. Notamment chez les ambassadeurs « littéraires » comme moi! Et puis rien. Du vent. Des petits fours. Jamais le moindre écho. Pas de suite. Chez vos scientifiques, une seule chose comptait : « Quand pensez-vous que j'aurai le Nobel? » Chez vos culturels : « Bergman, combien d'épouses exactement? » et aussi, naturellement : « Qui aura le Nobel de littérature, cette année? » Mais que sommes-nous donc, pour vous? Les champions de l'assistance sociale, un peuple de névrosés, mais avec un roi en frac qui donne tous les ans la gloire à quelques-uns des vôtres. Que certains refusent. Ah! Le beau geste!

Je n'aimais pas Nils quand il était ainsi. Je savais qu'il allait me parler encore de son dégoût général, de sa mort probable, souhaitée. Il se mettait à ricaner, à lancer des sarcasmes sur l'humanité entière. Il me suppliait de veiller à son enterrement, et d'organiser une pitrerie burlesque dont il inventait les détails au fur et à mesure, robes des épouses, protocole, moutons de l'île défilant en tête du cercueil et portant chacun autour du cou les décorations étrangères, les grands colliers et les cravates du commandeur mort... Je serais le metteur en scène. Il n'y avait rien à faire qu'à l'écouter. Puis, il se calmait. Et nous reprenions le travail du livre.

Le magnétophone tournait. Nous n'y faisions même plus attention. Il y avait déjà des piles de cassettes enregistrées et répertoriées. Il partait de ma question, attendait, répondait longuement, s'arrêtait. J'arrêtais le magnétophone. Il allait consulter un livre, reprenait. J'ai dit que je ne parlerais pas de ce livre, ici. J'indique seulement une dernière fois qu'à certains moments, sur les grands problèmes de notre fin de siècle, moi qui ne les avais qu'effleurés dans mes lectures, Nils me livrait des aperçus clairs, tranchants, toujours basés sur des faits et des chiffres, et fulgurants. J'essayais parfois d'imaginer lequel de nos grands esprits aurait pu rivaliser avec lui, ceux qui se répandent dans nos magazines ou sur nos écrans, avec leur componction, leurs mines gourmandes pour parler de « crise de société », de « mutation imprévisible », nos génético-bafouilleurs, nos ethnolo-psi, nos marxo-théiques, nos christianaux et nos sociomètres, nos spiralaux et nos omégas... Je m'emporte peut-être. Peut-être, quand on lira le livre de Nils, dira-t-on que ma propre inculture idéologique ne me prédisposait pas à recueillir ses propos, ni à tenter de faire partager mon admiration. On me jettera le livre de Nils à la figure. On dira que j'ai été envoûté. On ne se gênera pas. On fera bon poids : on dira pudiquement « sodomisé ». On le fera comprendre, en tout cas. Ben voyons!

Un matin, je me réveillai avec un affreux mal aux gencives et fus obligé de le dire. Nils examina ma joue enflée, fit venir Monsieur Arne Sjöberg, qui hocha la tête et marmonna quelque chose. Il détenait la solution. Je craignais qu'elle ne fût ovine. J'insistai pour être conduit chez un dentiste humain. Monsieur Arne Sjöberg baissa les bras, laissant entendre qu'avec lui, cela n'aurait pas fait tant d'histoires et que le Français était diablement douillet. Finalement, Sheena se proposa pour aller à Stockholm. Nils objecta qu'il y avait quelqu'un de tout à fait convenable à Norrtälje. Sheena dit qu'elle me laisserait donc à Norrtälje, se rendrait à Stockholm et me reprendrait ensuite. Nils s'y opposa, alléguant que me laisser dans cette petite ville, ma joue désenflée, ce serait un jour perdu pour notre travail. Lily s'en mêla, proposant de me tenir compagnie, car elle avait des amis à Norrtälje. C'était une bonne idée, de m'y emmener. Pourvu que je sois présentable, car ils n'aimaient pas les enflés de la joue. Monsieur Arne Sjöberg revint à la charge. Il avait ce qu'il fallait, à bord. Une fine lancette, de l'alcool, de l'iode. Est-ce que j'avais été soldat, oui ou non? Nils se mit à hurler, pour les faire taire tous. Je répétai que j'avais vraiment mal. Que mon seul recours serait Kerstin, qui, justement, recevait des amis à déjeuner, lesquels me conduiraient, en la quittant, chez le praticien de Norrtälje. Nils explosa :

— Naturellement! Toujours Kerstin en recours! Maman Kerstin! Cela a toujours été ainsi! Dans cette foutue merde d'île pourrie! Il faudrait revenir à la raison, une bonne fois! François! Que ferais-tu, à Paris, avec cette joue? Voyons : soyons logiques! Tu es à Paris. Alors?

— J'irais chez mon stomato, avenue Bosquet, grâce au bus 82.

— On ne peut rien objecter à cela, dit Lily.

— Je me souviens... La dernière fois... Est-ce que je peux raconter une petite histoire?

— Oui, dit Sheena. Cela prouve que tu n'as pas si mal, ou bien que tu vas déjà mieux.

— La dernière fois, en sortant de chez mon stomato, j'ai attendu le 82, devant une des entrées de l'École militaire. J'ai vu sortir un général à deux étoiles, en costume d'été. Jeune. Fringant. Etoiles d'argent. Cavalier, donc. Hussard, par exemple. La sentinelle l'a très vaguement salué. A peu près comme s'il avait été caporal. Le général a traversé le carrefour, s'est dirigé vers le kiosque de l'avenue de la Motte-Picquet et je l'ai vu passer sous mon nez, *le Figaro* sous le bras. Le 82 n'arrivait pas. J'ai rêvassé debout, sur cet homme qui allait occuper une matinée à lire un journal. Deux minutes plus tard, il est sorti à nouveau, et je l'ai vu traverser la place, se diriger du même pas vers le kiosque, où il a pris un deuxième *Figaro*. La sentinelle lui a fait alors un signe presque amical, sans même redresser la position, et j'ai vu le général disparaître dans l'École. Je l'aurais bien suivi, pour lui demander ce qui se passait en lui, ou au *Figaro*, ou à l'École. Mon bus arrivait. Je suis allé au fond, en jouant des coudes. Comme le bus démarrait, j'ai vu, et je savais que j'allais le voir, le général sortir une troisième fois et se diriger vers le kiosque. J'ai eu une bizarre impression, liée à mes dents endormies et soignées, d'infini. Je ne suis pas allé chez mon stomato, depuis lors. Peut-être qu'en ce moment même, le général sort, c'est son heure, il est salué par la sentinelle, il se dirige vers le kiosque...

Nous étions, Sheena, Lily et moi, en proie au fou rire. Nils terminait sa traduction simultanée pour Monsieur Arne

Sjöberg, qui avait écouté gravement, et qui dit enfin :

— Vous avez des militaires qui ont le temps de lire, chez vous.

— Il y a sûrement une explication, dit Nils. Ce général utilise le kiosque comme boîte à messages secrets, pour un agent du Deuxième Bureau, par exemple. Ou pour un agent double...

— Ou bien alors un général plus étoilé, chaque fois, lui prend son journal, dit Sheena. Vous dites plus étoilé? *More starred*?

Je rappelai que j'avais vraiment très mal à cette dent.

— Bien, dit Nils. C'est une journée de perdue. Je suis obligé de rester ici. J'attends des gens. Sheena va t'emmener à Stockholm.

— Si tu attends des gens, dis-je, nous n'aurions pu travailler...

— Mais si! dit-il nerveusement. Bon, alors, préparez-vous! Qu'est-ce que vous attendez? Tu es ravi, hein, François? Tu as réussi ton coup. Un dentiste va te faire des choses désagréables, et puis Sheena va être plus agréable. Hein?

Sheena lui jeta un œil glacé. Lily s'éloignait, dans sa robe blanche, laissant derrière elle le léger parfum citronné que j'aimais tant.

— Idiot! dit Sheena.

— François, dit Nils, je peux te citer un proverbe brésilien, peu connu : « Aucun homme ne peut aimer toutes les femmes du monde. Mais il doit néanmoins essayer. » A prendre au deuxième degré, naturellement.

— Nils est grotesque. Je vais me préparer. J'en ai pour deux minutes, dit Sheena. On se retrouve au bateau, François.

— Non. Voici le taxi de mes gens. Je vais lui dire d'attendre pour vous emmener.

Sheena s'en alla en courant. Je dis à Nils :

— Pourquoi as-tu dit ces choses insensées devant Sheena?

— Pour qu'elles paraissent insensées. Comme les lettres que tu écris à Paris, si j'ai bien compris.

— Tu as tort, Nils.

— Certainement. Je suis libre d'avoir tort. Et toi d'avoir raison contre moi.

Il se détourna. Il alla vers le port. Je le suivis, bien qu'il ne m'y eût pas invité. Je vis le gros canot-taxi et cinq solides gaillards un peu trop habillés. Nils alla les chercher et dit un mot au marin. Il me présenta comme un socialiste français en visite. Les cinq s'inclinèrent. C'étaient, me dit Nils, des maires et fonctionnaires du parti, tous d'Xköping. Ils étaient visiblement intimidés.

— Cela va être écrasant d'ennui, me glissa-t-il en pinçant les lèvres.

— C'est ton métier, Nils. De quoi allez-vous parler?

Il posa ma question en suédois. Les autres prirent des mines balourdes, faisant de petits gloussements et articulant des choses vagues. Je compris qu'il y avait un problème de route, et surtout de centrale nucléaire. J'eus l'air grave de circonstance. Nous échangeâmes des banalités. Les écolos n'ont pas tort. Les gouvernements et les technocrates non plus. Les premiers font trop de folklore. Les seconds pas assez d'information accessible. Trop d'affectivité, d'un bord. Trop de mépris, de l'autre. Les maires reprirent leurs gloussements. Je ne comprenais pas pourquoi cette réunion avait lieu ici, et pas à Xköping. Je n'avais jamais entendu François Mitterrand parler, à Latche, des HLM de la Nièvre, ni Rocard, dans le Morbihan, des bateliers de Conflans. C'est ce que je dis à Nils pendant que les maires saluaient Monsieur Arne Sjöberg, qui leur montrait son étable.

— Mais cela les flatte! Et puis cela les sort un peu de leur coin. Ils vont apercevoir la grande pianiste et la comédienne qu'ils ont vue dans un feuilleton débile, à la TV, pendant huit semaines.

— Et Lily?

— Ça, mon cher, je ne montre pas.

— Au fond, tu joues au roitelet.

— Exactement. Les structures de la société sont immuables, même en démocratie modèle. Je suis une sorte de vieux comte, avec ses jeunes barons. Et l'un d'eux me trahira effrontément, en septembre 79. Il va être cordial, aujourd'hui. Et il sait que je sais. Mais il ne sait pas que je m'en fiche. Royalement, mon cher... Voilà ta dentiste. Bonne route! Ne crie pas, sur le fauteuil, si ça fait mal!

Sheena descendait, elle portait un blouson de cuir bleu noir, très fin, largement ouvert sur sa poitrine hâlée. Un jean blanc. Elle lançait ses cheveux roux, d'une épaule à l'autre, en marchant vers nous. Il y eut un silence admiratif; puis l'un des maires ne manqua pas de faire compliment pour le feuilleton. Toute sa famille, etc. Si la TV était toujours de cette *kvalität*, etc. Nils souriait, à l'écart. Il expliqua l'histoire du dentiste. On examina ma joue avec intérêt. Je remerciai pour le taxi, demandai s'il était déjà payé. Nils me répondit que tout cela était fait, que le parti m'offrait ce petit voyage, et nous poussa presque de force dans le canot.

— Ma femme chez le médecin. Le Français chez le dentiste. Reste le vieux Söderhamn sur son île! cria-t-il, goguenard.

Le bateau filait. Le marin demandait à Sheena un autographe. Elle fouillait dans son sac. J'étais presque délivré de ma douleur. Je n'avais jamais vu Sheena si belle, si assurée de l'être mais sans arrogance. Des embruns légers me fouettaient le nez. Je regardais l'île s'éloigner, la terre se rapprocher. Après nos consultations, nous irions peut-être au cinéma, ou bien dans un bar chic, nous irions nous montrer, nous irions où Sheena voudrait. Je pensais à Lily, si modeste dans sa robe blanche, qui devait travailler un passage très difficile, tout en doubles cordes, m'avait-elle dit.

Nous avons repris la ridicule camionnette italienne et j'ai roulé aussi vite qu'elle le pouvait. Sheena était en retard, pour sa séance. D'une cabine, elle a pris un rendez-vous immédiat pour moi. Elle m'a conduit chez un dentiste à peu près muet, mais efficace. Elle est venue me retrouver devant *Dramaten*. Nous sommes allés revoir *Mort à Venise* qu'on redonnait dans un grand cinéma, après Stureplan. C'était le début de l'après-midi. La salle était presque déserte. Le grand adagio mahlérien nous a roulés dans ses nostalgies et nous avons vu le vieil homme, sur la plage, si perdu. Parfois, j'ai fermé les yeux. L'orchestre montait encore, de longues tenues, le temps basculait. J'ai ouvert les yeux, et j'ai vu, à ma droite, que Sheena tournait imperceptiblement la tête vers moi. Nos mains se sont touchées, nos quatre mains se sont unies lentement, formant un petit visage au milieu de nous.

— Comme c'est beau! m'a-t-elle dit. Quel beau film!

Quelques instants plus tard, elle a ajouté :

— Comme j'ai faim!

— Oui, moi aussi.

Sa tête est tombée sur mon épaule, d'un coup, et j'ai laissé la mienne aller en arrière. J'ai éprouvé une peur effrayante. J'ai senti mon cœur taper. Le vieil homme regardait la mer et commençait à noter de la musique. Je n'ai jamais aimé cette scène. Personne n'a écrit de musique sur une plage. Ni Mahler, ni Berg, ni Debussy, ni Ravel. On peut chantonner, esquisser quelques mesures. On n'est pas des aquarellistes de plage. Je savais jusqu'où allait la scène, un peu trop appuyée. J'ai demandé :

— Qu'est-ce que tu as raconté aujourd'hui, par exemple, à ton *psi?*

Elle a éclaté de rire, d'un rire de clochettes, ou de glockenspiel. Elle avait appris à rire, elle. Un éclair de cristal sur la plage de Venise. Quelques spectateurs, à vingt rangs du nôtre, se sont retournés. Le rire de Sheena dans ce cinéma vide, la tête sur mon épaule, sa bouche en mégaphone vers les cintres, comme cela sonnait!

Puis elle a tourné légèrement cette bouche vers mon oreille et s'est mise à chuchoter, mais très fort :

— Je t'écris une lettre, François, *min älskling*, mon chéri; nous allons nous lever et abandonner Venise. Nous reviendrons voir ce film un jour où nous serons très fatigués parce que nous aurons fait l'amour. Un jour où nous n'aurons pas envie de faire l'amour. Ou encore : un jour où nous ne nous supporterons plus du tout. Ce jour-là n'est pas pour tout de suite.

Sa voix sifflait dans mon oreille droite et je me bouchais l'oreille gauche. L'image de Nils, au-dessus de son petit port, avec ses cinq maires empesés, se mêlait à celle du vieil homme désespéré devant sa musique. Je n'étais plus l'adolescent blond qui passe. Je n'étais pas encore l'homme qui va mourir. J'étais celui qui faisait éclater de rire Sheena mais j'en avais honte. Je ne savais plus quoi faire pour ne pas lui obéir. Je ne pouvais pas me laisser conduire, par l'une, par l'autre. Ma vie ne pouvait changer ainsi. Peut-être le *psi* italien me dirait-il un jour ce qu'il fallait devenir, mais j'en doutais fort. J'ai dit :

— Je ne sais pas du tout qui tu es, Sheena. Je ne comprends rien. Depuis le premier jour, rien.

— Parce que tu ne comprends pas le suédois. Parce que le français me fatigue. Mais c'est bien, non? de ne pas parler vraiment?

— Comment fais-tu avec ton *psi* italien?

Elle rit de nouveau. Nous marchions dans la rue, enlacés, et nous tanguions sur la Birgerjarlsgatan, un peu exprès, et nous bousculions les touristes de l'été, tous ces Suédois d'Amérique, de retour au pays, et nos hanches se bourraient de coups secs. Je n'avais jamais eu une femme aussi haute, à mon pas, à mes hanches.

— Guido est un vieux diplomate italien, pédé, à Stockholm depuis trente ans. Il est aussi analyste. Il est tout à la fois. Peut-être agent secret, mais sans danger. Délicieux. Il est aussi *mafioso*. Je le sais. Il m'a envoyé voir de drôles de gens, à Palerme. Avec lui, je parle suédois. Avec toi, je murmure, je me trompe, je répète. J'adore. J'adore t'aimer. Pas encore. On va parler longtemps. Pas l'amour tout de suite, sous prétexte que tu avais mal aux dents, mon chéri, *min älskling*. Je t'écrirai une lettre dans mon français. Je la poserai dans ton moulin. L'été commence. Regarde notre petite capitale, comme elle est belle. Nous sommes les plus beaux touristes de cet été. Réponds-moi quand tu auras le temps. Quand ton travail avec Nils te le permettra. Méfie-toi de lui. Je le connais depuis toujours. Il veut t'avoir. Il ne m'a pas eue. Il n'y a eu d'amour qu'une petite année. C'est un diable. Peut-être un peu plus qu'une petite année. Je t'assure. On ne va pas faire l'amour tout de suite, sous prétexte que tu avais cette joue enflée. Est-ce que tu aimes que je te parle comme cela, dans ma lettre? Je parle français comme une petite fille et toi suédois comme un jeune monsieur. Il faut aller à la maison, aussi, j'ai des choses à prendre...

— Quelle maison?

— La maison de Gamla Stan.

Nous allions revenir dans l'appartement de Nils. Elle allait ouvrir et fermer des placards, et moi j'allais me promener dans des pièces vides, fraîches, les bras ballants, et nous ne nous toucherions pas. Presque pas.

— Tu prendras une douche, si tu veux. Moi aussi. Pas en même temps!

— Mais tu disais que tu avais faim?

— Oui, François, j'ai. Très. Beaucoup. On va aller manger quelque chose à Grand Hôtel. Je t'invite.

— On ne peut pas demander une chambre, une « suite »? Je t'invite.

— Non. Grand Hôtel est *overbooked* jusqu'en août, au moins. Tu n'auras pas la moitié d'un lit dans tout Stockholm.

— On ne peut pas sortir de la ville et aller faire l'amour dans un bois de bouleaux?

— On peut. Mais est-ce assez chic pour nous? *I mean* : pour la première fois. C'est très important. Toi, tu t'en fiches, comme tous les hommes. Tu es comme un grand loup triste parce que tu as mal à ton sexe, et tu aimerais avoir du plaisir, n'importe où.

— Toi, tu n'es pas une louve.

— Non. Je suis une petite fille heureuse. Car je sais que nous serons heureux et parce que je ne sais pas quand. Tu connais les femmes, quand même!

— Oui, oui.

— Elles disent toutes comme moi, non?

— Oui... Pas toutes. Toi, je ne pensais pas. Certaines... Mais au fond, les meilleures disent comme toi.

Nous sommes allés au bar du Grand Hôtel, où nous avons fait une véritable « entrée », comme a dit Sheena, en saluant des tas de gens que nous ne connaissions pas du tout et qui, pourtant, nous ont souri. Des gens un peu ennuyés, qui avaient fait des visites, qui avaient vu des musées, qui s'étaient promenés en bateau, et qui attendaient le dîner en buvant des *roses*. Nous nous sommes mis près de la terrasse, pour regarder le soleil couchant ne pas se coucher sur le Palais royal, ni sur le vieux *Riksdag*, ni sur l'Opéra, ni, là-bas, sur Djurgården. On nous a apporté un grand plateau de saumon frais et d'anguilles fumées, et de la bière légère, sans un degré d'alcool, très blonde. Sheena a dit : « Non! » à ma demande d'aquavit et m'a menacé d'une colère terrible si j'insistais.

— Et du *caloric-punch?*

— Pourquoi?

— Parce qu'il en est question, dans un poème sur Stockholm, un poème que je connais depuis si longtemps...

J'ai récité mon vieil Archibald-Olson Barnabooth :

208

Djurgården, jardins pâles loin des longs quais de pierre
Grise d'un gris si doux, si pur et estival!
Je veux errer dans ces bocages, le long de ces théâtres,
Le cœur tout alourdi de caloric-punch glacé.
J'irai dans les jardins des restaurations
Où des messieurs enivrés dorment sur les tables;
J'irai entendre...

— Très joli, a dit Sheena, continue! Je comprends presque tous les mots. Continue!

Je ne savais pas la suite. J'ai repris le début. J'ai expliqué « bocage ». J'ai dit que j'aimerais aller voir ces bocages. J'insistais, mais en riant, sachant que c'était encore non. J'ai parlé de Valery Larbaud, un écrivain assez riche, qui était mort paralysé, après avoir beaucoup voyagé, écrit, traduit et aimé. Il avait sûrement habité ici, vers 1903. Non, Nils ne le connaissait pas bien et ne devait pas l'aimer. Trop « esthétique ». Pas politique. Un homme riche qui parlait peu de la pauvreté. Après tout, les écrivains prolétariens ont peu parlé de la richesse. Par exemple, en Suède...

— Nils a beaucoup lu, beaucoup. Il a de bonnes idées, en politique. Il m'en a volé pas mal. Il ne les applique pas.

— Je sais qu'il est désespéré d'avoir cru, et de ne plus croire. Ou de croire à autre chose.

— Mais quoi? De quoi parlez-vous, pour ce livre?

— Il m'a fait jurer de ne le dire à personne. Surtout pas à toi... J'ai juré sur la tête de mes enfants.

— Ha! Ha! Il adore faire jurer, et sur les têtes des enfants! Parce qu'il n'en a pas, à lui. Et il jure n'importe quoi, et il parjure, et il ment, et il reprend toutes ses paroles!

— Mais non, Sheena!

— Toi, sans doute, tu es honnête, un peu idiot...

— Comment?

— Tu es idiot comme l'« Idiot » de Dostoïevski. Tu es parmi nous un peu comme le prince Muichkine. Tu es dans notre fantaisie et tu essaies de nous sauver. Et tu peux te perdre, sans t'en apercevoir.

— Mais le prince est un saint. Moi pas du tout. Je peux être un salaud.

— Mais non! Viens, mon chéri. Je vais te montrer quelque chose!

— Il ne faut pas que tu m'appelles comme ça. Ça t'échappera devant Nils.

— Aucune importance. Il vaut mieux que je te dise mon chéri et qu'on n'ait pas fait l'amour. Plutôt que le contraire.

— Mais il n'en sait rien, Sheena! Il ne sait pas ce que nous faisons ou ne faisons pas.

— Cela, c'est faux. Il sait. Il saura tout de suite. Je ne suis pas comme lui. Je ne mens pas. Je ne jure pas. Je n'ai jamais menti. De toute ma vie... Viens, mon chéri!

Nous étions dans le hall. Nous montâmes quelques marches. Nous nous enfonçâmes dans un couloir obscur de l'hôtel, sur des moquettes épaisses. J'avais éprouvé un violent désir de cette femme, pour la première fois, au restaurant sur l'autoroute allemande. Puis deux ou trois fois encore. Puis tout à l'heure. Maintenant, elle me transportait au-delà du désir. Je me serais étendu près d'elle toute une nuit, là, dans ce couloir désert de palace trop plein, et elle m'aurait dit des choses incompréhensibles, pour me tenir éveillé. Puis, elle m'aurait apaisé d'un seul dernier mot, et je me serais endormi.

Sheena poussa une petite porte, et je vis une salle immense, éclairée par un plafond-verrière; là-haut, tournait une sorte de galerie, sur laquelle donnaient des chambres, sans doute. La salle était une salle de bal, de banquets, de réceptions. Tous les meubles étaient couverts de housses blanches rayées de bleu pâli. Sur une estrade, à notre gauche, je vis un piano à queue bâché. La lumière était verdâtre, poussiéreuse. Tout était propre, pourtant. On imaginait les valets passant le plumeau. On pouvait aussi, d'un claquement de doigts, faire partir la valse comme une salve, et les couples se mettraient à tournoyer, en ondées tièdes, parfumées, évitant mes chers messieurs enivrés, dormant sur les tables. Il y a eu, tout à l'heure, de longs discours de ces messieurs encore sobres, ponctués de *Skål* vibrants, où l'idéal et l'entraide ont été prêchés. Il y aura plus tard, avant l'aube, une paire de gifles entre époux jaloux. Demain, on remet les housses blanches.

— On enlève les housses, Sheena? On danse? Tu danses et je joue du piano?

J'allai découvrir un coin de bâche. Je glissai mes doigts entre le couvercle et le clavier. Je frappai doucement un accord, puis deux, et je les confondis sous la pédale.

— Non! Non! chuchota-t-elle. Il ne faut pas qu'on vienne! Je t'en prie!

Elle me tendit la main, pour que je quitte l'estrade, comme une invitation à danser. Elle me fit asseoir près d'elle sur un pouf. Elle croisa ses longues jambes. Elle ouvrit un peu son blouson de cuir et je vis ses seins petits, hauts, serrés. Je sentis l'odeur de son corps contenue sous le cuir, le jasmin, le musc, et cet air et cette haleine de sa bouche montèrent au milieu du grand espace de bal. Je me crus dans un casino fermé, l'hiver, avec une joueuse oubliée là. Elle avait perdu. Où nous étions, on n'entendait ni la ville, ni les sirènes des bateaux devant l'hôtel, ni l'hôtel lui-même. Sheena bougeait à peine les lèvres pour être entendue et mes deux accords flottaient encore; le silence ne les avait pas happés mais, au contraire, les envoyait d'un mur à l'autre, puis là-haut, contre la verrière, d'où ils redescendaient, comme deux noctuelles cherchant à éviter des lueurs, et ils n'en sortiraient pas avant longtemps, de cet espace étouffé, rigoureusement clos, et chacun de nos mots pourrait peut-être voltiger aussi entre les accords, et durer. Jusqu'à quand? Je le demandai à Sheena.

— Jusqu'à ce que je parle. Ici. Je vais parler, ici. Je vais faire un discours. En septembre. C'est retenu.

— Un discours?

— Oui.

— Sur quoi?

— De quoi te parle Nils?

— Du Brésil, par exemple.

J'avais répondu sans réfléchir. Je pouvais bien livrer le Brésil.

— Ah! Parce qu'il a connu une ou deux Brésiliennes, il croit connaître le Brésil!

— Pas du tout. Il parle du Nordeste. De la misère. De la faim. De l'exploitation des ouvriers qui se déchirent les mains pour couper les cannes à sucre. De plus en plus de sucre pour faire de l'alcool, combustible nouveau des moteurs automobiles. De la terre mangée par les cannes. De la terre sacrifiée à l'automobile, pour faire échec au pétrole. Des gros intérêts qu'il y a là-dessous... Enfin, tout le monde sait cela. Mais cela n'intéresse personne, dans notre monde occidental.

— Moi, je le dirai. Il te le dit à toi, dans son bureau. Mais pas ailleurs. C'est un lâche!

— Sheena, je t'assure que tu le juges mal. Il a du courage.

— Le courage de briller à tes yeux, dans sa superbe île, en agitant des idées nobles sur la faim du Brésil!

— Il ne parle pas pour briller. Tu verras...

Elle se tut. Elle pensait à son « discours ». Elle reprit :

— Avant de faire la comédienne, j'ai été mannequin de mode. J'avais dix-huit ans. J'ai défilé ici. Le chic de Paris, monsieur! Il y avait une longue allée de bois, que nous appelions la « planche », qui allait de l'estrade jusque là-bas, tu vois? Nous défilions, avec le trac dans le ventre. Nous vendions des robes. On ne se vendait pas soi-même. Mais le trac, quand même.

Je ne voyais rien. Cela ne m'intéressait pas. Je regardais sa bouche froncée, un peu mauve sous cette lumière, et ses longues mains qui couvraient sans cesse la bouche tandis qu'elle parlait, et ses doigts plats et ses ongles un peu trop longs, arqués comme des gouges de sculpteur. Je ne savais pas où elle voulait nous entraîner, Nils et moi, mais je savais qu'elle irait. J'étais du côté de Nils, du côté des hommes. Elle me faisait enfin peur, et je me protégerais d'elle ainsi.

— Pourquoi faisais-tu le mannequin? demandai-je.

— Parce que j'étais belle, parce que j'avais le format, parce que je ne savais rien faire d'autre, parce que j'étais la fille de la pianiste nationale et parce que j'avais envie de plaire, parce que je méprisais déjà tous les veaux et tous les porcs qui me regarderaient et me proposeraient, leur carnet à la main, de dîner avec moi, parce que j'étais très belle, parce que j'étais une idiote, parce que j'étais vraiment très belle, François, parce que Nils m'en avait persuadée depuis toujours, parce qu'il était à genoux, du matin au soir, parce que je voulais qu'il soit ainsi, parce que je voulais lui plaire à lui, à lui seul, à aucun autre, même si je couchais avec d'autres, parce que j'étais belle, François, très belle, j'avais dix-huit ans, beaucoup plus belle qu'aujourd'hui, donne-moi une cigarette, mettons le feu à ces housses, à ce canapé... Canapé?

— Pouf, dis-je.

— Pouf?

— Pouf. C'est un pouf.

Elle pleurait soudain dans ses cheveux. La planche à mannequins la faisait hoqueter, à grands sanglots, elle avait repris mes mains, comme au cinéma, et elle les tenait serrées dans les siennes, fort, très fort. Je sentais les larmes couler sur mes mains, couler dans la chevelure rouge, ocre, j'embrassais les mains de Sheena, je lui disais des mots qui me venaient, qu'elle se trompait, qu'elle ne pouvait pas avoir été plus belle qu'aujourd'hui, qu'elle avait peut-être raison, Nils était haïssable s'il lui avait fait du mal, à elle, il était ignoble, je ne comprenais pas, il fallait qu'elle m'explique mieux...

— Il n'y a rien à expliquer, dit-elle.

— Parle-moi de ton discours, alors. Cela non plus, je ne comprends pas.

Elle cessa peu à peu de pleurer. Elle sécha mes mains, les siennes, elle ébouriffa ses cheveux, je la recoiffai de mes doigts, je la regardai droit dans ses yeux verts, enfoncés sous son front, je lissai ses sourcils, je pris un mouchoir de papier et je fis le visagiste, depuis les hautes pommettes écossaises jusqu'au cou, je descendis jusqu'à la naissance des seins, elle ferma son blouson d'un coup sec, elle jeta ses cheveux en arrière, ses yeux devinrent durs comme des pierres. Elle dit :

— Mon discours. Je vais te dire. C'est très simple. Je vais me présenter aux élections, comme candidate, moi, député, en septembre 79. Donc, ce septembre, là, dans deux mois, je vais l'annoncer. Voilà. Moi seule.

— Mais avec l'étiquette socialiste?

— Sûrement pas. Tu es fou? Nous allons lancer un petit parti de femmes, de minoritaires, d'écologistes et d'antinucléaires raisonnables. Pas du bla-bla inutile. On parle, par exemple, beaucoup des handicapés chez nous. Chez vous aussi. Partout. Nous, nous aurons des candidats qui seront des handicapés. Nous voulons voir des députés entrer au *Riksdag* dans leurs petites voitures. Nous voulons des députés aussi « intelligents » que les autres, mais mauvais orateurs, bafouilleurs, aveugles de mots, dyslexiques, bègues. Nous voulons que des accidentés de la route, paralysés pour la vie, puissent participer à l'élaboration des lois sur la route. Nous voulons que des pédérastes et des lesbiennes soient députés, sans craindre le scandale, tête haute. Nous sommes contre le nucléaire. Mais nous voulons démontrer quels sacrifices terribles une société moderne doit s'imposer, si elle veut vraiment se passer du nucléaire. Nous voulons...

Elle parlait déjà comme devant les caméras. Elle chuchotait toujours, puisqu'elle n'avait pas besoin de parler fort pour être entendue, mais sa voix s'était timbrée sous le chuchotement, avec une raucité sauvage, comme si elle n'avait jamais dit tout cela, comme si j'étais son premier essai, au point que je me demandai si elle n'inventait pas, au fur et à mesure, son programme, si elle n'était pas absolument seule dans un phantasme récent, je me demandai si ce « nous » n'était pas aussi inventé, et elle allait me l'avouer, à la fin, en me priant de donner mon avis : fallait-il tenter cette folle aventure, elle, et elle seule ? Et c'est à peu près ce qu'elle finit par dire. « Nous », c'étaient quelques amis et elle. C'était elle, d'abord. Elle était chef de bande. Elle avait toujours été chef de bande, petite fille, jeune fille, quand elle partait pour de lointaines randonnées à ski dans le Grand Nord, quand ils dormaient, sa bande et elle, dans des abris de jeunes, au bord des lacs en Dalécarlie, quand elle avait traversé les USA, à dix-sept ans, avec quatre amies, dont une s'était fait violer, dans le Minnesota, devant un poste d'essence, la nuit, par un routier colosse, et les trois autres filles lui avaient presque défoncé le crâne avec une barre de fer, et il y avait eu la police, la justice... Relâchées, les trois grandes belles Suédoises!

— Aujourd'hui, nous sommes plus de quatre, dit-elle. Il y a le fait, François, que je suis une comédienne pas extraordinaire, mais je le sais. Ingmar m'a bien expliqué cela. Sans la cruauté de Nils. Humainement. Tendrement. Je le sais, mais je suis plus connue dans le pays à cause de séries télévisées, où j'ai été la professeur de l'école populaire, pendant deux mois, et l'avocate sociale formidable, pendant deux mois. Et je serai l'hiver prochain le médecin moderne qui comprend les femmes. Et ça pèse beaucoup, dans le pays. Je n'ai pas honte de ça. J'ai beaucoup d'amies qui veulent jouer Shakespeare ou rien, et qui crèvent d'orgueil sous les gifles. Nous sommes un petit pays, avec une belle langue pour un petit pays. Nous ne sortons pas de ça, hormis trois ou quatre d'entre nous qui sont allées se frotter à Hollywood...

214

Elle s'était recroquevillée sur le pouf, comme un buisson rouge. Parfois, elle étendait les bras et perdait presque l'équilibre. Elle cherchait un mot intraduisible, que je finis par traduire, avec le secours de l'anglais, et qu'elle voulait absolument que je comprenne. Le mot « minable » en français. Le mot « ringarde », pour les comédiennes. Elle voulait non pas me séduire mais m'apparaître sous le jour le plus cru de la verrière laiteuse, là-haut, celui de la comédienne qui ne serait jamais plus que la préférée d'un petit peuple, la machine à faire rêver et à faire débattre, dans les familles, les associations de parents d'élèves, de consommateurs, de justiciables, de malades, elle voulait me dire, à moi, qui elle était exactement, et qu'elle était plus vraie que Nils; et qu'elle le combattrait, seule, elle, avec ses amis, lui, symbole des vaines paroles.

Je ne savais pas si le buisson rouge bluffait devant moi pour que je fasse peur à Nils, si elle me donnait une comédie calculée. Ou bien si j'avais l'honneur de recueillir la vérité : une femme vraie, pure, droite, humiliée mais enfin dressée sur ses étriers. Pour elle. Pas pour moi. Pour personne. Pour la vérité. Pas pour les vérités moroses et narquoises de Nils, ni pour des prophéties sans lendemain. Pour la vie des femmes de chaque jour. Pas pour le féminisme des affiches et des meetings de masturbées. Pour la santé du pays. Minable et ringarde, mais la bannière haute. Et peu à peu, une bizarre émotion m'envahissait. Je ne pleurais sur personne. Je pleurais sur la solitude de Sheena. J'étais avec elle. Pleinement. Je ne comprenais pas tout ce qu'elle voulait. Je voyais bien que sur l'échiquier politique de la Suède, entre le bloc de gauche et le bloc bourgeois, elle n'avait que de maigres chances. Elle était, au fond, une sorte de radicale italienne. Elle me l'avait laissé entendre, en me citant des Italiens et des Italiennes que je connaissais, membres aujourd'hui du Parlement européen. Elle tenait son petit brûlot individuel dans son corps recroquevillé. Elle le lâcherait. Elle irait jusqu'au bout. Elle se brûlerait en le lâchant. Elle ne me dit, à aucun moment : « Ne dis rien à Nils. » Et je ne dirais rien.

— Je vais avoir quarante ans, après ce discours, dans deux mois, François, là, en cette année, reprit-elle. Il faut être sage. Je veux dire : trouver une sagesse. Ou une folle sagesse. J'ai beaucoup pensé. On a le temps, sur les plateaux de télévision, entre maquillage et éclairage, dans le brouhaha vide et joyeux de l'équipe. Toute cette lente agitation pour mettre en un jour dans la boîte sept minutes d'images et de mots, qui seront regardées par des gens en train de dîner. Il faut vivre selon sa nature, en se donnant non pas un peu de temps mais tout le temps possible, un temps curieux de tout, et le soulever sous l'espérance d'un jour meilleur, en sachant que tout peut s'effondrer et qu'il faudra savoir aussi accepter l'échec, la perte de celui qu'on a aimé, le silence des amis, les maladies, le déclin, les crampes, comment dit-on, les petites catastrophes du corps, pas les grandes, pas le cancer, non, mais les cheveux, les miens, oui, qui tomberont, mon cou plissé, mon ventre plissé, mon cul plissé, on dit « plissé » ? Et les rhumatismes ! Tu sais que je cours très vite, aujourd'hui ? Je ne pourrai plus. Les superstitions viendront, les manies, les guérisseurs, les collections, le pipi du chat dans son panier, les bouquets de géraniums à ma fenêtre, le balayeur de la rue se souviendra de moi et me traitera encore avec respect, parce qu'il était jeune quand il me voyait à la TV, et les amies de mon âge me paraîtront de petites vieilles, et je balaierai deux fois ma chambre avant de les inviter pour le café. Tu viendras aussi, François ? Tu te souviendras de la salle de bal du Grand Hôtel ? Non. Tu ne viendras pas. Tu viendras pour mon discours en septembre ? Tu restes avec nous jusque-là ? Tu ne vas pas nous quitter ? Tu vas m'aimer ? Tu vas te faire oublier à Paris, pour moi ? Pas pour Nils. Pour moi. Je veux que tu m'aimes et je veux t'aimer. Les choses sont très faciles, très nettes, très propres. Je suis propre, François. Je ne suis que propre, mon chéri, et seule.

Sheena Norrenlind s'est levée, et lui aussi. Ils ont fait « fluff, fluff » sur le pouf, comme de bons valets, pour lui redonner sa forme paisible. Ils ont, d'un sourire, démonté la « planche » à mannequins et l'ont rangée sous l'estrade. Elle a dit : « Tu vois, c'était comme ça... » Lui, il a voulu frapper un accord, rien qu'un, très doux, qui demeurerait ici ; mais elle l'en a empêché.

Ils ont quitté la salle de bal. Comme ils se retournaient pour la contempler, il leur a semblé entendre les rumeurs de la valse, des attaques de violons verts, un cor, des lambeaux épars de cette valse, tournoyant, ponctuée par un pizzicato, tous les troisième temps retardé, de contrebasse. Ils ont marché en silence dans la rue et ils ont retrouvé, derrière *Dramaten*, la camionnette militaire italienne. C'était presque la fin du jour mais la nuit ne descendait toujours pas. Il fallait rentrer vite, a-t-elle dit, car Monsieur Arne Sjöberg les attendait là-bas pour les ramener dans l'île. Il y avait quelques embouteillages sur l'autoroute. Les voitures s'illuminaient, codes, phares, soleil, éclats de soleil et de phares mêlés. Il a demandé, une fois de plus :

— Mais pourquoi cette camionnette? C'est celle de ton ami *psi*? Et il n'en a pas besoin? Il s'appelle Guido?

— Il est rentré en Italie, pour les vacances, il me la prête. C'est commode, avec la plaque du Corps diplomatique.

Il l'aurait parié. Donc, elle n'était pas allée voir Guido, tout à l'heure. Ce n'était pas possible. Elle ne pouvait pas dire tantôt qu'il n'était pas là, et tantôt qu'elle l'avait vu. Et elle avait dit : « Je ne mens jamais, je n'ai jamais menti. » Il s'est fâché, d'une voix douce, respectueuse. Elle a souri tristement.

— Je sais, mon chéri, tu ne comprends pas. C'est compliqué à expliquer. Mais je ne te mens pas. Tu peux me croire. Je peux t'expliquer, si tu veux absolument. Mais c'est long et pas très intéressant. Et je n'ai plus envie de parler. Tu m'as tuée en me faisant parler.

— Je ne t'ai pas obligée, Sheena.

— Non, je sais. Mon amour seul m'a obligée et m'obligera encore. Ce sera de plus en plus difficile mais nous y arriverons. Si tu m'aides, si tu as assez confiance en moi.

Il a dit qu'il avait confiance, mais il s'est trouvé faible, et, une fois de plus, manquant de volonté. Il était enrôlé, maintenant, il ne se dépêtrerait plus de cette famille et de cette île. Il oubliait tous les jours davantage les siens, à Paris. Il pensait toutefois à sa mère. Il aurait voulu parler deux heures avec elle et lui demander conseil.

Ils ont roulé longtemps sans dire un mot. Parfois, il la regardait du coin de l'œil et il trouvait son visage lisse, impénétrable, comme guettant un danger. Une seule fois, elle lui a désigné du doigt une pharmacie. Il s'est arrêté, elle est

217

descendue et elle est revenue quelques minutes plus tard, avec un petit sac blanc. Il a su tout de suite que ce n'était pas un achat banal. Il a imaginé que s'il pouvait ouvrir ce sac, il comprendrait tout. Il a imaginé. Il a tout imaginé. Y compris une haine simulée, entre elle et Nils, pour l'attirer, lui, plus sûrement vers eux, et Nils serait un espion, et Sheena sa complice. Et il serait, lui, pris entre les deux pinces de la tenaille, avec cette affection de Nils d'un côté et, de l'autre, cet amour promis par Sheena.

Il n'en sortirait peut-être plus jamais. Il pensait à ses deux filles et à son fils. Personne ne s'inquiétait, sans doute. Pas encore. On mettait cette disparition sur le compte des chimères, des lubies de l'artiste. Mais s'il ne s'en sortait plus? S'il ne pouvait physiquement rentrer en France? Si, plus grave, il n'avait plus envie de rentrer? S'il ne pouvait plus se passer de ce jeu de questions sans réponses et de mystères entrevus, entrouverts et aussitôt voilés. La nuit tomberait peu à peu, reviendrait à ses heures habituelles, le soleil se coucherait et les brumes envelopperaient l'île dès la fin août, au crépuscule. Il y aurait enfin des crépuscules. La nuit, les maisons de l'île seraient allumées, Kerstin à son piano, et on saurait ainsi qui dormait, qui veillait. Et lui, il veillerait dans son moulin. Attendant qui? Quoi? Attendant pour le plaisir, prisonnier de nostalgies ininterrompues?

Pas plus de trente kilomètres. Il reconnaissait la route. Ils étaient à l'heure. Monsieur Arne Sjöberg serait au port. Soudain, Sheena se mit à parler de nouveau, très vite, les dents serrées, comme si elle avait décidé de tout dire en trente kilomètres. Il se souvient mal, aujourd'hui. Il ne sait plus ce qui a été dit là, et à un autre moment, ou ce qu'il savait déjà, pressentait, et dont il avait confirmation. Il n'est pas sûr de tous les mots. Il entend la voix de Sheena, après tant de mois, beaucoup moins qu'il ne sent le parfum de sa bouche, de son souffle.

— Il m'a aimée un an. Comme épouse. Peut-être deux. Il m'avait trop aimée avant, quand j'étais sa petite fille, sa jeune fille. Je suis devenue sa femme dans son lit et il s'est aperçu que j'étais un corps comme celui de toutes ses maîtresses. Il m'avait aimée pour que je cesse de lui échapper. Surtout, je le privais de tous ces corps passés et futurs. J'avais dit oui, j'avais fait pleurer maman à une condition absolue : il n'aurait d'autre femme que moi. Et cela, il ne le pouvait pas. Il a dit oui, pour avoir la paix. Il n'en pensait pas un mot. La guerre a commencé, entre nous. Nous n'en parlions pas. Je savais tout, sur ses maîtresses. Il me mentait sans arrêt, en prenant des mines d'enfant sournois. Je ne disais rien. Je m'enfermais. Il avait plus de deux fois mon âge. Il esquintait ma vie, lentement, méthodiquement. Il ne pouvait même plus me caresser. Il ne cherchait même plus à dissimuler que je n'étais pas une grande comédienne. Il m'enfonçait. Il me disait que j'étais laide. Je me débattais, au théâtre, j'étais fière, pourtant, de lui annoncer, à lui en premier, que j'avais obtenu un bon rôle. Il était heureux, lui, le premier, de lire les mauvaises critiques sur moi. Ou le silence, le pire silence sur moi, comme si j'avais à peine essuyé la scène du théâtre.

« J'ai commis une seule faute, mais irréparable. Du jour où nous avons habité ensemble, je l'ai jugé, et je ne l'ai pas admiré. Il a besoin de gens à ses pieds parce qu'il se sait très en dessous de la vie qu'il espérait. Je ne l'ai pas pris au sérieux quand il a été nommé ministre, en 1960. Il a travaillé comme un fou, pendant ces sept ans. J'ai critiqué ses discours et son action, ses hypocrisies de bibliothécaire supérieur, son genre " culture pour tous ", parce que je savais qu'il n'en croyait pas un mot.

« La guerre a duré dix ans, sans une scène, sans rien. Du feutre mou, de la comédie froide, chacun attendant que l'autre se découvre. Nous ne parlions de rien. Lily grandissait entre nous. Moi, j'avais grandi comme elle, mais entre les cris de ma mère et de Nils, et les portes qui claquaient, et les départs pour l'étranger, les valises bouclées en cinq minutes, les retours inopinés, les baisers. Mais, pour moi, c'était le silence. Lily a parlé tard, a mangé tard, n'a pas eu d'amis. Le piano, d'abord, des heures, puis le cello, des heures. Nils l'écoutait, dans son bureau, ouvert sur le salon, et disait de temps en temps : " Très bien, Lily ! " Il passait près de moi et allait se coucher. Il ne me voyait même plus.

« Je savais à peu près tout, par des amies, de ses bonnes amies. N'importe quoi. Comédiennes ou secrétaires, épouses de diplomates, épouses de militants, institutrices, beaucoup de gynécologues, qui, après l'amour, lui parlaient encore des femmes. Ma gynécologue, ma grande amie Eva. Très amusant, n'est-ce pas?

« Une nuit, cela a éclaté. Il venait de quitter le ministère, où Olof Palme le remplacerait. On lui donnait l'ambassade à Paris pour l'éloigner, car il les énervait déjà, au parti. Il était seul avec moi, un dimanche d'hiver, par — 30 dehors. Il ne savait plus quoi faire. Il avait mis sa grosse veste écossaise bleu et vert. Paris ne m'amusait pas. Mais je préférais encore le suivre que de rester à Stockholm sans savoir pourquoi, sans avoir tout éclairci entre nous. En fait, j'hésitais.

« J'ai attaqué. J'ai été féroce comme une nuée de mouches sur un blessé. Je lui ai dit : " Tu es furieux d'abandonner ici tes maîtresses. Il va falloir en chercher d'autres à Paris. Tu n'es plus jeune. Tes maîtresses d'ici le disent à qui veut l'entendre. Tes performances sont critiquées, jugées faibles, ou très moyennes, mon cher, très moyennes. Tu n'as déjà plus grand monde ici. A Paris, on ne t'a pas attendu. Qu'est-ce que c'est qu'un ambassadeur inconnu? Un petit fonctionnaire social-démocrate chargé d'exporter notre modèle de société et nos roulements à billes. Pas beaucoup d'argent pour les réceptions. Tu seras entre ton collègue yougoslave et ton collègue argentin : pas très intéressant pour les dames. A moins que tu n'aies déjà prévu quelque chose? Tu as acheté un carnet d'adresses spéciales? Tu emmènes tes secrétaires? "

« J'ai continué peut-être deux heures comme ça. Il buvait lentement son thé. Il regardait le tapis.

« — Tu as fini? m'a-t-il dit.

« — Si tu veux, pour cette fois. Mais tu répondras. Ou alors je te quitte.

« — Bien. Alors, viens et écoute.

« Il est allé dans son bureau. Il a ouvert un carnet, enfermé à clef dans un classeur métallique.

« — Voici un carnet. Prends l'écouteur.

« Il a composé un numéro de téléphone. Il a dit Allô Ulla. Et elle le suivait déjà, elle l'attendait. Il a dit je te rappelle, je t'aime, je te rappelle. Il a raccroché. Il a composé un autre numéro. Il a dit Allô Margaretha. Elle était aussi bien disposée. Il a appelé des Ingrid, des Lena, des Christina, des Johanna, des Astrid, des Inger, une Fanny... Il n'arrêtait pas. Appel. Charme. Clac. J'avais dans l'oreille les voix pâmées de ces femmes qui s'ennuyaient, un dimanche froid. Il a donné des détails, parfois... Il leur a parlé de moi, parfois. Il a dit qu'il n'en pouvait plus, sans celle-ci, sans celle-là, qu'il était malheureux, malade, sans toi, Victoria, sans toi, Micaela, sans Mona, sans Bibi, sans Magda, sans Linda, sans Vera, sans Cecilia, à qui il a parlé de ses seins énormes, sans cette autre Kerstin qu'il avait traitée, la dernière fois, d'"araignée" mais il avait réfléchi, depuis, et il aimait bien les araignées roses sur lui...

Sheena Norrenlind ne pouvait plus parler. La camionnette militaire italienne était en vue du port. Elle s'est à nouveau plongée dans ses cheveux, et il s'est tu. Il s'est occupé de ranger le véhicule convenablement. Monsieur Arne Sjöberg les attendait en sifflotant, et regardait ailleurs, ostensiblement, comme s'il avait été un bateau-taxi.

Ils sont montés, après avoir jeté leurs sacs au fond du roof.

Ils étaient épuisés tous les deux. Sheena a dit qu'elle était malade, vraiment malade. Monsieur Arne Sjöberg a répondu qu'il y avait un bon vent et qu'il allait hisser la voile. Le Français pouvait diablement l'aider, dans cette merde d'histoire de hisser une aussi lourde voile d'un foutu coton australien; au moins australien. Le Français a aidé. Le bateau filait, maintenant, comme un gros canard ventru sur la mer grise, vers Yxsund. Monsieur Arne Sjöberg a chevauché la barre, la grosse longue barre sous sa braguette, il a allumé sa pipe, en expliquant qu'ils n'en avaient que pour quarante minutes, avec ce diable de vent béni de Santa Birgitta.

Le Français a pensé qu'il n'y avait pas eu de Birgitta, au téléphone de Nils.

Il connaissait déjà la scène, version Nils. C'est pourquoi cela avait été si affreux, d'écouter Sheena. Nils lui avait dit un jour, à lui, et en riant comme un fou :

— *J'vais* te dire, *gentil tambour*, j'ai un truc épatant. Les femmes, les poules, les filles, je change tout de suite leurs noms. Je les change de noms. Je les débaptise et les rebaptise comme des rues. Je dis à Veronica que je préfère, pour elle, Gunilla, tout bien réfléchi. J'explique pourquoi. Elle est flattée, distinguée dans le troupeau. Elle endosse son nouveau nom comme un manteau neuf. Quand je l'appelle, je suis seul au monde à l'appeler Gunilla. Tu vois d'ici la secousse électrique? Délicieuse! Tu vois?

Le bateau roulait en grondant comme un camion, tous feux allumés. Le Français avait fait ce que souhaitait Monsieur Arne Sjöberg. Il avait établi la voile, pompé la pompe de cale, préparé les défenses à tribord pour l'accostage dans l'île. Monsieur Arne Sjöberg ne bougeait pas, chevauchant sa barre. Sheena était allongée sur la couchette de bâbord. Le Français descendit, en se baissant, pour la regarder. Elle dormait. Elle tenait son petit sac blanc de pharmacie dans la main gauche; le petit sac frôlait le caillebotis d'acajou. La cabine sentait la cire chaude, le suif de calfatage, le fromage de brebis, aussi, que Monsieur Arne Sjöberg avait dû vendre au port, en disant qu'ils étaient les fromages préférés de Mme Sheena Norrenlind. « Achetez les fromages de Sheena! »

Le Français s'étendit à son tour, sur l'autre couchette de toile écrue. Il vit la mine réprobatrice de Monsieur Arne Sjöberg. Ils se faisaient naviguer, tous les deux, par ce silencieux gondolier de la Baltique.

Ils arrivaient. Monsieur Arne Sjöberg s'agitait bruyamment, au-dessus de la cabine, lâchait la barre, revenait, la reprenait, comme s'il s'était agi d'un abordage périlleux, inédit, mais qu'il voulait réussir tout seul. Sheena ouvrit enfin les yeux. « On arrive? » demanda-t-elle. « Oui », dit-il.

Il se leva et l'aida à se lever. Elle se rassembla, comme un mauvais paquet. Il lui demanda enfin, à voix basse :

— Et Lily, dans votre histoire?

— Lily, répondit-elle aussitôt, c'est un autre chapitre, mon chéri.

DEUXIÈME PARTIE

X

Je commence cette deuxième partie le 21 août 1980, dans le
silence absolu de ma maison varoise, sans un souffle de vent, à
midi, par un soleil très chaud. Je suis entièrement nu devant
ma table. Je n'ai jamais écrit ainsi. Mes mains, crispées sur le
stylo et sur le papier, sont déjà humides. En tournant
légèrement ma tête vers la droite, j'aperçois, par l'entrebâil-
lement des volets à demi clos, le gravier gris et rose, un olivier
qui plie déjà sous les petits fruits durs, un pan de muret de
pierres brunes, ocre, une touffe de verveines violettes, qui
souffrent, qui s'inclinent, qui attendent un peu d'eau, j'irai
tout à l'heure, un coin de piscine, de ce bleu trop bleu, le
skimmer numéro 2, celui qui aspire le mieux les guêpes
étourdies, une bordure de romarin épais comme une fourrure;
au fond, la colline de chênes verts, montant jusqu'à rejoindre
le ciel, qui me renvoie à ma page.

Qui n'envierait ma chance! Seul maître à bord de mon
roman, « dans ce décor fait pour la création », comme disent
les dames du soir, là-bas, à Saint-Tropez.

Mais je suis monté au village, ce matin. J'ai pris les journaux.
J'ai vu, à la une du *Matin*, cette grande photo des ouvriers
grévistes polonais à genoux, au-dessous du titre :

POLOGNE
La prière des grévistes

Je n'ai à peu près rien fait d'autre, ce matin, que lire tout ce
qu'il y avait à lire sur la Pologne de ces jours. J'ai découpé cette

photo, avec un soin minutieux. Je l'ai collée sur une double page du cahier où je note mes projets et esquisses. J'ai disposé le cahier bleu, maintenu en place par quelques livres, dans le renfoncement ombreux de mon bureau de notaire provençal. Le papier journal entouré de papier collant luit comme une icône. Du moins, je veux qu'il en soit ainsi. Cette photo ne me quittera plus jusqu'à la fin de ce livre. Elle m'éclairera. Comme une icône ou comme, c'est la même chose, la photo de la femme aimée que le prisonnier a collée au mur de sa cellule, et devant laquelle il mastique, lentement, des années. Comme le compas sous le nez du marin, le tableau de marche sous celui du camionneur, le cadran lumineux devant l'employé du tri postal, les écrans des aiguilleurs du ciel, ou, devant les infirmières, les *monitors* des bébés prématurés mis en couveuses... Tous ceux qui veillent pour que vivent ceux qui vont vivre. Voici des centaines — la photo du chantier Lénine à Gdansk est à l'infini —, des milliers de grévistes à genoux sur leur lieu de travail. Quatre d'entre eux sont au premier plan. A gauche, un jeune aux cheveux très noirs, grand, se tient tout droit sur ses deux genoux, les mains jointes. Son visage est clair, déterminé. Il peut avoir vingt-cinq ans. A côté de lui, un genou à terre, l'autre à demi ployé, un ouvrier un peu plus jeune regarde le photographe et semble plutôt apeuré; en tout cas distrait dans sa prière. Ses mains sont jointes de façon plus souple, détournées sur la jambe droite. Près de lui, un ouvrier plus âgé. Difficile à dire. Pas moins de trente-cinq ans. Mais peut-être quinze de plus. Il est en combinaison, le col ouvert. Sur sa poche, un écusson indiscernable et un grand N. C'est un visage extraordinaire de beauté, de tension. Le front est haut, les cheveux sans doute blonds, en arrière et longs. J'aimerais connaître son prénom. J'aimerais connaître tout de lui. Les yeux sont enfoncés profondément sous les sourcils, les commissures des lèvres tombent, comme si le dégoût, le scepticisme l'emportaient sur le courage et l'espoir. Cet homme a bien pesé les risques de son geste. Il a fait le tour de son monde, et puis il est revenu là, comme le cheval d'une noria soudain buté, à bout de souffle. Il a joint ses mains dont on voit les longs doigts. J'isole cet homme des autres, avec mes doigts à moi, je cache, je détoure, je re-cadre. Je le vois devant un piano. Il ressemble soudain à Wilhelm Kempf jeune. Les yeux baissés,

226

on peut croire qu'il commence le plus douloureux adagio de Beethoven et se sent, comme tous les grands, indigne de le jouer.

Il me renvoie à ma propre indignité. Qui suis-je et qu'ai-je fait pour mériter d'être à ma place enviable d'écrivain nanti, seul mais nanti, malheureux en tout mais ici, n'aimant plus qu'écrire ce livre, rivé au papier, mais libre de le laisser et de plonger dans la piscine?

Qu'a fait, qui est cet homme? Comment s'appelle-t-il? Il a des enfants beaux comme lui et une femme inquiète, dans leur logement. Il s'appelle Miroslav, ou bien Witold. Peut-être Stefan, comme un de mes amis, musicologue, à Cracovie, et il doit avoir la même voix douce, plaintive, mais être aussi capable de crier et de former un poing de ses longs doigts serrés, après la prière.

Je n'avais jamais écrit, de toute ma vie, le nom de Gdansk. Je savais à peine où était Gdansk, lorsque Nils Söderhamn m'a parlé, en juillet 78, de cette Pologne, prête, selon lui, à « faire éclater le bloc soviétique ». J'avais presque oublié; jusqu'au moment d'écrire ces pages, il y a deux mois maintenant, que vous avez lues, ici, au chapitre VIII, et auxquelles je ne toucherai plus. Si grand est le découragement du romancier qui écrit, aligne ses pages chaque jour sans savoir comment tout cela se terminera. Si grand est mon désarroi, assuré que je suis de ne pas savoir si j'écris, ou non, un livre qui vaille quelque chose. Si grande est la tentation de tout planter là et d'écrire plutôt une babiole à succès et qui, au moins, m'amuserait. Si grand mon effroi devant cette entreprise sans doute au-dessus de mes capacités habituelles... Si j'étais digne d'écrire ce livre, je le sentirais, un moment ou un autre. Si j'avais le souffle indispensable, la force, la hauteur, je l'aurais montré plus tôt, dans un de mes ouvrages précédents. Ce qui n'est pas.

Je me serais peut-être arrêté, ce matin, mis en vacances. Il ne manque pas de distractions, dans ce pays, sur ces collines, le long de ces routes et de ces plages, à quelques kilomètres d'ici. Quel est le prénom de cette jolie Viennoise, entrevue l'autre soir, qui m'a parlé d'un de mes romans, de Schubert et de Vienne? Elle habite une villa « les pieds dans l'eau, c'est ce qui plaît à mon mari » (et un grand sourire pour indiquer cet imperceptible désaccord), mais elle partait pour Salzbourg, pour la musique. Ou bien est-elle déjà revenue...

Je me serais arrêté sans le secours de cette photo. Qui m'empêche de boire, de manger, d'aller ouvrir mes volets, d'aller nager dans mon eau bleue. Si je poursuis, c'est pour ces milliers d'yeux baissés, de mains jointes, d'yeux levés vers nous. Vous ne pouvez pas avoir manqué cette photo. Vous en avez vu d'autres. Moi aussi. Je parle de celle-ci, de celle-ci spécialement. Souvenez-vous. Ne me dites pas que je m'emporte, que c'est une grève et pas une révolution, que je ferais mieux d'aller, pour une schubertiade...

Quand je regarde la photo des ouvriers en prière, au chantier Lénine de Gdansk, comment voulez-vous que j'oublie notre prière, celle de Nils et la mienne, à laquelle se joignit Monsieur Arne Sjöberg, pour les vaillants Polonais, notre prière de juillet 78, telle que je l'ai dite ici au chapitre VIII. Il y a maintenant plusieurs heures que je ne peux me détacher de cette photo au point que je crois voir les regards tourner et les lèvres bouger et que je perçois, de cette immobilité hypnotique, le lent balancement d'avant en arrière, la rumeur, les toux sèches répercutées comme par les murs d'une cathédrale tandis qu'au loin, la voix de l'un d'eux répète le *Libera nos...* de la prière au Père. Et nous, Nils, Monsieur Arne Sjöberg et moi, de l'autre côté de la Baltique, à la pointe ou à l'entre-croisement, je ne sais plus, d'un de ces triangles, vérifiez, je n'ai pas le temps, un de ces deux triangles que Nils avait indiqués sur sa carte plastifiée, nous, nous regardons cette foule, peut-être l'avons-nous appelée, de notre petit coin de bruyères d'Yxsund, et elle nous répond, deux ans après, peut-être Nils savait-il tout ce qui allait arriver, et il le savait à coup sûr, au point d'avoir aidé à susciter, ou d'avoir tenté de susciter, pour savoir... Comment savoir?

Je m'en veux. Je me souviens, un soir, comme il venait encore de me dicter, en parlant si vite que je ne comprenais plus rien — et il s'impatientait et continuait encore plus vite en suédois, ou bien dans son anglais oxonien, suprêmement agaçant —, des tas de noms polonais, des chiffres, des effectifs syndicaux, des noms de prêtres, d'écrivains, des renseignements militaires sur les troupes soviétiques stationnées en Pologne et en Allemagne de l'Est, j'ai fini par placer une plaisanterie. A la fois pour le détendre, me reposer et dire aussi, un peu, ce que j'avais bien le droit de penser. Sinon, le magnétophone n'avait qu'à tourner tout seul.

— Tu te souviens, dans Proust, cet ambassadeur, M. de Norpois? ai-je demandé.

— Parfaitement. Le grotesque. Qu'est-ce que tu veux dire?

— Ne te fâche pas, Nils. Je ne compare pas. Mais c'est Norpois qui répète dans les réceptions, aux gens qui passent : « La Chine m'inquiète! »

— Et alors?

Il me regarda d'un air terrifiant.

— François, dans ton intérêt, il vaut mieux que tu arrêtes là ta comparaison déplacée. Sinon, j'ai le moyen de t'envoyer dans une usine de la Baltique polonaise. Il ne te sera fait aucun mal. Je t'obtiendrai une protection très rapprochée. Tu y resteras le temps d'être convaincu. Continuons, veux-tu? Je continue.

Je n'insistai pas. N'empêche. C'était plus qu'une taquinerie que je rengainais. Je ne pouvais pas ne pas voir sur Nils ce petit côté ambassadeur récemment retiré de tout, mais toujours prompt à lancer des fusées, dans les dîners, paradoxales, brillantes un bref moment, et puis on enchaîne sur une anecdote. Je peux le dire franchement. Quand j'ai écrit les pages que j'ai écrites, j'ai fait ce que j'avais à faire, honnête scribe, rapportant les propos de mon hôte, en m'inspirant de ses notes, et vérifiant soigneusement les noms de ces ports baltes sur ma carte Hallwag. C'est là que j'ai vu, pour la première fois de ma vie, le mot magique de Dantzig écrit sous Gdansk. Et Nils n'avait pas, il est vrai, prononcé le nom de Gdansk. Il avait insisté plutôt sur Puck, délicieux nom pour un port, à quelques kilomètres au nord-ouest de Gdansk. J'ai copié, transcrit, aveugle. Je ne croyais à rien de tout cela. J'écrivais parce que Nils gueulait dans le micro du magnétophone et dans ma mémoire. Je ne voyais aucune foi catholique polonaise capable de soulever la machine communiste polonaise asservie à Moscou. J'avais même souri quand Nils m'avait parlé de la Vierge Noire du sanctuaire de

Czestochowa, la vieille icône d'argent brûlé, la vieille et sainte Vierge noircie par les Suédois lors de je ne sais plus quelle guerre. Quand Nils parlait de la Vierge Noire, c'était avec plus de respect et de crainte que de tout l'or, et de tout le pétrole, de tout l'uranium du monde. Il m'apprit que le gouverneur général nazi de la Pologne, Frank, pendant la guerre, avait supporté le catholicisme polonais, composé avec lui, mais que, sur ordre du Führer, il avait interdit toute apparition en public de la fabuleuse image, dont chaque ouvrier, dont chaque mineur de sel ou de charbon, en Pologne, possédait dans son havresac une reproduction sur carton bouilli, fendue. Il me dit, textuellement, et cette phrase se trouve dans le livre de Nils, il faut bien que je la dise ici exactement : « Le jour où la Vierge Noire éclairera la Pologne, l'Occident retiendra son souffle et toutes les tractations diplomatiques, les réseaux, les pactes officiels ou occultes, les Bourses et les armées passeront un sale quart d'heure. La guerre devenue possible. On verra alors qu'il s'agit d'une guerre traditionnelle. Les armes ont changé. Les neutrons ne sont pas des mousquets. Mais les âmes seront médiévales. »

Je n'écris pas tout cela aveuglément. La nuit est tombée. Oui, j'ai fini par me rafraîchir, si vous craignez pour moi. Les grillons trillent sous les brumes. Un chien, obstinément, aboie et s'amuse, peut-être, à écouter son écho renvoyé par les collines des Maures. Moi, j'écoute, toutes les heures, les nouvelles de Pologne, dans toutes les langues que je peux entendre. J'apprends qu'un vice-ministre du gouvernement polonais s'entremet et compose, à son tour, comme le sinistre Frank nazi. J'essaie de faire un peu le ménage de la raison en moi-même.

Je me vois courir après l'histoire de Nils, tandis que ses prévisions semblent de plus en plus exactes. Aujourd'hui la Pologne. Demain, une Vierge brésilienne soulèvera les populations du Nordeste. Et je me retrouverai, la plume ballante. Au Brésil comme à Gdansk, les hommes seront debout contre les gouvernements accusés de collusion avec le capitalisme pour briser les travailleurs. Là, et là, chaque fois, le sursaut se fera à l'abri et sur commande de la Foi. C'est bien ce que Nils m'a enseigné

Et je dois faire, moi, Français, fils autant de Diderot que de Pascal, la part de la Foi. Car la Foi aveugle. En Iran par exemple. Et le retour du sacré, du biblique, de l'irrationnel, des plus vagues métaphysiques aux plus obscurs métapsychismes, recouvre, ces temps derniers, en Occident, beaucoup d'errements dangereux. L'effondrement des illusions marxistes, la vanité des pragmatismes font place d'abord à un à quoi bon, puis à un sursaut d'encens qui sent le soufre. Bientôt : la poix fumante des bûchers. Je n'ai jamais donné dans ce panneau commode. J'ai aimé la nuit obscure, jamais l'obscurantisme romanticard, drapé, des nouvelles élites blondes. J'ai aimé la nuit pour la déchiffrer. Point pour m'y abîmer en sanglotant des incohérences.

L'odeur maigre de la mer m'a repris, qui laisse place à toutes les senteurs subtiles, chaque heure différentes, renouvelées, comme si notre île se déplaçait à leur recherche. Je découvre que les rochers-hippopotames de la côte ouest ne sont plus gris, ni bleutés, depuis peu, mais rosissent. Monsieur Arne Sjöberg m'apprend des noms de touffes, comme ce *brudbröd* blanc, qui signifie « pain de la mariée ». Il plaisante : « Cette herbe-là, je ne risque pas d'avoir à m'en servir! » Il vient souvent me regarder peindre mes fenêtres. Il me complimente pour mon coup de pinceau, qui, de fait, devient assez fort. Lui, ne se sépare jamais d'un grand pot de *tjära*, plein d'un épais goudron noir pour calfater les bateaux. Comme la flottille est impeccable et qu'on ne peut ajouter indéfiniment des couches, et comme il adore cette odeur, il s'arrange pour en fourrer un peu partout, au bas d'un pin, à la pointe d'une roche, aux angles de murets de pierres sèches, sur le trajet d'une colonne de fourmis rouges, devant un trou d'eau croupie, pleine de jolis moustiques. Monsieur Arne Sjöberg est, avec son *tjära* ambulant, comme un chien qui marque, en pissant, son territoire, et correspond avec le reste de la Nature. Cet onguent unique, détourné de sa vraie fonction, devient engrais, couleur-signal, désherbant, insecticide. S'il était infirmier, Monsieur Arne Sjöberg en barbouillerait les plaies de ses blessés. Peut-être, même, comme fortifiant, tonique, révulsif...

Quand notre conversation se prolonge trop, selon son goût, ou lorsqu'il a à me dire des choses trop difficiles pour notre pauvre langage commun, il me quitte, abrupt, en faisant claquer ses doigts à son œil droit, comme s'il se souvenait soudain d'une tâche urgente que le Français bavard allait lui faire oublier.

Mais il a vu, le plus souvent, Nils s'approcher. Il ne veut pas nous déranger. Il est jaloux, aussi, de cette langue à nous que nous parlons si vite et dont il ne connaît qu'un seul mot, le mot *monsieur*. Nils et moi avons souvent essayé de lui apprendre à dire eau, poisson, soleil, lune. Chaque fois, il a ri en découvrant ses grandes dents et a répété : *musik, musik!* et il a refusé de prononcer un seul de nos mots français. Pour se venger, un soir, il est allé cueillir une pleine brassée de hautes fleurs bleues, grasses comme des lupins et légères comme des mufliers. Il me les a montrées en criant leur nom suédois, dont Nils ne connaissait pas l'équivalent. Puis, il m'a désigné Lily qui passait, m'a tendu la brassée et m'a montré que je devais aller la lui offrir. Nils regardait ailleurs, en chantonnant, comme toujours dans ces cas-là. Je n'ai pas osé obéir à Monsieur Arne Sjöberg qui a haussé les épaules. A la fin, il a offert lui-même les fleurs, en nous désignant à Lily, tous deux, Nils et moi, comme étant les donateurs. Si nos vies, à nous tous, sur cette île, pouvaient être gouvernées par Monsieur Arne Sjöberg, il les rendrait transparentes comme la mer.

Hélas, Nils est dans un de ses jours de sarcasme et il m'attaque :

— Alors, pas eu moyen de te taper ma femme, hein, l'autre jour à Stockholm? Pourtant, quelle occasion! Quelle belle journée! Il paraît que vous êtes allés au cinéma, comme des pensionnaires!

— Nils, je t'en prie!

— Mais non, mais non, je ne comprends pas! Pas même essayé de la soûler?

— Non. Bière légère uniquement. Sheena y tenait. Elle avait raison. Je bois trop d'aquavit avec toi. J'adore ça et j'abuse.

— D'abord, cela te fait moins de mal que votre sale vin

rouge parisien de tous les jours. Ensuite, je te dirai la phrase fameuse d'un de nos députés, en pleine session de 1817, si je me souviens bien : « L'aquavit fait partie du climat de la Suède! » Note bien qu'il s'agissait d'un député du clergé. Après quoi, nous avons eu les ligues de tempérance, qui ont engendré l'alcoolisme pire : l'hypocrite, le petit coup en douce. Vous autres, vous mourez de cirrhose; nous, d'hypocrisie. C'est une contraction diffuse des bronches.

— Quoi?

— Je ne plaisante pas. On en meurt parce qu'on n'arrive plus à respirer... C'est pour ça que je te parle si librement de coucher avec ma femme. C'est aussi parce que Lily m'énerve, me boude, me refuse, me regarde à peine. François! Que lui ai-je fait?

C'était fini, le sarcasme. Il redevenait douloureux, comme au premier jour. Il ne pouvait aimer qu'un être au monde, Lily, et il voulait l'aimer au grand jour de l'île, devant Kerstin et devant Sheena. J'étais, là aussi, dans ses plans : cela l'arrangeait si je prenais Sheena. Je libérais une case dans son jeu d'enfant gâté. Je dis cela de façon boulevardière, exprès, pour voir clair. En sachant que ce n'est pas si simple... Il nous avait mis tous deux, lui et moi, dans un état de rêve et de frénésie cachée. Nous étions ligotés, condamnés à « en parler » sans cesse, tournant d'un côté à l'autre de l'île, y revenant, regardant passer nos femmes rayonnantes, muettes, exaltées parfois, à nouveau froides, glacées.

— Je ne vois pas où nous allons, dis-je.

— Moi si. Très bien. Tu verras. Ce ne sera plus très long.

— Nous ferions mieux de terminer le livre. Ce serait cela de fait, d'utile. Cela, au moins, nous rendrait heureux et ne nous diviserait pas.

— Mais sommes-nous divisés, François? Nous sommes ensemble jusqu'au bout. Je te taquine, ou bien je m'énerve contre toi, quand j'ai trop bu. C'est tout. Toi aussi, j'ai remarqué... Tu aimes bien l'aquavit, hein?

— Oui, oui. Je sais que je l'aimais déjà autrefois, à mes premiers séjours. Maintenant, je vis dans son parfum. Quand je serai de retour en France, si j'en ouvre une bouteille, j'aurai la nostalgie de...

— Tu « nostalgeras ». N'aie pas peur. Dis ça!

Alors, nous reprenions nos propos d'ivrognes sobres. Les pires. Nous « en » parlions, des différences entre la danoise, la norvégienne, la finlandaise et la suédoise, celle où le grain était plus fin, celle où les herbes étaient plus fortes, celle qui, à peine décapsulée, vous éclatait au nez, celle qui s'insinuait plus subtilement entre la lèvre et le palais. Nous parlions de cet alcool fruste comme des plus élaborées des fines Champagne. Nous aimions ainsi perdre notre temps et notre salive, en attendant mieux. Mais nous finissions toujours par aller dans la maison de Nils. Le travail reprenait alors.

Un matin, très tôt, nous avons entendu le fracas d'un énorme hélicoptère s'abattre devant l'île. Nous sommes tous sortis. Il était vert sauterelle et s'était posé sur ses deux boudins gris. C'était un appareil officiel de la Protection maritime ou quelque chose d'approchant. Deux sous-officiers en sont sortis et Nils les a reçus. On venait pour nous installer, au nord, une bouée-tourelle sonore. Jusqu'ici, il y avait seulement un amer, un cône noir. On le laissait. Il figurait sur les cartes. On allait seulement lui donner un coup de peinture. Monsieur Arne Sjöberg se proposa aussitôt. Les deux sous-officiers débarquèrent alors un engin de près de deux mètres de haut, lesté de béton et de chaînes, qu'ils arrimèrent à la pointe nord, à quelques mètres à peine du moulin. C'était du tout neuf. Du bel acier suédois, un vrai petit phare, une sorte de gros catadioptre à tête de crapaud sur une tige féminine, muni d'un dispositif émetteur de sons très originaux, diaphones. L'opération ne dura pas une heure. Les deux hommes en posaient, dirent-ils, jusqu'à dix par jour. Indispensables, avec tous ces plaisanciers à la manque, qui louvoient entre les paquebots et les cailloux, s'enivrent à la barre et ne regardent même pas la carte.

A peine posé sur la mer, l'engin s'est mis à mugir, à la fois tragique et grotesque, au gré du vent, à intervalles rigoureusement irréguliers.

— Cela va être dur, ai-je dit, surtout pour moi!

Kerstin a prétendu que la sonorité était noble comme des orgues lointaines. Nils m'a regardé. Il savait ce que je pensais.

Tout cela était lié au Bunker. Il a pris la parole d'une petite voix sèche, que je ne lui connaissais pas. On lui a répondu que c'étaient les ordres. On lui a tendu un papier à signer. L'inspection serait mensuelle en été, bi-mensuelle en hiver, sauf en période de glaces.

Ils ont disparu. Nous sommes restés, tous les six, à la pointe nord, autour de mon moulin, à écouter les « Ouhou-Tuuu! » et à essayer de les prévoir. C'était, comme je l'ai dit, épouvantable, mais on avait aussi la possibilité de rire. L'île a ri, en réponse, l'île a chanté, Lily est allée chercher son cello et a joué quelques petites broderies espiègles sur ce thème lancinant.

Je me suis souvenu de pareils engins, dans la Manche, entre Granville et Jersey, quand je naviguais avec mes amis. Comme il y avait longtemps! J'ai commencé à raconter. Kerstin a dit que ce serait passionnant d'écouter mon expérience si nous étions tous autour d'une table. Nous sommes allés dans La Principale. Cela s'imposait. Nous avons mangé des poissons fumés, du jambon, des fruits et bu du lait sur.

Kerstin présidait tout naturellement la table, face à Nils. Sheena, Lily, Monsieur Arne Sjöberg et moi étions les enfants sages. J'avais le droit de raconter. Je m'excusai aussitôt :

— Ce n'est pas une histoire. C'est un souvenir, confus et qui ne touche que moi...

— Nous avons l'habitude, dit Kerstin. Nils a passé sa vie à nous raconter des souvenirs confus. Il les change un peu. Il se fait des surprises. Cela ne s'appelle pas mentir, ni même inventer. Il a peur d'ennuyer. C'est pour cela qu'il change. J'espère que vous faites ainsi, tous les deux, dans votre fameux livre. François, raconte comme tu veux! Change, si tu as peur d'ennuyer...

Cela devenait une immense affaire. Je n'avais rien à dire. Je le dis le plus longuement possible, avec cent détails. Nous naviguions, nous quatre, deux femmes, deux hommes. Nous mangions ceci, cela, il y avait un bon vent de près, je barrais, je bordais le foc, serré, jamais assez, et mon ami devait toujours donner un tour de plus. Nous avons laissé à tribord, une nuit, une de ces balises sonores rouges qui chantait sur la mer sa plainte affreuse, parfois changée, par une claque du vent, en un éclat de rire. Un peu plus loin, toujours à tribord, mais je n'en étais pas sûr, une autre balise lui répondait sur un ton plus grave, un mugissement de poète lançant ses imprécations en scène. Spontanément nous avons crié ensemble : « C'est Maria Casarès, c'est Alain Cuny! Ils jouent *la Danse de mort*! C'est elle! C'est lui! » Nous venions de voir le chef-d'œuvre de Strindberg avec ces deux grands comédiens à Chaillot. Il nous revenait des répliques, toutes ces bouffées de haine entre mari et femme, et nous les lancions approximativement sur la Manche. Bientôt, on n'entendit plus les balises. La haine restait entre nos deux couples, posée là. Mais nous nous aimions, à cette époque. Nous aimions nos femmes et nos femmes nous aimaient. Nous ne nous disputions que pour un pull-over de trop acheté à Jersey. Puis, le temps a passé...

Je me tus. Nils, après un silence, dit :

— Tu veux dire que vous vous êtes mis à vous haïr?

— Non! Oh non! Le temps a passé, voilà.

— Est-ce qu'il n'aurait pas mieux valu vous haïr, par exemple, comme Sheena et moi?

Il disait les choses ainsi, tranquillement, devant la mère et devant la fille, comme s'il avait constaté un changement dans la coiffure de sa femme, peut-être intéressant, en tout cas à discuter. J'ai dit :

— Nils, on ne choisit pas, on n'ordonne ni à l'amour, ni à la haine. Les choses se font, se défont, se refont parfois...

— Ce n'est pas vrai. Tu as une conception passive de la vie amoureuse.

— Peut-être.

Kerstin riait franchement. Je la regardai. Ses cheveux noirs coupés court. Ses petits yeux noir et or. Ses mains toujours en mouvement, passant et repassant devant une bouche ironique. Elle n'était pas grande. Elle se redressait. Elle riait. Elle se massait le dos. Elle n'ajouta rien. On vit bien qu'elle condamnait la « conception active » de Nils, mais qu'elle s'en moquait pas mal. Elle était au-dessus de ces choses, elle ne s'intéressait plus, ni à nous, ni à elle-même. Mais comme je me taisais, embarrassé, elle vint à mon secours :

— Nils a tort. Tu as raison, François. Quels que soient tes résultats dans le mariage. J'ai compris, depuis longtemps, qu'il faut être paresseux, silencieux, en amour, se laisser tranquilles l'un l'autre, fuir le combat. Il faut manger et travailler et regarder le soleil pendant toutes les heures où on pourrait se déchirer l'un l'autre. Il faut se dire qu'on est vivant, qu'on respire et que c'est beaucoup, déjà, de raisons pour remercier Dieu. Voilà ce que je pense. Tout le reste, ce ne sont que vos petites folies littéraires, théâtrales, et vous faites de l'amour comme de la politique, pour gagner. C'est pour cela que vous perdez toujours. J'ai vécu, moi, pour perdre. C'est pour cela que je suis si heureuse, aujourd'hui, avec vous, les poissons sur la table et le piano qui m'attend, ma sonate ouverte et Monsieur Arne Sjöberg qui écoute et qui ne comprend rien.

Elle éclata de rire, à nouveau. Elle entreprit de traduire ce qui venait d'être dit, pour Monsieur Arne Sjöberg. Il écouta en hochant la tête. A la fin, il approuva, bruyamment. Il se moucha. Il dit : « Juste, très juste! » Il prit la bouteille, se versa une rasade et dit : *Skål!*

— J'ajoute, reprit Kerstin, que cet August Strindberg, dont vous parlez toujours, était complètement fou. Ce n'est pas normal, de mener cette vie, et d'écrire ce qu'il a écrit. J'ai vu cette *Danse de mort*, une seule fois, il y a longtemps. Cela ne m'a pas plu. Vos écrivains sont malades et fiers de l'être. Vos fameux écrivains! Bach, Mozart, Beethoven, Schubert, Brahms, Bruckner, Mahler, Stravinski, Debussy, est-ce que ce sont des fous? Il n'y a pas de musicien fou. Tous des vies normales. Du travail. Des tristesses. Des amours plus ou moins heureuses. Et du travail. Quand un musicien a du mal dans sa tête, comme Schumann, ou comme *Monsieur* Maurice Ravel, il écrit de la mauvaise musique, s'en aperçoit et meurt. Bartok a fini très malheureux, mais il n'est pas devenu fou. Un de vos littérateurs, à sa place, aurait fait des crises et des crises! Et ce qu'il y a de mieux, quand on aime la musique, c'est d'économiser l'amour. C'est du temps gagné pour la musique. Tu entends, mon cher François?

Je dis à Nils :
— Est-ce qu'il n'était pas question de recevoir trois personnages de Stockholm, qui viennent pour le Bunker?
— Oui.
— Quand?
— Je ne sais pas.

— J'irai donc habiter La Principale?

— Oui. Il me semble que c'est ce qui avait été décidé. Cela te va?

— Absolument. Je dors assez mal, avec cet « Ouhou-Tuuu ».

— Mais, mon cher François, il fallait me le dire! Tout de suite! Tu es parfois trop timide, trop... réservé, voilà le mot! Installe-toi dès maintenant dans La Principale! Naturellement!

Il me regardait avec une sorte d'affection jouée, exagérée, un air de protection ironique, et je le détestais, quand il était ainsi. Et comme d'habitude, il le sentit et s'effondra aussitôt :

— Est-ce que tu t'es posé, toi, la question de mon sommeil? Sais-tu que je ne dors presque pas? Sais-tu que je ne pense pas à la multitude de gens, sur l'île, mais à ma solitude quand vous serez parti? Kerstin reprendra ses cours à Stockholm. Sheena ira faire son machin de télé. Lily retournera à son école, dans le château. Toi, je ne peux pas te garder éternellement. Tu partiras aussi, tes cassettes sous le bras, avec ce livre dont personne ne veut... Il y aura Monsieur Arne Sjöberg. Il y aura de longues soirées, nous deux. Sais-tu qu'il peut rester plusieurs heures en face de moi sans dire un mot. Il murmure, jure, mais il ne parle pas. Et il est bien heureux ainsi, avec moi, muet aussi. Mais au fond, ce n'est pas rigolo du tout! Alors, je lancerai des appels de radio-téléphone. J'appellerai des amis. Tous occupés. Des femmes. Pas envie de venir ici sous la pluie, le froid. Trop tard : il fallait m'appeler cet été, mon ange!

— Mais, Nils, je ne comprends pas : tu veux dire que tu comptes réellement ne plus bouger d'ici?

— Je compte, je compte! Je ferai ce qu'on me dira! Que compte faire la flotte soviétique? Tu le sais, toi? Moi pas. Que font les Polonais? Silence. Un jour, j'ai dit à une femme : « Si tu es propre, viens, je t'attends. » Elle m'a répondu : « Et si tu es sale? » Elle m'a raccroché au nez, mon cher. Tu sais qu'elles deviennent intenables! J'avais dit cela par pure provocation, crise d'humour subit, comme on se gratte. Elles ne supportent plus qu'on se gratte en s'amusant. Et les pays, est-ce que ce n'est pas pareil? Qui supporte qui? Jusqu'à quand? Prends la Pologne, par exemple... Suppose que la Pologne soit propre!

Je posai à nouveau ma question :

— Qui t'oblige à rester ici, Nils? Comment peux-tu abandonner le *Riksdag*? Qu'est-ce que tu me racontes? Qui commande? Qui te commande, par qui prétends-tu être bloqué ici?

— Je sais, je sais. Tu n'en démords pas. Tu veux absolument que je sois un espion, le maillon d'un réseau. Non. Je ne dépends que d'un seul homme. C'est lui qui me bloque ici. C'est aussi lui qui va te faire habiter La Principale.

— Comment cela?

— Eh bien, lorsque nos trois gaillards arriveront...

— Mais tu m'as dit, tout à l'heure, que je pouvais déménager sur-le-champ!

— Ah! Parce que c'est urgent? Ils ne sont pas arrivés. Ni même annoncés. Mais il te tarde, donc, d'être seul dans La Principale, avec Sheena et Lily? Alors, dis-le, et ne me casse pas les oreilles avec tes « Ouhou-Tuuuu »!

— Mais, Nils, ce sont les tiens! Je veux dire : les vôtres! Qu'est-ce que c'est que cet engin?

— Tais-toi. Déménage. Emménage. Cela ne me regarde pas. Fais-toi servir ton breakfast par Sheena les jours pairs et par Lily les jours impairs. Je m'en fous. J'ai du travail. Adieu, monsieur.

Il m'avait fait un salut à la Versailles. Il avait tourné les talons. Qu'est-ce que cela voulait dire, « un seul homme »? Je continuais à ne pas croire tout à fait à cette mystérieuse manigance affichée, proclamée. Il y avait une chose qui le dérangeait vraiment : que j'habite sous le toit de Sheena et de Lily. Le reste, il me semblait qu'il s'en moquait pas mal, en faisant des grosses mines furieuses pour me persuader du contraire.

Il revint vers moi.

— Fausse sortie, mon cher! Mais non! Je ne suis jamais fâché longtemps. C'est vrai que j'ai du travail. Et je considère comme légèrement injuste que tu ne fiches à peu près rien. Je dois préparer ma dictée de ce soir, et toi, tu finis de peindre tes fenêtres, c'est à peu près achevé... Mon Dieu! Qu'est-ce que je trouverai à te faire faire? Ah oui! Je sais; je te le dirai plus tard.

Attends! Je voulais encore te montrer quelque chose.

Il m'entraîna vers sa roseraie. Je pensai : il va m'apprendre à tailler, cela recommence, le deuxième, le troisième œil des rosiers... Mais il s'arrêta devant le petit banc de bois peint en bleu canard.

— Asseyons-nous trois minutes. Pas plus, dit-il.

Il se tut un instant. Nous étions assis comme j'étais assis, quelques semaines plus tôt, dans le Jardin du Roi, avec les « pensionnés », les mains posées bien à plat sur nos genoux.

— Tu vois, dit-il enfin, ce banc bleu, il ne faut pas le repeindre. C'est la seule partie de bois, sur toute l'île, qui ne réclame rien, et le bleu devient chaque année plus beau, plus riche, plus noir, plus vert, plus chantant, plus doux. C'est ici que j'ai caressé Sheena quand elle était une petite fille. Et puis Lily, quand elle était une petite fille. Les gestes ont été les mêmes, et les mots aussi, et les soupirs. J'ai eu ces deux enfants sur mes genoux, à vingt ans de distance, et j'ai dit : « Tu es mon bébé, mon abeille, mon bandit, ma petite tarte de Noël » et elles répondaient : « Oui, oui ! » et on se chatouillait le cou, et elles sentaient bon, la transpiration d'enfant, le talc et un peu aussi le lapin sauvage, parce qu'elles se fourraient le nez dans les buissons, à quatre pattes. Je n'ai jamais eu d'amours plus violentes, et par conséquent plus pures. L'amour, le seul, ici, sur ce banc. Je l'appelle, pour moi — je ne le leur ai pas dit, ni à l'une, ni à l'autre — le *banc-berceuse*. C'est là que je disais à Sheena, sans la gronder, que sa mère avait raison, et moi tort : qu'elle devait aller se coucher, et je promettais des tas de choses si elle y allait, presque tout de suite, pour le lendemain. C'est là que je disais à Lily que sa mère avait raison, qu'elle travaillait trop, qu'elle ne faisait pas assez d'exercice, de nage, de pâtisserie ou d'amusements divers. Et chacune me répondait vraiment en confidence, mon cher. C'est à moi que les deux bébés ont dit les choses les plus intimes, pas à leurs mères respectives. Il y a de quoi être fier, non ?

Il me regarda en baissant la tête, puis il s'affaissa sur son banc. Alors, je m'éloignai. J'en avais assez, de ces numéros successifs. Je ne croyais plus un mot de ce qu'il me disait. Il m'aurait révélé que la terre tournait, et notre île avec elle, je ne l'aurais pas cru. Je fis quelques pas, vers La Principale. J'allais déménager. Exaltante occupation ! Il me rappela encore. Je me retournai. Il avait l'air d'un clochard. J'étais déjà loin. Je l'obligeai à crier :

— Je te signale, mon cher François, que c'est sur ce banc que je quitterai définitivement la vie... Cela ne t'intéresse pas?

J'avais fait encore quelques pas. Je me retournai :

— Non. Cela ne m'intéresse pas. Je ne te crois pas. Pas un mot de ce que tu me dis, Nils, pas un mot! *Inte ett ord!* Tu devrais envoyer un message au *Riksdag* pour annoncer ton suicide sur ton banc bleu. Tant que tu n'auras pas fait cela, je ne te croirai pas.

— Tu as tort, cria-t-il, tu as tort!

— Je m'en fous! Je déménage!

— Qu'est-ce que tu dis? Tu dis que tu es *fou?*

— Oui, oui! Comme toi! J'en ai assez!

Lily m'avait fait une compote de pommes et d'abricots à la cannelle, et elle avait disposé là-dessus des myrtilles fraîches et de la crème sure. Elle portait la grande coupe de cristal les bras tendus, comme une acrobate chinoise. Elle marchait pieds nus dans la maison, dans l'île, sur les rochers. Elle aurait marché pieds nus sur la mer. C'était l'aurore. Nous avions peu dormi. Elle avait travaillé et je l'avais écoutée. J'avais dit que je composerais sûrement, pour elle, une sorte de sonate, très rapsodique, n'obéissant à aucune règle précise. Elle avait applaudi des deux mains. Elle avait annoncé la nouvelle à Kerstin, qui m'avait aussitôt prêté son clavier muet, une sorte de piano en réduction pour maniaque du clavier, qui ne pouvait me servir en rien. J'aurais voulu avoir accès à la maison de Kerstin et jeter ma musique sur son piano à elle. C'était évidemment impossible. Je me contentais de frapper des accords sur le clavier muet, qui me donnaient l'impression que j'étais sourd. Je râlais, je pestais, Lily riait et prétendait que, pour une sonate de cello, je n'avais besoin que de papier, d'encre, et de musique intérieure. Elle sortirait, elle s'approcherait, elle serait très belle. Qui, elle, Lily? La sonate?

Elle s'approcha en effet de moi. Je m'éveillais à peine, sous mon duvet blanc, au deuxième étage de La Principale. Je n'arrivais pas à écouter les chants d'oiseaux, car je croyais que c'était autre chose, des exercices de Kerstin, là-bas, ou bien des violoneux à Stockholm. Je vis Lily, sa coupe de compote à bout de bras. Elle avait effleuré la porte. Je criai. Elle laissa tout tomber. Cela fit un bruit, ce cristal, suraigu. C'était peut-être cela. J'avais rêvé d'oiseaux se cassant en mille cris. Lily pleurnicha.

— Je le savais, je le savais!

— Qu'est-ce que tu savais, Lily?

— Que j'allais casser la compote!

— Ce n'est pas grave.

— Non, ce n'est pas grave, mais je le savais.

Elle répéta *I knew* plusieurs fois, en montant d'un ton chaque fois. J'entendais du japonais : *hai-niou*. Je ramassai avec elle tous les fins morceaux de cristal et les séparai des fruits sur le carrelage noir de ma chambre. Je lui dis :

— Il faut faire très attention.

— Je sais.

— Il ne faut pas manger de cristal.

— Je sais, François.

— On va faire cela très bien, très proprement. Il y a le temps. Tiens, transvasons les fruits dans les tasses, un à un.

Elle était assise sur le carrelage, ses longues jambes blondes en tailleur. Elle était à demi nue, en fait, vêtue d'une chemise de smoking à plis, chipée à Nils, nouée sur le ventre comme un bonnet de nuit. Plus bas, je ne sais plus. Elle portait sûrement un slip, ou bien un pan de filet, encore quelque chose de noué, du filet trouvé dans la barque de pêche... Comment aurais-je osé regarder?

— J'adore manger par terre ce qui est par terre, dis-je.

— C'est de la chance, dit-elle.

— Tu es très belle, Lily.

— Merci, merci, tu es gentil avec moi.

Elle me parlait suédois, de plus en plus souvent, lentement, comme à un enfant en retard, avec des mimiques sur chaque mot. Je lui dis que cette compote, débarrassée du cristal, sur ce carrelage noir, à cette heure assez matinale, était pour moi un événement délicieux.

— Merci, merci. François, tu es gentil.

— Naturellement, répétai-je, il faut faire attention. Ce serait dangereux de... Mais il y a tout le temps.

— Qu'est-ce que tu comptes faire aujourd'hui? demanda-t-elle.

— Je ne sais pas. Ce soir, je travaille avec Nils. Peut-être avant ce soir. Je devais aller à la pêche avec Monsieur Arne Sjöberg, mais j'ai sérieusement envie d'écrire un peu de cette sonate. C'est vrai, Lily.

— Très bien. Alors, je ne travaillerai pas, pour ne pas te déranger.

— Au contraire. Tu devrais travailler ce matin. Je t'écouterai; et puis, j'essaierai de copier sur Bach à ma façon.

Elle me parla de ma sonate comme si j'avais été vraiment un compositeur. Elle savait pourtant la vérité. Elle m'avait entendu raconter mes brins d'études. Elle avait vu, aussi, que je n'étais pas très fort en déchiffrage. Un soir, chez Kerstin, il avait fallu me plier au rite du Schubert à quatre mains, qui était la passion de Kerstin. Je n'avais pas déchiffré, ni à deux mains, ni à quatre mains, depuis peut-être trente ans. Cela n'avait pas été brillant. Kerstin, à ma gauche, m'entraînait dans ces galops de calèches à clochettes, et je trébuchais souvent. Alors, elle s'arrêtait, furieuse, comme si j'avais été un de ses élèves, tournait quelques pages, allait à l'andante :

— Au moins, ici, cela ne va pas trop vite, tu vas y arriver! Je te le dis! Mais en-me-su-re, un-deux!

Kerstin n'est pas le plus facile de ce récit. C'est pourquoi je repousse tous les jours le moment de parler d'elle. Mais je ne dois pas m'accabler de reproches, quant à ma paresse devant les difficultés. J'ai beaucoup d'excuses. Le récit ne fait qu'obéir à ce qui a été vécu. Si je repousse Kerstin, c'est aussi — je dirais même honnêtement : surtout — parce que nous nous étions, elle et moi, volontairement écartés l'un de l'autre, que nous avions différé toute approche un peu personnelle, et que nous avions, non pas décidé, mais, sans le vouloir, établi qu'il en serait ainsi jusqu'à un certain moment. Je ne sais si c'était le même moment pour elle que pour moi. Il y avait, il y aurait un moment pour elle, sur cette île, avant le départ de Kerstin, ou avant mon départ. Jusque-là, elle était la pianiste sérieuse et lointaine, et elle me faisait, moi, son complice distant, au piano. Elle réservait ses droits. D'où le petit jeu de Schubert. Elle voulait me montrer et montrer aux autres, que, musicalement, elle ne pouvait m'avoir en grande estime, puisque je n'allais pas en mesure, etc. En même temps, elle savait que cela n'avait aucune importance, puisque je n'étais pas venu comme musicien; mais ma littérature, elle s'en moquait pas mal, puisque la littérature n'était rien, pour elle, que de la « névrose ». N'empêche : aucun de nous n'était dupe et cela divertissait Kerstin.

— Tu m'humilies exprès! criai-je un jour où elle avait pris un tempo que je ne pouvais suivre.

J'avais ri, mais j'étais quand même furieux. Elle arrêta net :

— Mais qu'est-ce que ça a d'humiliant? Nous nous amusons à faire comme si c'était presque ton métier. Et nous savons que tu ne peux pas, naturellement...

Alors, j'avais, au moins une semaine, étudié seul ma partie, sur un vieux piano droit, complètement faux, au grenier de La Principale. Ce serait mieux. Je serais moins pitoyable. J'arrivais, le soir, tout rouge et excité comme un enfant à sa leçon. Elle voyait que j'avais travaillé. Ou bien Sheena, ou Lily le lui avait raconté. Un jour elle posa un gros baiser sonore sur mon front. Elle dit :

— Tout s'arrange! Je vais faire un décor!

Elle éteignit les lampadaires, elle tira un rideau de velours qui séparait le salon de sa chambre, elle pria Sheena, Lily et Nils de s'asseoir au fond, comme dans une vraie salle de concert, elle posa sur le tapis un bouquet de roses devant le grand piano noir, à la place exacte d'une cantatrice invisible que nous allions accompagner, elle fit une petite mine studieuse, avant de nous regarder, et attaqua, pour une fois sans compter, se laissant conduire par ma fantaisie. Je me souviens qu'il pleuvait, ce soir-là, et que la terre, les arbres, les roches, les buissons, les mille pommiers sauvages de l'île exhalaient un parfum déjà d'automne, un peu troublé, et ce parfum nous rejoignait par les fenêtres entrouvertes, faisait le tour de l'île, passait sur la mer et revenait encore, attisé par de brusques petites sautes du vent d'ouest.

Et quand je fus tiré d'affaire, à la fin du scherzo diabolique, quand j'eus à respirer pour dérouler la mélodie de l'andante en lui donnant toute l'ampleur et la paix voulues, je me souviens encore de ma tristesse. Un jour prochain, si prochain, nous ne

244

jouerions plus rien, ici, nous serions séparés, nous allions en arriver là, c'était aussi inéluctable que la montée de l'andante et que sa retombée, ce temps étalé sous nos vingt doigts, et flottant dans la tonalité de mi bémol mineur, à la recherche d'une incertitude nouvelle.

— Tu crois, demandai-je à Lily, qu'on les a tous eus?

— Je ne sais pas. J'ai peur... Veux-tu que je filtre la compote dans un mouchoir de soie? Est-ce que tu as un mouchoir de soie?

— Non.

— *Pappa* Nils en a toujours, à Stockholm. Spécialement quand il est en smoking.

— Intéressant, dis-je.

— C'est vrai, François!

— Je n'en doute pas.

— Es-tu fâché?

— Pas du tout. Je regrette que tu n'aies pas préparé cette compote, à Stockholm, pour Nils. Car si tu avais mêlé des éclats de cristal aux fruits, vous aviez la soie nécessaire. C'est tout. Je regrette. C'est tout, Lily. *I am OK!*

— *Are you really?*

— *Yes, darling. Sure!*

Nous avons mangé l'exquise compote, avec des précautions de chats. J'expliquai comment, si nos deux intestins étaient perforés par ces si fins et si brillants éclats, nous mourrions dans des souffrances atroces; mais pas nécessairement ensemble. L'hémorragie pouvait se déclarer d'abord chez l'un, puis chez l'autre, après la mort du premier. Nous avons beaucoup ri, en jouant à décider lequel des deux préférait s'en aller avant l'autre. Puis, Lily, peut-être sans le vouloir, m'a fait le plus beau compliment que j'aie reçu, de toute ma vie de quinquagénaire :

— Tu sais, François, je suis très bien avec toi. Comme si tu étais étudiant avec moi à New York. Tu n'as pas de différence avec le type qui a vingt-trois ans. Je veux dire : pour moi. Pas de différence importante.

— En outre, je n'ai pas de mouchoir de soie.

— Oh! Tais-toi! Tais-toi, je t'en prie!

Elle me regardait à la dérobée, avec une lueur d'innocence et une autre d'ambiguïté, et il fallait me débrouiller avec ça. Et, surtout, ne pas faire allusion plus longtemps à Nils. Tout dépendait de ce que je voulais. Une fois encore, je l'ignorais. Ou bien je voulais séduire, provoquer, être provoqué, nous jouions la sonate connue. Il pouvait être dix heures du matin. J'avais vingt minutes pour dénouer les pans de la vieille chemise de smoking, et tout le reste, le filet noir de cette femme-pêcheur. Au-delà de vingt minutes, je ne puis rien. Ou bien j'avais peur de Nils, je ne voulais pas lui faire de peine, ni tricher avec lui, ni lui voler le moindre souffle de Lily sur ma bouche... Le choix n'était pas difficile. Je n'hésitai pas longtemps. Si j'avais quoi que ce fût à me reprocher, concernant Lily, je ne pourrais affronter le regard de Nils. Je quitterais l'île à la nage. Je me ferais repêcher par un des bateaux d'ivrognes voguant vers la Finlande. Je ne dessoûlerais pas pendant deux jours.

Et elle, je ne savais rien de ce qu'elle voulait. Je ne savais même pas qui elle était. Parfois, je la prenais pour une douce maniaque, accrochée à son cello comme à un esquif ; probablement vierge, certainement épuisée depuis l'enfance par les cris de Nils et de Sheena devant elle. Parfois, je la voyais comme une de ces adolescentes, dans les parcs de Stockholm, prisonnières de leur liberté, revenues de tous les voyages, la moue boudeuse, incapables de bouger seules, agglutinées comme des mouettes sur les gazons. Lily était venue, une fois de plus vers moi. Je ne savais rien d'autre. Elle voulait rester avec moi. Ne pas parler de Nils. Elle m'en priait. Elle cherchait avec moi le chemin de traverse. Et je ne pouvais le prendre.

Je lançai une nouvelle échappée de mots sans suite, pour voir si elle suivait, en anglais. Je jouais souvent à perfectionner mon anglais avec elle. Je ne savais pas si elle voyait pourquoi je fuyais ainsi tout ce qui aurait pu être dit d'autre, de plus dangereux. Peut-être, après tout, comprenait-elle qu'elle se rendait utile, en corrigeant mes phrases. Peut-être était-ce suffisant, pour elle...

Lily était d'une modestie implacable. Je l'avais déjà grondée quand elle m'avait dit qu'elle se contenterait de faire du pupitre d'orchestre. Non pas que je méprise, loin de là, l'orchestre. Mais il me paraissait dangereux d'en décider, là, tout de suite, sans essayer de s'imposer au concert. Je n'y connaissais rien. Elle me le répétait. Je n'étais ni celliste, ni professeur de cello, ni même « journaliste musical », comme elle disait. Je protestais. J'avais entendu pas mal de cellistes. Je croyais savoir la différence entre un musicien et un exécutant correct. Je me rengorgeais : j'avais même été membre d'un jury important de piano... J'avais noté pendant deux jours et voté. Mon vote était celui, à peu de chose près, d'un illustre professeur de la Juilliard School justement : « Ton école, Lily ! Alors ? »

— Le piano, ce n'est pas pareil, dit-elle. Tu es condamné à être grand; ou rien. Le cello, il y a encore moins de places, beaucoup moins, pour les grands. Et des tas de possibilités pour les moyens, de devenir quartettistes, etc. J'y ai pensé, ajouta-t-elle, je t'assure...

Elle me regarda bien en face, ses yeux comme carrés dans les miens, les mains posées sur ses cuisses, le menton levé. Si j'avais été chef d'orchestre, elle ne m'eût pas regardé autrement, attendant mon signe pour attaquer. Voulait-elle me dire quelque chose d'important, et me prévenir ? Je me tus aussi. Ou bien attendait-elle réellement un mot de moi, pour en dire d'autres ? Je choisis de revenir à ses projets, si ouverts. Elle se lança dans un éloge fervent du quatuor à cordes. Elle voulait aller à Naples, l'été prochain, *faire* du quatuor comme on se nourrit. Pas rejoindre un groupe de trois pour être la quatrième. Surtout pas. Elle ne comprenait pas ces gens, qui répètent le matin, voyagent l'après-midi et jouent le soir, avec leur petite vie de maris et femmes et leurs histoires de maisons et d'impôts. Elle voulait *faire* du quatuor pour en changer souvent. Et de l'orchestre, aussi, pour se plier à un chef quand elle le trouverait heureux, ou lui résister, même seule, si elle ne l'approuvait pas. Et voir comment cela bougeait, ce groupe immense de l'orchestre, cette houle d'individus réputés grincheux, voir comment cela se déclenchait soudain, sur un seul mot, une seule indication enfin nouvelle, du chef, ou, au contraire, enfin sage, un retour à la tradition, voir comment ceux-ci acceptaient, dans l'éblouissement, la voix et le geste magnétiques, et pourquoi ceux-là dormaient ensuite en bavardant, à l'abri de la forêt d'archets, mécaniquement poussés, tirés.

Elle se tut, la bouche entrouverte, retenant encore une phrase, n'osant pas me la dire, et j'entendis son aspiration brusquée, comme celle d'un enfant après un grand chagrin. Elle regardait son cello et je le regardai aussi, appuyé contre le mur de ma chambre. Je m'aperçus qu'il n'y était pas... qu'elle était entrée avec la compote, sans le cello... Je criai, sans doute :

— Mais, Lily?

— Quoi?

— Il n'était pas là...

— Si.

— Mais non, voyons! Tu es entrée avec la compote. Tu ne portais pas, en plus, ton cello, puisque tu avais déjà du mal à ne pas renverser... Lily!

— Quoi? demanda-t-elle.

— Mais comment expliques-tu?

— Je n'explique pas. Je te raconte, si tu n'es pas fâché. Hier soir, quand tu t'es couché, j'ai attendu que ta lumière soit éteinte. Puis, je suis venue le poser là. J'ai pensé qu'il serait bien, pendant la nuit, et que tu aimerais le découvrir en t'éveillant. J'avais déjà préparé la compote...

— Mais quand cela?

— Hier soir!

— Et cette nuit, je ne t'ai pas entendue?

— Non. Tu dormais. Comme ça... J'étais pieds nus.

— Tu étais pieds nus, Lily.

— Oui. Tu es fâché, François.

— Non.

— J'aimais bien faire cela. La compote fraîche, un peu italienne, avec les abricots. Et puis déposer le cello ici, debout contre le mur. Tu le trouves beau, n'est-ce pas?

— Oui, Lily. C'est un Amati, n'est-ce pas?

— Non, non! Ruggierius, je te l'ai expliqué. Tu vois comme il est clair. C'est le bois et ce n'est plus le bois. C'est devenu un rayon de miel, la matière, je veux dire, avec les cires, les vernis, le temps... et la musique. Ce sont peu de gens qui l'ont joué, on le sait. Quand *Pappa* Nils l'a acheté à Turin, on lui a donné tous les papiers. Un seul celliste avant moi l'a joué soixante-quinze ans. Et un autre, avant, soixante-dix. Et celui d'avant...

— Lily, pourquoi me racontes-tu cela?

— Je ne sais pas. J'aime te parler.

— Mais tu as déjà raconté cela à Nils, à Kerstin, à Sheena...

— Pas à Maman.

— Bien. A tes professeurs, à tes copains de ton école d'Edsberg et à ceux de New York...

— Non, non! Il ne faut pas. Tu sais, François, c'est un instrument très rare. Très cher, par conséquent, pour une petite élève comme moi.

— Et c'est Nils qui te l'a donné.

— Oui. L'an dernier. Il a fait une faute. D'abord, je ne dois pas en parler. Je dis que c'est seulement une copie italienne. Je dois mentir, devant mes professeurs et devant mes camarades. Je n'aime pas mentir. Nils a fait une faute, n'est-ce pas? Et j'en fais aussi, et j'ai mauvaise conscience.

— Écoute, Lily, ce n'est pas très grave. Si Nils avait de quoi t'acheter ce cello, c'est une chance pour toi. Ce n'est pas juste, pour les autres, certes. Je sais. C'est un grand problème, les instruments. Faut-il des instruments appartenant à l'État, comme en Russie, qui sont prêtés aux meilleurs musiciens?

— Non! Oh non! Il faut que cela t'appartienne. Il faut qu'il y ait cela à toi et toi à cela. Il faut donc avoir payé. C'est comme la psychanalyse, pour Maman.

— Tu veux dire que c'est Nils qui paie aussi ça?

— Mais non! Maman paie, pour Guido, Maman sacrifie une part de ce qu'elle gagne. Mais elle gagne. Moi je ne gagne rien. Je coûte. Et je joue mieux que les autres parce que j'ai *ce* cello, et qu'il est *à moi*.

— Le crois-tu? Est-ce que tu ne fais pas exprès de te condamner toi-même?

— Mais, François, il n'y a pas un seul celliste dans notre pays qui ait un cello pareil! Pas un! Pas notre meilleur celliste! Et je peux te dire : pas un à la Juilliard School. Ils ont tous des « crêpes » comme nous les appelons. Et je peux te dire lorsque Rostro l'a vu, avant de m'écouter, il a voulu jouer mon cello. Et que ça coûte des millions de couronnes! Est-ce que tu comprends?

Elle agitait sa tête en tous sens, comme si elle avait été une mère grondant un enfant qui aurait fait une bêtise grave et qui n'en aurait pas voulu comprendre la gravité. Elle me donnait une leçon. Elle m'appelait un peu aussi au secours. Elle avait crié, à la fin, comme si mon incompréhension et mon indulgence lui eussent paru scandaleuses. Je ne voulais pas voir le scandale de ce Ruggierius. Je songeais, bien plutôt — et je ne le dirais pas —, à l'origine de cet argent, de tout cet argent de Nils...

— Est-ce que Rostro t'a dit que tu jouais bien?

— Oui. Il m'a fait des critiques.

— Naturellement. Est-ce que Monsieur Mtslav Rostropo-vitch t'a dit que tu jouais bien à cause de Monsieur Salvatore Ruggierius, ou Claudio Ruggierius...

— Non. Il ne l'a pas dit.

— Comment s'appelait Ruggierius? Salvatore?

— Je ne sais pas.

— Écoute, Lily : pourquoi, écoute-moi bien, pourquoi joues-tu si bien?

— Je ne sais pas.

— Ah! Même réponse, Lily! Étrange, non? Il y a des choses que nous ne saurons jamais. Pourquoi, Nils, par exemple, t'a donné cet instrument? Nous ne le saurons jamais.

— Oui, nous le savons. Parce qu'il me traite comme une princesse. Il le dit, exactement. C'est sa faute, une grande faute. Tu ne trouves pas?

Je réfléchis. Que pouvais-je répondre? J'étais devant cette longue algue blonde et blanche assise par terre, en face de moi, et moi aussi, par terre, devant notre compote, comme devant un échiquier, discutant de Ruggierius, qui, lui, n'avait commis aucune faute en fabriquant cet élégant ventre de miel muet, posé contre le mur de ma chambre.

Alors, je dis à Lily :

— Pourquoi as-tu attendu que je sois installé ici pour me dire ces choses? Quand j'étais au moulin, tu venais me parler, et je te recevais, et tu ne t'obligeais pas à surveiller mon sommeil pour m'apporter ton cello? Est-ce que ce n'était pas plus simple?

Elle me regarda, de ses yeux blancs aveugles. Elle dit :

— Ce n'était pas du tout la même chose. Quand tu étais au

moulin, tu étais un invité. *Pappa* attend trois messieurs de Stockholm qui viennent pour perfectionner l'abri. Je n'irai pas chez eux... Quand arrivent-ils? Ce soir?

— Non.

— Pas ce soir? Demain?

— Nils m'a dit qu'il ne savait pas exactement.

— Alors, pourquoi es-tu ici?

— Parce qu'ils doivent arriver. Pour que tout soit prêt.

— Ah!

Et là, il me sembla qu'elle pensait, à peu près comme moi, qu'ils ne viendraient pas; et que j'avais peut-être forcé la porte de La Principale; mais en accord avec Nils.

— J'étais un invité, Lily, repris-je, j'étais à quelques mètres de toi. Il n'y a pas grande différence...

— Non, mais tu es, maintenant, dans ma maison. François, tu es dans ma maison!

Je me souvins de Sheena. C'était la même voix grave, douce, la même plainte dans la nuit de Travemünde quand Sheena m'avait protégé sous sa cape noire. Cette nuit-là, j'avais bu, j'étais malade et j'étais contre Sheena comme appuyé sur une falaise, recouverte d'herbes odorantes, et j'entendais la voix murmurer : « Viens, petit, viens dans ma maison... » Je dis à Lily :

— Tu es contente que je sois ici, de m'éveiller, et de m'apporter ton cello, la nuit, en pensant à mon éveil?

— Oui, François, très contente.

— Plus que si j'étais au moulin?

— Oui.

— Plus que si nous étions dans l'appartement de Gamla Stan, où tu m'as laissé seul pendant plusieurs jours?

— Oui.

— Pourquoi, Lily, mais pourquoi?

Elle me regarda encore, puis baissa les yeux, inclina son visage et je vis son grand front nu luire sous un rayon de soleil, aussitôt masqué par les cheveux qui tombaient, mèche par mèche, et me privaient de ce visage. J'entendis la voix sourde, détachant les mots, en anglais :

— Ici, François, je suis comme ta bonne.

— Ma bonne?

Elle avait dit *maid*. Je comprenais bien. Ma bonne, elle était ça. Elle voulait ça. Elle n'osait plus relever la tête. Elle était devant moi et je n'avais qu'à ordonner. J'en tremblais. Quelqu'un allait arriver et nous tancer tous les deux.

XI

Comme si elle avait enfin vu qu'on ne pouvait pas dire des choses pareilles, comme si elle avait perçu la peur sur mon visage, comme si, peut-être, elle s'était imaginée répétant à Nils ce qu'elle venait d'avouer : qu'il la traitait en princesse, et qu'elle souhaitait que je la traite en bonne, et alors entendait-elle la voix grondante de Nils et voyait-elle les pleurs couler sur la face tannée du vieux marin Nils, ou bien par jeu, ou bien par véritable innocence, ou encore comme si elle avait été la plus perverse des filles du Diable, elle reprit une conversation normale, un monologue, plutôt, que je n'osai interrompre, tant je préférais entendre cela, ces bribes de sa vie à New York, par exemple, pourquoi pas, n'importe quoi, mais pas cette fille à mes pieds, s'offrant à me servir, offrant quoi, quoi d'autre, au juste, qu'est-ce que cela signifiait, en quelle langue faudrait-il lui faire répéter ces insanités, comment personne, pas même Kerstin, n'avait donc songé à m'avertir : cette grande fille, qui a l'air paisible et méthodique, est une malade profonde, dont nous n'attendons que des malheurs, pourquoi ?

Sheena, dans la salle de bal du Grand Hôtel, m'avait promis l'amour comme un sacrement mystérieux que nous parviendrions à mériter. Sa fille l'offrait, offrait, promettait, mais pour l'instant même, pour cet instant volé, secret, du début du jour. Je n'avais qu'à dire un mot. Elle trouva même le lieu où nous isoler davantage, avec plus de *sécurité*, et elle usa de ce même mot que Nils utilisait, suivi de *militaire*, quand il voulait ne pas tout me dire sur le Bunker. Lily continuait à

parler de son séjour à New York mais elle répétait, régulièrement, toutes les trois ou quatre phrases :

— Si tu veux, on monte au grenier, François...

Ou bien :

— Tu y vas souvent tapoter sur le vieux piano et tu aimes
l'odeur de là-haut...

Ou encore :

— Tu tapoteras et je serai à tes pieds, la tête contre tes
genoux, tu ne cesseras de tapoter ton petit Schubert pour
Kerstin, toute l'île saura que tu deviens un élève docile,
maintenant. Mais en vérité, tu seras plus heureux que
ça...

Voyait-elle ou ne voyait-elle pas que je me cachais dans mes
mains ? Elle disait tout de la même petite voix égale, sans une
nuance d'expression, comme elle eût fait ses gammes. Elle
mêlait l'odeur de « là-haut » et celle de son *loft* à Soho,
Mercerstreet 117, je crois, j'en suis même sûr, j'ai retenu ce
numéro parce que je m'accrochais à tous les détails pour fuir.
C'était un grand *loft*, qui avait été une poterie, un cube d'au
moins cent mètres cubes, tout blanc, très brillant, les parquets
peints aussi en blanc, avec peu de meubles, surtout métalli-
ques, de sorte que le Ruggierius sonnait là-dedans, à peine si
on l'effleurait. Lily avait peur, au début, seule. Elle faisait ses
courses, tôt le matin, et rentrait vite en portant de lourds sacs
en papier marron et beige. Elle aimait bien une boutique
italienne, *De Luca*, qui avait de bons fromages et de bons
fruits. Elle traînait souvent chez les marchands de fripes 1900 :
les boas, les plumes, et aussi les vieux smokings d'autrefois, et
les fracs, comme ceux de *Pappa* Nils. Elle avait acheté un
smoking, pour rien. Il lui allait comme à un jeune homme. Elle
se promenait ainsi, ses cheveux ramassés en chignon, et elle
voyait qu'elle plaisait aux homosexuels du quartier, ce qui
n'était pas dangereux.

— Ni pour moi, ni pour eux ! dit-elle en éclatant de rire. Tu
sais que tu vas être grondé par Kerstin, si tu ne vas pas
préparer ta fantaisie, ou je ne sais pas quoi, qu'est-ce que
c'est ?

— Ce n'est pas une fantaisie, c'est l'*Ouverture italienne* en
si. Ce n'est pas trop difficile. Kerstin m'a dit que c'était une de
ses seules œuvres que Schubert avait accepté de jouer en

public; ce qui prouve que ce n'est pas difficile. Elle dit ça pour m'encourager; qu'il faut jouer en s'amusant et en pensant à Rossini. Mais je vérifierai. Elle me ment peut-être. Vous me mentez tous, ici, sur votre île, et toi, souvent, Lily. A New York, tu as mené une vie de débauche!

— Qu'est-ce que c'est, débauche?

— C'est débauche. C'est le contraire de ce que tu me racontes, de si sage...

— Je prenais le *subway* à Spring street...

— Naturellement. Toujours en smoking 1900. Toujours seule. Tu avais les seins ronds de tes fromages italiens. Tu allais à ton école, avec ton cello italien, tu chantais du Rossini, il n'y avait aucun celliste de Turin ou de Milan à ton école, pour te faire la cour, pour te caresser les seins, pour te proposer d'aller au *tchinema*, hein? Pas un? Pas un *tchinema*?

— Mais bien sûr! Que tu es bête! Beaucoup, souvent, des Italiens, des Allemands et un Israélien, je te l'ai dit. C'est ça, *débauche*? C'est ça, d'aller là-haut travailler ton « ouverture italienne » avec moi?

Elle avait entendu le pas de Nils, qui sifflotait pour se signaler à nous. Elle décampa comme une vraie bonne surprise avec le jeune maître. Et moi j'entendais Nils, qui faisait peut-être exprès de marcher lentement, à pas lourds, et de heurter des pierres. Il poussa la porte de La Principale, il l'ouvrit, fit jouer les gonds; il vérifiait, au passage, l'état de marche du navire; il ferma; ouvrit à nouveau. J'entendais tout cela, de mon lit, où je m'étais fourré. Il pouvait être onze heures. Un petit vent doux s'était levé, qui charmait les oiseaux et les faisait pépier. La balise sonore, là-bas, près de mon ancien moulin, produisait, à ce vent, son travail de tâcheronne. Ma fenêtre était ouverte à l'ouest et j'entendais aussi le frisson des bouleaux couverts de médailles d'argent, d'hosties séchées qui s'effleuraient, d'arbre en arbre, chuchotaient, se taisaient, reprenaient, en retard l'une sur l'autre. Il entra enfin dans ma chambre. je feignais de lire.

— Tu ne te lèves pas? demanda-t-il.

— Oui, je vais me lever. J'allais le faire. J'ai attendu un peu.

— Je n'aime pas voir les hommes au lit.

— Tu n'as qu'à sonner la trompette, comme à mon régiment. Je serai lavé - rasé - chaussé. A vos ordres, monsieur le ministre.

Il inspectait ma chambre, à la vérité impeccable. Le Ruggierius, toutefois, éclatait là comme ce « coup de pistolet dans un concert », dont parle Stendhal.

— Tu t'y mets? demanda-t-il.

— Moi? Oh! Pas du tout. C'est Lily qui l'a placé là pour me faire plaisir.

— Pour te faire plaisir?

— Oui. C'est ce qu'elle m'a dit.

— Tu le lui avais demandé?

— Non! Elle m'engueule toujours parce que je fume et que la fumée abîme son instrument. Ce qui est sans doute vrai.

— Elle te l'a apporté d'elle-même, donc?

— Oui, Nils. D'elle-même. Elle en a assez. Elle veut que je l'abîme. Que je le brûle. Que j'en fasse des allumettes, des pièges à souris. Ou que je le mange, que je m'en repaisse. Ou que je l'emporte à Paris, que je le vende ou que j'aille jouer le prix au casino de Biarritz. C'est cela, voilà, cela me revient, c'est ce qu'elle m'a dit. Elle a insisté : « Tu joueras le 6 sans arrêt, jusqu'à ce qu'il sorte! »

— Elle aurait pu te dire ça. C'est drôle...

Il sortit de sa poche six pommes de pin et les jeta sur mon duvet.

— Tu as bien dit le 6, dit-il... Alors, voilà!

Je me dressai. Je regardai ces six fruits bruns.

— Si je t'avais dit le 7? Tu en as une autre?

Il retourna ses poches, vides.

— Regarde toi-même. J'ai six pommes de pin. Pas une de plus ni une de moins. J'ai joué le 6. Naturellement, tu sais pourquoi.

— Non.

— Nous sommes combien, François, à bord?

— Ah! Pardon!

Je m'excusai. La journée commençait mal. J'en avais assez, des énigmes.

— De toute façon, c'est Lily qui t'a conseillé de jouer le 6, m'as-tu dit. Or, elle peut me l'avoir dit aussi. Donc, je n'aurais aucun mérite à t'apporter ces six pommes.

— Oui, mais elle ne te l'a pas dit.

— En effet. Puisque tu inventais. Pure coïncidence, donc. Mais très intéressante. Nous allons étudier cela calmement.

— Nils, pourquoi as-tu six pommes de pin?

— Comme ça. Par hasard. En me promenant, j'en ramasse quelquefois, pour allumer le feu, cet automne. J'en ai ramassé six, là, sans compter. Puis, je me suis aperçu que nous étions six. Et toi-même, tu viens de citer ce chiffre; au hasard, n'est-ce pas? Et Lily ne t'avait pas parlé de six?

— Non.

— Elle t'avait dit que nous étions six?

— Non. C'est trop évident pour qu'elle me le rappelle.

— Hasard, donc. Alors, jouons.

Il disposa les six fruits sur le plateau en fer noir apporté par Lily. Il eut une brève hésitation, au moment d'écarter la compote, et marmonna quelque chose. On ne voyait plus aucune trace des morceaux de cristal. Il dut, me semble-t-il, faire effort pour ne pas m'interroger, mais son jeu le requérait davantage.

— Voilà. Il est évident que chacune représente chacun de nous. Non? Dis-moi qui est qui, ici, d'après toi, vite, sans réfléchir.

Je montrai la plus grosse, ambrée, chaude, et l'attribuai à Nils. La seconde, presque identique, à Kerstin. J'attribuai deux autres, plus sèches et plus petites, à Sheena et à Monsieur Arne Sjöberg. Je montrai, pour Lily, un fruit éclaté, ébréché, laissant apparaître un peu de résine rouille. Enfin, je désignai pour moi la plus petite, drue, d'un vert noir, très différente des cinq autres.

— Bien. Je comprends les quatre premiers choix. Mais pourquoi pas la plus petite pour Lily? Et pourquoi pas l'éclatée pour toi?

— Parce que, sans doute, je ne sais pas, je me trouve étranger aux cinq autres. En situation inférieure, aussi. Pour Lily c'est vrai que j'ai choisi celle-ci, qui est blessée, et qui est la seule dans cet état. Parce que Lily me semble, depuis quelques jours, tout à fait incertaine. Je m'étais trompé. Elle m'avait peu parlé. Depuis que nous nous voyons davantage, elle m'inquiète. Voilà. Je ne peux pas en dire plus.

— Je comprends, dit Nils. Il y en avait quatre qui étaient faciles à désigner. Les deux autres, tu as hésité...

— Oui. Il est vrai que la solution la plus simple était de donner la plus petite à Lily. Mais j'avais alors la pomme éclatée, qui ne me convient pas du tout. Parmi vous, je suis étranger mais pas blessé. Je supporte assez bien. Je ne suis pas toujours heureux. Je ne dors pas toujours bien mais je sais que le jour et la nuit du lendemain m'apporteront des joies, des surprises...

— Moi, François, je ne dors plus. Cette nuit, peut-être deux heures. En tout ! Je lis. Je prie. Je réfléchis aux décisions que je dois prendre.

— Puis-je t'aider ?

— Oui. Absolument. Tu dois laisser Lily tranquille. Emmène Sheena à Stockholm, une deuxième fois, si tu veux. Mais ne touche pas à Lily. M'entends-tu ? Lève-toi, habille-toi. J'ai l'impression de parler à un malade ! C'est agaçant, à la fin !

Je me levai comme un automate et mis mon peignoir bleu marine. Il tripotait les pommes de pin sur le plateau noir, il les disposait et les redisposait comme les pièces d'une artillerie. Il les rapprochait, les éloignait, en ôtait une, la rendait au jeu, en prenait une autre et la soupesait, la plus grande, la sienne, grenade à dégoupiller... Je voyais qu'il aurait pu la lancer, par exemple, contre les vitres de ma chambre, ou sur mon front. Ou qu'il envisageait de convoquer Lily, et qu'il la sommerait de s'expliquer devant nous. Pourquoi le cello ici ? Et que, même s'il n'avait rien entendu, s'il ne savait rien, il devinait tout.

— Je te le demande humblement, François. Ne touche pas à Lily, ne te laisse pas effleurer par elle...

— Mais...

— Ne m'interromps pas, ne proteste pas. Tais-toi. Est-ce que tu n'as pas compris ? Tais-toi...

— J'ai compris, Nils ! Tu me l'as dit dès le premier jour !

— Non. Tu n'as pas compris. Je hais ma femme. J'aime sa fille. C'est simple, non ? C'est le courrier du cœur des magazines, non ? Et cela m'arrive, pour la deuxième fois dans ma vie. Je suis un pauvre misérable. Je te demande ta pitié, ton aide. Si tu veux frôler des jeunes filles cellistes, tu as tout ce qu'il faut à Paris. Ne viens pas ici pour me détruire. Aide-moi, François. Aide-moi à doubler le cap. Ne me piétine pas. Je sais que Lily est à peu près folle. Je ne te l'ai pas dit parce que j'attendais tes questions là-dessus. Tu ne voyais rien. Bon. Elle dissimule son angoisse, sa peur de vivre, derrière un perfectionnisme de maniaque. Si on lui ôte son instrument, elle meurt. C'est pourquoi je me suis lourdement endetté. Je lui ai offert ce cello, pas seulement par amour : pour la sauver. Le fait qu'elle vienne dans ta chambre l'exposer à tes regards, c'est très grave. Elle fait cela comme une chienne apporte un os donné par un chien; et l'apporte à un autre chien qui sent meilleur. Est-ce que tu sens meilleur que moi, François ?

— Ce n'est pas la question. Elle essaie de se débarrasser d'un cadeau trop ambitieux. Elle se renvoie elle-même à une médiocrité, à une nullité qui l'engloutiraient.

— Elle deviendrait muette, anorexique, sourde. Ce qu'elle a été très longtemps. Tu sais qu'elle n'a parlé qu'à quinze ans ? Elle n'existe que par cette caisse de bois italien...

— Mais je sais, Nils, je sais, j'ai deviné...

— Ne m'interromps pas. J'ai fini. Tu ne peux pas comprendre ce que c'est, une deuxième, une troisième débâcle familiale. J'ai tant aimé les tables unies, gaies, des vacances et les invités impromptu, les amis des miens, la chaleur, ici, la mer, les déguisements, les fêtes d'écrevisses, les anniversaires, les cadeaux cachés sous les buissons, comme dans mon enfance, la mère, l'épouse-mère, régnant sur tout et me faisant de l'œil pendant les petits jeux de dessert, les fruits, les fleurs, selon les saisons, les petites fleurs, les faux naufrages, les bonnes pêches, les infortunes de mer, les embêtements domestiques, même, les pompes qui coincent, l'invasion des moustiques, la panne du générateur, de la fosse à merde, la panne des moteurs de bateaux, les migraines de ces dames, le médecin convoqué, les caprices d'enfants, les bouderies, les réconciliations d'abord secrètes, avec envoi d'ambassadeurs, puis publiques, et les farandoles autour de la table... Excuse-moi ! Je rêvais de vivre et de mourir ainsi. Et tout s'est deux fois détraqué. Il a bien fallu songer à la fuite. Le Bunker en est une, fameuse. Je vais tout fuir, pour cette nouvelle et dernière tragédie mondiale. Tu as compris cela. Je n'aurai plus de table fleurie, ni de bougies vacillant au vent, et qu'on s'amuse à rallumer en sachant qu'elles s'éteindront encore. Je n'ai plus beaucoup de choix, comprends-tu? Qu'est-ce que tu veux que je fasse? Dis-le moi? Non, ne me le dis pas. Je veux voir Sheena livrée au diable. Je veux qu'elle s'en aille d'elle-même. Je ne veux pas lui prendre sa fille pour lui donner prétexte de mon horreur, de mon crime. Je veux que Sheena s'en aille. Puis, de Lily, je verrai ce qu'il faut faire. Je peux, aussi bien, m'enfermer avec elle et l'écouter sans lui parler, sans la toucher. Tu ne crois pas cela. Tu me crois un vieillard dégoûtant. Je me fous du sexe. Je ne veux pas qu'on touche à Lily. Je m'enferme avec elle et je la protège. Avec Monsieur Arne Sjöberg, nous y arriverons. Avec Kerstin, qui n'est pas gênante. Elle radote contre l'amour, comme cela, depuis quarante ans...

— Excuse-moi, Nils. Puis-je t'interrompre?

— Oui, si tu veux. Je n'ai encore rien dit. Je ne peux pas parler, le matin. Vas-y. J'ai soif. Qu'est-ce que c'est que cette compote?

— Prends-en, Nils. Nous l'avons faite hier soir.

— Qui, nous?

— Sheena, Lily et moi.

— Elle est bonne?... Jolie bande, vous trois!

— Oui, oui... Elle est bonne!

— Il n'y a plus beaucoup de jus.

— Les fruits sont juteux, Nils, tu vas voir.

Il mangea, aspirant goulûment. Je vis ses yeux ourlés de rouge. Il ne dormait pas. Et il ne mangeait plus. Jamais plus avec nous. Seul? Chez Monsieur Arne Sjöberg? Avec qui vivait-il, la nuit? Qu'est-ce qu'il lisait? A qui racontait-il ce qu'il écoutait, sur ses appareils? Quand allaient arriver les trois hommes de Stockholm?

— Nils, est-ce que tu comptes sur moi pour te débarrasser de Sheena?

— Mais bien sûr!

— Je n'avais pas compris.

— C'est clair, non? Emmène-la!

— Quand? Déjà?

Cela m'avait échappé. Et il le vit bien, et sourit. Pouvais-je lui avouer que je n'avais pas envie de le laisser, lui? Et que je ne me voyais pas lancé dans une histoire avec Sheena? Car cette histoire, même brève, serait épuisante. Je ne tiendrais pas jusqu'au « discours de septembre » au Grand Hôtel. Je la laisserais avant. Je pouvais la prendre, certes, nous pouvions passer des jours et des nuits à nous aimer, dans l'appartement de Gamla Stan; mais je savais que j'en aurais assez, des cheveux agités, des discours et des bottes de Sheena, de ses seins hauts, de son parfum, de cette intensité effrayante sous chaque mot, à chaque minute. Si je prenais cette femme, si elle voulait bien de moi, plus belle que tant d'autres, je la laisserais encore plus tôt que la moins passionnante.

— Sheena, non, monsieur le ministre.

— Ta gueule!

— Sheena, non.

— Mais pourquoi?

— Écoute, Nils, en me donnant un peu de mal et pourvu que tu me proposes quelques pistes, je finirais bien par dénicher, au royaume de Suède, une femme que tu n'aies pas connue. Je l'amènerais ici et nous vous ficherions la paix.

— Pas du tout, pas du tout! Parce que je la ferais tomber dans mes bras! Ah!

Il éclata de rire. « Tu ne me connais pas, ajouta-t-il, j'en serais bien capable! » Puis, s'étant calmé : « Mais non, je ne ferais pas ça, je te laisserais tranquille avac ta petite gourde. Car ce ne pourrait être qu'une petite gourde, naturellement! Ce que tu peux me faire rire, quelquefois! Tiens : je vais déjeuner avec vous, ce matin, et je vais raconter cette histoire : François va nous ramener une gourde! »

— Nils, tu ne feras pas cela.

— Mais si! Je vais trouver un joli prénom, que dirais-tu d'Eva-Liisa? Je vais dire que je la connais un peu et que je l'ai invitée pour toi. Tu vas la chercher à Riddersholm. Elle est déjà en route, avec sa motocyclette. Elle fait tout ce chemin pour toi. Je lui ai parlé de toi. C'est une fille qui étudie la littérature française, à la mode d'aujourd'hui, avec des croquis, des paramètres et des chinoiseries de scientologues accrochés au texte qu'ils déchiffrent, mais qu'ils ne lisent pas. Un bas-bleu exquis, déniché à l'Institut français. Eva-Liisa n'a pas lu tes livres. Elle ignore jusqu'à ton nom. Elle croit que tu es un disciple de ce coquin de Robbe-Grillet. Elle va tomber de haut. Mais tu lui feras un effet *physique* formidable. Comprends-tu? Pour ton *corps*, elle oubliera le *texte!*

— Nils, assez!

— Mais non! Alors, tête de ces dames, à table, quand j'annonce ça. Question : laquelle des deux, de Sheena ou de Lily, va se montrer la plus furieuse? Je parie pour Sheena.

— Naturellement. Elle est douée pour la fureur. C'est elle qui gueulerait le plus, je crois. Mais c'est peut-être Lily, qui, silencieusement, serait la plus touchée.

Il me regarda, surpris par mon audace.

— Ah bon? Voyez-moi ça! Tu en es sûr?

— Je n'en suis pas sûr. Je crois que oui.

— Ah bon!

— Mais je n'en sais rien. D'après toi, Nils, est-ce que Lily est vierge? Ou bien nymphomane. Je suis incapable de répondre. Tu vois où j'en suis.

— Je vois. La réponse est : vierge.

— Tu penses?

— Je sais.

— Tu sais?

— Autant qu'on peut savoir sans connaissance directe.

J'avais honte de ces propos. Je le lui dis. Il admit que nous avions tort. Qu'il ne fallait parler de rien, qu'on parlait toujours trop. Il me dit :

— Un jour, mon petit, je serai mort et tu écriras un vrai roman d'amour où il ne se passera rien. Tu feras chanter des voix verticales et horizontales, entrecroisées. Tu opposeras et rejoindras femmes et hommes dans leurs seules vocalises. Il n'y a pas d'amour qui se montre, qui se témoigne. Il n'y a d'amour que furtif et involontaire, par les hasards et les paris. Dès qu'un homme et une femme se déclarent l'un l'autre unis et se mettent en route, le sol se dérobe sous leurs pas. Rien à faire. Dès qu'ils décident de se fuir, de s'entrevoir, et surtout de se manquer, les forêts abaissent leurs arbres pour les protéger sous l'ombre. J'ai eu beaucoup d'histoires comme ça. Bien sûr, cela n'arrangeait pas Sheena, qui s'imaginait que je dévalais dans le vice. Pas du tout. Tout était désorganisé, délicieux, et tout se faisait je ne savais comment, en quelques instants, sans promesse, sans lien d'aucune sorte, en plaisantant gravement... Je comptais avoir encore une ou deux histoires comme ça, légères, légères. Mais je me suis alourdi. Je n'ai plus faim. Il n'y a que Lily... C'est pourquoi je te supplie!

— Mais Nils, dis-je, tu n'as pas à me supplier. Lily pourrait, par désœuvrement, se rouler à mes pieds, je la repousserais. J'aurais honte. Je ne pourrais pas. Elle ne m'inspire aucun désir. Elle me terrifie. Elle me gêne. Je ne peux pas la regarder sans penser à toi.

— Très bien. C'est comme il faut que ce soit... Et Sheena? ajouta-t-il avec un sourire malicieux.

— Sheena, j'avoue que ce n'est pas la même chose.

— Ah! Tu vois! Encore une trahison! Cela ne fait rien. Je t'y ai assez engagé. J'allais dire : je t'ai engagé pour ça!

— J'avais entendu.

— Mais non! Oh! Ne nous disputons pas, mon petit! J'en ai eu ma rasade, de disputes. Si tu vois Lily comme elle est, aujourd'hui, si bizarre, si imprévisible, il faut que tu comprennes. Toute son enfance, elle a vu sa mère et moi se disputer. Elle m'appelait *Pappa* en croyant, d'abord, que j'étais son père. Puis, on lui a dit la vérité. Ce qui a été une erreur, de Kerstin et de Sheena. Puis, on lui a montré son vrai père. Ce type effrayant. Seconde erreur. Elle a été deux fois choquée, entre douze et quinze ans, envoyée bouler comme un paquet contre deux murs. Sa tête a failli craquer. Enfin, elle a vu et entendu nos scènes, quotidiennes, nos cris, le jour, la nuit, ou bien nos bouches serrées pendant des semaines, sans un mot. Quand je l'embrassais devant sa mère, quand je fourrais mon vieux nez de faux père, de non-père, dans son cou, dans ses cheveux, elle me caressait les mains, puis les prenait, puis m'attirait vers sa mère et forçait Sheena à se rapprocher. Lily ne disait rien. Elle voulait seulement nous voir embrassés, tous les deux autour d'elle. Et nous cédions. Nos regards se croisaient. Nous nous effleurions les joues. Lily battait des mains. Elle ne parlait toujours pas. Je me disais que tout était ma faute, que j'avais fait de ma vie un gâchis, mais que je pouvais encore me reprendre, reprendre Sheena, abandonner mes petites séductions, ce n'était pas un sacrifice si immense : pour que Lily parle. Et puis elle a parlé, lentement, peu à peu.

Or, je n'avais rien fait. Sheena et moi avions continué à nous déchirer devant elle. Elle avait sans doute décidé de parler pour couvrir nos voix : je préfère plaisanter, aujourd'hui... Mais tu ne peux pas savoir ce que cela a été. Nous avions quitté l'ambassade de Paris depuis un an ou deux. Un ami psychiatre a essayé de me faire croire que c'était le retour en Suède qui avait aidé Lily, comme si elle avait été perturbée par la langue française trop entendue à Paris. Je n'y ai pas cru une minute. Elle a parlé comme cela. C'est tout. Un matin, des sons enfin organisés, des espèces de mots, des fins de mots, des syllabes claires. Jusque-là, c'était de la déglutition, parfois violente. C'est devenu ce lent pàrler doux, retenu, précautionneux, tu as remarqué : encore aujourd'hui on dirait qu'elle a peur de faire des fautes. Elle a abandonné le piano, en même temps. Je n'ai jamais compris pourquoi. Comme si le piano était sa vie muette. Elle s'est jetée sur le violoncelle d'un camarade : comme si le vrai langage était celui-là, comme si la voix du cello allait l'aider à parler, comme si elle avait attendu, comme si le cello et elle s'étaient donné rendez-vous. Tout ce qu'il fallait pour me faire croire à je ne sais quel hasard génétique, à l'inexplicable machine humaine. Tout ce qu'il fallait, aussi, pour ne rien apaiser entre Sheena et moi. Au lieu de remercier Dieu, j'ai ricané. Au lieu de voir là une sorte de signe qui m'était adressé — je ne parle pas de miracle, c'est idiot, mais cela ressemblait à quoi d'autre ? et auquel je me devais de répondre, je me suis enfoncé plus profond dans mon chaos, j'ai repris ma carrière politique en ne croyant plus à grand-chose et en me consolant avec les fortunes de femmes, de femmes de rencontre, la frénésie des femmes, le tourbillon : elles m'aidaient bien, les garces. Tous les torts ne sont pas de mon côté. Ceux qui agissent comme moi : c'est qu'elles aiment ça, elles adorent ça, les femmes. Plus un homme est coureur et insatisfait de toutes, plus toutes lui courent après. Des mouches s'engluant exprès. Pas toutes les femmes, naturellement. Mais il y a une sorte de femmes faite pour notre sorte d'hommes. Tant mieux! Pas d'erreur sur la marchandise. Les mouches filent vers la merde, mon cher. La merde, c'est nous. Enfin : c'est moi. C'était moi.

Il se tut brusquement. Je n'osai ni parler, ni interrompre son silence. Jusqu'à ce jour, je n'avais donc rien compris, rien senti. Il venait de tout lâcher, d'un coup. Il n'en pouvait plus. Je le vis à notre première promenade, rue de Bourgogne, beau, éclatant, jeune, prêt à rire. Je le vis à d'autres moments pareils. Je le vis, là, accablé près de mon lit, la tête renversée en arrière, mâchonnant un peu de la compote de Lily, comme un vieillard que j'aurais visité dans son asile. J'eus beau me répéter qu'il allait rebondir une fois encore, que je l'avais déjà vu ainsi, et puis qu'il avait tout effacé d'un bon mot, je n'y croyais plus. Il s'était découvert et cassé devant moi.

Je ne sais plus ce que je lui dis. Je le sais, à la vérité, mais je n'ose l'écrire. J'étais ému. Je me sentais infiniment indiscret. J'avais envie de partir et de ne plus revenir. Pour ma propre petite santé, par égoïsme, par peur, surtout. Je vis pour la première fois qu'il était vraiment homme à se tuer, et que la boutade du premier jour n'était rien à côté de ce que vivait cet homme : le suicide inévitable, la seule porte qui ne fût pas fermée. Alors, l'envie de partir s'effaça et il me sembla que si je ne parvenais pas à sauver Nils, je pouvais, du moins, l'assister jusqu'à la fin. Il m'avait dit, une ou deux fois, que ce ne serait plus long, qu'il n'y avait plus beaucoup à attendre. J'avais pris ça pour un de ses habituels procédés de dramaturge. Maintenant, nous y étions. Si je partais, j'étais un lâche. Si je restais, je verrais cette mort s'approcher, je ne l'empêcherais pas. Cela allait nous faire courir à tous et à toutes des dangers que j'imaginais à peine mais qui rôdaient, déjà, comme des cordages tendus entre les arbres de l'île.

— En fait, me dit-il, j'étais venu t'annoncer quelque chose de précis.

— De précis?

— Oui. Ce n'est pas grave. N'aie pas peur. Tu as peur? Tu es pâle, ajouta-t-il en relevant le visage vers moi, comme tu es pâle!

Je dus pâlir encore.

— Mais non, dis-je.

J'essayai de plaisanter, de copier sur lui, en lançant je ne sais quelle blague, en imitant la voix de Monsieur Arne Sjöberg quand il venait nous annoncer une mauvaise nouvelle. Je ne pus y parvenir. Je me détournai. J'avais tout bêtement envie de pleurer. J'allai vers la salle de bains, je fis couler l'eau du lavabo et me plongeai la tête sous cette eau glacée. En m'épongeant je lui dis :

— C'est vrai que j'ai peur, Nils.

— Peur de quoi?

— Pour toi, pour nous tous, ici, je ne sais pas. Lily, d'abord, elle m'a fait peur, ce matin. Puis, ce que tu viens de me dire. C'est effrayant...

— Cela ne concerne que moi, mon petit!

— Non. Tu m'as mis là, tout entier. Je ne sais plus quoi faire.

— D'abord, nous devons finir le livre. Ce ne sera plus très long...

— Tu vois, tu recommences! Qu'est-ce qu'il y a, après le livre? Je rentre en France, avec mes cassettes sous le bras. Et puis? Je t'écris, je te donne des nouvelles. Je t'annonce, fou de joie, qu'on va le publier. Et puis? Tu me réponds? Tu m'annonces ton arrivée? Ou bien tu te tais, enfermé dans ton Bunker? Tu réponds? Tu es vivant?

— Je ne sais pas, dit-il.

Il s'était levé. Il s'approcha de moi et posa sa grande main sur mon épaule, et tapa plusieurs coups, forts, lourds. Je me redressai. Il me tapait dessus comme sur un piquet de bois qu'il avait envie d'enfoncer.

— Je ne sais pas, répéta-t-il.

— Qu'est-ce qu'il y a après le livre? Il y a le Bunker? Tu es engagé vraiment, dans cette histoire? C'est une mission, une justification suprême? Tu écoutes des flottes et des armées, tu épluches ces bavardages et tu essaies de comprendre, de prévoir, et puis tu transmets? Et on te pose d'autres questions? Qui est l'État, quels sont les hommes qui te...

— Je te l'ai dit. Un seul homme.

— Je sais. Faut-il te croire?

— Absolument.

— Et c'est important?

— Absolument. Capital. Tu comprendras si la guerre éclate. Je te le dirai, à la fin du livre. Je dirai à peu près tout. Cela tient en une quinzaine de feuillets. Ils sont écrits. C'est le secret de tout.

— Est-ce une raison suffisante pour t'enfermer ici, renoncer à ton mandat, à ton parti?

266

— Oui. Largement suffisante. Toute la question serait plutôt : est-ce une raison suffisante pour vivre ? Et la réponse est douteuse. Je n'ai qu'une seule raison de vivre. Tu le sais. Tu as vu dans quel état elle est !

J'avais menti à Nils, sur Lily. Je n'avais pas dit la vérité, ni sur la compote, ni sur le cello apporté pendant mon sommeil, ni sur son idée d'aller au grenier avec moi « tapoter » le piano. Or je sentais que Nils savait tout.

— Je savais, reprit-il, que Lily te courtiserait !

— Mais non ! Je t'ai dit ce que j'avais à te dire, là-dessus.

— Parce que tu préfère Sheena, alors ? Hein ?

— Nils, tu me l'offres, tu me supplies, tu fais tout ce qu'il faut, cela devient absurde, à la fin !

— Tu as raison. Que devons-nous faire ? Je ne sais plus... Ce que je voulais te dire de précis : les trois messieurs de Stockholm arrivent cet après-midi. Finalement, je les mets dans la maison d'amis. On ouvre cette maison pour eux. Ce sont les gens les plus importants de ma vie; après toi, bien entendu. Monsieur Arne Sjöberg a un peu râlé, et puis je lui ai expliqué que c'était une question de sécurité.

— De sécurité ?

— Oui.

Il répéta *Säkerhet* en me regardant fixement. Là, je ne doutai pas qu'il eût entendu Lily me dire que nous serions *en sécurité* dans le grenier au vieux piano. Comment avais-je pu être si bête ! Cet homme me disait qu'il écoutait les flottes manœuvrer sur la Baltique et les sous-marins nucléaires soviétiques. Il me montrait tout son appareillage de micro-processeurs et je croyais pouvoir parler *en sécurité* à deux cents mètres de lui, avec la femme qu'il aimait ! Il avait tout entendu. Il n'avait fait que cela. Il avait débranché ses flottes pour écouter ma chambre. Toute son électronique sophisti-quée pour satisfaire les rancœurs du barbon !

— Est-ce que tu considères que je mérite une place sur la terre ? Dis-moi, François ! Dis-le-moi !

— Certainement, Nils. Mais je ne suis pas sûr que ta place soit celle d'un espion. Tu dois valoir davantage.

— Mes trois bonshommes de Stockholm me le diront. Je vais être fixé très vite. Ils resteront vingt-quatre ou trente-six heures.

— Pourquoi?

— Question de marée, je ne sais pas, de fuseaux horaires. Je n'y comprends rien. Je ne suis pas ingénieur. Je comprends et je parle le français, l'anglais. C'est tout. Et je sais pas mal de choses sur les services secrets. En amateur distingué. Mais j'ai été choisi. Ils seront donc dans la maison d'amis. François, il y a quelque chose d'essentiel. Tu ne peux pas habiter l'île. Tu es étranger. Je ne t'ai pas déclaré. J'ai triché. Monsieur Arne Sjöberg m'a aidé. Il veillera donc à réparer ma tricherie, comme d'habitude. Il m'a souvent vu tricher. Il m'a toujours refilé des rois et des dames au bon moment. Il m'a juré de t'isoler dans la maison de Kerstin.

— Mais pourquoi?

— C'est plus sûr.

— Mais on avait dit que...

— On s'était trompé. Je ne veux pas d'histoires. Tu n'es pas ici. Tu es chez Kerstin, dans sa chambre du haut. Tu n'en sors pas. N'ouvre pas la bouche. Tu ne touches pas au piano. Elle te nourrira. Ma chère femme te nourrira. Tu ne recevras aucune visite. Ni Sheena, ni Lily. Monsieur Arne Sjöberg est chargé de l'exécution.

— C'est un décret, dis-je. Monsieur Arne Sjöberg est ton flic.

— Oui.

— Parfait. Qu'est-ce qui me prouve que mon internement dure vingt-quatre ou trente-six heures?

— Moi. Promesse.

— Bien, dis-je. Et si cela se prolonge, pour des raisons dépendant plus de la sécurité militaire que de toi-même?

— Nous aviserons. Je te ferai décamper, la nuit. Monsieur Arne Sjöberg, pour lui, ce serait un jeu d'enfant.

— Et tout le monde est prévenu, ici?

— Nous allons le faire tout de suite. Il doit être l'heure de déjeuner, non?

Il se redressa. Je m'étais encore trompé. Il rebondissait. Il repartait à l'attaque, vaillant. Il s'amusait, même. Il ne pensait plus à Lily. Je l'aurais juré. Or il avait entendu tout ce qu'elle m'avait dit. J'en étais sûr. C'était évident. Il me faisait chanter comme un suborneur de pucelle. Il me tenait. Il ne me lâcherait plus. Il me ferait jeter « aux fers » comme sur les bâtiments de corsaires. Je n'avais plus peur de le voir mourir. J'avais peur pour ma peau.

Le déjeuner fut délicieux. Une petite pluie fine nous avait obligés à rentrer. C'était bon, de rentrer. D'être dans une maison. De fermer les fenêtres que j'avais peintes. La Principale était rutilante. Le vent était tombé. La pluie était la bienvenue, pour l'herbe, pour les fleurs. Kerstin était arrivée chez nous comme venant d'un long voyage, avec une ombrelle orange sur sa robe d'éponge blanche. Elle était maquillée, fraîche, prête à donner un concert, gaie. Elle avait piqué dans ses cheveux noirs, à peine gris, une anémone sauvage, rouge. Elle savait, visiblement, qu'elle devait s'apprêter à me recevoir, car elle me lançait des œillades d'opérette et s'arrangeait pour me frôler, en s'approchant de la table. Elle avait l'air d'une très jeune vieille fille, exhumée du célibat pour vingt-quatre ou trente-six heures, elle sifflotait, elle avait des déhanchements canaille, elle remplissait mon verre, elle était folle de joie.

Il y avait trois plats, disposés sur la table, et nous nous servions. Le premier, de brochets bouillis, dont s'occupait Monsieur Arne Sjöberg. Le second, de riz au curry, dont Sheena était responsable. Le troisième était une grande coupe de fruits frais, préparée par Lily, qui pressait aussi les citrons sur nos poissons, à la mode italienne, en piquant les fruits d'une fourchette. Chacun de ses gestes était délicat, enfantin, gauche. Lily avait serré ses cheveux humides sous une barrette d'écaille. Elle ressemblait à un petit garçon qui a grandi trop vite.

Nils faisait des ronds de jambe entre nous. Il dit rapidement :

— Je vais vous annoncer une grande nouvelle!

« Ah! », dit-on joyeusement.

— Mais vous vous trompez! Vous ne savez pas laquelle!

Je fermai les yeux. Je savais que Nils allait faire une de ses folies, pour se redonner goût à la vie.

— Je tiens promesse, François, dit-il en me regardant d'un œil ironique.

J'avais complètement oublié ses bavardages. Je ne pensais

qu'à Lily, à Sheena. Cette dernière se rapprocha de moi. Nous étions tous debout devant la table servie. Nils remplit son verre d'aquavit, lentement, posément. Il dit enfin :

— François, notre si sympathique hôte, « vive la France, mon cher », m'a fait remarquer qu'il était un peu seul, sentimentalement et physiquement. Nous attendons, cet après-midi, une ravissante et très lumineuse universitaire du département de langues romanes d'Upsal, Eva-Liisa... Je ne me rappelle plus son nom... Cela me reviendra. Eva-Liisa sait tout sur la littérature française, et par conséquent, sur François. Je bois à la santé d'Eva-Liisa Pettersson ! *Skål !*

Il y eut l'habituelle raideur silencieuse, qui permit de méditer. Nils vida son verre. Je fis semblant. Dès le silence rompu, Sheena me demanda :

— Qu'est-ce que c'est que cette nouvelle histoire ?

— Je ne sais pas, Sheena, je ne sais pas, Sheena...

— Je t'en prie ! Ne répète pas mon nom comme ça ! Tu vas devoir dire Eva-*Liiiisa !* Ce sera épatant, mon cher !

— Mais il invente, Sheena, je ne sais pas qui est cette fille.

— Je croyais qu'on attendait des ingénieurs pour l'abri ?

— Moi aussi. Monsieur Arne Sjöberg a préparé la maison d'amis.

Nils frappait dans ses mains et réclamait le silence.

— De plus, trois ingénieurs très ennuyeux arrivent aussi, pour vérifier l'abri. Ils logent dans la maison d'amis.

— Et la délicieuse Eva-*Liiiisa ?* demanda Sheena.

— Tu la mets où tu veux, ma chère. De toute façon, et ici je vous prie d'être sérieux, François devra loger clandestinement chez Kerstin.

— Ah ? dit Kerstin en minaudant.

— Mais oui. Je te l'avais dit, Kerstin.

— J'avais oublié, dit Kerstin.

— Tu fais semblant. Je te l'ai dit hier matin. Ou bien tu es gâteuse, Kerstin.

— Sûrement, Nils.

— Naturellement, il n'y a pas d'Eva-Liisa.

— Tant mieux, dit Kerstin. Cela faisait une femme de trop.

— Mais nous avons trois hommes de trop, qui arrivent tout à l'heure.

— Ce ne sont pas des hommes, dit Kerstin, ce sont des ingénieurs. Je ne prendrai aucun repas avec eux. Peur de mourir d'ennui.

— On ne te le demande pas. Monsieur Arne Sjöberg et moi nous nous occuperons d'eux.

— L'eau chaude ne marche pas dans la maison d'amis, dit Sheena.

Monsieur Arne Sjöberg confirma et dit que c'était complètement foutu.

— Aucune importance. Ils arrivent propres. Ils repartiront sales.

— Tout de même, pour se raser, les hommes ont besoin d'un peu d'eau chaude.

Lily venait de faire cette intéressante remarque, qui obtint un beau fou rire.

— Ils portent la barbe, dit Nils.

— Tous les trois? demanda Lily.

— On leur mettra des fausses barbes, insista Nils.

Il se tut et parut se recueillir avant de nous montrer son visage grave.

— Je vous ai mal parlé de cet abri anti-atomique. C'est cela et davantage. François est un peu au courant.

— J'avais deviné, dit Sheena, déjà furieuse. Il m'avait aidée à deviner que c'était davantage. Et pourquoi François serait-il dans la confidence, et pas moi, par exemple?

— Parce que je n'ai pas confiance en toi, Sheena. Mais tu seras bientôt instruite, inévitablement.

A ce moment, Monsieur Arne Sjöberg intervint pour dire qu'il les connaissait, les trois messieurs de Stockholm, et qu'aucun ne portait la barbe. Ils avaient passé presque tout le mois de mai ici, à installer leur matériel dans le Bunker. C'étaient de diables de travailleurs; mais ils ne portaient pas de barbe. Personne ne répondit. On attendait la suite. Nils semblait désarçonné; sur le point de tout dire. Il murmura presque :

— Sheena, je te comprends et je te demande de me pardonner, pour cela aussi. Je suis tenu à garder secrètes certaines choses, pas pour très longtemps, sans doute.

— Soit, dit-elle. Mais je ne comprends pas pourquoi François est instruit. Alors qu'il n'a même pas le droit d'être sur notre île. Il faut m'expliquer cela.

— Alors, je te dis : je n'ai pas demandé de dérogation spéciale pour François. Il est ici clandestinement, et je suis en faute grave à l'égard de la législation du pays. J'ai pris cela sur moi. Parce que j'ai pensé que je le pouvais, d'une part. Et aussi parce que François travaille avec moi.

— A fabriquer ton abri ? demanda Sheena.

— Non. A notre livre.

— Aucun rapport, mon cher ! Tu ne t'en tireras pas ainsi ! Il y a quelque chose qui ne va pas. Qui ne va pas du tout !

Elle continua en suédois. Monsieur Arne Sjöberg suivit enfin la conversation, qui ressemblait plus à une tirade enflammée de Sheena. Nils baissait la tête. Monsieur Arne Sjöberg avait l'habitude. Il savait à peu près exactement jusqu'à quand Nils la laisserait crier. Il aurait pu frapper, lui, le coup sur la table. Que Nils frappa, sans violence, un peu symboliquement, parce que cela faisait partie du rituel. Il frappa et ajouta seulement, en français :

— Tu seras instruite. Tu comprendras tout. Si je te parlais maintenant, tu essaierais de m'influencer, et je dois me sentir libre. Moi, Sheena, je n'essaie pas de t'influencer quant au choix de tes films, par exemple, quant à tes voyages à l'étranger. Le choix de ton analyste ; ni de tes amants...

— Comment ? Il ne manquerait plus que ça ! Eh bien, Nils, je peux t'annoncer, moi, que je te réserve aussi une surprise. Pour le mois de septembre. Le joli septembre. Votre cher septembre de politicards. Et François est aussi au courant. N'est-ce pas, François ?

— C'est vrai, François ? me demanda Nils.

— Oui. Sheena m'a parlé de quelque chose.

Je regardais Lily, qui tressait des fils de sa serviette de table, un peu effrangée, en les mêlant à de fines écorces de citron. Elle faisait cela avec une application extrême, en tirant le bout de sa langue. Je dis, après un silence :

— Arrête de faire cela, Lily ! Tu ferais mieux de travailler ton cello.

— Tu as raison. Je n'écoute même plus. Vous parlez tous pour ne rien dire.

Elle se leva. On l'entendit bientôt attaquer la sixième *Suite* de Bach.

— Décidément, François, tu as de grands pouvoirs. Lily

t'obéit comme une pensionnaire bien élevée. Sheena te livre ses secrets. Il est vrai que j'ai donné l'exemple... Mais Sheena ne le savait pas. On t'aime décidément beaucoup, ici! Monsieur Arne Sjöberg, ajouta-t-il, a aussi des secrets à révéler à François, naturellement?

Monsieur Arne Sjöberg dit qu'il n'avait que le temps d'aller à terre chercher trois messieurs sans barbe. Et qu'il aurait au moins deux heures à l'aller et deux heures au retour, pour fouiller dans le bateau et voir s'il y trouvait des « secrets » intéressants. Mais il ajouta que depuis le temps qu'il pilotait ce diable de vieux radeau rapetassé, les secrets, il aurait pu en découvrir. S'il y en avait eu. Mais il n'y avait que ceux de la mer, et des cailloux au milieu, à éviter, si possible.

Nils sortit de sa poche les six pommes de pin. Je les avais oubliées. Il les disposa sur la table, de part et d'autre de son assiette et de son verre. Il joua un peu avec elles, attendant les questions, comme un professeur sûr de son effet. Il n'y eut pas de question. Alors, d'un air de camelot lassé, il les remit dans sa poche, non sans m'avoir jeté un clin d'œil. Mais, je n'étais pas le complice, sur le boulevard, de ce bonneteau-là. J'avais craint le pire : qu'il fît jouer chacun à désigner qui était qui en ces fruits. Nous en aurions eu pour une heure d'explications et de disputes...

Il dit même :

— Je vois bien clairement que je peux quitter Yxsund. J'ai déniché un successeur pour prendre la barre de l'île. François règne déjà. Tant mieux, tant mieux! Alors, monsieur le socialiste français, quel est le secret de ma femme?

— Nils, dis-je, je ne peux pas. De même que je ne peux pas parler à Sheena de ce que tu m'as dit.

— Parfait. Tu es tenu de tous côtés. Coincé. Agréable?

— Non.

— Écoute, dit-il, ne fais pas l'enfant! Rien ni personne ne t'obligeait à nous suivre. Alors, le secret de Sheena?

Kerstin se leva, fluette mais très digne, et dit à Nils :

— Écoute, mon vieux, il ne faut pas dépasser certaines limites, n'est-ce pas? François, tu comptes t'installer chez moi bientôt?

— Oui, Kerstin.

— Si j'ai bien compris, tu n'as plus beaucoup de temps pour transporter tes affaires...

— Oh! dis-je. J'ai l'habitude de déménager, sur votre île! Ce sera ma troisième demeure.

— J'espère que c'est la bonne! dit-elle en saluant la compagnie.

Elle sortit et je la vis rejoindre sa maison. Elle marchait en chantonnant, en dodelinant sous son ombrelle orange, en esquissant des pas de danse. Elle ne voulait comprendre qu'une petite part, la plus caricaturale, de mes propos. Elle retrouvait son piano. Elle allait d'abord faire mon lit, comme une mère soigneuse, ravie de la surprise. Un fils, enfin, et de retour!

Personne n'écoutait Lily. Ils étaient donc si habitués, si desséchés, si requis par leur haine ou leurs complicités... Nils s'était contenté de grommeler, quand elle avait attaqué le prélude de la sixième *Suite :* « Toujours celle-là! La plus difficile! Je ne comprends pas pourquoi elle s'entête! Bach a écrit ça pour un instrument à cinq cordes. On en a quatre, aujourd'hui, et il faut se débrouiller. C'est très difficile. Mais Lily s'entête! »

Moi, j'écoutais. Je n'écoutais plus Nils, ni Kerstin, ni Sheena. Je regardais Monsieur Arne Sjöberg s'éloigner, croiser le chemin de Kerstin, saluer l'ombrelle, et bientôt s'affairer près des amarres et du moteur. La pluie fine tombait à nouveau. L'air devenait poisseux. Le parfum des bruyères humides montait sur la mer. J'écoutais une fois de plus ce prélude écrit pour « viola pomposa ». J'aimerais savoir dire ici comment Lily le jouait, comment je l'écoutais. Je n'ai que des souvenirs. Parfois, je les avive en écoutant les disques admirables de Pierre Fournier. Je connais bien ces *Suites*. Oserais-je dire « très bien »? Qui peut le prétendre, à moins d'y avoir consacré une vie? Lily, me semble-t-il, était libre devant cette partition. Elle attaquait à grand bras, large, elle prenait le large, dans cette rutilante tonalité de ré majeur. Cela sonnait comme plusieurs chevaliers se répondant. Et l'effet de tambour marteleur, « ostinato », et les incessantes modulations me donnaient le sentiment d'être encore plus loin, tantôt en ut mineur, tantôt en mi bémol majeur. C'était à la fois l'ombre et la clarté créées par le mouvement, au point que la cadence

virevoltante me donna à penser que Lily fermait les yeux,
s'égarait, cherchait à perdre ce qu'elle savait trop et qu'elle y
parviendrait... Elle s'arrêta. Elle reprit la cadence. Puis revint
au tout début de ce prélude, qui ne dure pas cinq minutes,
mais qu'elle redoublait, qu'elle eût repris à l'infini, en
profitant d'une modulation, en prenant prétexte d'une seule
note pour revenir. Elle revint plus lent, plus ample, plus
maîtrisé, moins sauvage, plus déroulé note à note, comme si
son professeur avait été près d'elle, pour lui dire : « Ce n'est
quand même pas une danse de Bartok! » Elle s'y tint. Elle
garda le tempo strict, au moins quelques mesures. Puis
l'allégresse revint, et le plaisir enfantin d'exagérer les effets
d'écho en attendant le crescendo qu'elle ne pouvait maîtriser,
elle allait se prendre dans la pâte, je le savais, et elle s'y prit,
elle barbouilla... Elle reprit encore, scolaire, presque pauvre,
déchiffrant pour la première fois. J'écoutais passionnément.
J'attendais chaque note. J'anticipais. Je freinais, je prévoyais le
coup d'archet trop lourd, l'attaque incertaine, le doigt trop
loin de la touche, l'appogiature manquée... Elle reprenait
encore, comme si elle m'eût entendu. Pour moi seul, cette fois.
Elle me voyait indiquer mon tempo à moi, peut-être trop
solennel, mais elle le suivait, s'y pliait et elle y pliait ses doigts.
Le ré triomphal sonna comme au plein jeu de l'orgue et je
m'en emplis les poumons.

   Il n'y avait plus personne. Sheena était à la cuisine et, dans
un bruit un peu nerveux de casseroles et de vaisselle, montrait
qu'on aurait pu faire quelque chose. Nils n'était plus là. Je
voyais le bateau de Monsieur Arne Sjöberg s'éloigner. Dès que
Lily s'arrêterait, j'écouterais le piano de Kerstin. Et puis je me
retrouverais enfermé au-dessus de ce piano, pour vingt-quatre
ou trente-six heures.

XII

Kerstin m'avait montré ma chambre et je m'y étais glissé, avec une pile de *Monde* en retard. Nils avait insisté pour que je me taise. Totalement. Je pouvais communiquer par gestes, avec Kerstin. Naturellement, on ne devait même pas apercevoir le bout de mon nez. Je voulus obtenir confirmation, de la bouche de Nils; j'en étais sûr depuis qu'il m'avait surpris dans mon lit; je voulais qu'il me le dise. Il me le dit :

— Mais tout, tous les mots échangés entre vous, François! J'écoutais tout. On peut tout écouter, dans le Bunker, tout ce qui se dit sur l'île, dans ses moindres recoins. Tu n'imagines pas qu'on puisse s'enfermer dans le Bunker et laisser s'infiltrer autour de nous des indiscrets qui nous surprendraient.

— Tu as donc entendu Lily?

— Oui, mon petit. Hélas! Je t'ai entendu aussi. Je suis arrivé pour que tu ne souffres pas trop. Tu as bien répondu. Je t'en ai aimé davantage.

— Et elle? Que penses-tu?

— Je ne sais pas. Je ne sais plus. Peut-être que je me suis trompé, pour la première fois de ma vie, sur une femme. Il était temps!

Il répéta : « Il était temps! » Je ne comprenais pas. Il était temps qu'il nous interrompe? Il était temps qu'il se trompe? Il me laissa. Il ferma lui-même la porte de la maison de Kerstin. Il alla recevoir les trois ingénieurs, qui débarquaient.

Caché derrière une sorte de brise-bise écru tissé de gros dessins, je les vis marcher droit vers le Bunker, suivis de Nils et de Monsieur Arne Sjöberg. Personne ne parlait. Ils étaient tels que je les avais imaginés. Assez jeunes, sportifs, décidés, peut-être plus militaires qu'ingénieurs. Ils disparurent du côté du Bunker. Ils pouvaient donc m'entendre marcher dans ma chambre? Mais ils n'allaient pas commencer par cela. Ils étaient venus pour écouter, vérifier, capter sans doute un mouvement de flottes qu'on leur avait annoncé. En quoi mes mouvements, dans la maison d'une pianiste, pouvaient-ils les intéresser? Comment Nils avait-il expliqué à Kerstin qu'elle devait me recevoir en silence? En admettant qu'elle eût compris l'utilité de l'abri, et qu'elle comprenne aussi qu'on venait, aujourd'hui, le perfectionner, comment pouvait-elle concevoir notre silence aussi indispensable? Quel rapport avec l'éventuelle déflagration nucléaire? Mais Nils devait jouer sur le caractère absolument bizarre de Kerstin. Il m'avait dit un jour : « Elle ne sait pas du tout à quelle époque elle vit. C'est délicieux. Un peu agaçant. Il y a une phrase de Flaubert, dans sa correspondance, qui dit à peu près que sa servante ne sait pas si elle vit sous Louis-Philippe ou sous Louis-Napoléon; et Flaubert ne se moque pas d'elle. Il ajoute : "C'est comme cela qu'il faut être!" »

Je demeurai une heure ou deux à ranger mes affaires, à lire le journal de Paris. Je me sentais de plus en plus loin de nos agitations. Tel article qui m'eût fait sursauter, appeler un ami, je le lisais du bout des yeux. C'est donc comme cela qu'il fallait être pour écrire. Un jour, je reviendrais, ici, après la mort de Nils, et je demanderais à Kerstin de me recevoir. Je gueulerais un grand roman dans ma petite chambre. Personne ne m'écouterait, pour raison de *sécurité*. Personne non plus ne lirait mon grand œuvre, pour raison d'oubli. *Le Monde* n'imprimerait même pas le titre de mon livre. On m'aurait exilé définitivement. Je lirais mes pages à Kerstin, le soir. Elle écouterait docilement et me répéterait, avec son plus suave sourire, que j'avais vraiment tort de me mettre dans des états pareils pour des histoires d'amour et de mots mal compris ou mal entendus. Elle reprendrait son éloge de la musique, seul langage qui méritait un effort d'audition. Elle m'en persua-derait. Je continuerais à progresser dans le « quatre mains ». Personne ne viendrait écouter nos schubertiades baltiques. Je vieillirais. Monsieur Arne Sjöberg mourrait avant moi. J'aurais appris de lui le maniement de l'île, des bateaux, des moteurs et des pompes. Je me débrouillerais convenablement. Lily serait enfermée dans un asile. Et Sheena à Rome, d'où elle m'écrirait des billets passionnés. Elle avait fini son analyse; elle en recommençait une autre. Quelle gloutonne, celle-là! Son retour était toujours « imminent », mais elle ne reviendrait pas. Kerstin mourrait, très vieille. Je demeurerais seul, pêchant, ferrant mon poisson. Une nuit d'hiver, comme le père Sjöberg, je me laisserais glisser dans la mer glacée. Ce serait la fin, très émouvante, du roman que je n'aurais pas écrit.

J'éclatai de rire. Je mis aussitôt ma main sur ma bouche. Personne ne pouvait m'avoir entendu, puisque Kerstin bataillait avec une des dernières sonates de Beethoven et qu'elle faisait un bruit considérable.

Je descendis au salon. Elle eut l'air surprise et elle fit mine, d'un bout de doigt, de me punir; mais elle reprit ses arpèges d'acier. Je m'assis et la regardai.

Le salon était gris, tous rideaux tirés, gris et bleu, et parfois parme, quelques touches de parme, sur les coussins. Tout était à la fois frais et fané, immuable depuis des années. Aucune image du monde d'aujourd'hui, aucun objet, pas l'ombre d'un crayon-feutre ou d'un réveil électronique, pas un allume-feu chimique, ni radio, ni télévision. Aucun livre postérieur à l'après-guerre. Pas un magazine sur une table. Pas une cigarette... Je cherchais. J'aurais pu être revenu plusieurs dizaines d'années plus tôt, quand Kerstin était très jeune, et qu'elle était l'épouse du professeur de lycée Söderhamn, auteur de cette thèse sur « Gide et le gidisme » dont elle l'écoutait vaguement parler quand il n'avait rien d'autre à lui dire. Il avait dû l'écouter, elle, comme moi, en ce moment, il avait dû lui faire des critiques sur son Beethoven, et elle avait haussé les épaules. Ils avaient connu de longues soirées d'hiver, devant ces mêmes coussins parme, lui perdu dans ses fiches copiées à la Bibliothèque nationale de Paris, elle dans ses sonates dressées comme des édifices inaccessibles.

Elle continuait. Elle ne me voyait plus, son visage fin d'oiseau ambré, tendu par la mélodie et les rythmes. Je m'approchai d'un rideau et soulevai délicatement un pan. La nuit tombait enfin, et les brumes cernaient les arbres de l'île, les recouvraient un à un, les touchaient séparément d'un trait de pastel bleuté qui s'immobilisait et les éloignait. Les arbres entraient à reculons dans la nuit. Ou bien je m'éloignais derrière mon rideau.

Je songeai à ma maison du Var, aux oliviers, aux pins parasols, aux eucalyptus, peut-être en ce moment secoués par le mistral. Mon premier été loin de chez moi, depuis si longtemps. Que se passait-il? Pensait-on à arroser plumbagos et verveines, hortensias et jeunes lavandes? Il faisait chaud, là-bas. C'était l'heure où les cigales se sont tues, où les crapauds et les grillons vont commencer. Je songeais à des arbres précis, peu vus, généralement, que j'avais plantés, des petits pins, des cèdres, à l'écart. Un lagerstrœmia, notamment, arbre suédois, qui ne voulait rien savoir, et que j'avais biné, taillé, arrosé, engraissé de terreau, d'éclats de bruyère et de compost, et qui ne prenait pas, qui me faisait attendre, mais qui démarrerait à la saison décidée par lui seul, et ce serait peut-être cet été où je l'avais abandonné...

L'œil toujours au rideau, je vis passer Nils, Monsieur Arne Sjöberg et les trois ingénieurs. Ils sortaient du Bunker. Ils allaient vers la maison de Nils. Ils allaient boire, évidemment, et parlaient déjà avec animation. Plutôt comme des congressistes, en suspension de séance. Je vis Nils les calmer d'un geste de chef d'orchestre, avec une certaine onctuosité. J'imaginais qu'il leur lançait une de ses plaisanteries froides, chargée de les désamorcer. Je vis ses lèvres bouger. Il leva la tête vers la fenêtre d'où je l'apercevais. Je reculai. Ils n'avaient tout de même pas du laser dans les yeux! Je repris ma faction. Ils étaient arrêtés, à cinquante mètres à peine de moi. Beethoven recouvrait tout; sinon, j'aurais presque entendu. Nils leur parlait avec un souci évident de modération.

Kerstin s'arrêta. Elle vint vers moi. Je laissai tomber le pan du rideau. Elle me prit la main, doucement, et m'attira vers le canapé. Elle avait chaud. Elle défit son corsage. Un peu de transpiration aux joues, sous les yeux et aux ailes du nez. Elle me parla suédois, à voix très basse, sans voix, du bout du larynx, presque aphone à force de chuchoter :

— Tu nostalges, François, tu as le cœur tiré par mille ficelles, n'est-ce pas?

— Oui, c'est vrai, en ce moment...

— Eh oui! Les choses sont comme cela!...

Elle soupira. Je soupirai. Elle avait retrouvé son calme. Ses petits yeux précis regardaient au loin. J'écoutai le drapeau claquer sur son mât d'aluminium. J'écoutai la balise mugir au nord.

— Qu'est-ce qu'on va faire maintenant? Tu as l'habitude de te soûler, avec Nils. Je n'ai peut-être pas assez d'aquavit. Mais j'en ai. Tu me diras quand tu auras faim. Moi, j'ai beaucoup travaillé. J'ai faim. Tu as envie de parler?

— Bien sûr.

— Mais nous ne devons pas. Ce ne sera pas long. Vingt-quatre ou trente-six heures, a dit Nils.

— Est-ce qu'il faut toujours obéir à Nils?

— Bien sûr. Mais ce n'est pas si désagréable. J'y ai souvent trouvé du plaisir. Pas toi?

Je la regardai mieux. Elle parut intimidée et essuya son visage d'un bref revers de main. Je me demandai ce que faisait Sheena. Je l'avais aperçue, tout à l'heure, nageant autour de l'île. Elle viendrait peut-être nous rendre visite. Elle devrait sonner, en ce cas. Kerstin avait tiré tous les verrous.

— As-tu faim? demanda à nouveau Kerstin, avec force gestes.

Je fis signe que je pouvais attendre. Alors, elle bondit joyeusement vers une bibliothèque, et revint avec quatre albums de photos recouverts de toile à grosses fleurs. Elle continua à faire la muette et m'expliqua que c'était amusant et que, grâce aux légendes, sous les photos, on n'avait pas besoin de parler. J'entrai dans le jeu. Je battis des mains comme un sourd-muet profond. Kerstin approcha du canapé où nous étions assis une table basse et un lampadaire. Elle changea de lunettes. Celles qu'elle mit la faisaient ressembler, avec ses cheveux un peu trop courts, à une jeune veuve américaine sous les arcades de la rue de Rivoli.

Les pages tournèrent trop vite à mon gré. Je découvris Kerstin jeune fille, en 1937, elle avait dix-neuf ans, elle dansait, au bal de son école de musique, comme Lily naguère à New York, et les partenaires avaient l'air des plus convenables. Puis, très vite, venait celui que Nils avait appelé l'« Écossais ivrogne ». Roux, rouge, immense et moustachu. Kerstin prit des airs horrifiés. Je montrai que je savais : la bouteille! Kerstin renchérit, à grands gestes, mimant Kenneth roulant sous la table. Je vis des pages et des pages d'un château superbe, un manoir, plutôt, du « baronet », orné de tourelles carrées et de remparts reconstruits. Je le vis sous les brumes et sous le soleil de printemps, puis je fus admis à pénétrer dans la demeure de Kerstin devenue châtelaine. L'ivrogne n'était plus guère sur les photos, hormis quelques jolies attitudes au golf. Je vis les salons Chippendale, l'argenterie, les tapisseries éclatantes, les ancêtres peints par Reynolds, les armures... J'attendis le fantôme. C'était plus écossais que nature. Au lieu de quoi, Kerstin battit encore des mains et me fit attendre la page suivante et, théâtralement, me livra Sheena bébé, minuscule, l'air sévère entre une brassée de nurses en robes longues. Kerstin au piano, Kerstin saluant après un concert au château. Puis, des mondanités, des bals, des « parties », d'autres châteaux, des grands noms que Kerstin m'invitait à honorer particulièrement, et qui me disaient quelque chose, les Cawdor, les Strathmore, les Linlithgow, et Kerstin me les montra à un bal de la Cour, et elle se désigna elle-même, dans la foule élégante.

Sans transition, je découvris Kerstin et son bébé emmailloté sous une pluie diluvienne, escaladant une passerelle, puis un grand bateau et des gens qui agitaient des mouchoirs, puis l'arrivée à Göteborg, le retour au pays. C'était la fuite. L'adieu définitif à l'Ecosse. Les photos ne disaient pas pourquoi on avait interrompu cette vie brillante. J'interrogeai du regard. Elle fit un geste de catastrophe, d'impossibilité, de cauchemar. Elle revint en arrière. Elle me montra, sur une photo de groupe, une jeune femme ; puis une autre, sur une autre photo ; puis une golfeuse... Elle ajouta quelques bouteilles lampées au goulot. Elle me servit un doigt de sherry et me montra que le père de Sheena, lui, aurait déjà bu toute la bouteille. Je m'inclinai. C'était d'une grande simplicité, et ce n'était même pas triste, tant Sheena devenait ravissante, à deux ans, dans les bras de sa maman qui en avait vingt-deux. Il y eut quelques photos, peu nombreuses, de concerts, de studios de radio, avec de gros micros plats, et soudain je distinguai Nils.

Il a vingt-quatre ans. Un éblouissant, un immense jeune Viking en uniforme blanc d'officier alpin de Sa Majesté. Il ne se battra pas. Il y était résolu, pourtant. Il a distingué, à Upsal, où il commence à enseigner la littérature française, la jeune pianiste chargée de son bébé roux. Kerstin me montre où eut lieu leur première rencontre, devant l'église de Gamla Uppsala, Nils désignant lui-même, pour le photographe, une pierre runique incrustée dans le mur de l'abside et l'autre représentant un bateau viking sans voiles mais avec une croix en tête de mât. D'autres photos de restaurants d'étudiants, de promenades à bicyclette ou à skis courts. Puis, les choses deviennent sérieuses, car voici le pasteur Söderhamn, en noir, avec son rabat blanc et ses lorgnons à longues branches, qui contemple le jeune couple. Il s'apprête à les bénir. Pour la première fois, j'aperçois la mère de Nils. Jamais il ne m'en avait parlé. Je ne l'avais jamais entendu dire « ma mère », ni « maman ». Kerstin m'explique qu'elle est douce, effacée, à l'ombre de son mari tonnant et rigoureux, mais comme elle a du charme, celui de son fils, comme elle a du charme!... Kerstin se lève et va chercher une bougie bleue, qu'elle allume soigneusement. Dans La Principale, on allumait rarement les bougies. Sheena trouvait que cela faisait folklo. Chez Kerstin, on est vraiment en Suède et on n'a pas peur. C'est-à-dire qu'on allume parce qu'on a peur. Kerstin ne sait plus comment continuer à tourner les pages. Il est sûr que la guerre, pour elle, la guerre presque partout dans le monde sauf en Suède, cela a été le bonheur parfait. Nils était un brillant professeur, passionné de ses livres, de ses élèves. Spécialiste de la France, il souffrait, certes, de voir le pays de Gide et de Mauriac humilié. Il avait une fille à élever. Une femme à écouter. On fait beaucoup de musique à Upsal, à Stockholm. On a des tas d'amis. Kerstin devient célèbre. Un jour, la guerre finira et on l'applaudira hors des frontières.

Entre-temps, nous avons dîné, modestement. L'album nous était une nourriture suffisante. Kerstin s'est excusée de n'avoir pu faire davantage. J'ai posé ma main sur son bras pour l'apaiser. Une fois ou deux, elle s'est mise au clavier, elle a esquissé un thème, un trait qu'elle avait manqué, un jour, ce jour qui correspondait à cette photo-là, où je voyais Nils vêtu de noir, avec une sorte de lavallière sous le menton, berçant Sheena, qui le regarde, en extase.

Maintenant, il est tard, pour Kerstin, qui se lève toujours très tôt. Il est tard, aussi, parce qu'elle n'en peut plus de me montrer des photos aussi heureuses. Soudain, devant une table à petits carreaux posée là, dans l'île, déjà, ici, à quelques pas d'ici, et elle me désigne l'endroit, voilà, je sais où, je suis passé cent fois à cet endroit, devant cette table de printemps, aux années 1950, je pense, c'est ça, Sheena a l'air d'avoir douze ans, Kerstin en a un peu plus de trente, et Nils deux de plus, c'est bien ça, je ne me trompe pas, il a été élu député pour la première fois en 48, il avait trente-deux ans, voici la cassure, il échappe à Kerstin, et peut-être même à Sheena, il ne peut continuer à tout faire, à tout enchanter autour de lui, mais, surtout, ces deux êtres féminins, il est devenu un homme, il n'a plus de lavallière, il tend ses mâchoires, il veut, il en veut, il ira loin, il oubliera tout pour le parti; Tage Erlander, le Premier ministre, lui a promis un bel avenir, il n'aura pas à se contenter d'empiler des fiches sur Gide, qui, d'ailleurs, vient d'avoir son Nobel et Nils, par voie de conséquence, a son heure de gloire littéraire : il est le grand spécialiste suédois de Gide, et Gide l'apprécie, et il y a toutes ces photos de 1947, où l'on voit le vieux maître serrer Nils sur son épaule, devant Sa Majesté le roi... Assez de ferveur, Nathanaël! Kerstin me montre Nils, à la première page du *Svenska Dagbladet* prononçant son discours sur l'idéal culturel suédois. Il est penché sur son pupitre, il fusille l'objectif, il ne pense plus qu'à ce qu'il dit, il oublie ce qu'il aurait pu rêver.

Kerstin a fermé d'un coup sec l'album. Elle pleure dans mes bras. Son odeur fade et tiède passe dans ses grosses larmes. Voilà une femme qui n'a pas pleuré depuis longtemps. Et que dire, et que faire? Je murmure, j'apaise, je prie que l'on m'excuse, je suis resté trop tard, merci pour le dîner, c'était exquis, comment fait-on pour regagner ma chambre sans allumer, il faut que tu me montres, tu as raison, Kerstin, la politique c'est terrible, moi-même etc. Elle me repousse. Elle me déteste, de lui avoir montré le bonheur, l'enchantement si anciens. Elle me fait comprendre que, demain, les albums seront là, à ma disposition. Non, mieux : je prends la suite de l'histoire, je peux continuer tout seul dans ma chambre. J'en suis là. En 1948. Il y a trente ans. Elle ouvre ses deux mains et les referme trois fois. Dix. Vingt. Trente.

Je n'entendais plus rien, hormis les sanglots étouffés de Kerstin, à l'étage au-dessous, coupés de petits cris. Je me sentais coupable, voleur, voyeur. J'avais honte. La nuit était presque nuit. J'avais entrouvert ma fenêtre. Aucune lumière dans ma chambre. Aucune sur toute l'île. Peut-être une vague lueur, du côté du Bunker. Encore l'imaginais-je. Aucun vent. Aucun des sons funèbres de la balise du nord. Pas un bateau en vue. Le continent, loin, vaguement orangé. Trois avions de combat passèrent très vite, assez bas, dans un poudroiement bleuté qui demeura longtemps entre ciel et mer. Je finis par m'endormir en attendant leur retour. J'imaginai que Nils et ses ingénieurs attendaient aussi.

Je m'éveillai tôt. Il n'était pas huit heures. J'avais dormi d'un trait, sans rêve ni insomnie. J'allai à mon rideau et voulus observer la mer. Je vis alors Sheena. Je la vis comme je ne l'avais jamais vue et comme je n'avais vu aucune femme. Elle était posée, nue, sur un des rochers roses au bord de l'eau, à quarante mètres de la maison, exactement dans l'axe de ma fenêtre, nue sur le ventre, couchée sur ce rocher en forte pente vers la mer, et sa tête touchait presque l'eau, tandis que ses pieds, ses jambes, ses cuisses étaient les plus proches de moi. Les bras étaient en croix, les jambes écartées l'une de l'autre, de sorte que les fesses ne se touchaient pour ainsi dire pas. Sheena n'avait cessé, depuis le premier jour, de s'exposer au soleil. Tout son corps était brun orangé. Je voyais mal les cheveux, épars sur l'eau. Je crus d'abord qu'un accident lui était arrivé, tant cette étoile ressemblait à un cadavre rejeté par la mer. Mais au moment où je m'interrogeais et m'apprêtais à sortir, je vis que Sheena faisait un ou deux mouvements très naturels de femme au soleil, levait un peu sa jambe gauche, puis la droite, puis ramenait une main sur son dos, peut-être pour chasser une mouche. Elle détourna même la tête, puis se remit dans la même position, étrange et, quoi qu'il en fût, selon moi mauvaise pour la circulation. La tête aussi basse par rapport aux pieds, tout le sang devait y affluer. Elle ne resterait pas longtemps ainsi. Rassuré, néanmoins, je l'observai. Elle ne s'était pas mise là par hasard. Elle savait où j'avais dormi. Elle avait voulu que mon premier regard du jour fût pour elle, dans cet état. J'avais vu des femmes nues en mille états. Pas celui-ci. J'avais beau me le répéter, me dire que je me trompais, il n'y avait aucun doute là-dessus. J'avais déjà vu des femmes nues au bord de la mer, abandonnées, mais pas dans l'axe de ma fenêtre, et à une si petite distance; et pas la tête en bas; ni pointant ainsi vers moi; et je n'avais jamais observé pareil corps m'interrogeant avec une telle impudeur; et, à y bien réfléchir, je n'avais jamais été prisonnier volontaire dans une île, ni ailleurs; enfin, et surtout, on ne m'avait jamais adressé signal plus provocant, auquel tout m'empêchait de répondre d'aucune façon. Je ne pouvais qu'observer et attendre. Il y avait sûrement quelque chose à attendre. Et sinon : une femme en danger, quand l'irrigation du cerveau par le sang se ferait trop pressante. J'attendais l'insupportable. A moins que ce ne fût, pour Sheena, un plaisir.

J'attendis assez longtemps. J'en oubliai le parfum du café moulu par Kerstin, puis filtré goutte à goutte et qui montait à mes narines. J'entendais mon hôtesse s'affairer. Elle songeait à m'offrir un petit déjeuner raffiné. Je devinais que la cafetière serait enturbannée dans une housse à fleurs, qu'il y aurait des myrtilles et du hollande en fines lamelles, et de la crème sure. J'avais envie de tout cela, mais mon œil était rivé à la mer.

Enfin, vers neuf heures moins le quart, Sheena se redressa d'un bond et regarda vers ma fenêtre; comme si j'avais bougé et qu'elle m'eût entendu; ou comme si elle avait décidé que les choses duraient trop. Je me renfonçai aussitôt derrière le brise-bise. Elle ne pouvait m'apercevoir. Je détachai le pan du rideau, en m'agenouillant au plus bas de la fenêtre, à son coin gauche. Ma tête était protégée par le mur. Je n'exposai qu'un centimètre de mon œil droit, voilant mon front et mes cheveux dans le coton blanc. Sheena se leva et mit une serviette autour de son ventre en regardant arriver quelqu'un, qu'elle salua d'un geste de la main.

Je reconnus alors l'un des trois ingénieurs. Il venait sans doute de la maison d'amis. Il était déjà ridiculement accoutré, avec sa cravate et son costume de gabardine bleu pétrole. Il marchait précautionneusement sur les rochers roses, en effleurant ses lunettes du doigt, de peur de les perdre, s'il venait à trébucher. Sheena alla vers lui et le fit asseoir. Elle s'assit aussi, ses seins toujours nus. Ils tinrent quelques propos climatiques, sans doute, car ils désignaient le ciel, la mer, le continent. Puis, l'ingénieur se lança dans un long propos. Il me tournait le dos. Il s'était assis bizarrement, plus appuyé sur ses coudes, en arrière, que sur son séant, et il se balançait un peu, avec une régularité calculée. Puis, Sheena répondit. Elle ne souriait pas. Je la voyais, elle. Elle ne souriait pas. Elle ne tentait pas de le charmer. Elle s'était peut-être installée sur ce rocher pour charmer quelqu'un, mais pas un ingénieur; pas celui-ci en tout cas; peut-être un des deux autres?

Je la vis accompagner son discours d'un geste montrant la maison de Kerstin, puis, plus précisément, derrière le pin, ma fenêtre. Elle fit se contorsionner l'ingénieur jusqu'à ce qu'il localise précisément ma fenêtre. Elle ajouta encore quelque chose. A la fin, il se leva et repartit à grands pas, vers la maison d'amis. Et Sheena se dirigea vers le nord, drapée convenablement dans sa serviette.

J'hésitai à descendre. Elle venait, c'était évident, de désigner ma cachette. Qu'eût-elle désigné, avec cet acharnement? La chambre d'amis de sa mère, Kerstin Norrenlind? Quel intérêt, pour un ingénieur de la sécurité militaire? Elle venait de trahir Nils. Je descendis boire un petit café. Kerstin m'accueillit avec de tendres baisers, en me montrant la jolie table mise. Je souris. J'aurais voulu lui expliquer que mon premier repas du jour serait rapide. J'eus à peine le temps de boire quelques gorgées de café.

Nous entendîmes ensemble les coups sourds à la porte. Forts. Accélérés. Redoublés. Kerstin se précipita. Je lui chuchotai de ne pas bouger. Elle alla se poster derrière la porte. Je me fourrai dans une sorte de placard à balais, qui sentait la cire. Je pensai : « Voici une police qui me cherche et qui va me reprocher des fautes que je n'ai pas commises. Comment me défendre? C'est la pire des accusations. On arrive, parfois, à s'expliquer quand on est coupable. Mais là, témoin, auditeur bénévole, touriste, mon compte est bon. Je suis perdu si je fais semblant d'être coupable. Je me perds davantage si je dis la vérité. Quel mensonge inventer qui ait l'air vrai? »

J'entendis la voix de Nils. Il criait, en suédois :

— Kerstin, n'ouvre pas! Ils n'ont pas le droit! N'ouvre pas! Ne bouge pas! C'est un malentendu!

J'entendis la voix des ingénieurs et je ne compris plus

grand-chose. Kerstin me regardait, interloquée. J'avais la main sur la porte de mon placard. Tout cela devenait grotesque. Enfin, je les entendis s'éloigner, sermonnés par Nils. Je remontai dans ma chambre et observai les mouvements sur l'île, par la fenêtre de la salle de bains. Je vis les trois ingénieurs rentrer dans leur maison puis sortir presque aussitôt et se diriger vers le port. Monsieur Arne Sjöberg appareillait. Ils sautèrent dans le bateau, ayant à peine salué Nils qui, maintenant, revenait vers nous. Tout cela avait duré quelques minutes.

Nils entra, embrassa Kerstin, s'excusa pour le dérangement, lui tapota les joues, sourit, et me fit signe de le suivre. Il me fit passer derrière le bois de bouleaux, regarda souvent derrière lui, surveillant le bateau qui s'éloignait, me fit m'aplatir à l'abri d'un buisson de bruyère, me releva, et me fourra enfin dans sa maison. Le bateau était déjà à plus de cinq cents mètres de l'île. Monsieur Arne Sjöberg mettait diablement la gomme.

—- Voilà, me dit Nils, c'est probablement une catastrophe. C'est amusant. Je me demande ce qui s'est passé. Tout marchait au mieux. Je t'expliquerai. Il y a du nouveau. Considérable. Puis, ce crétin de Bengt est arrivé, affolé : « Il y a un socialiste français dans l'île, caché! » Ils sont devenus furieux, tous les trois, comme des agents du KGB en train de se faire doubler. Je leur ai dit que c'était stupide. Mais je ne pouvais pas en dire plus. Quelqu'un a parlé, évidemment. J'ai fait de mon mieux pour les détromper. De toute façon, nous avions fini, et ils se sont drapés dans leur dignité. Et la dignité suédoise, mon cher, c'est quelque chose! Ils vont faire leur rapport. J'avais le droit de m'opposer à une perquisition chez Kerstin. Je le leur ai dit. Je leur ai donné, à tout hasard, ma parole d'honneur. Ai-je bien fait? Un soupçon va flotter. Au moins un soupçon...

— Faut-il que je parte, Nils? Tu n'as qu'un mot à dire.
— Non. Nous devons achever ce livre.
— Nous pourrions travailler à Stockholm...
— Non. Je dois faire marcher leurs trucs.
— Combien de temps? Je peux t'attendre à Stockholm. Tu

me rejoins. Nous finissons. Si, entre-temps, on t'envoie des enquêteurs, il n'y a plus de Français sur l'île.

— Oui, bien sûr, oui... Tu m'attends à Stockholm, avec Sheena, par exemple. C'est elle qui a foutu la merde, n'est-ce pas? Qu'en penses-tu?

Je n'hésitai pas. J'avais pensé mentir. Je n'étais pas obligé d'avoir joué les vigies, si tôt. J'étais innocent de tous ces jeux de fous. Je feuilletais, ce matin, les albums de photos, comme un bon ami de la famille. Je n'avais pas l'habitude d'espionner mes hôtes. Mais je ne pouvais pas ne pas dire la vérité. Je fis mon récit de vigie. Il m'écouta à peine. Il dit entre ses dents :

— Bien. Cela va être terrible. Définitif.

Il se frotta longuement les yeux avec ses paumes.

— Je suis fatigué, François. J'ai très peu dormi. Ces types sont des ordinateurs. Cela n'arrête pas. Ça n'a pas de besoin. Je me demande même s'ils pissent... Donc, elle a choisi de faire ça. Donc, elle avait une idée. L'histoire de l'abri antinucléaire ne lui suffit pas. Elle flaire davantage. A tout hasard, elle choisit de dénoncer ta présence. Dans tous les cas, elle gagne. S'il n'y a qu'un abri, un gadget expérimental, elle m'emmerde. S'il y a plus, elle me coule. C'est une salope. Une truie. Une merde. Même pas une merde de truie. Je vais la lui faire bouffer... Pas tout de suite. Je suis trop fatigué. Il faut que je dorme. Il faut absolument...

Il était étendu sur son lit défait. Il n'avait même pas ouvert ses volets. Je vis à son chevet un tube de soporifique ouvert et un verre d'eau. Je vis des livres à terre. Je regardai une fois de plus les calices, les patènes d'argent dans leurs vitrines. Le crucifix d'ébène et d'argent. Machinalement, je pris la peau de chamois qui traînait sur le bureau, et j'essuyai le crucifix. Il n'y avait pas de poussière. Je repliai la peau et la remis à sa place, près du pot de sable où les stylos étaient plantés.

Il avait fermé les yeux. Je fis un pas vers la porte. Il me rappela :

— Tu es décidément un ami. Je ne me suis pas trompé sur toi. Tu m'aides rudement, chaque fois... Ecoute : je vais dormir toute la journée, enfin, jusqu'au dîner. Là, ça va chauffer. D'ici là, tu te tais. Rien ne s'est passé. Dis aux femmes qu'on dînera à sept heures. Viens me chercher à six

288

heures. Je te parlerai. Réveille-moi si je dors encore. Naturellement, reprends ta chambre dans La Principale... Excusemoi pour tous ces déménagements... Je vais en avaler deux, carrément! Au diable l'avarice!

Il avala deux comprimés. Je le regardai s'assoupir. Je sortis. Le soleil était chaud, doux. J'étais libre, mais je ne m'étais jamais senti si captif de l'île.

Je revins chez Kerstin. Je montai directement dans la chambre sans lui faire signe. Je repris les albums. Il y avait donc trente ans de Kerstin que je n'aurais pas le loisir de contempler. Je tournai quelques pages. Je vis que Kerstin avait donné beaucoup de concerts aux USA et qu'elle y avait connu une certaine gloire. Je la vis dans son appartement de l'hôtel Astor, à New York, accoudée sur son piano recouvert d'un affreux châle à franges. C'était vers 1948. Derrière elle, des peintures la représentant avec de longs cheveux noirs et cet or au fond des yeux. Elle me regardait, épanouie, encore incertaine. Pourtant, cette photo avait été publiée dans un grand magazine. Et, à lire les programmes des récitals et des concerts, Chopin, Schumann, Brahms, Debussy, Ravel, Kerstin avait un vaste répertoire, et les critiques appréciaient son talent. Je vis aussi une photo d'une réception chez le consul général de Suède à New York, dont le prénom était Lennart. Tout le monde chantait, la bouche grande ouverte comme pour un chœur final, Sheena avait des gerbes de fleurs dans les bras. Nils n'était plus là. Et je ne le vis presque plus. Je tournai encore quelques pages. Sheena devenait une jeune fille... Et voici Lily bébé. Je refermai le dernier album. Je descendis au salon et le remis dans la bibliothèque.

Kerstin entra. Je choisis de ne parler que de musique. Je m'étonnai de l'absence de Paris, dans sa carrière. Certes, je n'avais pas eu le temps de regarder toutes les photos... Elle me répondit que Paris n'avait pas voulu d'elle. Un concert à Gaveau en 1952 ou 1953, elle ne se souvenait plus. Jolie acoustique, cette salle. Elle avait joué notamment *Gaspard de la Nuit*. Il y avait eu un ou deux articles dans des journaux très secondaires... un bref passage à la radio. Et un Français très vulgaire, ami de son imprésario, avait essayé de coucher avec elle. Triste séjour, dans un hôtel sale. Pas de chance avec Paris... Puis elle s'interrompit très vite :

— François, explique-moi, je ne comprends rien. Pourquoi ces messieurs voulaient-ils entrer chez moi? Pourquoi ont-ils tapé comme cela sur ma porte? Pourquoi sont-ils repartis ensuite?

Je répondis que je ne savais pas exactement. Que Nils allait peut-être m'expliquer, mais il dormait; il était mort de fatigue; il avait travaillé avec eux une grande partie de la nuit.

— Le pauvre! Le pauvre!

Elle eut l'air tendre, indulgente. Jamais je ne l'avais entendue dire un mot contre Nils. Elle aimait le plaindre. Elle l'aimait toujours, pourvu qu'il y eût à le plaindre. Il était tel qu'autrefois, malgré ce qu'elle appelait ses « complications ».

— Il va m'expliquer, Kerstin. Il m'a dit que ce n'était pas grave. Il a demandé que nous dînions tous à sept heures. J'irai le voir une heure avant. Et puis, ajoutai-je, mi par conviction, mi par envie d'exalter Kerstin, je peux te dire que Nils est un grand homme.

— Tu as raison. Je le sais. C'est un grand homme, me dit Kerstin. Mais j'ai peur pour lui, ajouta-t-elle, et je ne sais quoi faire...

— Je te le dirai, Kerstin. Nous sommes deux avec lui.

— Sheena n'est plus avec lui, dit-elle.

— Non, Sheena n'est plus du tout avec lui.

— Mais Lily n'est avec personne.

— En effet, Lily est seule.

— Monsieur Arne Sjöberg, dit Kerstin presque plaintivement, comprend beaucoup plus de choses qu'on ne croit.

— Je sais, je sais. Mais là, il s'agit de politique internationale, en quelque sorte.

— Crois-tu, François?

— Eh oui!

— Ah! Fais pour le mieux, dit-elle enfin. Mais je n'ai jamais eu si peur, ajouta-t-elle. Je préférais le voir affronter ses adversaires bourgeois, quand il était jeune et qu'il croyait à tout ce qu'il disait du socialisme, indispensable à notre pays. Comme il y croyait! Comme il a lutté! Aujourd'hui, je sens qu'il est ironique, cynique, et je ne l'aime pas ainsi...

290

— Il ne s'aime pas non plus, Kerstin.

— Et toi, que fais-tu là-dedans?

— Moi, je ne suis rien. J'écoute, j'observe et j'essaie de l'aider.

— Tu ne le trahiras pas?

— Non. Jamais.

— C'est donc ma fille qui le fera, et prendra sa revanche.

— Je voudrais empêcher cela, Kerstin.

Elle me regarda fixement. Elle me parut plus petite, tassée. Elle n'avait pas eu le temps de faire ses travaux de coquetterie. Son visage était pourtant lisse, tendu, et ses yeux étincelaient soudain de volonté. Elle avait toujours été dans l'ombre de Nils et, pour la première fois, elle avait envie de se montrer, d'agir. Elle si méthodique, aux journées remplies par le travail inlassable, elle me demandait : « Dois-je agir sur ma fille? » Et je ne savais que lui répondre. Elle me tenait par le bras, de ses mains dures. Elle me serrait. Elle ne me lâchait pas. Elle me regardait comme pour s'hypnotiser elle-même. Elle finit par dire :

— Je vais aller voir Sheena. Attends-moi.

— Je t'attends, dis-je.

Kerstin parlait à sa fille. Combien de temps cela allait-il durer? Je ne pouvais pas aller voir Nils, qui dormait. Je pris le parti de faire mon petit déménagement. Je fis exprès de traîner, dans ma chambre, dans le salon de Kerstin. Je jouai un peu de piano, très doucement. Je me pénétrai de ce parfum confiné. J'allai de nouveau aux albums. J'y passai pas mal de temps, laissant les photos faire leur travail en moi. Je découvris Sheena et Lily comme je ne les connaissais pas. Une Sheena véhémente, en scène, ou à table, ou tout en haut d'un plongeoir de compétition. Une Lily au sourire triste, à quinze ans, puis rose de plaisir sous les applaudissements, à la fin d'un concert, puis une toute petite photo d'elle, sous les arbres de son école d'Edsberg, marchant tête baissée, ses partitions sous le bras. Qui avait pris cette photo nostalgique?

C'était enfin le milieu du jour, pour cette veillée d'armes. La nuit tomberait. Tout se taisait. Mais sous peu il y aurait des cris. Il faudrait peut-être se battre. Monsieur Arne Sjöberg serait là... Je m'aperçus que je ne l'avais pas vu rentrer. Le temps de deux traversées était largement écoulé. Ou bien j'avais été distrait, devant le piano.

J'allai vérifier, au port. Le bateau manquait toujours à l'appel. Je caressai le bois d'un vieux canot. Je vis un moteur de 5 CV, un peu rouillé, sur l'appontement, et une nourrice d'essence que je soupesai. Pleine. Tout ce qu'il fallait pour fuir. J'installais le moteur. Je tirais sur la ficelle. Je piquais droit vers l'ouest. J'obliquais, plutôt, vers le sud-ouest, pour ne pas croiser Monsieur Arne Sjöberg. Mais non. Ce n'était pas possible. Je pensai bêtement à cette adjuration de notre capitaine, quand nous avions rejoint le front d'Alsace, fin 44 : « En toutes circonstances, spahis, lavez-vous la quéquette et soyez é-lé-gants! » Il avait lancé ça, tout fier, son stick entre nez et moustache. Nous avions ri, dans les rangs. Nous avions dix-huit ans. Nous connaissions à peine cette chose en « ette » et, encore moins, l'élégance. Les deux conseils furent vite oubliés. Et pourtant, devenu à peu près adulte, puis bientôt vieux, la phrase m'apparaissait de jour en jour moins ridicule. J'ajoutais à cette morale sommaire deux ou trois conseils de mon confesseur dominicain, sur la nécessité de témoigner, sur la parabole des talents, sur les comptes qui me seraient un jour demandés. Et je me retrouvais adolescent embrumé dans des songes élitaires. Pourtant, il fallait bien décider. Pouvait-on décider sans être chef? Sans rien casser autour de soi? Sans décevoir derrière soi?

Je caressai la nourrice d'essence. Je dévissai le bouchon. J'aspirai l'odeur du combustible. J'allai tirailler la ficelle du moteur. Je n'avais que quelques gestes à faire. Pourquoi hésitais-je tant à demeurer près de Nils, alors que je l'avais suivi, de Paris jusqu'ici, avec tant de facilité?

Finalement, je haussai les épaules et me rendis, ma valise à la main, vers La Principale.

Je vis Kerstin qui sortait, les yeux rouges. J'entendis la voix de Sheena qui hurlait. Là-haut, le violoncelle, staccato, lent, lourd, louré.

— Alors? demandai-je à Kerstin.

— Rien. Elle ne veut pas parler.

— Tu lui as demandé si elle avait vu les ingénieurs?

— Non, dit Kerstin. Je lui ai demandé si elle était contre Nils. Elle m'a dit que oui. Et puis, elle s'est mis en tête d'être député l'an prochain! Ah! François! la TV, c'est un poison. Ça les rend fous. Ceux qui se montrent. Ceux qui regardent. Il y a quelque chose au milieu, entre eux, un rayon, je ne sais pas, qui les obscurcit complètement. Sheena député!

— Oui, elle m'en avait parlé.

— Quelle folie! cria Kerstin en s'éloignant.

J'avais posé ma valise. J'hésitais à entrer. Je regardai Kerstin se diriger vers sa maison. Elle avait arraché une longue herbe et fouettait, au passage, tout ce qui était à portée. Je me demandais si elle n'allait pas obliquer vers Nils. Mais non. Elle rentra chez elle et claqua la porte. Elle se jeta sur son clavier et fit sonner des accords. Elle fit même des *clusters*, des deux avant-bras. Cela ne lui ressemblait pas du tout.

J'eus comme un éblouissement. Je m'aperçus, de loin, ma valise à mes pieds. Je me trouvai l'air d'un placeur en brosses ou en savonnettes, peut-être d'un distributeur de Bibles pour maisons de vacances. J'allais frapper à cette porte et réciter un verset approprié au jour, à l'heure. Je dirais, par exemple, dans un sourire niais, à Sheena :

Auprès des ruisseaux de Ruben,
On se consulte longuement.
Pourquoi es-tu restée dans ton enclos
A écouter les flûtes au milieu des troupeaux?

— Le Livre des Juges, V, 15-16, ma sœur! dis-je à Sheena.

— Quoi? Qu'est-ce qui te prend?

Je répétai, en ânonnant.

— Oh! Ecoute, arrête, veux-tu! Alors, tu reviens? Va t'installer. Je n'ai pas touché à ta chambre.

— Il faudrait que je te parle, Sheena. As-tu le temps?

— Tout le temps. Notre puissant maître désire dîner tard, m'a dit Kerstin.

— A sept heures. Mais j'irai le voir, auparavant.

— Je commence à en avoir assez, du violoncelle. Elle pourrait tout de même s'arrêter, parfois. Je ne demande pas beaucoup. Je demande une heure de silence, parfois.

293

De fait, Lily brassait ses exercices avec une énergie considérable, là-haut.

— Au fond, Sheena, je n'ai jamais su si tu aimais ta fille.

— Je n'aime que toi, mon chéri.

— Tais-toi.

— C'est vrai.

— Pourquoi as-tu raconté à Kerstin ton truc de député?

— Pour qu'elle le dise à Nils. Pour embêter Nils. Dès aujourd'hui.

— J'aurais pu me charger de tes commissions, tu sais.

— Tu pourras ajouter tes commissions supplémentaires. Oh! François! Partons! Prenons le canot, et partons, je t'en prie... Viens, entre. Va mettre tes affaires dans ta chambre. Veux-tu que je t'aide? Veux-tu que je repasse ton costume gris? Il faut que tu sois beau!

— Mais si nous partons, ce n'est pas indispensable de défaire ma valise. En fait, c'est toi qui devrais préparer la tienne... Partir pour l'étranger?

— Oh oui!

Elle me serra dans ses bras. Personne ne pouvait nous voir. Je ne voulais pas l'embrasser. Je ne voulais pas la prendre. Elle sentait sa crème, le miel, le soleil qu'elle avait reçu à l'aube, sous ma fenêtre, pour moi.

— Je t'ai vue, ce matin, dis-je.

— Tu m'as vue?

— Oui, nue vers moi. Tu l'as fait exprès.

— Peut-être. Tu ne viens jamais te baigner ou te mettre au soleil avec moi. Pourquoi?

— Je t'ai vue aussi parler avec l'ingénieur. Tu as fait exprès.

— Non.

— Comment, Sheena! Tu dis que tu as fait exprès de te mettre sous ma fenêtre. Tu voulais être vue de moi. Et vue aussi avec l'ingénieur.

— Il ne me faisait pas la cour, mon chéri.

— Non. Mais tu lui parlais. Et j'ai su, sans entendre un mot, ce que tu lui disais. Et j'ai informé Nils.

— Eh bien, il va être informé de tas de choses, aujourd'hui.

294

— En effet.

Nils dormait-il, en cet instant, ou bien m'avait-il menti? Il ne dormait pas. Il avait un casque aux oreilles. Il nous écoutait. Il retenait son souffle. Je n'arrivais pas à imaginer tout cela. Et pourtant, il m'avait entendu, avec Lily... Mais non, il dormait. Il m'avait paru épuisé. Ou alors il avait déclenché une de ses machines qui lui permettrait de nous écouter, tout à l'heure, quand il serait éveillé... De toute façon, j'eus en cet instant la conviction que c'était la dernière fois. Il n'y aurait plus semblable question à se poser. Nous arrivions au bout, les uns et les autres. Nous allions nous dévoiler. Nous réunir, puis nous séparer. Ou bien quelqu'un allait nous quitter. Ou bien je serais chassé, et je ne recevrais plus jamais la moindre nouvelle des habitants d'Yxsund.

XIII

Bien avant l'heure dite, je me suis dirigé vers la maison de Nils. Je n'avais cessé de penser au tube de comprimés près de lui. Je n'avais rien fait d'autre que d'y penser. J'avais surveillé souvent le *banc-berceuse*. Il m'avait dit qu'il finirait là. Il pouvait s'étourdir, dans sa chambre, et puis aller s'asseoir sur ce banc, et attendre. Mais il n'y était pas. J'allai m'y asseoir quelques minutes et je ruminai tristement. Puis, je me levai et fis quelques pas ailleurs. Puis, j'aperçus Sheena, qui nageait autour de l'île, son petit tour mécanique, professionnel. Puis, j'allai au port, constater que Monsieur Arne Sjöberg n'était toujours pas revenu.

J'étais monté une ou deux fois dans ma chambre, pour lire les journaux, qui me tombaient des mains. Je n'avais rien d'autre à lire. J'aurais pu aller au grenier et « tapoter » le Schubert; mais je me demandais s'il y aurait encore des « quatre mains » chez Kerstin.

Je m'étais allongé, les mains sous la nuque. J'avais, une fois de plus, tenté de me réciter quelques bribes de mon livre préféré. La fameuse phrase parfaite de *l'Éducation senti-mentale* : « Il voyagea. Il connut la mélancolie des paquebots, les froids réveils sous la tente, l'amertume des sympathies interrompues... » Je n'y arrivais jamais. Je l'avais pourtant récitée par cœur, à la TV, quelques années plus tôt. Mais elle s'enfuyait toujours. Elle faisait exprès de me faire dire que je ne saurais jamais si « amertume » venait, ou non, avant « réveil », ou après « mélancolie ». Tout cela n'amusait que

Flaubert, et encore... Et puis mon cher Harry Wilbourne, celui qui tant aima Charlotte Rittenmeyer, comment vivait-il, comment pensait-il, quand il n'avait plus d'argent, et qu'il refaisait ses comptes, qu'il n'osait pas lui dire, à elle, qu'il avait perdu son job, mais il avait eu tant de foi en elle, la femme au regard jaune, au corps plein, rond, tant de foi... « Dieu ne la laissera pas mourir de faim. Elle est trop précieuse. Il l'a trop comblée. Même Celui qui a fait toutes choses doit forcément en aimer assez quelques-unes pour souhaiter la conserver... »

La phrase était en italique, dans Faulkner, cela, j'en étais sûr. Mais était-ce bien : « Elle est trop précieuse »? Et quel était le mot exact en anglais? Et pourquoi était-il trop tard, désormais, pour apprendre vraiment l'anglais et lire William Faulkner dans le texte? Moi aussi, ma vie finirait, le jour où j'aurais achevé de dresser la liste de mes mille et trois souhaits demeurés en friche. Aller à Prague; diriger un orchestre dans une salle vide; avoir encore un bébé; sauter une seule fois cinq mètres à la perche dans un stade désert, ou bien (on pouvait négocier là un échange) servir une seule première balle-canon, en face de Björn Borg, qui la renvoyait dans le filet et allait changer de côté, mélancolique; revenir à Prague et, de là, monter vers Saint-Pétersbourg et, y entrant, m'apercevoir que je savais le russe depuis toujours, que je parle la jolie langue de Tourgueniev; comprendre enfin pourquoi William Faulkner a mêlé *le Vieux Père* et *les Palmiers sauvages;* il y a vingt ans que je me pose la question; adopter un bébé africain, de préférence peuhl, bleu et noir, aux yeux pailletés d'or, un petit léopard, c'est cela, me voici raciste, et lui apprendre les *Inventions* de Bach, toutes, pourquoi y a-t-il si peu d'Africains, dans nos conservatoires, pour ainsi dire aucun, et pourquoi tous ces Japonais, qui jouent impeccablement, sans un souffle de musique en eux, avec des carburateurs de motocyclettes à la place de l'âme. Pourquoi laisse-t-on l'Afrique mourir de faim, et le Japon se gaver d'électronique? Revenir à Prague; mourir à Prague...

Je me présentai chez Nils, dans un état voisin de la stupidité absolue. Il n'était pas dix-huit heures. Sheena m'avait vu, avait crié; je n'avais pas répondu. « Qu'est-ce que tu vas encore faire chez lui? » J'allais, j'allais le réveiller s'il dormait, j'allais... Je n'étais pas « Celui qui a fait toutes choses », mais j'aimais Nils et je souhaitais le conserver. Je l'aimais, Sheena, plus que je ne t'aimais, il faut bien le dire, un peu simplement, aujourd'hui. Tu vis. Et je ne te verrai plus. Je le vois. J'allais le voir.

Je frappai; comme d'habitude, il répondit en criant. Je le trouvai à peu près tel que je l'avais laissé couché, la tête haute sur ses coussins. Il me dit aussitôt :

— Tu es rudement en avance. Tant mieux. Naturellement, Monsieur Arne Sjöberg n'est pas revenu?

— Non.

— Quand quelque chose le trouble, il va forniquer. J'en étais sûr. Dieu seul sait à quelle heure il va rentrer! Cela m'ennuie.

— Pourquoi? Il reviendra.

— Il revient toujours. J'aurais voulu l'avoir avec nous, à table. J'ai besoin de lui.

— La conversation risque d'être un peu ardue...

— Peu importe. En cas de malheur, il est deux fois plus fort que toi et moi réunis. Tu ne connais pas Sheena!

— Tu veux dire qu'on va se battre?

— Je n'en sais rien. Pourquoi pas? En tout cas, avec lui, je serais plus tranquille. Surtout, je pourrais appuyer à fond. Comprends-tu?

— Non. Pas vraiment.

— Bien. Faisons le point.

Il partit de Sheena. Elle avait trahi. Pourquoi? Il attendait un appel de Stockholm, qui ne venait pas. Toute la question était là. Il avait reçu quelques étrangers à Yxsund. Toujours avec dérogation spéciale. Pour moi, il n'avait rien demandé, car cela aurait été refusé. « Un socialiste français, ici, cela fait beaucoup plus rouge qu'un social-démocrate. Vous êtes les alliés du PC. Alliés battus, mécontents, mais alliés. Cela vous colle à la peau. »

— Tout dépend de ce qu'a dit Sheena. Comment a-t-elle parlé de moi? A-t-elle dit « écrivain », ou bien « journaliste », par exemple? Ce serait encore pire. Que leur as-tu dit, toi?

— J'ai présenté mes excuses. J'ai dit que ma femme était nerveusement épuisée. Qu'elle était tombée amoureuse de quelqu'un comme toi, à Paris. Que tu l'avais rejointe à

Stockholm. Je crois même que j'ai dit que tu étais à Stockholm, en ce moment, que tu étais très honorablement connu de ton ambassade. Ils vont faire leur petite enquête. Ce sera long. Tout le personnel diplomatique est hors de Suède. Le vôtre comme les autres. Et je te rappelle que j'ai donné ma parole d'honneur. Il n'y a pas de Français à bord. Mais ils peuvent...

— Qu'est-ce qu'ils peuvent, Nils?

— Je n'en sais rien. Je n'y connais rien. C'est trop fort pour moi. Ce n'était pas du tout ma tasse de thé...

Il passa sa main sur son front. Il avait l'air aussi épuisé que ce matin. Il ne s'était pas rasé. Ses joues scintillaient de petits poils blancs, drus. Il toussa plusieurs fois. Il se leva pour aller cracher dehors.

— Je joue gros, je joue serré, je vais perdre, c'est sûr. Bien! Tant pis! Si j'avais demandé l'autorisation, je te répète qu'on me l'aurait refusée. Donc, nous ne faisions pas ce livre. Qui est presque achevé. Manquent deux ou trois longues séances. Peut-être quatre ou cinq. On verra... Bien. Si j'avais dit, ce matin : « Oui, c'est vrai, il y a un inoffensif romancier français, charmant, membre du PS, mais sans aucune importance dans son pays... »

— Ce qui est rigoureusement exact! dis-je.

— Eh bien, cela n'aurait pas suffi. C'était la même catastrophe. Je perdais leur confiance.

— La confiance de qui? Nils, tu m'as dit que tu ne dépendais que d'un seul homme.

— C'est vrai. Comme eux. Et leur job va être de me dénoncer. Il n'y a donc plus qu'un espoir : ils ne trouvent rien, sur toi. Tu es entré en Suède le même jour que Sheena et que moi. Facile à savoir par les douanes. Ils l'ont déjà, ça. Et puis, où es-tu? Il n'y a aucun contrôle hôtelier possible. Tu es n'importe où. Introuvable. S'ils me rappellent, je peux leur dire, par exemple, que Sheena elle-même ne le sait pas... Selon nous, tu fais une croisière avec des amis français.

— Et s'ils appellent Sheena?

— J'y ai pensé. Elle va se taire, désormais. Elle veut bien m'emmerder. Elle ne veut pas te perdre. Elle a eu peur. Elle est allée trop loin. Si on la rappelle, elle va faire un numéro de charme. Nous, les histrionnes, nous nous y perdons, dans tous nos rôles, comprenez-vous, messieurs? J'ai dû rêver. Je me suis amusée à l'espionne. Mes vives excuses... Elle dira ça : « mes vives excuses! » Est-ce que tu sais qu'elle est assez éprise de toi?

— Oui. Je crois.

— Tu t'en moques?

— Sincèrement non, Nils. Mais j'aimerais d'abord voir clair.

— Tu ne verras jamais clair, ici, mon cher. Descartes n'a pas vu clair, à Stockholm. Je te souhaite seulement de ne pas mourir ici comme lui : de froid. Mais tu veux Sheena ou pas?

— Je ne la veux à aucun prix si cela te déplaît. D'abord. Surtout, je veux savoir où nous allons, nous tous.

— L'île ne bouge pas, François. Non, reprit-il après un instant, tu as raison, elle bouge... Il va falloir aller là-bas. Je vais me faire beau. Me raser, me parfumer...

Il se leva, alla vers la salle de bains.

— J'adore faire ma toilette avec un bon copain qui m'écoute. J'ai toujours adoré ça, quand j'étais étudiant. Pour apprécier la situation, il te manque deux cartes. La première, c'est que votre Programme commun, avec les communistes, cela a fait un fichu bruit ici. On vous y a vus, avec les staliniens, au gouvernement. On a eu peur. On a encore peur. Peux-tu comprendre cela?

— Oui, oui... J'aurais beaucoup de choses à dire. Tu ne m'écouterais pas. Je ne te convaincrais pas.

— Bon. Peu importe, donc. Ensuite, tu dois savoir que les manœuvres navales du Pacte de Varsovie commencent dans quelques jours. Jusqu'ici, je t'ai dit que l'on pouvait écouter, du Bunker. Maintenant, tant pis, je vais t'en dire beaucoup plus... Après tout, tant pis... Nous pouvons aussi émettre. Nous avons deux hommes à nous infiltrés dans la Marine polonaise. Nous avons émis, cette nuit, et ils nous ont reçus. Impeccable. Deux ou trois petites corrections seulement, des bricoles, de la routine. Tout cela devait être arrangé aujourd'hui. Cela le sera plus tard. Ou pas du tout. Est-ce que tu comprends, maintenant? Cela fonctionne dans ta petite tête cartésienne?

— Très bien. Je te remercie de ta confiance. J'ajoute que, même si on me torturait, j'aurais du mal à parler, car je n'arrive pas à y croire.

300

— Alors, c'est une très grande force, mon cher! Tu es du bois dont on fait les héros les plus formidables, c'est-à-dire sourds et aveugles et ne comprenant rien. Ce qui s'est réellement passé, entre Londres et Paris, pendant la guerre, entre New York et Alger, entre Londres et Dortmund, les neuf dixièmes des gens qui ont fait les choses n'y comprenaient rien et n'y croyaient qu'au moment de mourir torturés et fusillés. Jusque-là, c'était tellement énorme qu'ils étaient dépassés. Ils étaient les rouages d'une horlogerie très étrange. Ils agissaient, et ils étaient agis, par idéal, par noblesse, par patriotisme, par volonté, par tout ce que tu voudras, mais ils n'y croyaient pas entièrement. Le réseau, les messages, les boîtes, les ordres, les parachutages, les agents doubles, triples, les conflits internes, les discours enflammés de vos chefs, les trahisons, les coteries, les mesquineries des mêmes chefs, rien de tout cela ne coïncidait. C'était un puzzle, une bouillie. Cela ne pouvait rien donner. Une seule question comptait, et qui n'était jamais vraiment posée : « Est-ce que les Américains vont mettre le paquet, et quand? » Je te signale que sans les Américains, ton cher Jean Moulin ne serait pas au Panthéon...

Comme il me voyait presque hors de moi, il ajouta, à voix basse :

— Tu me diras que j'étais et que je suis un « neutre » méprisable.

— Méprisable, non. Neutre, oui. Je te le dis. En dehors de tout.

— Bon. J'admets. Mais je ne retire rien. Et j'ajoute : c'est parce que les machines de notre Bunker sont ici, sur cette île d'un vieux pays neutre, qui n'a pas guerroyé depuis 1814, que : primo, c'est capital; deuxio, tu ne peux ni croire ni comprendre. Tu peux te moquer de la Suède. Tu peux te moquer de la Suisse, de ses banques et de son chocolat. Si tu la supprimes de la carte, le système monétaire international s'effondre.

— Non, dis-je. Je n'y connais rien. Mais je dis non. Un autre système international se reforme aussitôt.

— Tu peux te moquer pareillement de notre puissance militaire visible, de nos manœuvres, ne pas admettre l'importance de ce que nous voilons scientifiquement : si tu supprimes cette petite Suède, le système mondial de l'espionnage s'effondre.

— Soit. Je n'y connais rien. Que veux-tu que je te dise?

Il s'était remis à crier. Il était rasé, crémé, habillé de lin blanc. Il avait l'air d'un amiral en bordée, à une escale exotique, prêt à se soûler avec les plus jeunes officiers de son escadre.

— Alors, je vais te dire quelque chose dont tu ne pourras pas te moquer. On a d'abord inventé la roue. Elle a tourné longtemps. Quand il y a eu deux roues, trois roues, etc., on a inventé la courroie de transmission. D'où le moteur. Qui tourne depuis longtemps. Il y a aujourd'hui l'écran. L'écran fait de la roue et de la courroie des choses sympathiques, mais ridicules. Pourquoi aller d'un point à un autre, physiquement, puisque notre image va plus vite que nous? Qu'en dis-tu? Il y a seulement dix ans, dans ma situation, j'appareillais avec un rafiot submarin et je tentais de me glisser entre ces squales du Pacte manœuvrant. Aujourd'hui, je demeure immobile, et l'immobilité est payante, comme tu vois! Naturellement, tu n'y crois pas. Tu appartiens à ce monde occidental exténué, sans imagination, sans foi, qui ne croit à rien. Tu crois à la concussion généralisée. Tu crois que je suis veilleur d'écrans par appât du gain.

« Vous êtes tous si lâches, vous avez tous tant de petites peurs au ventre, vous êtes si à genoux devant vos pouvoirs dominants, libéraux, prétentieux et vides, que vous n'imaginez pas qu'on puisse se redresser par honneur, ou par simple goût d'être debout, par haine de l'assoupissement... Je te dis tout cela vautré, mon petit François, c'est vrai. Mais je viens de me lever pour toi. Je viens de me lever pour faire bonne figure. C'est qu'il faut faire bonne figure. Tu m'as dit qu'on aurait pu se croiser à Charléty, en mai 68. De cette foule d'énervés pathétiques, vous avez su garder quoi? Le pathétique? Même pas. Les nerfs? Même plus. Moi je te dis que cette fin de siècle va être implacable dans le doucereux, dans l'anesthésie lente. Et tu veux ça? Ou bien tu veux arrêter ça? *Réponds!* Ma question est simple. Tu veux mourir gâteux, idiot, riche, raboté par les consensus tièdes et les abandons déguisés en claironnades? Ou bien tu veux prendre le jeu en main et redistribuer les cartes? *Réponds!* Autrement dit : tu veux coucher avec Sheena, te retrouver en prison, faire appeler ton ambassadeur, être libéré et repartir pour Paris, sur un vol Air France, avec champagne et saumon congelé? Ou bien tu veux te battre? *Réponds!* Tu veux rêver? Ou bien tu veux des finalités claires, ambitieuses, passant par des moyens équivoques, et même sournois? Tu veux composer avec les ingénieurs des écrans? Tu veux être parjure? Ou tu veux leur cracher à la figure? *Réponds!* Moi, je leur ai donné ma traîtresse parole d'honneur. Je n'avais rien d'autre à donner, il est vrai, que ce formidable mensonge. Alors?

— Écoute, Nils, il faut qu'on s'entende bien. Donne-moi de quoi te comprendre.

— C'est-à-dire?

— Je ne sais pas. Prouve-moi que ton Bunker existe, qu'il sert à quelque chose, que ce n'est pas un jouet de pays neutre nanti. Dis-moi pourquoi, pour qui tu travailles?

— Jamais!

— Dis-moi si, vraiment, vous avez le pouvoir de parler, de vous montrer, de montrer quelque chose à de braves officiers polonais, russes, est-allemands... Je n'y crois pas. Je n'ai pas la moindre idée des manœuvres du Pacte de Varsovie en Baltique. Je suis comme tout le monde. J'imagine que cela existe et, au fond, je m'en fiche. J'imagine qu'on joue aux cartes, dans les carrés, et qu'on parle des femmes absentes, la bouteille à la main. Ce sont les mêmes pin-up rosâtres, découpées dans des magazines, qui ornent les carrés des sous-marins russes et les tableaux de bord des aviateurs américains venus les survoler. Les mêmes. Le baratin technologique est à peine différent, les codes, les intitulés d'opérations. Les nichons sont les mêmes. Un peu plus de chewing-gum d'un côté, un peu plus de biscuits secs de l'autre. Tous ces guerriers mastiquent dans le vide. Qu'est-ce que tu veux leur faire?

Il me regarda froidement, mit sa montre à son poignet, la consulta et me dit :

— Je n'ai plus assez de temps pour te faire une démonstration. Il faut être à l'heure pour le dîner des dames. Tout de même, viens!

Il sortit en courant. Je courus derrière lui. Il ouvrit le Bunker, me poussa dedans, referma, s'empara d'un carton vert en forme de mode d'emploi, appuya sur des boutons, fit chuinter quelques écrans, illumina une sorte de carte marine bleu et vert, et me dit :

— Écoute. Je n'y connais rien. Je ne suis qu'un animal littéraire, comme toi. Mais il fallait faire un petit effort de technique. Je l'ai fait. Pas besoin de sortir de votre Polytechnique. Je m'y suis mis. J'y arrive.

Il attendit un peu. Je regardai l'écran qu'il me désignait. Il me dit :

— Ceci, cette ombre grise à peine mobile, c'est un engin terrifiant, inconnu, basé à Riga, et qui se dirige vers Ventspils, après avoir doublé Mazirbe. Autant dire à moins de quatre-vingts milles de la côte est de notre Gotland. Alors? On le suit?

Je ne voyais pas grand-chose. Un écran laiteux et bleuâtre. Un trajet. Des stries, quelque chose comme des ondulations de cardiogramme.

— Non. On ne peut pas le suivre. On va dîner. Mais sache, François, qu'il y a là un homme à nous. Je ne sais pas comment on fait pour lui parler, à lui seul, pour l'isoler. Mais nos trois hommes de ce matin lui ont parlé, et il a répondu.

— Où sont les écrevisses? demanda-t-il en entrant.

— Il n'y a pas d'écrevisses, dit Sheena.

— Quoi? Comment? Je vous avais demandé une petite fête d'écrevisses! François n'en a eu qu'une, depuis son arrivée! Alors? Que fait-on des traditions?

— A qui l'avais-tu demandé, Nils? dit Kerstin.

— Je ne sais plus. A vous deux, je pense.

— Pas à moi, dit Kerstin.

— Pas à moi, dit Sheena. Si tu fais faire tes messages par Monsieur Arne Sjöberg, il ne faut plus compter sur lui!

— Pourquoi?

— Parce qu'il n'est pas rentré.

— Je sais, je sais, dit Nils. Je suis au courant.

— Tu es toujours au courant, dit Sheena.

— Je maintiens que j'avais demandé une fête d'écrevisses. Et je l'avais promise à François. N'est-ce pas, François?

— Oui, dis-je, mais ce n'est pas grave. J'avais presque oublié, ajoutai-je, au lieu de corriger le mensonge de Nils.

— Tu n'as pas à faire le bien élevé. Dans ces conditions,

nous mangerons ce que vous nous offrirez, mesdames. Je vois qu'on a fait des élégances... Très joli, Kerstin!

— Elle a vingt-cinq ans, mon ange, dit Kerstin en souriant.

Kerstin avait mis une robe de soie noire plissée, à manches longues et, autour de son cou, un sautoir d'améthystes. Ces choses sévères, paradoxalement, la rajeunissaient. Sheena, en revanche, était dans son jean habituel et ne portait aucun bijou, comme pour bien montrer que les vacances n'étaient pas finies. Lily était vêtue de son éternelle petite robe de coton écru, très courte, assez démodée, que sa mère avait sans doute portée à l'époque des minijupes. Lily allait d'un couvert à l'autre, autour de la table, déplaçant imperceptiblement un verre, un couteau. Je vis qu'elle s'amusait à glisser des tintements dans les blancs de la conversation. Pour faire quelque chose, et sans rien perdre de ma dignité d'hôte privé d'écrevisses, je m'amusai à l'imiter, pas aux mêmes blancs, jusqu'à ce que Kerstin me dispense de « dresser cette table, qui est parfaite! ».

— Puisqu'il n'y a pas d'écrevisses, et puisque demain est dimanche, nous irons tous ensemble à la messe. Nous y serions allés, de toute façon. Cela aussi, c'est une chose qui ne nous arrive pas souvent. Il ne faut pas laisser les souvenirs défaire les souvenirs. Nous avons d'excellents souvenirs, tous, de l'église de Norrtälje. Le pasteur est nouveau, m'a-t-on dit. Il a encore des illusions, donc, et il fera un prône un peu long, comme je les aime. Surtout s'il me reconnaît...

— Nils, tu deviens odieux, vaniteux et...

— Je savais que tu dirais cela, ma pauvre Sheena. Cela n'a pas manqué. François, tu n'es pas allé depuis longtemps dans une de nos églises?

— Non. Très longtemps. Je crois même n'avoir jamais assisté à un office dans son intégralité.

— Parfait. Tu verras. C'est d'une grande gaieté. D'abord, nous serons seuls, dans l'église, avec deux ou trois vieilles femmes et l'épouse du sonneur. Peut-être un couple de fiancés, qui ont rendez-vous avec le pasteur après l'office. Un vieux truc. Cela fait un peu de public. Il faut savoir que nos pasteurs ne croient plus à rien. Ils débutent à cinq mille couronnes, logés, éclairés. Ils ont fait des études de théologie assez maigres, en pensant à autre chose. Naturellement, ils sont farouches adversaires de la séparation de l'Église et de l'État. Nous aussi, les socialistes. C'est à notre programme. Malheureusement, nous n'avons pas osé appliquer cette partie de notre programme, quand nous étions au pouvoir. Et nos pasteurs sont officiers d'état civil. Ils disent que c'est parfait ainsi, que cela leur procure des tas d'occasions de rencontrer leurs ouailles, et donc de leur parler de la Parole. Penses-tu! Un coup de tampon sur un papier, et comment va le petit dernier, madame Gustafsson? Ce sont des notables, même pas élus. Des notables stipendiés. C'est une honte!

— Écoute, Nils, ton père a fait ce métier, non?

— Ah! Mais rien à voir! Du temps de mon père, les pasteurs se donnaient du mal, tremblaient de peur devant le Diable fureteur, se relevaient la nuit pour assister les mourants... Mon père a fait des milliers de kilomètres, dans la neige, à pied. Aujourd'hui, nos jeunes gens n'ouvrent la bouche pour dire « Dieu » que si leur Volvo est renouvelée tous les trois ans. Et, en plus, ils se donnent de vagues airs d'écologistes, sous prétexte qu'ils ont un jardinet avec des patates et trois radis noirs! C'est une honte!

Sheena regardait son mari en souriant, une fine moquerie au coin des lèvres, accompagnée d'un drôle de « tsseu-tsseu »...

— Écoute, vieillard, dit-elle, quand un homme passe son temps à dire que les gens étaient mieux plus tôt, c'est qu'il a fini son temps.

— Non, ma chère. Moi, je l'ai toujours dit. Petit prof, je disais honnêtement que mon cher Gide ne valait pas Montaigne, ni Proust Balzac. Alors, tais-toi! Et que nos socialistes au pouvoir ne valaient pas nos premiers militants, ceux de la première génération et de la deuxième. Alors, j'ai le droit de dire que les nôtres, mes collègues d'aujourd'hui, ne valent pas ceux de mes débuts. Quant aux pasteurs, tout le monde est de mon avis. Mais comme ce pays se moque pas mal de religion... Ce n'est pas comme chez vous, François. D'accord, cela a baissé, la croyance, mais cela compte. Et vous avez des évêques et des prêtres dignes, actifs et pauvres. J'en ai reçu pas mal, à Paris. J'ai donné dans l'œcuménisme, mon cher...

— Sommes-nous convoqués solennellement par le maître

de l'île pour écouter le bilan de sa vie? demanda Sheena, ou bien, plutôt, comme je le pense, pour écouter des reproches, et chacun en prendra, à propos des trois ingénieurs?

— Une seule personne présente recevra son paquet, Sheena, et tu sais que c'est toi.

— C'est pourquoi j'attends voluptueusement, Nils!

Il s'approcha d'elle. Je crus qu'il allait la jeter à terre. Lily poussa un cri suraigu. Elle avait poussé beaucoup de cris pareils depuis son enfance. Elle savait qu'elle pouvait au moins retarder les scènes. Nils n'alla pas plus loin. Sheena n'avait pas bougé.

— Nous allons d'abord dîner, comme des gens convenables de l'ancien temps, sans élever la voix, en parlant de choses et d'autres. Nous parlerons, Sheena, toi et moi, en présence de François, quand les deux enfants seront couchées. A moins que vous ne préfériez nous faire entendre un peu de musique?

Il regardait Kerstin et Lily. Kerstin dit alors :

— Tu me fais beaucoup de peine, Nils, et tu le sais.

— Je n'y peux rien. Ta fille est une dépravée, dit-il, tu m'as offert une dépravée pour épouse, Kerstin.

— Bien, bien, dit Kerstin. Nous allons dîner.

Elle n'avait pas relevé le mot « offert » qui m'apparaissait pour le moins déplacé. J'en conclus qu'elle avait l'habitude, que c'était un rite, entre eux, que de feindre, de détourner complètement la vérité. Kerstin n'était plus que la belle-mère de Nils, n'avait jamais été l'épouse de Nils, il ne l'avait donc pas abandonnée pour cette fille. Kerstin avait peut-être même marié, de force, Sheena à cet homme qui passait, un jour...

Je m'approchai de Lily, qui s'était assise et cachait sa tête dans ses mains. Je vis qu'elle pleurait silencieusement, sans un frisson, sans larmes. Ce n'était qu'un air de douleur dans ses mains. L'insupportable répétition de ces insultes devenait plus insupportable chaque fois.

J'ai passé ma vie à attendre l'éblouissement d'une femme. Je me suis récité le « Ce fut comme une apparition » de Flaubert. J'ai cru que cela arrivait, sinon à tout le monde, du moins à tous ceux qui priaient pour être exaucés. J'ai tant prié, et probablement si mal, que seuls les papillons de nuit viennent se coller aujourd'hui à mes lunettes d'ivrogne. Déboucher une bouteille neuve procure moins d'ennuis que de prodiguer des simagrées chantantes. Et lorsque les papillons abusent de la situation, il m'est toujours loisible de cracher sur eux et de les écraser. On n'écrase pas un faux éblouissement de femme entre deux portes. Lily m'avait ébloui, à Paris. Je la trouvai, en cet instant, pitoyable. Sheena, sur l'autoroute et au Grand Hôtel, m'avait ébloui. Je ne voyais plus qu'une épouse amère comme tant d'épouses, humiliée, vengeresse, qui, en attendant de dîner, passait de la cire sur une desserte de bois clair. Elle avait trouvé ça. Elle avait peut-être préparé ça, comme contenance. Je ne la regardais plus comme l'ancien manne-quin, si belle, trop belle. Elle était devenue, par la faute de Nils, l'universelle catastrophe de l'homme.

Comme s'il avait deviné mes pensées, Nils se mit à plaisanter et à faire mille farces. Il sentait que j'échappais, que je dérapais sur le sol de la longue île. Il savait faire le clown pour quatre. Il y avait, en entrée, une soupe de pois au lard, que Kerstin déposa, fumante, au milieu de nous. Nils dit :

— Qui va, de vous trois, mesdames, en l'honneur de François, satisfaire à la vieille coutume de notre merveilleux Värmland ? Cette soupe réclame, appelle, allons, mesdames, quoi.... Comment ? Le silence ? L'ignorance, peut-être ?

Personne ne songeait à répondre. Kerstin emplissait les assiettes que nous lui tendions, et à chacun faisait une légère inclination de sa tête aimable.

— Alors ? Il faut donc que je vous rappelle une ancestrale coutume. Quand on voulait honorer un hôte de marque, la maîtresse de maison, l'ayant servi le premier, prenait le bol de l'hôte, disparaissait derrière un rideau, par exemple, dégrafait son corsage, pressait son sein, et ajoutait ainsi quelques gouttes de lait à la soupe. Voilà. On savait vivre, en ce temps-là. D'abord, on avait toujours une femme allaitant, chez soi. Ce qui n'est plus le cas. Ici, par exemple, je vous le demande, laquelle de vous trois, hein ?

— Tu deviens franchement ridicule ! dit Sheena.

— D'ailleurs, cette coutume du Värmland, dit-il sans

écouter, vous la trouverez chez vous, j'en suis sûr. On me l'a dit. Je ne sais pas si ce n'est pas du côté de la Lorraine, ou de la Bourgogne, je ne sais plus...

Il chantonna : « En passant par la Bourgogne... »

Je rectifiai, plus par ennui que par souci de véracité. Je chantonnai : « En passant par la Lorraine... » Il me remercia. J'eus la bizarre impression, pour la première fois depuis mon arrivée, d'être sur une scène de théâtre et de participer à une représentation d'une pièce de Tchekhov. Ce n'était ni *la Mouette*, ni *la Cerisaie*, ni aucune autre. J'avais un petit rôle à tenir, dont je ne savais pas le premier mot ; et j'allais devoir parler, je ne savais à qui, quand le vieil officier retraité aurait cessé de chantonner et de raconter des inepties. Comme il avait fait chaud, aujourd'hui ! Comme les vacances à la campagne étaient monotones ! Comme c'était déchirant, ces gens inoccupés à philosopher pour passer ce temps ! Et ce brave serviteur qui ne revenait pas de la ville : nous n'aurions même pas de chevaux, demain, pour la promenade dont il avait été très vaguement question. Il n'y avait donc aucun espoir d'aucune sorte de plaisir. Quelques gouttes de lait ! Quel vieux crétin ! Est-ce que j'allais me mettre à parler de samovar et de vie nouvelle, meilleure, plus tard, à Moscou, pour toute l'humanité généreusement comblée dans les moindres de ses rêves ? Était-ce bien à moi de parler, ici ?

Nils reprit, comme pour lui-même, en bafouillant, la bouche pleine de cette soupe :

— Oh, je suis formel. C'est *aussi* une coutume de Bourgogne. Ah ! Ma mémoire est fidèle ! Je me souviens parfaitement. Un jour, à l'ambassade, nous avons servi de cette fameuse soupe préparée par notre chef d'alors, qui s'appelait du reste Ingmar — un vrai nom de marmiton !... très drôle —, et j'ai raconté, comme ça, pour mettre un peu de joie à la table, notre coutume de Värmland. Il est bon que la Suède apparaisse aussi aux étrangers comme une grande terre de légendes. Notre capacité d'innovation sociale vient de nos petites villes idylliques, remplies de rumeurs malicieuses et tout adonnées au merveilleux, sous mille formes. Voilà. Et cetera. Bref, nous avions à cette table un député de Bourgogne, qui a été très intéressé par ces quelques gouttes de lait et qui m'a appris... Et cetera. Ce député n'est plus député. Mon cher François, je crois bien que c'est un de vos jeunes socialistes qui l'a débarqué. Mais pour les vieilles légendes, quand même, c'est à droite, chez vous, chez les gens de droite qu'on est le plus sourcilleux et fervent. Vos jeunes loups, eux, votre bonne gauche claire et technocrate, elle se nourrit mal, ne boit pas et demeure absolument inculte. Votre « nouveau roman » lui va comme un gant. Tandis que mon député de Bourgogne, sans doute un fieffé réactionnaire, je n'en disconviens pas, n'est-ce pas, savait son lait sur la soupe par cœur. Si j'ose dire, car...

Sheena interrompit enfin. Nils pérorait très lentement, une tonne à chaque mot. L'histoire devenait d'un ennui pesant. Nous n'avions pas fini notre soupe. Kerstin nous faisait des mines souriantes pour que nous en reprenions, il y en avait, il y en avait encore, à la cuisine...

— Écoute, Nils, dit Sheena : je quitte l'île sur-le-champ si tu continues. D'abord, il n'y a jamais eu de chef nommé Ingmar à l'ambassade. Ensuite, je n'aurais jamais pris le risque de faire servir notre modeste soupe paysanne...

— Mais si, mais si... Je suis formel.

— Mais non! Tais-toi. Assez. Cela suffit.

— Je maintiens. Ingmar était un gars immense, un peu lourdaud. Tu as une absence. Ce n'est pas grave. C'est la cigarette. Tu fumes trop. Je t'accorde qu'il n'a pas dû rester très longtemps. Mettons quatre à cinq mois, en 1970, je pense... Il s'est passé tant de choses, en huit ans, ma très chère Sheena, dans ta vie si... mouvementée. Oublions cet incident et réconcilions-nous sur le dos, si solide, de cet Ingmar, cuistot! Skål!

Il s'empara du carafon dans le seau de glace, emplit mon verre et répéta solennellement Skål! En reposant son verre, il adressa un sourire chargé de tendresse à Kerstin. Je ne l'avais pas quitté des yeux. Lily, qui était à côté de moi, reposa le sien sans l'avoir vidé et, aussi discrètement qu'elle put, échangea nos verres. Nils la vit et ne dit rien. Le dîner se poursuivit de la sorte. Kerstin insistant sur l'absence de Monsieur Arne Sjöberg, Nils dit, toujours du même ton à la fois gouailleur et cruel :

— Il fornique. C'est son droit. C'est toujours ce qu'il fait quand il rencontre une difficulté nouvelle. Mais il est tout de même inadmissible qu'avec trois femmes à bord, il soit encore obligé d'aller à terre. Après tant d'années! *Skål*! Lily!

Il but, les yeux dans les yeux de Lily, qui portait son verre vide à ses lèvres. Je la vis trembler un peu. Les verres furent reposés après un temps assez long. Je n'y tins plus :

— Excuse-moi, Nils. Je crois que tu as tort.

— Tiens! Toi aussi? Que j'ai tort sur quel point?

— En général, Nils, je suis désolé de te le dire devant tout le monde.

— Est-ce qu'il y a autre chose à manger? demanda-t-il. Si on veut boire un peu plus, c'est court, comme nourriture. Enfin, je trouve...

Il avait chaud. Il dégrafa son col. Il portait sa vieille marinière de lin blanc, montante, boutonnée par de petites pressions intérieures, dans la soutache. Il défit, arracha, fit craquer sa nuque, sa poitrine, souleva ses épaules, se déhancha, apparut le torse à demi nu.

— Il fait extrêmement moite, dit-il.

On voyait sa toison blanche de vieux blond et, sous les côtes, un peu plus bas, quelques taches de sénescence, brunes, ocre, excroissances séchées et patinées comme des nœuds sur une écorce. Il se frappa la poitrine plusieurs fois du plat de la main.

— Bien. J'ai grand tort. En général. Et c'est toi qui me le dis.

— Oui, Nils.

— Il va falloir expliquer. Pour qu'elles comprennent, il faut expliquer. Cela va être assommant!

— Nous comprendrons vite ce qu'il veut dire, murmura Sheena.

— Très bien. Allons-y. Ce dîner est donc fini?

— Il y a une compote, dit Lily.

— Je sais. Tu es très compote. Va pour la compote!

Il se frappa encore la poitrine, du plat de la main, et s'arrêta pour observer les taches, sur sa peau, et il eut l'air d'un singe attentif à ses puces, attendant le moment de les gober.

— Il n'y a aucune raison d'être fier de ta poitrine, dit Sheena. Ces plaques, ces taches, ces je ne sais quoi de vieux... Tu es dégoûtant! Et en plus, tu fais ça à table!

Il regarda sa femme froidement et gratta une de ces taches,

si fort que je craignis de voir le sang, ou Dieu sait quelle humeur, là-dessous. Je dis :

— Moi aussi, Sheena, j'ai des choses comme cela. Je ne sais pas si tu les as remarquées. C'est l'âge. D'accord. Nous avons notre âge. C'est le soleil. C'est la nuit. La nuit qui tombe, peu à peu, et qui marque les corps. On nous prévient. C'est tout. Je ne pense pas que ce soit grave. Il faut voir là ce que l'on veut y voir. Il est bon que les hommes montrent leur vieillesse.

— Bon, bon! dit Sheena.

— Regarde-moi, Sheena. Moi aussi!

J'ouvris ma chemise et montrai quelques taches brunes.

— Regarde, Sheena!

— Écoute, cela suffit!

— Mais non. Tu n'as pas bien regardé. Regarde, Sheena! Nous sommes, ton mari et moi, deux vieux loups tachetés.

— Par quoi? demanda-t-elle. Par les femmes, par le socialisme, par vos échecs innombrables? Par la fin de vos vies, qui s'approche lentement?

— Je ne sais pas, Sheena. Je me borne à te faire constater que je suis comme Nils, bien que plus jeune que lui. Et ce n'est pas un drame.

— Que vas-tu faire de ta vie, François, quand tu nous auras quittés? demanda Nils.

Il s'était accoudé comme un mangeur repu. Parfois, il étendait la main vers le carafon et se versait une courte, hypocrite rasade.

— Il ne faut pas faire comme moi, reprit-il. Il ne faut pas gâcher tes dernières années. Tu en as neuf ou dix. Pas plus. après, cela va rentrer dans la rumination et la détestation, comme moi. Il ne faut pas manquer le tournant. Moi, c'est manqué. Triomphalement manqué. J'avais quelque chose à espérer. Sheena, ce matin, sans même savoir pourquoi, a tout cassé. Sans même savoir ce qu'elle faisait. Le hasard. Mais la haine, quand elle est bien cuite, nous inspire des mouvements de génie. Ce que tu as fait ce matin, Sheena, c'est génial. Imparable. Au fait, je voulais te féliciter. *Skål*!

Il me regarda.

— Tu es d'accord, naturellement? A l'heure qu'il est, Monsieur Arne Sjöberg ne viendra plus. Ce n'est pas de la fornication. Il est bien question de cela! Il est tout simplement retenu par la police. Il raconte sa vie. Nos policiers sont extrêmement corrects. Il n'est pas en danger. Mais mon frère a du mal à expliquer sans expliquer. Ce que la police n'apprécie pas. Si vous vous imaginez que vous allez entendre le doux bruit du moteur de notre bateau, vous pouvez en faire votre deuil. Mon frère essaie, en ce moment, de parler devant une machine à écrire. Il n'a pas l'habitude... Mon pauvre Monsieur! Moi, je ne t'ai jamais maltraité. Il faut que je fasse quelque chose pour toi... Es-tu contente, Sheena?

Nils était soudain angoissé et je ne parvenais pas à déceler s'il venait d'inventer cette histoire de police, vraisemblable après tout, ou bien s'il y pensait depuis ce matin. Monsieur Arne Sjöberg pris en otage, interrogé sans relâche. Comment n'avouerait-il pas que j'étais là, sur l'île, depuis plus de deux mois. Nils se leva pesamment et me dit :

— Viens, François. Il faut que je te parle. Excuses aux dames : nous n'en avons que pour quelques minutes.

Il m'attira sur la véranda. La nuit était tombée d'un coup.

— Je sais que tu ne me crois pas. Je sens. Tu me prends pour un affabulateur. Est-ce que la disparition de Monsieur Arne Sjöberg ne t'ébranle pas un peu?

— Oui. C'est vrai. Comment pourrais-je apprécier? Après tout, tu m'as souvent dit qu'il allait s'amuser à terre.

— Cela ne dure jamais aussi longtemps. Je suis vraiment inquiet, François. Que faire? Regarde notre nuit, si belle, si claire, si chaude, on dirait qu'elle dévore le jour écoulé, qu'elle s'en repaît. Il faudra que tu trouves un jour les mots pour décrire nos jours et nos nuits. Mon petit, je suis sûr que tu peux arriver à écrire un beau roman. Il faut t'y mettre et travailler, oublier et te souvenir. Ne pas te soucier des modes. Écrire un roman comme si c'était ton dernier travail. Comme si tu allais mourir. Si j'étais éditeur, c'est le seul conseil que je me permettrais de donner. Tu es un type bien. Tu me conviens. Malheureusement, ta formation politique est sommaire. Et tes connaissances scientifiques très faibles. C'est votre infériorité, à vous autres, Français. Vous fabriquez des animaux littéraires *ou* scientifiques, les deux espèces étant infirmes l'une de l'autre. Tu as sans doute étudié l'audio-visuel, pour ton parti. Mais tu t'es limité à celui d'aujourd'hui, qui est fini, mort. Tu es nul en prospective. L'autre jour, je ne l'ai pas relevé, mais tu m'as dit une bourde sur les satellites de transmission. Tu penses français. C'est effrayant. Il faut penser planétaire. Juste un mot, pour que tu comprennes la gravité de la situation, et notamment celle de Monsieur Arne Sjöberg. Tu sais, ou tu ne sais pas, que la Russie est bombardée jour et nuit d'émissions de radio?

— Je ne sais pas. Je l'ai lu. Je le crois volontiers.

— Bon. Je te le confirme. Radio Canada, Radio Tokyo, par exemple, cela inonde les Russes. Et ce n'est pas brouillé parce qu'on ne peut pas tout brouiller. Parce que cela coûte plus cher de brouiller que d'émettre. Une fortune. Ils doivent brouiller les Américains, les Anglais, les Allemands de l'Ouest. Et puis, il y a toutes ces langues différentes de l'URSS, du letton au géorgien, de l'arménien à l'ukrainien. Compliqué. Naturellement, votre pauvre Giscard fait exprès de très peu émettre, de chez vous. Tu sais pour quelles raisons électorales. N'insistons pas. Ce que je veux te dire en deux mots. Écoute. Deux mots anglais. Est-ce que c'est vraiment trop pour ton petit cerveau?

Il avait posé sa main sur mon épaule, il appuyait fort, comme d'habitude. Et moi, je pensais : « C'est une des dernières fois... »

— François : *Twilight immunity*. Il existe, au ciel des ondes, une immunité crépusculaire. On s'en sert rudement sur la Costa Brava et au Portugal pour émettre à destination de l'URSS. Qui émet? La CIA, le Congrès américain, tranquillement. Pourquoi là? Parce que l'Espagne et le Portugal n'ont rien à refuser au Congrès. Ni au Fonds monétaire international. Que font les Russes, contre ça? Ils émettent dans les mêmes conditions, rigoureusement, pour frapper l'ionosphère en même temps que les émissions espagnoles et portugaises. Mais il y a la tombée de la nuit, et l'ionosphère, là, tu ne l'atteins pas. Il y a de la déperdition à la tombée de la nuit. Rien à faire. Donc, cela passe. Les Russes sont de plus en plus nombreux à le savoir. A attendre ce crépuscule miraculeux. D'où, et je pense que tu as maintenant deviné, notre idée à nous, qui est une idée de nuits claires, scandinaves et pétersbourgeoises, une idée dostoïevskienne de nuits blanches, alors, tu y es?

— Oui, oui, à peu près, j'arrive, Nils... Mais je te signale que tu me fourres de la littérature dans ta science!

— Exprès. Voilà. Un mois et demi par an, environ, mon île est un territoire fabuleux. Pour l'instant, nos essais sont limités aux unités navales. Sous peu, nous pourrons arroser une zone considérable, *en pleine immunité*. Nous sommes imbrouillables. Je suis, dans mon petit cube de béton, mon cher François, souverain. Voilà pourquoi, à l'heure actuelle, Monsieur Arne Sjöberg ne fornique pas. Toute la question est de savoir pourquoi Sheena a fait cela. D'après toi? Hasard? Prémonition? Simple volonté de me nuire? Besoin de se rendre intéressante? Perversité? Ou bien, et c'est ma petite conviction, c'est ce que je voulais te dire... Dépêchons-nous, il faut rejoindre les dames... Dépêchons-nous, réponds-moi, François!

— Je ne sais pas, Nils.

— Tu sais sûrement. Tu as une petite idée. Je suis à la recherche de la plus petite idée!

Il fallait bien lui parler, maintenant, de notre soirée au Grand Hôtel, de la voix chaude, chuchotant si fort à mes oreilles, de cette annonce extravagante : là, dans quelques semaines, à peine, Sheena, sa femme, son ancienne petite fille, son écolière, sa passion unique, durant de si longues années, là, cela s'approchait, Sheena donnerait sa conférence de presse, annoncerait sa candidature à la députation, elle, la « ringarde », avec son cortège de bannis, d'exclus, de handicapés, de réprouvés, de marginaux... Je n'avais même pas voulu y penser, depuis l'aveu de Sheena. J'avais, au fond, refusé d'y croire. J'avais trouvé plus commode de traiter Sheena en théâtreuse insatisfaite, en bonimenteuse...

Mais il fallait raconter cela à Nils. Cela, il ne le savait pas. Dans la salle de bal du Grand Hôtel, il n'avait pas casé un seul micro. C'était à moi de lui annoncer que sa femme allait lui faire ça, à lui, député déclinant. Et c'est à moi qu'elle l'avait dit.

Je ne sais plus comment j'expliquai, en très peu de mots, car il me ramenait de la véranda vers le salon, en me bourrant de petits coups de poing, en grommelant, en regardant derrière lui, en regardant la côte ouest, pour tenter d'apercevoir le bateau de Monsieur Arne Sjöberg. J'expliquai. Il dit :

— La sauvage! Elle va le faire! Je vois très bien qui va la pousser. Qui va payer, car cela va coûter quelque chose, leur imbécillité marginale. Je vois, je sais! La barbare! Et elle t'a dit qu'elle voulait voir un paralytique entrer au *Riksdag* dans sa petite voiture?

— Oui, Nils, elle me l'a dit.

— Elle a raison. C'est nous qui aurions dû le dire et le faire. Pas comme la séparation de l'Église et de l'État. Nous aurions dû le dire *et* le faire. Bravo! Bien joué. Elle va passer. Elle va être élue, et moi je vais être battu. Je vais donc être Monsieur la députée. Excellent! Quel renouvellement, soudain! Mais est-ce que, dis-moi vite, cela justifie sa trahison? Ce matin, pourquoi avoir dit à cet ingénieur... Réponds-moi vite! Rentrons!

Sur le pas de la porte du salon, il répéta:

— Réponds! Elle me trahit pour m'enfoncer définitivement? Ou bien elle a trouvé autre chose, elle sait tout, elle est achetée, elle complote?

— Non. Je crois qu'elle a voulu simplement casser ton jouet. En fait, c'est elle, pas moi, que tu aurais dû mettre dans la confidence. Vous pouviez ne plus vous aimer et demeurer néanmoins complices.

— Ah! idée bien française de vos pauvres couples hachés en morceaux mais complices. La haine, François, comme la liberté, ai-je besoin de te l'apprendre, cela ne se divise pas.

Elles avaient débarrassé la table. La compote de Lily, seule, trônait et nos deux assiettes nous attendaient. Nils me jeta un bref coup d'œil, comme pour me demander si j'en voulais. Je ne bougeai pas. Il murmura:

— Franchement, je n'ai pas très faim, pas très envie de cette compote. Demain. Tu ne m'en veux pas, Lily?

— Moi non plus, dis-je.

Sheena revenait de la cuisine:

— Bien, bien! N'insistez pas, tous les deux. Vous êtes bouleversés, c'est évident. Je ne vous demande pas pourquoi. Vous avez un gros chagrin d'enfants. En fait, je ne sais pas ce qui est arrivé. Je devine. Je ne veux pas le savoir en détail. Ce

que je soupçonne me suffit. Nils, tu finis ta vie dans le ridicule.
Je souhaite, avant tout, ne plus te déranger.

— Il faudra expliquer, Sheena. Il faudra tout expliquer. Je
vais te demander de dire ce que tu as à dire.

Lily s'approcha de moi, mit ses bras autour de mon cou et
me dit :

— François, tu ne veux pas du tout de compote ? Tu n'es
pas gentil ! Tu ne fais plus jamais rien pour moi. Tu avais
promis de m'écrire une petite sonate rapsodique. Tu avais
promis aussi de m'accompagner à mon école, un de ces
jours...

— A Edsberg ? demandai-je.

— Oui. Tu l'avais promis. Et j'ai fait cette compote pour
toi.

— Pas pour moi ? demanda Nils.

— Pour toi aussi.

Elle parlait plaintivement, avec un étrange sourire crispé, et
de petits gestes de la main, qui ne correspondaient pas
exactement à ce qu'elle voulait dire. Au lieu de me désigner du
doigt, pour me faire ses reproches, elle désignait sa propre
poitrine, sa bouche, et puis elle avait l'air d'enrouler une
bobine invisible. Et elle commençait à pleurer, ou, du moins, à
laisser les mots l'étouffer. Sheena vint se placer devant sa fille,
lui prit violemment les bras, les détacha de moi comme on
secoue un branchage.

— Assez de comédies, toi aussi ! Mais qu'avez-vous, tous ?
Qu'est-ce qui vous rend malades ? A quoi votre journée a-t-elle
servi ? Il y a, de par le monde, un enfant sur quatre qui est
mort de faim et de soif, aujourd'hui. Dans moins de dix ans, il
y aura encore quelques dizaines de millions d'analphabètes
supplémentaires, et nous arriverons au milliard. Nous ne
savons pas quelle sorte d'air nous allons respirer, même nous, si
l'eau et la nourriture suffisent, même pour nous. Et qu'est-ce
qu'on fait ici ? Une sonate ? Ou bien pas de sonate ? Des petits
messages radio ? Un peu plus de béton sous la terre ? Un peu
plus de sucre dans la compote ?

— Honnêtement, Sheena, dis-je, je t'ai peu vue,
aujourd'hui. Je t'ai surtout vue nager. Tu perfectionnes ton
crawl. Tu as peut-être fait autre chose, qui m'a échappé. Mais
a priori, je ne trouve pas ta journée d'Occidentale bien
bouleversante.

— Tu te trompes. D'abord, je nage longtemps, pour penser. Cela m'aide. J'ai aussi écrit des lettres et... enfin... j'ai écrit certain texte.

— On peut savoir ? demanda Nils. Décidément, ajouta-t-il, on écrit, ici, en ce moment !

— J'ai un peu froid, dis-je, je me demande ce que j'ai...

Lily se précipita et revint avec une sorte de caban bleu marine qu'elle mettait souvent pour se promener sous les arbres du parc d'Edsberg. Je fus enveloppé du parfum citronné, des cheveux de soie, et des bras, des mains, des longs doigts de Lily, cherchant dans l'air à quoi s'accrocher.

— On peut savoir, reprit Sheena. Je vais te le dire, ainsi qu'à ma mère et à ma fille. C'est le moment, je crois.

Je m'éloignai. Je les laissai assis les uns contre les autres sur le canapé. J'enjambai les filets noirs, par terre. Je m'approchai de la baie vitrée qui donnait vers l'ouest. La pluie commençait à tomber, fine, invisible d'abord, rigoureusement silencieuse. Je vis passer les premières gouttes. Elles descendaient bien du ciel. Il me sembla qu'elles n'atteignaient pas la terre. Ou que la terre les absorbait si vite que c'était comme un effleurement léger, une théorie de pluie. Je regardai mieux. J'essuyai le verre de la baie. Je l'entrouvris même, de quelques centimè-tres. L'odeur des roches et des mousses n'était que celle du jour chaud, marin. Pourtant, le rythme de la pluie allait s'accélé-rant, et l'épaisseur des stries venait à masquer les lueurs orangées du continent, là-bas. L'eau tombait et enfermait notre île davantage, la séparait du monde. Il me sembla enfin percevoir le murmure des gouttes sur l'herbe, sur les buissons fleuris. Je ne me trompais pas. C'était bien le dévers des pétales, des tiges, sous le poids tombé de là-haut... Mais non, je regardai mieux encore : entre la pluie que je voyais passer, à hauteur de mes yeux, et la terre, il n'y avait rien que de la nuit sèche, claire, comme un rideau protecteur, et le murmure végétal que j'avais pris pour l'acceptation, par la terre, de l'eau, ne montait que de la terre, qui bruissait toute seule, sans rien demander, n'attendait rien, ne recevait rien.

Je ne pouvais plus entendre la déclamation de Sheena. Je m'étais peut-être volontairement assourdi. Je savais ce qu'elle disait, puisqu'elle me l'avait déjà dit et que je venais de le répéter à Nils. Je reconnaissais, au passage, tel ou tel mot, gigantesque, ou bien telle idée qu'elle jetait avec un fracas contenu. Elle n'avait rien changé. Je me dispensais donc d'écouter et je ne savais plus si elle parlait, là, ou si je revenais dans la salle de bal. Il me fallait vraiment faire effort pour coordonner en moi ces deux écoutes : la pluie actuelle, le discours futur de Sheena. C'était peut-être cet effort qui me faisait manquer l'une et l'autre à la fois. Comme ces malades affaiblis depuis si longtemps, allongés entre froid et chaud, recouverts de coton et de gaze, et qui assistent aux visites qu'on leur rend sans qu'on puisse dire à quel moment ils reconnaissent, perçoivent, désirent parler, souffrent ou ont cessé de souffrir.

Peut-être, une fois ou deux, Nils se levait-il en répétant : « Incroyable ! Incroyable ! » Sûrement, de cela, je me souviens nettement : tandis qu'il m'avait annoncé que Sheena serait élue, il lui jeta au visage : « Battue, tu seras battue, tu auras une poignée dérisoire de voix, battue, si cela t'amuse, battue ! » Et il tapa du plat de sa main sur l'accoudoir du canapé blanc. Mais il s'était assis de nouveau. Il voulait en savoir plus.

J'étais toujours à ma baie, ne m'intéressant qu'à ce phénomène de pluie, qui tombait ou qui ne tombait pas. Je voulais tout de même mesurer l'étendue des dégâts. Étais-je désormais capable, ou non, de décréter qu'il pleuvait ou non ? Sans quoi, on pouvait m'interner tout de suite. Dans ce pays, l'internement psychiatrique doit être délicieux. Toute leur île pour un bon lit !

J'entendis néanmoins Sheena refaire le coup de l'infirme, du handicapé moteur faisant son entrée au *Riksdag* dans sa petite voiture. J'applaudis contre la pluie. Bonne idée, sainte idée, décidément. Qui nourrirait une femme député de plus; mais pas un seul enfant affamé. Il me sembla que Kerstin avait décidé de ne plus suivre. Elle marchait de long en large dans le salon, en faisant plisser sa jolie robe noire, comme une avocate incertaine de sa cause.

Lily vint près de moi et reprit le jeu de ses bras autour de mon cou. Tous les parfums du salon, de la cuisine, de la soupe, des poissons, du girofle et de l'aneth, des fruits à la cannelle qu'elle avait préparés, tous les parfums de l'île, de la mer, de l'iode modérée, du vent, des pins, du *tjära* de Monsieur Arne Sjöberg, du pétrole du bateau, de la peinture de mes fenêtres, tout le vent doux de la pluvieuse Baltique promené sur les îles de l'archipel séché tout l'été par l'éternel soleil, la fin de l'été, le point acide du citron de Lily, l'heure de la séparation, la fin du roman, l'heure des housses blanches rayées de bleu sur les canapés...

Soudain, je repoussai Lily et ouvris grande la baie. Je ne me trompais pas, cette fois. Il pleuvait à seaux et le bruit de la pluie sur les feuilles et sur les roches, comme sur des métaux incandescents, était couvert par le son lourd, grave, d'un moteur que je reconnaissais comme la corde basse du cello de Lily. Je le lui fis écouter. Elle me dit que oui, que je ne me trompais pas, que c'était bien lui. En même temps, je le discernai clairement, le bateau de Monsieur Arne Sjöberg, énorme sous l'ondée, chahuté, pataugeant comme un chien entre la flaque grise de la mer et les éclairs bleutés de la pluie. Je criai :

— Monsieur Arne Sjöberg! Le voilà!

Il y eut une bousculade. Chacun se jeta sur un ciré orange ou jaune. Nils partit le premier vers le port, sans ciré, en se repoitraillant sous son lin blanc. Je le suivis. Il hennissait sous la pluie. Je ne le rattrapai pas. Il connaissait chaque caillou, chaque tronc coupé, chaque racine à vif. Il sautait au-dessus de tout. Pourtant, je courais. Mais il arriva le premier, tandis que Lily hurlait mon nom derrière moi.

Nils était sur le môle, prêt à recevoir le boute de Monsieur Arne Sjöberg. La manœuvre serait réussie. La pluie me cisaillait les joues. Je me jetai dans le petit canot, pour aider, s'il le fallait, à l'accostage. Lily sauta aussi et m'enserra de ses bras en criant : « Oh! François! Je suis si contente! Le voilà! Notre grand Monsieur Arne Sjöberg! On ne lui a pas fait de mal! François, embrasse-moi! »

Elle hurlait. Le bateau était encore à quelque cinquante mètres. Nils nous avait vus et entendus. La manœuvre était plus importante que les cris de Lily dans la nuit. Kerstin arrivait, soutenue par Sheena. C'étaient deux vaillantes femmes.

Monsieur Arne Sjöberg mit la marche arrière. Puis le point mort. Le bateau glissa sur son erre. Un peu court. Il remit la marche avant et coupa. Je vis le boute siffler au-dessus de la tête de Nils, qui amarra. Monsieur Arne Sjöberg m'en jeta un autre, dans le canot. Tout tanguait autour de nous. Le gros projecteur du bateau était obstinément fixé sur un tas de gravier sans utilité quelconque. Je vis tout de suite que Monsieur Arne Sjöberg n'en pouvait plus. Il sauta sur le môle. Il me parut tout petit, recroquevillé. Je savais qu'il allait parler du Diable. Et il le fit, mais si faiblement, comme par habitude, ou plaisir de nous voir tous l'attendant. Il dit diables, diables, merde. Mots qui convenaient.

A peine le bateau immobilisé, et sans perdre le temps de fermer le roof, d'amarrer la barre, de fixer les défenses, de couper la batterie, et autres occupations secondaires, il nous regarda tous, assemblés devant lui. Il fit un effort démesuré pour être compris de moi. Il dit seulement :

— OK!

Puis, il ajouta en suédois, et je compris à peu près tous les mots tant il était essoufflé, tant il parlait difficilement, et tant c'était simple à comprendre :

— Ce sont de diablement bizarres gens! Ils m'ont emmerdé toute la journée à cause de toi, le Français. Comme si tu avais la vérole ou je ne sais quoi d'autre! Pour finir, ils ont dit qu'ils revenaient demain, et qu'ils allaient démonter tout le matériel du Bunker, tout, jusqu'au dernier petit truc électrique de rien. Ils envoient deux hélicos et une vedette de la Marine. Si c'est pour casser aussi le béton, y en aura pour un foutu moment. Et il ne faut pas compter sur moi pour ça. J'irai à la pêche. Beau temps pour le hareng vert!

XIV

Je ne sais plus à quel moment Nils expliqua, pour Sheena, et pour elle seule, le rôle exact du Bunker. Kerstin et Lily n'écoutaient pas. Je me tenais sans doute près d'elles. Il me sembla que l'explication était rapide, paisible, comme allant de soi. Sheena avait deviné la moitié de cette histoire, bien avant que Nils ne m'en parle. Ma petite vie française m'avait mal préparé à ce genre d'aventures et j'éprouvais, depuis le récit de Monsieur Arne Sjöberg, une peur grandissante. J'étais tout de même le coupable. Involontaire, certes. J'étais en tout cas la cause de cet échec. Nils ne m'adressait plus la parole. Il n'y en avait que pour Sheena.

Ils étaient à l'autre bout du salon, sur une banquette de bois noir. Nils avait décapsulé une bouteille de bourbon et il buvait lentement. Près de lui, un petit ravier de crevettes roses; il y piquait ses doigts, portait à sa bouche, mâchonnait et recommençait, une crevette toutes les trois secondes. Il parlait bas. Très vite. J'entendais mal. De toute façon, je n'aurais pas compris. Sheena hochait la tête, aussi régulièrement que Nils buvait et mangeait. Parfois, elle posait une question, et Nils répondait toujours, en détachant les syllabes. Ils avaient l'air étrangement d'accord. Je ne les avais jamais vus si longtemps l'un près de l'autre, s'entretenant comme un vieux couple. C'eût été le même ton pour échanger des recettes de campagne électorale.

Monsieur Arne Sjöberg était allé se changer dans sa cabane, et se raser. Il pouvait être une heure du matin. Il nous rejoignit, vêtu d'un costume de velours vert, qui avait peut-être appartenu à Nils, des plus élégant, un peu engoncé, la démarche mal assurée des marins qui jouent aux ivrognes, mais le visage illuminé d'un bon sourire de fête. Dès l'entrée, il parla très fort :

— J'aime mieux cela, dit-il.

Lily me traduisit au fur et à mesure. Ce n'était pas difficile. Monsieur Arne Sjöberg parlait en laissant de grands trous entre ses phrases. Il n'avait rien dit. Il avait laissé faire la machine anti-atomique, mais il n'approuvait pas que quelques-uns soient épargnés et les autres non. Il avait compris, ensuite, qu'il y avait plus sérieux, là-dessous, « dans le genre espionnage ». Et il n'avait pas approuvé non plus les agissements de son frère Nils. Un député, fils de pasteur, ancien ministre, ne devait, selon Monsieur Arne Sjöberg, penser qu'à une seule activité : redevenir ministre, en chassant du pouvoir ces foutus diables de partis bourgeois incapables.

Monsieur Arne Sjöberg s'enhardit même à raconter une histoire, en forme de comparaison. Un jour, il y a longtemps, comme il y a longtemps, le XXᵉ siècle n'était pas commencé, dans le nord du pays, il y avait souvent des grèves de scieurs de bois. C'étaient des types durs et courageux, risquant tout, pour arracher aux patrons des salaires décents et des droits syndicaux. Un jour, donc, en pleine grève, la police vint protéger les scieurs qui se dégonflaient et reprenaient le travail. Alors, un des grévistes, profitant du remue-ménage, alla ouvrir une vanne et des centaines de troncs s'en allèrent dans la mer. Très vieille histoire qu'une certaine Amélie avait racontée à Monsieur Arne Sjöberg. En désapprouvant le gréviste. Et Monsieur Arne Sjöberg le désapprouvait aussi. On peut se bagarrer. Il faut se bagarrer. Il ne faut pas démolir la vie qu'on a. On a le bois. On le garde. On ne l'envoie pas dans la mer.

— Je ne vois pas le rapport, pas du tout! dit Nils.

— C'est clair comme la mer, répéta Monsieur Arne Sjöberg.

Je ne l'avais jamais vu aussi heureux et aussi sûr de lui.

— C'est clair. Ce n'est pas à toi de faire ces choses-là. Tu as ton intelligence, tes livres, tout ça, tes titres, ton nom célèbre dans le pays, tout ça, tout ce que tu as fait avec les camarades socialistes. Tu as ta vie. C'est ton bois. Même si ce n'est pas tout ton bois et s'il appartient au pays. Tu n'as pas le droit de l'envoyer à la mer, Nils! Et c'est ça que tu étais en train de faire...

Monsieur Arne Sjöberg s'assit enfin. Nous étions émus, peut-être comme les premiers syndicalistes suédois de l'autre siècle, quand un des leurs annonçait la fin d'une grève, ou une décision du secrétariat de l'Organisation, une victoire.

— A mon avis, ajouta Monsieur Arne Sjöberg, celui qui ouvrit la vanne avait une couille de travers.

Il y eut un grand rire. Monsieur Arne Sjöberg avait appris, de Nils, cet art de casser les émotions. Et Monsieur Arne Sjöberg rit plus fort que nous tous réunis, d'un rire inextinguible, d'un rire de sourd qui n'entend pas celui des autres et repart quand on allait s'arrêter, de sorte qu'on repart avec lui, pour un tour de plus. D'autant que Lily éprouvait un embarras touchant à m'expliquer « couille », et finissait par m'effleurer là, pour me dire de quoi parlait Monsieur Arne Sjöberg, et se donnait un mal de chien pour expliquer comment cela avait pu être « de travers », à l'autre siècle, dans le Nord, chez ces scieurs grévistes. Tout le monde nous regardait. Alors, Nils se leva, un peu agacé.

Il marcha vers moi, écarta doucement Lily, se posa devant moi, à quelques centimètres, et je sentis son haleine de bourbon et de crevettes roses. Il était immense, large, haut, fort, les coins de la bouche relevés par le rictus du défi, lourd, tout requinqué, aussi, par sa conversation avec Sheena, intransigeant, provocateur, il voulait me jeter une dernière carte à la gueule, baryton sur le devant de la scène, un peu politicard américain traqué par la TV et qui s'en tire par un travelling avant, décidé par son *coach*, pendant la pause-publicité ; défait, perdu, prêt peut-être à me chasser de sa vue, il dit :

— François, maintenant, que dis-tu de l'histoire de Monsieur Arne Sjöberg?

— Elle est belle. Juste. Il a raison. Ce n'est pas diminuer son histoire que de dire qu'elle fait partie de la tradition syndicale internationale. En cas de conflit grave, les travailleurs songent à protéger leur outil de travail. Les machines, le minerai, la récolte... Ici, le bois. C'est sacré. L'histoire de Monsieur Arne Sjöberg est classique, Nils.

— Je ne te demande pas cela, petit crétin! Je le sais mieux que toi, mais que penses-tu du rapport entre ces troncs qui partent vers la mer et mon Bunker?

— Je pense que le rapport est exact, Nils. Nous ne sommes que de pauvres vieux intellectuels. Nous n'avons pas à nous mêler de ces mystères. Qui ne sont peut-être que des jouets. Nous avons mieux à faire.

— Ah oui! Signer des pétitions contre le Goulag ou pour le soutien aux affamés du tiers monde? Cela, cela ne coûte pas cher. C'est donc ton sentiment?

— Oui et non.

— Réponds!

— Oui. Je te l'ai déjà dit, Nils. Tu prenais je ne sais quelle revanche avec ton Bunker... Ce qui m'ennuie, c'est que je l'ai, involontairement, cassé...

— Involontairement? Très involontairement! Sans toi, il faut que tu le saches tout de même, nous allions réussir une chose capitale.

— Laquelle, Nils?

— Capitale. Je n'ai pas compris tout à fait. Je ne sais plus. Ils n'ont pas voulu tout me dire...

— Mais pourquoi t'avoir choisi, toi, Nils?

— Je ne sais pas, mon vieux.

Il s'écroula soudain. Il partit comme un de ces troncs vers la mer. Monsieur Arne Sjöberg et moi le tenions serré. Il rota son bourbon et ses crevettes roses. Il avait l'air, lui, d'un marin pochard et le ministre était Monsieur Arne Sjöberg. Il demanda de l'eau. Il but à longs traits. A ce moment, Kerstin revenait joyeusement de la cuisine, portant un lourd pot de grès fumant et annonçant le *glögg*, le *glögg* dont nous avions tous besoin, allons, mes enfants, tendez vos écuelles, elle était gaie comme une jeune mariée... Sheena s'approcha de moi et me chuchota:

— Tiens! Voici le *caloric-punch* de ton poète français.

— Je ne comprends pas.

— Tu ne comprends jamais rien. Cette boisson dont tu m'as parlé au Grand Hôtel. Ton poète voulait dire ça. C'est le *glögg*. Il y a du vin, de l'alcool, de la cannelle, du gingembre, des amandes, etc. C'est la spécialité de Kerstin, après ses concerts, après les triomphes électoraux de son mari. Cette nuit, c'est le plus beau triomphe, non? Tu vois, François : les poètes ont de bonnes idées.

Nils approcha ses lèvres de la boisson brûlante et finit par boire, puis aspira longuement, bruyamment.

— Les intellectuels, ce n'est donc bon qu'à se soûler? demanda Nils. Les marins et les scieurs ont toujours raison? Les intellectuels linguistes, ce n'est même pas bon à parler dans les micros? Il faut essuyer trois fois notre plume dans l'encrier avant de parler? Parler, ce n'est pas agir? Mentir, doubler, redoubler, manipuler, ça ne vaut pas un bon scieur les bras croisés par une grève?... Vous avez peut-être raison, après tout... Comme je regrette! Je ne t'en veux pas du tout, François. Il fallait que quelqu'un donne le coup d'arrêt. Ça a été toi.

— J'aurais pu donner le coup d'arrêt, moi, dit Sheena.

— Oui, oui, tu me l'as dit, tu viens de le dire. Et c'est toi qui as parlé à cet ingénieur. Je n'oublie pas. Et vous êtes les deux, Sheena et François, le coup d'arrêt. Nous sommes d'accord là-dessus. Je ne comprends toujours pas pourquoi... Est-ce que je vous gênais tant que cela? Vous étiez libres d'aller et venir, de vous retrouver dans le même lit, de filer à Stockholm quand vous vouliez...

— Nils, je t'en prie! dis-je.

— François avait promis de m'emmener à l'école d'Eds-berg, dit Lily.

— A moi, François n'a rien promis, dit Kerstin en souriant. Un peu plus de *glögg*?

Monsieur Arne Sjöberg tendit son grand verre épais avant le mien.

— J'ai oublié de vous dire une chose, dit-il. Je n'ai pas passé toute cette sainte journée avec ces messieurs. Dès qu'ils m'ont eu libéré, je suis allé voir une vieille copine dont le mari est à l'hôpital. Et nous avons tiré un fameux coup. C'était comme ça! J'ai fait de mon mieux, parce que je pensais que tu t'inquiétais, Nils.

— Tu as bien fait, dit Nils.

— Puisque tout le monde a fait de son mieux, dit Kerstin, je propose que l'on dorme. Je suis fatiguée. Et demain, nous allons être réveillés très tôt, si je comprends bien.

— Très tôt, ils ont dit, oui, dit Monsieur Arne Sjöberg,

mais moi, ajouta-t-il, je ne les aiderai pas! Sûrement pas!

— Raccompagne-moi, me dit Nils.

Il était plus de deux heures. Je ne savais plus si j'avais sommeil ou si j'avais dormi plusieurs jours et plusieurs nuits d'affilée.

— Raccompagne-moi, répéta Nils, il ne pleut plus, allez, viens!

— Je suis mort, Nils.

— Tu es mort de quoi? Regarde Monsieur Arne Sjöberg, qui a souqué et forniqué, et qui est plus vieux que toi! Tu es mort de ne pas souquer, ou de ne pas...

— Ecoute, tais-toi! dis-je.

— Si tu me raccompagnes, je te promets de me taire.

— Cela m'étonnerait.

— Viens. Tu vas voir. Je peux même me taire dix minutes. Tu vois où j'en suis arrivé!

De fait, il ne parla pas, il marcha, son bras posé sur mes épaules, lentement. Il mit bien les dix minutes annoncées à rejoindre sa maison. Devant sa porte, il me regarda, ouvrit la bouche, allait parler, ferma la bouche et me jeta un regard suppliant. Je fis un signe de tête affirmatif, acceptant, par là, sa supplication, sans savoir à quoi je m'engageais. Je revins vers La Principale.

Je n'entendais plus un seul bruit dans la maison. Sheena et Lily devaient dormir. J'allai à la cuisine et bus un litre de lait glacé, à petits coups. Je fis exprès de heurter quelques casseroles, pour voir si on viendrait. Je montai dans ma chambre. Je revins à mes journaux. *Le Monde* faisait maintenant un tas très convenable, devant mon lit, de jours impeccablement entassés, de grands titres nets comme des chapitres d'histoire.

Je revins à l'idée de publier un article, pas trop envahissant, sur le Bunker. Je me vis dans le bureau d'André Fontaine, où je n'avais jamais mis les pieds, mes quatre feuillets à la main. Que dirait-il? J'étais sauvé s'il décidait d'en référer à Jacques Fauvet. Ou perdu. Ou de ne pas en référer. Comment savoir?

Perdu, à coup sûr. Je ne pouvais présenter à Fontaine le Bunker comme une information diplomatique et militaire de la plus haute importance, puisque je n'étais pas journaliste au *Monde*. Ni comme un témoignage direct et personnel d'un écrivain retour de vacances bizarres, puisque je parlais en témoin complice d'une affaire classée. Tout dépendait du ton de mes quatre feuillets. Si j'écrivais comme d'habitude, c'était non. Ou alors, à la rubrique littéraire; ou dans les lettres de fous, malheureusement rares, au journal, plus rares que dans la presse suisse, si admirable en ce domaine. Si j'écrivais comme au *Monde*, la belle prose froide et dense... Mais saurais-je? J'imaginai des « attaques de papier ». Rien que la première phrase. Je lus et relus des centaines d'« attaques » dans les numéros de juillet et d'août. Pas facile à attraper, ce ton, ces : « Qu'une coopération puisse se développer sur tous les plans... » ou ces : « Le gouvernement de Lisbonne devrait engager prochainement de nouvelles négociations avec... », ou cet implacable : « Les dirigeants yougoslaves n'ont pas eu de vacances. »

Rien de ce que j'avais à dire ne pouvant commencer ainsi, je décidai de ne rien dire. J'avais économisé quatre feuillets. Il m'en faudrait donc des centaines pour écrire un roman auquel personne ne croirait. Ferait-on même semblant? Je m'endormis, tous les journaux ouverts sur mon lit, autour de mon lit, bruissant de toutes les pages qui, une à une, tournaient seules, libres, dans ma prison. Je m'endormis non point de sommeil mais d'absurdité. On ne m'aurait pas cru, en quatre feuillets, parce que je ne serais pas parvenu à ne pas dire « je ». On ne me croirait pas en six cents feuillets parce que j'y parviendrais sans doute : mon métier de romancier m'y avait entraîné. Donc, je dirais « je » en six cents feuillets. On pourrait alors aisément me traiter de « visionnaire de la Baltique », et autres grâces. Quoi qu'il arrivât, je ne serais jamais cru. Il ne m'était rien arrivé. J'étais libre mais romancier; donc menteur. Je me jurai alors de plaisanter, d'écrire tout un livre sur le ton dont je viens d'user, là, depuis quelques pages. Tant qu'à être traité de menteur, au moins vous amuser, puisque personne ne veut être sérieux. Or, je n'ai jamais amusé personne.

Si j'ai dormi, j'ai dormi deux heures, puisque j'ai regardé ma montre dès le premier fracas des hélicoptères. Il était exactement six heures. Mon sommeil n'a pas été suffisant pour que je respecte mon serment d'un livre de pure plaisanterie. J'en demande pardon aux lecteurs. Aujourd'hui, deux ans après, je me moque pas mal d'être cru ou non. J'imagine que Nils est mort. Voir *le Monde* du 14 septembre 1978. Ce n'est pas moi qui ai écrit la notice. Elle est parfaitement exacte. Si j'avais eu à lui ajouter quatre lignes, j'aurais tenté de dire sans émotion pourquoi il m'avait tant ému. Et on aurait naturellement coupé ces quatre lignes. Comprenez enfin pourquoi nous sommes encore quelques-uns, sur cette terre, obligés d'appeler *romans* nos livres, et pourquoi ils vous paraissent longs.

Nous n'y sommes pour rien. Si je parle en mon seul nom, ce qui est plus honnête, je n'y peux rien. Dans un mois, un mois après la mort supposée de Nils, voici un nouveau pape. Il s'agit de l'archevêque de Cracovie. Je n'y suis vraiment pour rien. Là, au moins, convenez-en. Il est sacré pape, je ne sais pas si l'on dit sacré ou installé, le 22 octobre. Il est le premier pape non italien depuis 1522. C'était la routine. Est-ce la révolution ? Qui l'aurait dit, sinon Nils, un mois avant qu'il eût cessé de vivre ? S'il est mort...

Et moi, je ne m'étais jamais vraiment intéressé au visage que pouvait avoir un pape de mon Église. Mais comment est-ce que cela se passe, comment, lorsqu'un grand visage aux pommettes de bronze carmin se met à crier, un mois après la mort d'un ami et que les potins des journaux me disent que le pape mange beaucoup, et sous-entendent qu'il ne dédaigne pas la vodka, qu'il nage, qu'il a grand besoin de nage, même en piscine papale, faute de Baltique, comment est-ce que je ne peux pas penser à Nils, moi, pauvre mélodiste à chant unique, est-ce que je m'attendais à ça, depuis 1522, un pape polonais qui ressemble à Nils, comme si on me l'avait aspiré du bar du Pont-Royal pour lui faire une tête présentable de *papabile*, avec tout ce qu'il faut de couilles *bene pendentes* et de voix chaude, et d'obstination, et de désespoir à chaque retour de voyage, et de foi, de foi, de foi, non en lui mais en nous, non en lui mais en la Parole, enfin un pape non doux, orant et gémissant, mais un pape qui veut, et qui le montre dès ses premiers pas...

329

Je me suis levé comme une sentinelle, comme si un camarade venait de me taper sur l'épaule pour me dire que c'était mon tour. Le fracas des hélicoptères n'était pas, au fond, très différent du bruit que nous faisions avec nos automitrailleuses et nos chars, quand nous nous ébranlions à pareille heure dans l'Alsace de 1944, fonçant vers Karlsruhe. Petit soldat, j'écarte mes journaux inutiles, je marche là-dessus pour me laver les dents, la quéquette je n'ai pas le temps, c'est la vraie guerre qui recommence, je mets mon treillis, j'avale mon acide ascorbique, je me sangle les reins, c'est tout comme si j'entendais la trompette, la sirène du chef de corps dans sa jeep, cette histoire de pape, on ne va pas en faire une pendule, « au jus, camarades! », faut y aller, les pales des hélico verts tournent encore, c'est l'invasion, ma parole. Ce n'est pas le moment, pour Sheena, de jouer les ondines sur les rochers roses. D'ailleurs je suis tranquille : on ne verra nulle femme dans cette journée. Prétexteront la migraine, des lettres à écrire, la sale gueule de la soldatesque débarquée.

Restent les trois hommes. Même pas. Monsieur Arne Sjöberg ne s'est pas déjugé. Il avait dit qu'il partait pour le hareng vert, et c'est vrai qu'il est déjà au large, assis comme un petit rentier, canotant là-bas, une ligne à la traîne, un filet de potence prêt à larguer. Il se marre, Monsieur Arne Sjöberg, il chantonne comme son frère le lui a appris, pour les bonnes petites occasions de diables de chantonnements.

Il n'y a donc que Nils et moi. Je vais filer chez lui. Il est mon chef de corps.

— Plus moyen de dormir, hein? me dit-il joyeusement.

Il avait mis son costume de flanelle grise et je vis, du premier coup d'œil, sa rosette de grand officier de la Légion d'honneur.

— Mais... Je ne comprends pas, dis-je.

— Je vais tout à l'heure à ton ambassade. J'ai mis le machin rouge pour ça.

— Tu vas à mon ambassade? Pourquoi?

— Pour toi. Pour arranger quelque chose. Enfin, tu comprends...

— Tu crains pour moi?

— Théoriquement, oui, je crains. Surtout, je veux maintenant les emmerder. Non, pas les Français! Tu ne comprends rien. Mais tu ne peux pas craindre. Tu es en infraction, mais de par ma seule faute.

— Nils, tu m'as dit que notre ambassade était en vacances.

— Pas sûr. Je crois même que votre ambassadeur est là. Je crois me souvenir que l'on m'a dit...

Je ne comprenais qu'à moitié. Comme depuis de début. Par moments, les propos de Nils et ses agissements étaient ceux d'un homme normal pris au piège de phénomènes qui le dépassaient. A d'autres moments, je me demandais s'il y avait piège, s'il y avait phénomènes. Mais les hélicoptères débarquaient. Cela, c'était visible. Nous n'avions plus le temps de parler.

Il m'entraîna vers le port, après avoir soigneusement fermé sa maison. Chaque hélicoptère avait débarqué six à sept hommes. Certains en uniforme vert amande. D'autres non. Je vis que les hommes en uniforme étaient tous officiers. Nils dit à celui qui semblait le chef, et il le dit en français :

— *Bonjour, mon colonel! Comment cela va?*

Le colonel salua militairement et l'appela monsieur le ministre. Puis, tout le monde se tutoya avec une sorte d'allégresse. On avait monté ce bazar. On le démonterait. Ce serait très vite fait. Pas plus de deux ou trois heures. Excuses pour le dérangement.

Ils partirent à petites foulées vers le Bunker, comme des dépanneurs payés à l'acte, non à l'heure. Ils sautillaient, même. Ils avaient un excellent matériel, des chariots, des treuils, des caissons dépliables. Ils avaient fait tout cela toute leur vie : déménager un émetteur-récepteur non hertzien. Deux d'entre eux allèrent s'occuper de la bouée balise du nord, qui chantait de son mieux et à qui on coupa le chant comme à une mauvaise cantatrice. Puis, nous vîmes passer les caisses vertes, les containers, les écrans. Tout était emballé avec des précautions touchantes.

Nils regardait en sifflotant. Nous étions assis maintenant sur le *banc-berceuse*. Nils se dandinait. Il se moquait presque de ces hommes. Il appelait parfois le colonel, qui répondait

gravement. A moi, quand le colonel s'éloignait, Nils disait :
« Je suis sûr que ma bimbeloterie napoléonienne diplomatique
l'agace! » Du coup, je me demandai si Nils avait mis son
canapé rouge et or-argent pour l'ambassade de France ou pour
agacer le colonel. Je lui posai la question :

— Va savoir! me répondit-il.

Cela allait de plus en plus vite. Les gens couraient en
faisant : « tiouff-tiouff » tous les deux pas. C'était un spectacle
comique. Le moment le plus comique de nos vacances. Nils
riait comme un fou derrière ses mains jointes et me bourrait de
coups de poing si je ne riais pas assez fort. Il rappela encore le
colonel :

— Ingmar!

Le colonel revint à petites foulées. Il fit remarquer qu'il y
avait erreur. Il s'appelait Hjalmar.

— Peu importe! Ecoute-moi, colonel! Ta bande et toi, vous
faites votre déménagement. Bon. Vous allez trouver une autre
île. Où il n'y aura pas de méchants Français. Bon. Cela regarde
vos ministres et vos généraux. Bon. Mais il va y avoir la guerre.
Est-ce que tu sais cela, colonel? Tu vas passer général avant
quatre ans. Tu le sais? Tu te prépares? C'est inévitable. Soit,
pas loin d'ici, entre Pologne et pays alignés contre l'URSS; soit
au Moyen-Orient, entre pays armés par les USA et pays armés
par l'URSS. C'est mathématique. D'accord? OK? Tu me
reçois? Alors, je te supplie de ne pas trop mal utiliser ce
matériel admirable. Vous ne me le laissez plus. Soit. Mais ne le
laissez pas dormir. Tu ne me diras pas où vous l'emmenez. Soit.
Tu ne me le diras pas?

— Non, dit le colonel, qui était tout rose au bout des joues.
Tu comprends, ajouta-t-il après réflexion, que je ne le peux
pas!

— Je comprends.

— Je ne le sais pas, d'ailleurs.

— Naturellement, dit Nils. Tu ne sais rien. Ecoute-moi :
vous en avez encore pour combien de temps?

— Une bonne heure, dit le colonel après avoir consulté sa
montre.

— Parfait. Et vous repartez tout de suite?

— Oui. On attendait un bateau. Finalement, ce n'est pas
nécessaire. Je l'ai décommandé.

— Aurez-vous une demi-heure de pause, après, quand tout sera arrimé? Pause avec jambon, fromage, café; et aquavit si souhaitée.

— Possible. Trente minutes sont possibles. Terriblement amusant! dit le colonel.

— Alors, je vais faire préparer, là-bas!

Il montra La Principale. Il me dit :

— Viens vite! Allons préparer. Je vais leur faire un beau discours. Mon dernier discours. Tu sais que c'est la fine fleur, comme auditoire. Rien que de l'élite électronique, des agents secrets et des experts du haut conseil militaire. Je ne vais pas les décevoir. Si je suis bon, ils regretteront de me déménager. Je suis à Sainte-Hélène. Voilà. Ces gens sont mes geôliers britanniques, bornés et respectueux. Je vais leur faire le coup de l'Empereur abandonné. Je veux des sanglots!

Il tapota sa Légion d'honneur.

Nous allâmes voir Sheena, qui ne desserra pas les dents, puis Lily. Elles promirent que tout serait fait en temps voulu. Lily répéta, une fois de plus, du ton de la petite fille punie :

— Tu m'avais *juré*, François, de m'emmener à Edsberg. Je *dois* y aller! Je dois montrer à mon professeur mes non-progrès, mes catastrophiques mauvaises habitudes. Je *dois*. Je t'en prie!

— Vas-y seule, dit Nils.

— Non. Avec François! *C'était* promis.

— Alors il va aller avec toi. Aujourd'hui. Peut-être.

Elle sauta au cou de Nils, puis au mien. On entendit la voix du colonel qui avait pris un mégaphone et annonçait, en traînant sur les mots :

—« Chez ministre Söderhamn, pour briefing, après opération Pamplemousse. Tous requis. Merci beaucoup. »

— C'est formidable, les officiers, je trouve! dit Lily en riant. C'est formidable d'aller à Edsberg tout à l'heure!

— Viens, François, me dit Nils. Laissons les femmes préparer tout cela.

Nous allâmes vers le nord, du côté du moulin. Les mouettes tournoyaient autour de l'emplacement de la bouée sonore, se demandant pourquoi ce beau chant avait disparu. Le soleil, blanc comme une lune, commençait à percer les nuages chassés vers l'est par un vent de terre, déjà chaud.

— Ah! J'aime ces levers du jour. Il n'y a pas plus beau, dans le monde entier. Et c'est ici que c'est le plus beau, ici!

Il frappait la roche rose de son talon.

— Il faut pisser. Ce sera encore plus beau. Pissons. Là, si tu veux. Fais attention au vent!

Il déboutonna aussi sa veste croisée, pour être plus à l'aise. Quand il eut fini, il se tourna vers moi et se rhabilla convenablement, mais, comme il tirait sur le col de sa veste, vers le haut, puis sur ses manches, en longueur, la veste s'ouvrit et je vis de bizarres bretelles de cuir, un harnais, un gros étui de cuir fauve. Je dis : « Mais, Nils, tu portes ça? C'est ton revolver? » Il avait vivement refermé sa veste. Puis, comme j'insistais, il me montra son équipement.

— Oui, c'est mon revolver. On ne sait jamais...

— Tu es fou?

— Pas du tout. Je le prends, parfois. C'est un peu gênant, parce que je n'ai pas vraiment l'habitude.

— Et c'est pour aller à l'ambassade de France?

— C'est pour les voyages avec eux. S'ils voulaient m'embêter, par exemple. S'ils boivent trop, tout à l'heure, ils peuvent devenir nerveux. Mais il ne faut pas que tu attaches de l'importance à ce genre de choses.

— Nils, tu me dis ce que tu veux, depuis le début. Tu ne dis jamais tout.

— Écoute, ce revolver, c'est ce que c'est. Cela ne servira à rien. Mais j'en ai besoin. J'espère seulement qu'ils accepteront de nous mettre tous les deux dans le même hélicoptère.

— Parce que nous allons à Stockholm avec eux? Pas comme d'habitude, avec notre bateau?

— Ce n'est pas comme d'habitude.

— J'ai peur, Nils.

— Il ne faut pas. C'est d'aller à Edsberg avec Lily, qui devrait te faire peur... C'est vrai qu'il y a Lily, le cello. Je me demande s'ils vont nous mettre ensemble, tous les trois plus le cello...

Au sud, le colonel parlait encore dans son mégaphone, mais on ne pouvait entendre, là où nous étions. La voix était posée dans l'air comme, sur une plage, celle d'un maître-baigneur incitant à la prudence.

— Vois-tu, reprit Nils, j'ai toutes sortes de pouvoirs sur ces

334

gens. Je ne m'inquiète pas. Au pire, on va nous faire, à toi et à moi, peut-être à moi seul, dans un bureau confortable, une bonne remontrance luthérienne. De quoi nous donner mauvaise conscience. Mais j'ai tout pouvoir. Sur Lily, je n'ai pas tout pouvoir. Je ne peux pas vous empêcher d'aller à Edsberg, vous deux, avec des mines d'écoliers sages, mais inquiets, pour le jour de la rentrée. Je ne peux pas empêcher cela.

— Tu le regrettes? Tu veux que je n'y aille pas?

— Non, non! Vas-y! Il ne faut pas la contrarier, maintenant. C'est trop tard.

Nous étions revenus au *banc-berceuse*. Nils ne suivait plus le manège des hommes, allant du Bunker au port, et revenant du port au Bunker. Il regardait très loin. Ses yeux étaient ourlés du rouge de l'insomnie, ses paupières battaient, et il s'efforçait, du bout des doigts, de les comprimer, de les apaiser. Elles recommençaient à battre. Il mit ses lunettes d'or à la pointe de son nez.

Venant du sud-ouest, à grande allure, nous vîmes foncer vers l'île une vedette de la Marine, assez démodée, mais qui avait bien vingt mètres de long. Je discernai un petit canon de 37 et deux mitrailleuses de 30. Elle mouilla à deux encablures du port et coupa ses machines. Un ingénieur sortit du Bunker et vint nous dire, de la part du colonel, que, finalement, on avait eu besoin de cette vedette, qu'il y avait trop de choses à déménager. Que c'était mieux ainsi. Et que nous serions tous plus confortables, pour le retour.

Le lieutenant commandant la vedette et deux sous-officiers mariniers débarquèrent. Le lieutenant vint saluer Nils, qui l'informa aussitôt de la petite sauterie prévue. Il avait dit *sauterie* en français, mais il avait aussi parlé de café; ce qui était plus clair.

— Quand passes-tu capitaine? demanda Nils.

— Bientôt, bientôt j'espère! dit le lieutenant en riant.

C'était un beau marin blond, avec des dents de dentiste.

— A toi aussi, j'ai des choses à dire, dit Nils.

Nous étions seuls à nouveau. Nils se taisait. Je pensai qu'il préparait son discours à ces messieurs. Je me tus. J'aimais ce vieux banc bleu. Je fermai les yeux, ma tête appuyée sur mes mains croisées derrière moi. J'allais m'endormir. J'entendais les mots brefs des déménageurs, le youyou entre la vedette et le port, parfois un petit rire étouffé. Kerstin avait fermé ses doubles fenêtres pour travailler. Je l'avais aperçue, devant son piano. Elle était ailleurs. Je me demandais ce qu'elle pouvait percevoir, de ce changement dans la vie de l'île.

— C'est bien la fin des vacances et des rêves, dit Nils en soupirant. Tu vas voir. Edsberg est un château merveilleux, au bord d'un lac. Tâchez d'y arriver en fin de journée. Ce n'est pas loin de Stockholm. Il faudra entrer par la grille principale et, de là, au lieu de monter sous les ormes, contourner et puis...

— Mais Nils, pourquoi ne viendrais-tu pas avec nous?

— Parce qu'elle ne le souhaite pas. C'est suffisant. Je l'ai accompagnée souvent à sa rentrée. Elle avait le cœur battant. Elle sera ainsi, ce soir... ou demain soir, ajouta-t-il après une hésitation.

— Demain?

— Oui, pourquoi pas demain? Nous ne savons même pas de quoi aujourd'hui sera fait. Je pensais à elle, là, je me souvenais... Tu es comme moi, je sais. Tu aimes bien te souvenir en rêvassant. Parfois, le moment revient, aigu, précis comme un stylet.

« Elle devait avoir seize ans, peut-être un peu plus. Nous nous étions disputés, Sheena et moi, si fort qu'elle se taisait à nouveau, comme avant. Mais, chose étrange, à moi, même à moi, elle refusait de parler depuis des semaines. Elle me croisait, dans la maison, elle s'écartait sur mon passage, elle me tendait le beurre et le sel, à table, elle disparaissait dans sa chambre, ou bien elle frappait à ma porte, marchait vers la bibliothèque, cherchait un livre, hésitait, le prenait, me le montrait, pour que je sache, et repartait. Des semaines ainsi. Peut-être un bon mois. Un soir, je suis rentré fourbu. Elle s'était installée au salon et jouait... Non : elle travaillait, je me souviens, la partie de cello d'un quatuor, je ne sais jamais si c'est celui de Debussy ou de Ravel. C'était l'un des deux, en tout cas. Elle chantait, quand ce n'était pas à elle, les violons ou l'alto. Elle s'énervait, elle tapait du pied gauche. Je me suis glissé silencieusement, profitant d'un passage *forte* pour aller sur le canapé, au fond. Je n'ai plus bougé. Parfois, elle s'arrêtait tout à fait. Elle était éclairée par une seule lampe.

Moi, j'étais dans la nuit profonde. C'était difficile, quand elle ne bougeait plus. Je respirais doucement. J'avais peur de tousser. Elle regardait fixement la partition sur le pupitre, s'en approchait, hypnotisée, jusqu'à y mettre le nez, puis s'éloignait, comme un peintre. Elle faisait sonner une corde. Elle changeait un doigté, gommait, notait. Essayait encore. J'en profitais pour racler ma gorge ou décroiser mes jambes. Elle s'est retournée, une fois, soudain. Je n'avais pas bougé. Elle sentait que quelqu'un pouvait être là. Mais elle ne le sentait pas vraiment, sans quoi elle se fût levée et eût questionné, parlé. Elle regardait ses mains, elle posait l'archet sur le pupitre, elle se lissait les doigts un par un, elle tirait dessus. Elle avait encore, à cette époque, un bout de chiffon rose qu'elle traînait partout, depuis qu'elle était bébé, et qu'elle cachait dans son lit, dans sa boîte à cello, sous un coussin... Là, elle l'avait accroché, peut-être noué, au pupitre, et elle l'effleura, elle fit descendre ses doigts du haut en bas, jusqu'aux franges, s'entortilla le doigt, remonta, s'approcha pour respirer l'odeur de ce vrai miroir où elle lisait ses incertitudes, son angoisse, qu'elle avait elle-même tissées, une à une, depuis l'enfance, et qui l'accompagnaient à chaque heure de musique. Elle se retourna encore. Je ne bougeais toujours pas. Elle reprit, énergiquement. Je faillis m'en aller. J'avais l'impression de la dérober, nue. Elle se croyait seule et pouvait parler seule. Que ferais-je de ce qu'elle avouerait ? Je profitai de ce passage énergique. Je m'en allais. J'allais me lever et me glisser en arrière. Il fallait être sûr de réussir. Si j'étais surpris, ce serait pire que tout. Je demeurai. J'écoutai encore. Et les élans, et les brisées des traits et les exclamations furieuses. De nouveau, le recours au chiffon rose.

« Je ne sais combien cela dura. Soudain, en plein milieu d'une phrase, elle arrêta, éloigna son cello, elle alluma une autre lampe, éteignit le lampadaire qui l'avait éclairée, traversa le salon et me dit :

« — Ah! Tu étais là.

« Elle n'en dit pas plus. Elle rangea soigneusement le cello, l'archet et le chiffon dans la boîte noire. Elle referma la partition, laissa le pupitre vide au milieu du salon. Elle passa devant moi sans un mot. Je lui laissai faire quelques mètres. Je la rappelai.

« — Lily!

« — Oui ?

« — Viens m'embrasser.

« Elle accourut et se jeta dans mes bras. Elle pleura et je pleurai aussi. Elle me dit que j'étais méchant. Je lui dis qu'elle était méchante. Je lui dis qu'elle était ma fille, ma fille adorée. Elle disait oui, dans mon cou, en me griffant la nuque, en essuyant nos larmes.

Il se leva en poussant un petit cri rauque, aussitôt déguisé en toux. Comme il avait allumé une cigarette, il pouvait faire semblant de s'étouffer ; et j'avais aussi prétexte à me détourner légèrement, car il allait cracher, n'importe où, à son habitude. Il cracha deux fois, puis enfouit ses crachats sous la terre, du bout du pied. Et il me rappela, en même temps, qu'il ne cracherait plus, il pouvait me taper sur l'épaule, de nombreuses fois, cela faisait du bien, de taper, de raconter, ou de ne rien dire, autour des souvenirs d'autrefois.

Derrière nous, arrivaient les hommes. Le colonel aux joues roses et le lieutenant de marine blond, suivis des ingénieurs en chemisette, avec des pull-overs noués à la taille et les autres officiers. Cela faisait une petite trentaine d'hommes heureux d'avoir travaillé, et d'entrer maintenant dans La Principale du ministre Söderhamn, comme des boy-scouts invités au presbytère après une fameuse patrouille.

Les trois femmes étaient là, debout, même Kerstin, qui présentait sa fille et sa petite-fille aux arrivants. Les talons claquèrent et les interjections sourdes, respectueuses, intimidées. La table était couverte de *smörgåsar* appétissants, le café était chaud, les trois flacons d'aquavit dans les seaux de glace. Le colonel, dans le silence, dit la seule chose qu'il pût dire, avec ce léger halètement spasmodique des Suédois les plus convenables, quand ils veulent essayer d'être affectueux mais n'arrivent pas à s'arracher au trouble universel. Il dit :

— Oui, oui... C'était comme ça, c'était ça... Oui...

Phrase inévitablement suivie de *ja* aspirés par les autres convives, comme à un exercice collectif de kinésithérapie respiratoire.

Nils ne tarda pas à lancer le premier *skål*, bientôt imité par le colonel, qui adressa quelques mots de reconnaissance à Kerstin et à Sheena. On sentait qu'il avait hésité longuement sur le point protocolaire de savoir qui était la vraie maîtresse de maison. Nils répondit et recommença à nommer le colonel Nyqvist : Ingmar, qui rectifia encore : Hjalmar, mais en souriant, comme s'il avait deviné que Nils faisait vraiment exprès. Il y eut ensuite quelques considérations sur ce septembre radieux, déjà un peu frais, puis sur la rapidité du travail de démontage, enfin sur le voyage de retour. Je compris que le colonel souhaitait rentrer à bord de la vedette, avec Lily, puisqu'elle le demandait, avec Nils et moi. C'était un souhait très ferme, déguisé en invitation. Le lieutenant de marine ajouta :

— C'est prévu! J'ai toute la place nécessaire !

Nils leur demanda alors de s'asseoir. Il y eut un petit brouhaha. Il n'y avait pas assez de sièges. Certains se mirent par terre, sur les filets de pêche noir et bleu. Je choisis l'embrasure d'une des fenêtres que j'avais peintes. Nils demeura seul debout et parla longtemps. Une partie de ce qu'il dit se trouve dans son livre, de façon plus approfondie et argumentée, et je m'en inspire ici, m'efforçant, même dans un roman, de, ne pas trahir la pensée de mon ami.

— Mes chers messieurs, dit Nils, vous venez de faire votre devoir d'officiers, d'agents de renseignements et d'ingénieurs des télécommunications. Comme j'avais fait le mien. Hormis une erreur, qui sera vite dissipée : cette invitation, ici, de mon ami M. François-Régis Bastide. Puisque l'île d'Yxsund n'entre plus dans le système, je m'estime dégagé de toute inquiétude. Néanmoins, tenu par le secret, certes, mais incapable de ne pas continuer à suivre, au besoin par l'imagination, les entreprises amorcées chez moi. Je voudrais vous faire part de quelques idées. A mon âge, on n'a plus le temps d'avoir trop d'idées. On a deux ou trois obsessions, fortes, tenaces, et on ne pense qu'à enfoncer le clou. Attention à vos jeunes têtes!

« Tout d'abord, la guerre mondiale est inévitable, avant 1983 au plus tard. Comme je l'ai souvent dit à M. Bastide, avec l'aide de qui je prépare un livre, la Pologne, puis le Brésil, puis le Moyen-Orient sont les leviers du conflit au cours duquel le feu nucléaire sera utilisé. Le seul mécanisme permettant de le retarder passe par l'information et la désinformation. C'est-à-dire que tout ce que vous aviez installé ici, notamment, sera capital. Tout passe par le non-hertzien. C'est là que notre pays doit poursuivre son effort et qu'il jouera un rôle important, à condition que le gouvernement le veuille. Ce dont je ne suis pas tout à fait assuré. Les élections de l'an prochain répondront, j'espère, en changeant le gouvernement. Mais de cela je ne suis pas non plus tout à fait assuré.

« Il faut en finir avec les stratégies diplomatiques de l'*Appeasement*. Les USA et l'URSS, puis les États européens de quelque importance multiplient les conférences hypocrites, les sommets lénitifs et les communiqués en paille. On fait semblant de croire à un « esprit d'Helsinki » sur la libre circulation des idées et des hommes, et cetera. Personne n'est dupe. Nous vivons en état de Munich permanent et d'anesthésie prolongée. A l'exception des Chinois qui, eux, sont lucides et dont les dirigeants successifs ont la connaissance profonde de l'Histoire et savent la revivre en la transposant. Permettez-moi de vous dire que les Chinois doivent s'amuser, en ce moment, comme j'espère que vous vous amusez, au spectacle lamentable de Camp David, où tout le monde joue sa petite sonate électorale avec des larmes de crocodile pour les télévisions du monde presque entier. Les larmes font vendre les détergents, aux entractes publicitaires. La lessive sèche les larmes. Aucun problème n'est résolu, naturellement.

« Une seule force peut empêcher les communistes de l'Est et les capitalistes américains de continuer à jouer sur notre dos : l'Europe. Pas celle de quatre ou de neuf ou de je ne sais combien. Toute l'Europe, de l'Islande à la Grèce, de la Pologne au Portugal. Celle qui n'est pas faite, et ne se fait pas. Si notre vieux monde occidental, notre civilisation mère consentaient à se réveiller pour organiser les États-Unis d'Europe, avec un mode de gouvernement commun, qui ne peut être, pour moi, que socialiste (pardon si j'en choque quelques-uns parmi vous!) ou social-démocrate, si cela vous arrange, tout changerait. Une Europe de camarades qui ont tous en commun les luttes, les conquêtes sociales, le sacrifice des travailleurs, le courage de quelques idéalistes... Il y a des différences, c'est vrai, je le sais, entre travaillistes anglais et socialistes méditerranéens et sociaux-démocrates allemands ou scandinaves. L'idéologie est vague. Cela ne me gêne pas. Les buts sont clairs. Dire non à l'argent adoré, au profit rapace et à toute forme de totalitarisme. Faire échec aux deux « Grands » d'abord; regarder en face le tiers monde, ensuite. Nous avons été, Européens, les sujets principaux de l'Histoire, les acteurs. Nous sommes devenus les objets, les accessoires paresseux, gavés de bien-être, de conformisme intellectuel, de peur. Si, demain, la moindre étincelle s'allume du côté des pays du pétrole, nous ne nous poserons qu'une question : « De combien l'essence va-t-elle augmenter pour mon prochain week-end? » L'Europe, c'est le week-end. Aucune semaine avant. Aucune semaine après. D'abord le week-end. Qui croit au Déluge? Qui croit à l'Apocalypse?

« Moi, j'y crois. En tant que membre dirigeant de l'Internationale socialiste, j'ai fait ce que j'ai pu pour l'aider à se lever. Mais elle m'a répondu comme un chameau trop assoiffé : les pattes, devant, frêles, font semblant de bouger. A l'arrière, c'est ensablé. L'avant, c'est le délicieux problème de Bruxelles, ou de Strasbourg ou de Luxembourg. Messieurs, la gueule de l'Europe c'est un restaurant somptueux, confiné, empestant le cigare, à Luxembourg, et des prostituées attendent, dans un salon voisin, que les panses soient pleines pour les dégorger. L'Europe, c'est ce salon de technocrates mourant de sommeil, qui dissertent sur fruits et légumes, charbon, blé et montants compensatoires. Tout le monde s'en moque. Pourvu que, le soir, on ait un bon *show* américain à la TV. Et on s'offre en prime le luxe de le dénigrer, au nom de Shakespeare, de Dante et de Goethe; lesquels ne font pas un franc à nos TV. Je veux dire qu'ils ne font pas bouillir la lessive.

« Si l'Europe unie, totale — encore une fois j'y inclus le sursaut des pays du Pacte de Varsovie —, n'est pas capable de se lever et de dire aux USA : " Assez de combines boursières, d'hyperconsommation ", et de dire à l'URSS : " Assez d'expansionnisme idéologique et oppresseur ", si cette Europe se couche, elle deviendra champ de bataille. Rien de plus. Les émirs arabes, les marchands de cacahuètes américains et les seigneurs du Kremlin n'ont que mépris pour nous. Nous sommes, par notre faiblesse, les garants éternels du partage de Yalta. L'URSS a fait à Prague ce qu'elle a voulu. Les USA ont fait pire au Vietnam. Notre ami M. Bastide a sûrement signé de belles pétitions. Ma femme aussi... Moi aussi, à la réflexion. Il faudra aussi expliquer pourquoi, malgré l'horreur du Vietnam, tous les écoliers de l'Occident vont en classe avec des musettes kaki *US*. Nous allons même jusqu'à en fabriquer ici de fausses!

« Nous sommes, au mieux, un coin du monde pour touristes à églises d'art et à casinos. Au mieux. Rien de plus. Nous ne faisons peur à personne. Pas de matières premières. Peu de cervelles. Aucune volonté. L'Europe avait découvert l'Afrique. Elle la laisse croupir. L'Europe est une jolie femme qui a trop souri, et qui se ride. Allez parler de nous aux Africains. Or il y avait là, d'un pôle, le nôtre, à celui du sud, avec la Méditerranée au milieu, mère, sœur et fille, un axe formidable. Qu'en avons-nous fait? Une foire impuissante, aigrie, explosive. Je me trompe. Même pas explosive. Trop affamée. La honte sur nous, messieurs!

« Pardon d'être un peu bavard. Je vous parle en vieux camarade qui ne se vante de rien, ayant échoué partout. Je ne veux pas vous ennuyer beaucoup plus. Je ne parle qu'à vous. A travers vous, je parle à plusieurs. Tout à l'heure, je vais comparaître devant deux, au moins, des ministres de notre gouvernement. Nous ne pourrons régler qu'un ridicule problème d'intendance : que faire de mon ami français? Que me faire, à moi, pour l'avoir introduit ici? Ce problème sera résolu. N'aie pas peur, François. Ce problème n'est pas plus compliqué que le paiement des assurances sociales à un cotisant irrégulier. Cela finit toujours par s'arranger. Car nous tenons à assurer, à être assurés que nous assurons, et à promettre que nous assurerons mieux encore la prochaine fois, quoi qu'il arrive.

« Pour moi, il n'y a pas de prochaine fois. Je vais finir mon discours. Aquavit? *Skål!* Quelques minutes, encore...

« Il est bien vrai, et nous en sommes conscients, que cela arrange tout le monde de pouvoir proclamer la mort des idéologies. Le marxisme comme système et l'*american way of life* se mêlent confusément dans un libéralisme mou, chez la plupart des politicards de la planète qui ne pensent qu'à leur réélection. Je ne sais même pas si la démocratie, chez les peuples dits démocratiques, est respectée. Car les gens vont aux urnes avec une sorte de nausée. Partout, on vote pour

342

M. Faute-de-Mieux. On ne croit plus à rien. Ce que je vais vous dire maintenant pourra vous paraître ridicule. Tant pis! Il n'y a plus de foi religieuse mais subsiste, puissante et éternelle, la nostalgie de la foi. D'où le report de nos âmes vers des organisations ou des mouvements tout à fait estimables, qui peuvent être la défense des Droits de l'homme, Amnesty International; et tout à fait utiles. Se développent également, partout, les amicales et les clubs, un peu mondains, avec alibi sincère d'entraide sociale, humanitaires, du type Rotary. Autour, en dessous et au-dessus, dans le plus grand désordre, tous les gens qui adhèrent à des sectes parareligieuses, en augmentation impressionnante. Je ne parle que pour mémoire du zen, des amicales de psychanalysés, des adeptes de la drogue douce dite « positive », des musico-thérapeutes et des faiseurs d'horoscopes. Nous nous proclamons infirmes, en manque de transcendance, et nous tâtonnons n'importe où n'importe comment, pressés de finir ce siècle en nouveaux millénaristes, d'entrer dans le prochain siècle à reculons, en haïssant tout le progrès technique mais en le conservant tel qu'il nous est donné, avec toutes ses centrales nucléaires et ses surgénérateurs. Nous nous proclamons seuls, isolés, perdus, et nous tendons des mains dégoulinantes d'effusions approximatives. Chacun manque chacun. Chacun est déçu par l'autre. Chacun s'en retourne chez soi plus triste qu'il n'était sorti. Mais il sortira encore, il cherchera à ne pas trébucher, de pavés disjoints en pavés disjoints, de lamentations en lamentations. Il n'y a plus rien pour unir les gens. Si, peut-être : le lundi matin, les commentaires sur le football du week-end.

« Or, messieurs, ce que nous cherchons et attendons, dans l'angoisse, a été dit par Christ. Toutes les réponses ont été données. Les ordres aussi. Je sais que ma femme aime beaucoup Amnesty International. Je répète que je n'en dis pas de mal. Mais ce n'est pas Amnesty International qui a inventé " Tu ne tueras pas ". Et qui n'a pas inventé non plus " Tu aimeras ton prochain comme toi-même ". Or cela recouvre exactement les Droits de l'homme, Helsinki et aussi les maçonneries diverses. Or vous savez que je suis maçon depuis toujours, mais désolé que cela ne serve pas à grand-chose.

« J'ai vu partout, dans mes voyages, du Québec à Berlin, de Madrid à Amsterdam, des gens, jeunes pour la plupart, cherchant des lieux pour partager et échanger le pain et les cœurs. J'ai vu partout des églises et des temples déserts. Sauf quand on y fait du free-jazz. Où est l'obstacle ? Où est le *" non-possumus "* ? L'ancienneté, la poussière des rites, les abus des divers clergés, le sommeil de la pratique religieuse, les automatismes, le désir de trouver du nouveau ? Un peu de tout cela, sans doute. Ce qui ne résout en rien l'inquiétude des nouveaux pasteurs, qui cherchent inlassablement, dans toutes les religions, non pas à rattraper les clients par le cou, mais à les interroger, seulement, disant : " Pourquoi m'avez-vous abandonné ? Pourquoi ne voulez-vous plus écouter la Parole ? " Disant, non pas : " Aimez vos églises et vos pasteurs ", mais : " Pourquoi cessez-vous de considérer la Parole comme la réponse à vos questions ? Qu'avons-nous fait ? Que voulez-vous faire de la Parole ? Vous, que voulez-vous ? Dites-le ! "

« C'est terrible, messieurs. Souvenez-vous de ce que nous avons lu et médité si souvent quand nous étions enfants, dans l'Évangile de Jean : " Les hommes ont mieux aimé les ténèbres que la lumière " (Jn, III, 19) et souvenez-vous aussi de ce même Jean, un peu plus avant : " Nous parlons de ce que nous savons et nous témoignons pour ce que nous avons vu mais vous n'écoutez pas notre témoignage. Si vous ne croyez pas quand je vous dis les choses de la terre, comment croirez-vous quand je vous annoncerai les choses du ciel ? " (Jn, III, 11).

« Je vous supplie de ne pas rire de moi, messieurs. De ne pas penser — car je lis un peu en vous, ce n'est pas difficile — que je parle en fils de pasteur et en social-démocrate évangélique... J'accepterais les deux étiquettes. Je suis fils. Et je crois, en effet, au moins à l'Europe de l'Évangile, tendant la main pour recevoir et pour donner aux Latins américains de l'Évangile, aux Slaves de l'Évangile, et à tous ceux qui croient et acceptent de vivre selon la Parole. J'accepterais cela. Je combattrais pour cela, s'il n'était pas trop tard, pour moi.

« Voilà. J'ai terminé. Si j'étais le vieux cabot qu'on dit que je suis, il n'aurait pas manqué de salles, à Stockholm, pour me recevoir, ni de caméras pour me filmer. On aurait pu faire cela dans la si belle salle de bal du Grand Hôtel. N'est-ce pas, ma chère Sheena ? Je trouve bien préférable de vous parler à vous, petit groupe d'hommes tous importants, et de semer ces idées

344

simples dans vos cervelles. Vous vivez le nez dans l'immédiat et dans la technique. C'est normal. Essayez de penser à ce que je vous ai dit, tous les jours qui viendront, et dites à votre entourage, répétez, citez mon nom si vous voulez. Ou non. Aucune importance. J'aime bien vous avoir ici, par cette journée d'été finissant. J'ai toujours aimé les petites réunions intimes. Ce sont les plus fructueuses. En politique aussi. Notre grand Hjalmar Branting le disait souvent. Il se souvenait des réunions qu'il avait tenues, aux débuts du mouvement ouvrier de notre pays, dans des maisons du peuple de villages, devant cinq ouvriers transis, qui avaient un vocabulaire de cent mots. Branting disait : " C'est là que s'est fait notre socialisme, c'est de là que nous sommes partis, c'est comme cela que nous avons pu avoir trois cent mille grévistes en 1909. C'est de là que nous avons tout fait... " Mais, ajoutait-il : " Nous n'avons pas su aller plus loin... " Je ne suis pas sûr de cette dernière phrase. Il me semble que Branting a écrit quelque part que si le socialisme suédois avait osé un peu plus, la révolution russe de 1917 aurait eu lieu chez nous, et l'histoire en eût été changée... Je parle trop, messieurs, arrêtez-moi. Je crois pourtant que je vous ai dit à peu près ce que je voulais. Il faut s'arrêter. *Skål!*

Nils leva son verre dans un silence absolu. Je n'entendis pas un gloussement, pas une gorge raclée. Je regardai Sheena et je vis qu'elle était bouleversée. Qu'elle faisait effort pour ne pas aller vers Nils. Lily regardait les hommes, allait de l'un à l'autre, revenait à Nils et, visiblement, cherchait à comprendre, à s'accrocher à quelques mots. Kerstin s'était assise au fond du salon, près de la cuisine, la tête dans ses mains, et elle faisait de lents signes de dénégation, comme pour dire que c'était trop, ou trop triste, ou trop beau, ou qu'elle ne pouvait plus supporter d'écouter Nils, ou qu'il avait tort de parler ainsi, ou bien, au contraire, qu'il était le meilleur et le plus juste des hommes...

Comment aurais-je su ce que pensait Kerstin? Du colonel, des ingénieurs et des marins, je savais assez exactement les pensées. C'étaient les miennes. En dépit de tout ce qui me séparait d'eux, et bien que je ne pusse me considérer ni comme un Suédois ni comme un des leurs, tant nos métiers divergeaient, je me sentais devenir une sorte de Suédois, depuis que Nils avait pris la parole. J'avais, un bref instant, imaginé le même discours tenu par un ministre français à des officiers et des ingénieurs, dans un de nos centres de recherche, à Saclay, ou dans un de nos hauts lieux militaires secrets, à Taverny, lieux dont je ne savais rien, mais je pouvais imaginer le regard de nos polytechniciens écoutant pareil discours tenu par... je ne voyais pas lequel de nos ministres. Et je ne voyais pas le même effet, ni la gravité, ni l'attente. Nos hommes à nous auraient ricané, chahuté peut-être, incapables de sentir, refusant toute question immense. Non pas pour son immensité mais pour son incongruité. Cela ne dura qu'un bref instant. Je me sentis arraché à la France, rivé à la Suède, autant à Nils qu'à ses femmes et à ses interlocuteurs. Peut-être parce que je retrouvais le pays de ma jeunesse et de mes fiançailles, peut-être parce que je n'arrivais pas à oublier que l'homme qui me parlait m'avait montré ce revolver sous sa veste, peut-être parce que, depuis trois mois, le lent envoûtement de l'île m'avait peu à peu gagné et que je ne songerais pas, ne voulais pas songer, au retour à Paris, peut-être parce qu'il y avait Sheena, Lily, ou aucune des deux, mais chacune dans l'inachevé, devant moi, peut-être parce que j'éprouvais, et je vois bien aujourd'hui que c'était cela surtout, le sentiment d'entrer, moi aussi, dans la dernière période de ma vie. Nils m'y avait bien préparé, celle où tout devient trop tard si la moindre chance, le moindre risque ne sont pas pris aux cheveux, désespérément...

A force d'entendre Nils répéter qu'il avait fini, je me mettais à vouloir finir. Je ne savais pas ce qu'il allait faire ou dire, maintenant. Je savais que nous pouvions être encore plus surpris. Il pouvait s'éloigner et aller se tuer. Je ne pensais plus qu'à ça. Je savais qu'il me faudrait courir, me pendre à ses bras et être plus fort que lui, puisque Monsieur Arne Sjöberg était toujours sur son bateau, que je serais seul pour lutter contre mon ami. Il pouvait aussi m'échapper, me supplier, et je le laisserais faire.

Je ne savais pas pourquoi nous nous taisions tous. Il pouvait reprendre la parole et la garder des heures. Ou se taire jusqu'à ce que le colonel lui mette la main sur l'épaule, pour l'emmener à Stockholm. Il pouvait regarder les yeux suppliants de Sheena, toujours posés sur lui, entendre cet appel et la prendre dans ses bras devant nous. Je n'étais sûr de rien sur son compte. Ni sur le mien. Il m'eût demandé de ne jamais quitter l'île, j'aurais accepté, en échange des vraies dernières années qu'il m'offrirait de vivre, meilleures, plus pleines, plus grandes, même folles, même trempées d'alcool, de neige, de glace, puis de printemps et d'étés comme celui-ci, même sans amours accomplies, même dans cette trappe du Bunker vide, même en apparence inutiles, cherchant à écrire tous les deux un livre impossible, une de ces sommes dont personne ne veut aujourd'hui, même loin des miens, même si je devais en pleurer souvent, surtout loin des petites comédies dont je ne voulais plus, je le savais, je le décidais, Nils décidait pour moi, peut-être, mais je n'en éprouvais nul regret : il fallait bien que quelqu'un m'en sorte et me relance sur une nouvelle route, où qu'elle aille, n'importe où. Qui m'avait mis ici me conduirait ailleurs, me fermerait les yeux ; et quand je pourrais les ouvrir, ils ne regarderaient plus ni la vie, ni la mort mais, au-delà, le bonheur épouvantable de l'exil définitif.

Nils avait laissé son verre depuis longtemps. Il avait même repoussé le carafon, loin sur la table, comme pour le mettre hors de portée. Il hésitait à reprendre la parole et montrait ouvertement qu'il allait pourtant parler encore, parce qu'il le fallait. Le temps réglementaire du colonel était largement dépassé. Le temps de l'île prenait le dessus, même sur ces hommes bardés de chronomètres, dont je ne discernais plus les regards derrière les lunettes de métal, ou qui avaient baissé la tête. J'eus un horrible soupçon : Nils cherche à gagner du temps, comme les coupables à la fin des mauvais films. Il sait, et ces messieurs ne le savent pas, qu'au-delà d'une certaine heure, il ne sera plus répréhensible. Mon soupçon était absurde. Mais je ne savais plus que penser de ce que je voyais et de ce silence, de ce salon trop petit pour cette troupe à demi assise, prise dans le même souffle, dont j'avais le sentiment que Nils pouvait obtenir, par sa seule voix, autant que de moi.

Il aspira encore du silence, comme une boisson délicieuse. Il nous tenait toutes et tous. Je ne pensais pas une seconde qu'il jouissait de ce pouvoir mais je voyais plutôt qu'il en était effrayé. J'avais beau écouter mes mauvaises pensées, elles s'effaçaient aussitôt et je n'en trouvais que de bonnes. Cet homme était juste et bon. Nous pouvions marcher derrière lui. Il ne nous demandait que du silence mais ce qu'il avait dit, nous l'attendions depuis si longtemps que la rumeur vibrait encore. Alors, il éclata soudain et dit :

— Eh bien! Que dire! Je me souviens des derniers mots de Franz Schubert. Il a à peine un peu plus de trente ans et meurt dans le délire. Il chante chaque fois qu'on s'approche de lui. Il dit à Ferdinand : « Je te conjure de me transporter dans ma chambre et de ne pas me laisser dans ce réduit sous la terre. Est-ce que je ne mérite pas une place sur la terre? » N'est-ce pas beau, messieurs? Naturellement, le « réduit », dans la pensée de Schubert, c'est le trou au cimetière. Ce n'est pas autre chose. Il y a une grande différence entre Schubert et moi. Il est un génie fraternel. Je ne suis que fraternel. Il meurt à la moitié de mon âge. Et je ne suis pas encore mort, n'ayant rien fait de ma fraternité. Le point commun, évident, minime : j'ai un réduit sous la terre, tout à fait perfectionné. Vous l'avez vidé mais vous ne l'avez pas détruit. Je peux me murer là-dedans et cesser de faire le moindre bruit...

« Bien! Messieurs, si vous êtes d'accord, j'aimerais bien vous demander une chose assez saugrenue, pour finir. J'aimerais vous demander une pensée commune, une offrande, une sorte de prière, en silence, très rapidement, nous n'allons pas nous abîmer en méditation. Nous avons tous des choses à faire. Vous, en tout cas, je vous ai déjà retardés. Puis-je vous demander de penser aux paroles de Jean, sur les " choses du ciel ", dites par Christ? Et d'oublier un bref instant les " choses de la terre "?

Il nous regarda toutes et tous, un à un, il nous embrasa de ses yeux de métal éteints par la tristesse, la résignation à son sort. Personne ne bougea. Il murmura quelques mots que je ne compris pas, et qui devaient être convenus, dans la religion luthérienne. C'étaient sans doute les mêmes qu'il avait prononcés près du moulin, au Nord, quand nous avions prié avec Monsieur Arne Sjöberg, un mois plus tôt. Kerstin, seule à être assise, se leva et se mit à côté de Sheena. Lily me regarda et je lui fis signe d'obéir. Tous les hommes contemplèrent le sol, cet embrouillamini de filets de pêche et de coussins de satin pâli. On entendit quelques cris de mouettes, puis le clapot de la mer au passage d'un navire au loin. J'essayai de me souvenir des derniers mots de Gide, rapportés par Nils, et qui m'avaient tant agacé. Comment était-ce?... « C'est toujours la lutte entre... »

348

Alors, dans un grand bruit de bottes de caoutchouc mouillées, Monsieur Arne Sjöberg entra, vêtu de son anorak orange. Il s'arrêta, stupéfait. Il tenait un grand panier de poissons, dont certains tressautaient encore. Il regarda tout ce monde réuni, immobile. Il hésita un instant, ôta sa casquette marine, jeta le panier sur les filets, se mit au garde-à-vous et entonna un choral, à pleine voix, sans doute très connu, car il fut repris, d'abord timidement, puis avec un véritable entrain. C'était du bel ut majeur à quatre temps, bien carré, sans bavures, avec des respirations évidentes, taillées pour les marins et les paysans, là où il faut que ce soit pour leurs poitrines.

Nous n'en pouvions plus. Nous chantions pour nous libérer de notre fatigue. La voix de Kerstin montait au-dessus des autres. Sheena serrait les dents. Nils eut l'air illuminé de joie et fit un signe espiègle à Lily. Son bras droit sciant son bras gauche : c'était clair. Lily ouvrit la boîte noire et, sans même s'asseoir, comme une joueuse de gambe de l'ancien temps, elle accompagna le chant à la tierce supérieure. Je fus si surpris par ce chant que je suis incapable de dire aujourd'hui ce que nous chantâmes. Moi, bouche fermée, hésitant entre le suédois et l'allemand. Il me semble, mais je ne peux l'affirmer, que c'était le fameux *Was mein Gott will* dont il existe, je crois, une version française antérieure. Mais je ne suis pas spécialiste des chorals luthériens. Encore que je les trouve insurpassables.

Nils battait la mesure. Monsieur Arne Sjöberg braillait un peu faux, peut-être exprès, par espièglerie et contentement de nous avoir incités à chanter. Lily se penchait vers le cello et faisait des pizzicati un peu romanticards. Elle avait le fou rire. Elle était bien la seule. Elle se croyait encore à une fête de fin d'année, avec des étudiants.

XV

— Revenons à la réalité, dit Nils.

Nous étions à l'arrière de la vedette de la Marine, qui filait à plein régime. Le drapeau bleu et jaune claquait dans mon dos. Lily s'était assise à l'intérieur, tenant la boîte noire serrée contre son ventre. Le lieutenant commandant la vedette lui souriait chaque fois qu'il passait devant elle. Le colonel était à l'écart et se taisait, depuis qu'on lui avait donné un casque récepteur; devant un petit micro, il prononçait des « oui, oui » soucieux. Il était un peu plus de midi. Une tasse de café nous attendait dans le bureau du ministre de la Défense à une heure. Nous y serions largement. Nils m'avait dit aussi que je n'aurais qu'une signature à donner mais que ce serait un peu plus long, pour lui.

— Naturellement, reprit-il, tu sais de qui est cette phrase?

— Quelle phrase? Ah! Non. C'est un cliché.

— Un cliché! Écoute-la : « Revenons à la réalité. Parlons d'Eugénie Grandet. » Cela change tout, hein?

— En effet.

— Ce n'est pas beau?

— Si.

Le lieutenant passa tout près de nous. Nils lui dit :

— Je parle de Balzac à mon ami français.

— Qui est-ce? demanda le lieutenant, poliment.

— Un grand écrivain français.

— Bien. *Nobelpriset?*

— Non, non. Pas encore. Mais un immense écrivain.

— Alors, espérons qu'il l'aura.

— Espérons, dit Nils. Cela lui ferait du bien, pour le fric.

— Pas seulement, dit le lieutenant, qui s'en allait.

— Tu vois cela, François? Il y a des pages et des pages de la plus assommante des descriptions. Je tourne ces pages. Le véritable inventaire immobilier, avec tous les détails. Puis, Balzac écrit cette phrase fantastique, et va à la ligne. Donc, la description était de l'irréel. La *réalité,* c'est ce personnage imaginaire, devenu réel. Quel bonhomme, ce Balzac! Je me suis fait, de cette phrase, une petite règle de vie, qui s'applique à tout. Prends n'importe quoi. Prends, par exemple, la gestion d'une ville, ou d'un ensemble d'habitations pour pensionnés, quelque chose comme ça. Le budget. Les prévisions. Investissement. Fonctionnement. Assurances. Tout cela. Tu es en réunion, avec les administrateurs. C'est très ennuyeux mais il faut en passer par là. Quand tout est clair, on croit avoir bien travaillé. Il n'y a plus qu'à voter. Pas du tout. Là, j'interviens et je dis : « Revenons à la réalité, messieurs. » Et je démontre que nous n'avons rien fait, qu'il reste l'essentiel, l'esprit de cette cité, de ces habitations, la morale, l'humeur, l'ambiance, notre cher *stämning* intraduisible. Qu'allons-nous offrir, pour le prix de ce budget? Je démontre que la réalité c'est l'idéal. Comment les gens vont-ils s'entendre entre eux, là-dedans? Qui va s'asseoir avec qui pour s'associer, et où? Ah! J'en ai surpris, des conseils d'administration, avec ça! Naturellement, on me répondait que tout était prévu, puisqu'il y avait ici sur le plan, un « point-rencontre », ou un « salon-TV ». Et autres âneries à prétention culturelle. Alors, je me fâchais et je citais Luther. Balzac, on s'en fiche, mais Luther! C'est dans l'*Exhortation à la paix*, à propos des paysans de Souabe : « A quoi servirait-il, pour un paysan, que son champ lui rapporte autant de florins d'or que d'épis, si vous lui prenez ce qu'il récolte et si vous gaspillez la fortune publique en folles constructions, comme si vous faisiez de la paille avec l'argent? » Luther, mon vieux! Alors, ils se calment et ils m'écoutent...

— Nils, calme-toi, dis-je, calme-toi.

Il me regarda, interloqué :

— Je te signale que, pour un homme dans ma situation, je suis remarquablement calme.

— Oui, oui, mais tu parles seul depuis trois heures.

— Et je vais continuer, chez le ministre, figure-toi!

— Nils, j'ai affreusement peur, dis-je.

— Mais je t'ai dit que ce n'était pas grave du tout. On va te faire signer un papier certifiant que tu n'es au courant de rien, ou une sorte de serment, je ne sais pas, moi, c'est tout! Je n'ai pas peur. Je les tiens tous par des tas de secrets. Et puis j'aime mon pays, je l'ai prouvé. J'ai commis une erreur. Je réparerai... Je ne sais pas, ajouta-t-il, je ne sais pas comment... Je trouverai! Mais je te le répète : tu devrais avoir peur, plutôt, d'accompagner Lily à Sollentuna.

— Où cela?

— Eh bien, chez elle.

— Mais elle m'a parlé du château d'Edsberg.

— Écoute, François, ne fais pas l'idiot. Tu sais parfaitement ce qui t'attend, et tu t'en réjouis comme un petit garçon de bureau lubrique!

Il avait crié. Nous recevions des embruns, par moments. La vedette ne ralentissait jamais. Nous longions la côte, ou bien nous cinglions entre les îles de l'archipel. On avait déjà mis les maisons de vacances en hivernage, amené les pavillons, les mâts se dressaient, nus. Les petites cabanes de pêche étaient fermées, posées sur les rochers comme des jouets. Parfois, l'odeur du *tjära*, fraîchement passé sur les bateaux au sec, montait à mes narines, s'enfuyait, et je la retrouverais, deux îles plus loin. On commençait à voir des grands ensembles de maisons récentes, c'était la banlieue de Stockholm, claire, cubique dans le ciel lisse, ordonnée, méthodique. Le moindre petit bois de bouleaux, entre deux ensembles, près d'un parking escaladant une colline, luisant de carrosseries multicolores, la moindre plage, avec ses marchands de glaces et de saucisses chaudes, tout me semblait d'une gaieté oppressante, abstraite, comme si notre embarcation nous avait conduits vers une ville vide, pleine de tout ce qu'il faut pour la vie, mais désertée; hormis le bureau du ministre de la Défense et ce nom bizarre que Nils venait de prononcer pour la première fois.

— Sollentuna, qu'est-ce que c'est? répétai-je.

— L'endroit où elle habite. Tu pensais qu'elle habitait le château ? Pas du tout. Ce n'est pas si grand. Enfin, c'est grand, tout de même. Mais pas suffisant pour loger tous les élèves. Écoute : elle t'expliquera. Je n'y suis allé que deux ou trois fois. Je ne sais pas bien comment cela se passe...

— Mais Nils, tu veux dire que...

— Je n'ai rien à dire. Les choses sont allées trop loin. Je suis trop vieux. Il y a des gens pour qui la religion a été, toute leur vie, un frein ; et soudain, avant de finir, ils s'en libèrent et font ce qu'ils veulent. Moi, cela a été le contraire. Mon père pasteur a pesé sur moi au point que j'ai vécu, tout en le respectant, contre sa Bible. Et maintenant, je découvre les bons freins, et je m'en réjouis. Je laisse aux autres le soin de savoir où habite Lily, où travaille Lily, comment cela se passe. Elle est libre. C'est moi le prisonnier. C'est toi l'explorateur, mais tu n'es pas obligé de me rendre compte. Je n'ai jamais fait son lit. Je paie les draps, comme je le dois, et les partitions, et les cordes du cello, quand elles claquent. Je ne vais pas, en plus, la border dans son lit. Ne me regarde pas comme ça. Je te parle très calmement. Fais attention, seulement. Elle est très intéressée par toi, c'est évident. N'oublie pas qu'il faut donner à l'amour plus encore qu'il ne demande. Sinon, ne va pas te plaindre, après... Nous arrivons.

Tout est allé très vite. J'ai essayé d'arracher encore quelques mots à Nils. Les marins se bousculaient sur le pont. Nous entrions dans un petit port que je situais mal. Je ne voyais pas du tout la route que nous avions prise, au milieu de toutes ces îles, pour entrer dans Stockholm, elle-même ouverte sur l'eau de toutes parts. J'avais dit ou fait quelque chose d'horrible, aux yeux de Nils. Il me regardait de haut, de loin, l'œil piqué ailleurs.

On a immobilisé notre bateau. J'ai vu Lily sortir avec sa boîte noire, suivie de deux marins qui portaient deux énormes valises. J'ai dit à Nils :

— Mais c'est à elle ?

— Bien sûr.

— Elle les emporte au château ?

— Bien sûr. C'est la rentrée, jeune homme ! Et elle est en retard.

— C'est loin ?

— Oh non! Une trentaine de kilomètres, environ, au nord de la ville.

— Comment y va-t-on?

— Pas en bateau, mon cher! Demande-lui ce qu'elle compte faire. Il y a un bus, je pense. A moins que tu ne lui offres un taxi. Ce serait élégant, pour une rentrée.

Il avait appuyé sur *rentrée* en faisant, de ses deux mains jetées en avant, le geste de pousser, d'écraser quelque chose.

— Mais nous te suivons, d'abord, au ministère?

— En effet.

— Nils, explique-moi!

— Il n'y a rien à expliquer. Écoute, tu as l'air affolé comme un jeune marié. Tu sais que tu es ridicule!

Nous nous sommes retrouvés dans une grande voiture grise, conduite par un soldat. Le colonel est monté devant. Nils et moi, nous avons fait des politesses pour nous mettre de part et d'autre de Lily, à sa droite ou à sa gauche. Le colonel nous regardait en souriant. Les valises étaient déjà sur la galerie. Le cello, finalement, on l'a mis sur nos genoux, un peu de travers, et ce n'était pas très confortable. Lily s'est coincée contre moi, avec de petits gloussements. Le colonel a mis la radio et j'ai reconnu le thème de *Stardust*, qui me rappelait mes quinze ans, mais c'était là un de ces horribles arrangements symphoniques pâteux qui aplatissent tout. Nous sommes entrés dans un grand bâtiment blanc et vert. J'avais pris le cello. Lily me l'avait laissé, en s'excusant. Nils marchait le premier. Le colonel le suivait de près et tenait les portes, pour Lily et pour moi. Nils marchait d'un bon pas, s'arrêtant parfois pour serrer une main en riant.

— C'est la province, ici, n'est-ce pas? m'a-t-il lancé en se retournant.

Puis, nous avons laissé Lily dans un petit bureau. Je lui ai rendu le cello. Nous avons suivi le colonel pour entrer chez le ministre, qui m'apparut petit et préoccupé. Il avait un seul dossier sur sa table de marbre noir. Nous nous sommes assis. Ils se sont mis à parler très vite, sans me regarder. Je n'ai pas compris un seul mot. Peut-être était-ce l'accent scanien du ministre, ou le débit extraordinairement rapide de Nils, qui faisait exprès. Tous les deux, ils se tutoyaient.

On m'a tendu un papier à signer, que Nils m'a traduit, toujours aussi vite, mais avec des tas de mots d'argot parisien, légèrement à côté, parfois à la limite du non-sens. Je me souviens qu'il m'a dit, notamment, que je déclarais là être *à côté de mes pompes*, mais que cela n'avait pas d'importance véritable. Je me suis un peu cabré :

— Mais qu'est-ce que je signe?
— Tu signes ça.
— Je déclare quoi?
— Ce que je te dis.
— Mais si on me met en asile psychiatrique?
— Tu te *tailles* aussitôt. Je te *file* la clé.

Je l'ai regardé. Il avait l'air sérieux mais je sentais qu'il riait, à l'intérieur. Il ne fallait pas trop attendre. Le ministre recommençait à parler, très mondain, tout d'un coup, et demandait des nouvelles de Sheena. Nils a répondu. Puis, le ministre m'a demandé, en anglais, ce que je pensais de Sheena. Et j'ai probablement répondu.

J'avais oublié Sheena. J'ai signé là où il fallait en me disant que je l'avais oubliée. J'ai parcouru le document tapé à la machine électrique. Il y avait une page à simple interligne. Je n'y comprenais rien, hormis quelques mots comme *institution* et *atomisk*. J'ai rectifié un accent mal mis, à mon prénom, pour avoir l'air sérieux. J'étais contraint à la bravoure. J'étais mis à l'écart mais je signais vaillamment. Le ministre a repris le document en disant « oui merci ». Il s'est levé. Nils et moi aussi. Le ministre m'a raccompagné à la porte et j'ai vu que Nils restait. Il me contemplait gravement. J'ai eu l'impression que je devais dire quelque chose dont je n'avais pas la moindre idée. J'ai dit enfin :

— Nous t'attendons, Nils?
— Mais pas du tout. Filez! Vous allez être en retard.
— Tu restes longtemps ici?
— Sûrement pas.
— Et puis?
— Et puis, je rentre à Yxsund, mon vieux.

Il avait dit cette dernière phrase en suédois, avec un clin d'œil au ministre.

— Nils, tu ne veux pas dire au revoir à Lily?

— Pas la peine. Notre ministre n'a pas tellement de temps.

A ce moment, le ministre de la Défense m'a demandé si je ne voulais pas boire un café. J'ai regardé Nils, et j'ai dit :

— Tu vois, il y a le temps.

— Non, non. Je connais. C'est notre politesse suédoise. Ce qu'il veut te dire, là, c'est que tu ne vas pas avoir le culot de boire du café, *en plus de tout*. Est-ce que tu comprends? File!

— Bien. Je veux dire : je prendrai un bateau-taxi pour revenir à Yxsund.

— Ah! Comme tu veux! Mais c'est en contradiction absolue avec ce que tu viens de signer; tu t'en rends compte, je pense...

Je l'ai encore regardé. Il avait reculé de quelques pas vers le fond du bureau. Le ministre tenait toujours la porte entrouverte. J'ai murmuré, en suédois, quelques mots d'excuse pour cette histoire à laquelle je ne comprenais vraiment rien. Le ministre m'a répondu « oui merci » plusieurs fois, d'un air suprêmement agacé. J'ai eu envie d'aller tendre ma main à Nils, pour lui dire que je l'attendais à côté, que je n'allais pas à Edsberg. C'était cela, ce que je devais dire. C'était cela qu'il souhaitait. J'ai pensé à Sheena. Elle avait laissé entendre qu'elle irait à Stockholm aujourd'hui, qu'elle avait des choses à régler pour son discours du troisième dimanche de septembre. Je pouvais abandonner Lily pour aller retrouver Sheena dans l'appartement de la vieille ville. Mais que se passait-il alors?

J'entrevis d'autres possibilités. Cela ne dura, en temps réel, qu'un instant, ponctué par un nouveau « oui merci » peut-être un peu plus appuyé.

J'ai fait un vague signe à Nils et je suis sorti. Le ministre a aussitôt fermé la porte.

Je me suis retrouvé dans un hall. J'ai croisé des généraux qui s'interpellaient. J'ai un peu hésité. Je croyais retrouver plus facilement le bureau où nous avions laissé Lily. Qu'aurait fait Nils à ma place? Je m'aperçus que j'agissais comme un double de Nils, comme s'il s'était dessaisi de toute sa vie et me laissait le soin de passer d'un point à un autre, au lieu de lui-même. J'avais été, comme lui, convoqué par le petit ministre. Je pouvais, comme Nils aurait pu le faire, conduire Lily à son école. Ou bien retrouver Sheena, l'épouser, notre épouse, chez nous, dans l'appartement de la vieille ville. Je pouvais même aller échanger quelques idées avec Kerstin sur la musique, sur le passé enfui, ou avec Monsieur Arne Sjöberg, sur le Bunker vide.

J'arpentai les couloirs comme ce double. L'effigie était avec le petit ministre. J'étais libre. L'effigie peut-être moins. Sûrement moins. Nils pouvait-il être inculpé, emprisonné? Mais non : pas un député. Je cherchai dans mes souvenirs de ses longs monologues; je m'aperçus qu'il n'avait jamais fait la moindre plaisanterie, tentante, sur immunité « crépusculaire » et immunité « parlementaire ». Je trouvai une banquette de cuir, au fond d'une galerie, et je m'assis. Mes jambes tremblaient. J'avais froid, faim. Je mis ma tête dans mes mains et m'efforçai de ne plus trembler en coinçant mes genoux entre mes coudes.

Un soldat très jeune vint s'asseoir près de moi. Il tenait une trompette. Il l'examina attentivement, appliqua ses lèvres à l'embouchure et parut sceptique, vaguement dégoûté, comme si la perce l'eût déçu. Il secoua l'instrument, souffla dedans, le retourna, puis soudain joua, très doucement, un thème andalou de Miles Davis. Je m'éloignai un peu, pour mieux l'écouter. Des gens passaient, dans la galerie, et ne paraissaient pas autrement étonnés. Il s'arrêta aussi soudain. Je lui fis un signe d'admiration. Il me regarda et me tendit la trompette avec une lueur de méchanceté dans les yeux. Comme s'il m'avait signifié : « Tu trouves que je joue bien. Montre-moi que tu ne sais pas tirer un son de ça! » Je ne bougeai pas. Il se leva en haussant les épaules. Je courus derrière lui :

— Toi, où est le bureau du ministre?

— Je ne sais pas. Je m'en fous! répondit-il. Qu'est-ce que tu es? Yougoslave?

Je refis ma promenade en sens inverse et retrouvai le bureau du ministre, puis le petit bureau où était Lily. Dès qu'elle me vit, elle se leva :

— Viens, viens! François, nous sommes en retard! Qu'est-ce que tu as fait? Il y a aussi mes valises qui attendent...

— Où?

— Mais dans la voiture de tout à l'heure!

— Tu ne les as pas prises?

— Non!

— Et tu crois que la voiture attend?

— Sûrement!

— Allons voir.

Elle avait raison. La voiture était devant l'entrée du ministère. Le chauffeur lisait, au volant. Lily lui a demandé s'il pouvait nous conduire à Sollentuna. Le chauffeur n'a pas bougé et a ri comme si c'était la meilleure blague de la semaine, pour lui.

— Alors, on prend un taxi.

— C'est loin? ai-je demandé au soldat.

— Non. Pas très.

J'ai appelé un taxi, qui n'est pas arrivé aussitôt, et nous avons mis le cello, les deux lourdes valises et nos deux longues carcasses minces là-dedans. J'ai regardé ma montre. Il était trois heures. La pluie commençait à tomber, fine et fraîche. J'ai demandé au chauffeur s'il pouvait mettre un peu de chauffage. Il s'est retourné, pour voir quelle sorte d'homme frileux j'étais. « Je suis malade », ai-je dit.

Lily s'est blottie contre moi.

— Passe-moi ta maladie, François! Viens, je te réchauffe. J'ai chaud.

— Tais-toi. Tu dis n'importe quoi. Où allons-nous?

— Chez moi, à Sollentuna. Tu n'as pas entendu quand j'ai donné l'adresse? Tu es devenu bizarre! J'ai dit Fortunavägen 264. C'est chez moi. Ma petite maison. Comme nous sommes en retard! Frans va être fâché.

— Qui est Frans, maintenant?

— Mais c'est Frans Helmerson, mon maître!

— Et il est chez toi?

— François, tu ne comprends rien! Nous allons laisser les valises chez moi, garder le taxi, aller à Edsberg.

— C'est le château?

— Mais oui! Là, je vais jouer devant Frans et il va me gronder.

— Et moi?

— Tu écoutes. Tu me protèges.

— Je peux dire que Frans a tort et que tu joues bien?

— Si tu veux. Il s'en moquera.

Elle s'était assombrie. Elle soufflait dans ses doigts. Je la trouvai moins jeune, un peu grise. Elle me regardait fixement, elle ne me quittait pas des yeux, elle faisait osciller sa tête de gauche à droite et de droite à gauche, comme si elle avait lu un texte ou regardé des images se dérouler sur moi. Le taxi avançait à petite allure. J'ai dit à Lily que j'avais faim. Elle m'a répondu qu'elle s'occuperait de cela à Edsberg. Elle m'a raconté la vie à l'école, la grande cuisine où on prenait les repas, comme c'était merveilleux, les maîtres et les élèves. Il n'y avait que dix-neuf élèves en tout, pour le piano, le violon et le cello. Pour le cello, six élèves seulement. C'est cela qui était formidable. Aucune autre école au monde comme celle-là, un peu loin de la ville, au bord d'un lac, j'allais voir cela, de la musique partout, dans toutes les pièces du château, comme elle se réjouissait!

Devant sa maison, elle m'a demandé si cela ne m'ennuyait pas trop de monter les valises, car elles étaient lourdes et elle avait peur, pour son poignet, ses doigts. J'ai pris les valises, pleines de disques et de partitions. Je sentais qu'il valait mieux, en effet, après avoir porté ces valises, ne pas jouer de cello, ni d'aucun instrument. J'ai monté lentement les trois étages d'une petite maison, des épaules aux mains, des cuisses aux pieds. Je me suis arrêté en haut, épuisé. Je n'avais pas porté pareil poids depuis des années. Je l'ai dit. J'ai demandé :

— A New York, comment as-tu fait, avec ces valises?

— J'ai trouvé un vieux nègre. Il te ressemblait, d'ailleurs. Il voulait que j'aille habiter avec lui. Tout à fait comme toi!

Je me suis demandé si j'allais la gifler et casser tous ses disques un par un; mais elle me regardait si tendrement, si innocemment, que je lui ai donné encore une chance. Elle m'a montré son studio. Il fallait se dépêcher, à cause du taxi. Ce serait cher. Sinon, elle m'aurait fait un café.

— J'ai faim, je te répète, Lily, j'ai faim, c'est terrible, cette manie que vous avez, vous autres, de sauter des repas, de manger n'importe quoi à n'importe quelle heure. J'ai faim. Je mangerais ton cello!

— Tu vas avoir des *smörgåsar* au château!

— Bien sûr. Je n'en doute pas. Confit de canard aux

haricots blancs à la graisse d'oie, tu n'aurais pas ça, au château?

— Que dis-tu?

— Rien, Lily. Je rêve. Ton studio est charmant.

— Tu dors là, ce soir.

— Où?

— Là. J'ai un autre lit. Qui se plie.

— Et se déplie. Formidable. Et des haricots?

— Que dis-tu? Frans est sûrement furieux.

— Ah oui! Pourquoi Sheena n'est-elle pas venue? Pourquoi Nils n'est-il pas venu?

— Tu veux toute la famille avec nous, comme sur l'île?

Elle avait ouvert une valise, ôté son blouson blanc, pris un pull-over noir, envoyé ses boots au diable, mis des ballerines.

— Tu vas avoir froid aux pieds.

— J'étais trop grande. Je ne veux pas être trop grande, avec toi, François. Regarde comme c'est mieux!

Elle se mit à côté de moi, prit mon bras. Elle me conduisit devant le miroir de l'entrée.

— Nous sommes beaux, dit-elle. Tu es plus grand que moi.

— Tu es trop grande, quand même, dis-je. Que fait Sheena, aujourd'hui?

— Elle est à Stockholm. Elle voit des amis. Elle dort dans la vieille ville. Tu veux l'appeler, ce soir? Écoute, François, viens, ce taxi va être terriblement cher. On revient ici, après. Et tu dois manger. Et je dois jouer mon Bach et aussi mon trio de Schubert. Oh! L'andante! Comme c'est difficile!

Elle chantait. Elle courait. Elle sautait dans l'escalier. Je suivais, comme le vieux nègre de New York. Je portais le cello. Je n'avais pas faim de cette fille. Elle avait faim de musique. A chaque palier, elle m'attendait gracieusement et me faisait croire qu'elle regrettait d'aller si loin, car sinon... Mais je ne l'avais jamais vue si gaie, dans l'île. C'était une écolière heureuse de « rentrer ». Je lui fis le geste de Nils. Je la poussai dans le taxi.

Il pleuvait, et il faisait beaucoup plus chaud. Je ne comprenais rien à ce faux automne. La pluie était lourde et moite. Les essuie-glaces du taxi la chassaient avec peine, comme si la pluie avait manqué d'eau; et les traces de boue brune ne s'effaçaient pas.

Le chauffeur obliqua sur sa droite, quittant la route, et prit un chemin de forêt. Lily cria :

— Mais que fais-tu? Où vas-tu?

— On est pressés? demanda-t-il.

— Oui, oui!

— J'arrête le compteur, OK?

Il se mit à parler très vite. Lily me traduisit. C'était un colosse, plus tout jeune, aux yeux bleus exorbités. Il savait qu'il y avait là des champignons, et il avait son couteau. Et aussi des airelles rouges, l'« or rouge de la forêt », le *lingon*. Et il en voulait. Et il ne voulait pas de compteur. On pouvait, à nous trois, ramasser des merveilles. C'était le moment juste, il répétait *juste* comme si ç'avait été un décret à appliquer. Je pensai : « Sheena n'hésiterait pas. Elle adorerait sauter du taxi et découper des champignons au pied des arbres, et cueillir du *lingon* par brassées. Nous recommencerions notre marché, à la halle de Stockholm, avant d'embarquer pour l'île. » Mais Lily n'avait pas bougé. Elle était renfoncée sur sa banquette, apeurée, elle répétait qu'il fallait se dépêcher, pour Frans, que la nuit allait tomber. Et moi, j'avais faim. J'aurais mangé des champignons tout crus. Le chauffeur me les montra, se jeta dessus, tailla, découpa, d'une main savante, enfourna dans son coffre, me désigna un bouquet de *lingon*, j'allai me désaltérer aux fruits douceâtres. Lily m'appelait. Je revins. Nous reprîmes la route. Nous étions arrivés. Le chauffeur nous montra le château d'un air narquois, comme si c'était vraiment utile d'aller là, maintenant, tandis que la forêt était si belle!

Je posai le cello debout sur une marche de pierre. Lily vit deux jeunes garçons emmitouflés, qui descendaient la grande allée bordée d'arbres immenses, roux, aux troncs multiples, enchevêtrés, dont j'ignorais le nom, longés par des chaînes et des bornes grises. Les deux jeunes garçons filaient vite, leur violon sous le bras. Elle courut vers eux, joyeusement. Ils se retournèrent.

J'ai payé sa course au chauffeur, qui m'a demandé si j'étais français.

— Napoléon, m'a-t-il dit, eh bien, quarante ans après sa

mort, quand on l'a sorti de ses chiffons, il avait la plante des pieds blanche.

Il m'a montré ses semelles, pour bien m'expliquer. Il a insisté pour que je prenne quelques champignons, dans le coffre, à l'intention de « demoiselle ». Il me désignait Lily, qui revenait. Je l'ai remercié. J'avais envie de le prier de m'attendre. Je n'en avais pas pour longtemps, ici. Mais je me suis dit que ce serait trop cher.

Nous sommes entrés, Lily et moi, dans le château. Sitôt entrés, nous sommes sortis, nous avons fait le tour. J'ai à peine eu le temps de contempler les murs roses et les lampadaires à quatre globes qui se reflétaient dans le lac. Lily cherchait une « meilleure porte ». On entendait des traits de piano, de violon, mêlant diverses tonalités. Lily a trouvé sa petite porte. Des coups de vent ont fait claquer plusieurs portes, à l'intérieur. Lily a embrassé une jeune fille japonaise et lui a demandé où était Frans. La Japonaise le lui a dit. Nous avons couru dans les couloirs, traversé la cuisine, et je portais toujours le cello, Lily courait dans l'escalier. Nous avons trouvé Frans Helmerson, qui semblait furieux du retard de Lily et qui s'est mis à grommeler en regardant sa montre. Il devait rentrer à Stockholm. Néanmoins, il souhaitait écouter Lily tout de suite. Il m'a demandé qui j'étais. J'ai répondu, sans réfléchir, que j'étais un ami de la mère de Lily, Sheena Norrenlind. Il a appelé un de ses collègues, qui passait, et nous a présentés l'un à l'autre. Il s'agissait de José Ribera, professeur de piano, petit Espagnol aux cheveux très noirs et aux yeux brillants derrière ses lunettes. Ribera parlait parfaitement le français. Il m'a proposé de visiter l'école, pendant que Lily se ferait gronder. Je l'ai remercié. Je lui ai dit que j'avais peu de temps mais il était heureux de parler du grand musicien qu'est Sergiu Celibidache et de ses terribles exigences face aux musiciens de l'orchestre. Celibidache était venu, allait venir, je ne sais plus, enseigner à Edsberg.

Nous avons parcouru au pas de charge les salons ravissants, j'ai vu les trumeaux XVIIIᵉ au-dessus des portes blanches, les poêles de faïence vert et carmin rosé, bleu et blanc. J'ai lu une inscription, en lettres dorées, je crois, à l'entrée d'un salon : *Principium sapientiae : Timor domini* (Pr, IX, 10) Et je suis resté un moment à méditer. José Ribera m'a demandé si j'avais vraiment la crainte du Seigneur, mais il riait, en m'expliquant pourquoi les élèves n'avaient même pas, ici, la crainte de leurs maîtres. Sauf Lily, bien sûr. Fallait-il jouer la musique dans la crainte ? Grande question, insoluble, vraiment insoluble.

José Ribera m'a présenté à d'autres professeurs, à quelques élèves. Personne ne sachant exactement ce que je venais faire, la conversation était difficile. Je répétais mon admiration pour l'école, pour ce lieu magique, je me penchais aux fenêtres, je montrais le lac, les reflets des lampadaires, la masse or et rouge des arbres, je disais que la Radio suédoise avait eu vraiment une grande idée en installant cette école ici, je disais que je regrettais de n'avoir rien à enseigner, et d'être trop vieux pour apprendre.

Peu à peu, on avait cessé d'entendre les élèves, qui se dirigeaient vers la cuisine. J'ai dit à José Ribera que je mourais de faim. Entre Latins, nous devions nous comprendre : j'en avais assez de sauter des repas, dans ce pays. Il m'a ouvert le réfrigérateur et j'ai dévoré, sous les yeux un peu alanguis de quelques élèves. Puis, nous sommes remontés, vers le grenier, où l'on pouvait s'isoler, quand on le désirait, ou bien travailler, ou bien enregistrer au magnétophone. J'ai vu un beau Bluthner, si je me souviens bien. Comme je ne voulais pas avoir l'air d'un étranger absolu à la musique, j'ai esquissé des débuts de quelques œuvres travaillées autrefois, un peu de *Partita* en si bémol, deux *Intermezzi* de Brahms, le début de la *Sonatine* de Ravel, le sixième *Nocturne* de Fauré, je massacrais, je piétinais, cela n'allait pas du tout, j'ai repris le *Prélude* de Bach, très lentement, comme de l'orgue, déclamé, trop chantant, je me suis arrêté encore, j'ai fermé le couvercle du piano. José Ribera m'a dit des choses gentilles, on voyait que j'avais dû jouer pas mal, il fallait m'y remettre, j'ai haussé les épaules. Il a posé sa main sur mon bras et m'a dit :

— Tenez, voilà, la voilà, c'est Lily, écoutez!

J'ai écouté. Elle était dans la pièce au-dessous du grenier. J'ai reconnu la *Suite* de Bach qu'elle avait tant travaillée et que j'avais tant écoutée. Arrêt. La voix du maître, qui criait un peu, chantait, indiquait. Reprise. Nous sommes descendus lentement et nous nous sommes glissés dans le petit salon.

José Ribera m'a désigné une chaise. Il s'est assis au piano. Lily avait repris. Mon nouvel ami m'a fait un signe d'extase, me désignant Lily, et me signifiant qu'elle jouait vraiment bien. Elle ne regardait qu'à peine ses cordes et ses doigts. Elle me regardait. Elle souffrait. Elle jouait de son mieux. Elle savait où son maître l'arrêterait encore et la ferait reprendre, plus clair, plus net, corrigeant un « tiré » qu'il n'aimait pas et qu'elle avait appris à New York. Il prit le cello et montra lui-même ce qu'il voulait. A mon sens, Lily le faisait mieux, mais je comprenais ce qu'il voulait dire. Et elle le fit, mieux encore.

Ensuite, Frans Helmerson a demandé comment allait le « Schubert suédois ». Et il m'a posé la question, à moi, comme si j'avais été le père, ou le répétiteur de Lily, ou un de ses professeurs de la Juilliard School. J'ai répondu que je n'en savais rien, et je me demandais ce qu'il voulait dire. Lily a répondu joyeusement :

— Oh! L'andante! Il va, il va, je l'ai, je crois. Veux-tu l'entendre?

Frans Helmerson a dit que oui, qu'il allait chercher un violoniste. Il est revenu presque aussitôt, avec un autre professeur. J'ai été présenté. J'ai cru comprendre qu'il s'agissait d'un professeur de musique de chambre. Ils se sont installés, devant leurs trois partitions. José Ribera, au piano, a soigneusement corné les pages, en bas à droite, et m'a demandé si je voulais jouer la partie de piano.

— Oh! Mais j'en suis incapable!

— Ce n'est pas difficile. Il suffit d'être musicien comme vous l'êtes, et de jouer les notes.

— Je vous assure. Je ne peux pas.

— Je suis sûr que oui, a-t-il dit en souriant.

Je me suis approché. J'ai regardé les accords de tierce en ut mineur. Et la petite phrase ascendante. Je pouvais faire cela, évidemment. Au moins les deux première pages. Ensuite? J'ai demandé ce qu'il y avait de suédois dans cette musique. Frans Helmerson a dit que Lily pouvait me l'expliquer. Lily a paru tout heureuse de voir qu'on lui confiait cette petite tâche historique. Elle a dit, un peu en récitant, et en anglais, pour que je comprenne, et à l'indicatif présent, parce qu'elle sait véritablement cette histoire par cœur, et qu'elle en est fière :

— Nous avons un grand chanteur suédois, Isaak Albert

Berg. Il est très connu chez nous et en Allemagne. Il va à Vienne pendant l'hiver 1827. Il est invité chez les demoiselles Frölicht.

— *Frölich,* corrigea Frans Helmerson.

— Oui. Il chante nos mélodies, celles de notre folklore. Et aussi d'autres chants, qu'il a composés lui-même. Schubert est invité chez les demoiselles et écoute avec ravissement. Il revient plusieurs fois. Chaque fois qu'Isaak Albert Berg doit chanter. Il s'assied, toujours au même endroit, a écrit Anna Frölich, dans le deuxième salon, sur une chaise d'où il peut voir le clavier. Il écoute. Il est heureux.

Lily, en parlant, regardait le petit salon voisin de celui où nous nous tenions. La porte était ouverte. Les trois professeurs et moi, sans même y penser, nous regardions dans cette direction. Il y avait, au fond, une chaise vide, près d'un canapé. Franz Schubert pouvait, en effet, être assis là, et écouter Lily parler de ce Berg suédois en visite à Vienne. La voix de Lily était chaude, alentie par le respect et toute la tendresse qu'elle vouait à Franz Schubert. Autour de sa voix, montait le bruissement des arbres rouges du parc, agités par les premiers souffles de l'automne, bruissement lent, continu, crescendo, coupé par l'aboiement d'un chien qui cherchait à rentrer et trouvait peut-être toutes les portes du château fermées, et, le vent se faisant plus fort, on n'entendit plus le chien mais la forêt puissante comme le passage d'un train au-dessus du lac.

Don José Ribera se leva et alla fermer les deux fenêtres. L'une, d'abord ; et il me fit signe de prendre sa place au piano ; j'y allai ; l'autre fenêtre, ensuite. Lily put achever :

— Alors, Franz Schubert a dû demander à Isaak Albert Berg l'autorisation de copier une de ses mélodies. C'est celle-ci. Elle était dans la voix d'Isaak Albert Berg. Elle s'appelait : « Le soleil disparaît ».

Il y eut un grand silence. Don José s'était approché de moi et me chuchotait le tempo, pour cette scansion, cette lente marche funèbre, sur une terre désolée, d'un vagabond dépossédé de tout. Je connaissais cette musique. Je la reconnaissais. Je ne l'avais jamais jouée. Je n'étais qu'un petit amateur glissé dans la désolation des autres, de tous les autres musiciens, de Vienne à Stockholm. Je ne pouvais en jouer que quelques lignes, comme d'habitude, comme tout à l'heure, au grenier. Une fois de plus, il m'était donné de soupeser le poids exact de mes nostalgies et de mes remords, de mon incapacité, de ma vie manquée à jamais, de non-musicien, de veuf de la musique. Toute ma vie s'est construite sur ce manque. Mais, tout au long de ma vie, j'ai connu quelques brefs instants de consolation, brefs mais fulgurants, où la musique m'était tendue, prêtée comme en cachette et en dédommagement symbolique. Ce moment-là, à Edsberg, est sans doute le plus beau jusqu'à ce jour.

Je regardai enfin Lily, pour lui dire que j'étais prêt, puis je montrai à Don José l'endroit où je pensais devoir m'arrêter. Il opina. J'entamai la promenade hivernale, en m'appliquant à frapper bien ensemble les notes de l'accord répété, douces, qui appelaient le chant du cello. Il vint. Comme un pouls battant seul, loin du corps. Lily chanta sur nous, d'un son plein et mince, assez proche de l'alto, entre le cello et l'alto. Et je n'eus plus peur, dès ses premières respirations. Je répondis, je fis ce trille, pas trop précipité, ce grelot, convenablement, me sembla-t-il. Le violon était entré et m'accompagnait, m'aidait davantage et semblait, comme le cello, se plaire à mon tempo. Personne ne me bousculait ni ne me réprimandait. J'étais admis à la table de Schubert. Et je sentis nettement que je devais prendre deux décisions, et que la récompense était le prix à payer. Je devais, d'abord, laisser Don José continuer, ce qui était préférable pour la musique. Je devais, ensuite, quitter Edsberg et retrouver Nils; le plus tôt serait le mieux.

Je fis signe à Don José. Je me glissai hors du tabouret, sur ma gauche, tenant l'accord, je me levai, le tenant toujours, Don José se glissa à ma droite, je retirai mes mains, Don José mit les siennes sur l'accord suivant et j'allai m'asseoir dans le salon voisin, sur la chaise de Franz Schubert, où j'écoutai la suite de l'andante en ut mineur du *Trio* en mi bémol, opus 100, avec ces infinies et si soudaines modulations, ces batteries de piano, ce frémissement violent, cette rage des cordes, puis le retour à la promenade funèbre, un peu plus lente, et les trilles du cello, dans l'extrême grave, gauches comme un frisson de contre-basse, jusqu'à la fin, retenue, encore, imperceptible et acca-blante.

Le silence dura. Les trois professeurs étaient visiblement

troublés par la grandeur du jeu de Lily. Il y eut quelques raclements de gorge. Frans Helmerson dit que c'était très beau. Très, très. Les deux autres approuvèrent. Je ne bougeai pas. Je me levai, à la fin, et vins vers Lily. Je la pris dans mes bras et baisai sa joue en la remerciant. Je dis : « Merci, merci, Lily ! »

Frans Helmerson souhaitait revoir quelques détails. Il parla presque humblement à Lily, assis face à elle, comme face à une malade, en lui tenant les deux mains. Elle écoutait. Elle disait oui à tout, comme si elle avait tout à apprendre, comme si elle se sentait à jamais incapable de jouer cet andante. Ils allaient jouer une autre fois. Frans Helmerson ne regardait plus sa montre, il n'était plus pressé de rentrer à Stockholm. Ils reprirent. J'avais fait signe à Don José que j'écoutais là-bas, sur la chaise de Schubert.

Je pris une feuille de mon carnet et j'écrivis en anglais : « Excuse-moi. Je sens que *Pappa* Nils a besoin de moi. Je retourne vers lui. Remercie beaucoup Don José. A bientôt. François. »

J'avais vu, dans le salon où je me trouvais, la boîte noire du cello, ouverte. Je marchai en me baissant, pendant le passage fortissimo de l'andante, et allai poser la feuille à l'intérieur de l'étui, à l'endroit exact où viendraient s'encastrer les chevilles et la volute. Puis, j'allai vers la porte, et descendis l'escalier

En cherchant la sortie, je vis un des professeurs, rencontré plus tôt. Il mettait sa gabardine et posait un béret marron sur sa tête. Je lui demandai si, par hasard, il allait en ville.

— A Sollentuna ?
— Non. A Stockholm.
— Je vais à Stockholm, me dit-il. Venez.
— C'est une chance, dis-je.

Il faisait de nouveau tiède. Le vent était presque chaud. Le professeur me fit asseoir dans une vieille Opel rouillée, qui sentait le chien. Je pensai aussitôt : « C'est un vieux garçon, un sage, pas un grand musicien mais un grand professeur, sceptique et économe de ses émotions, ironique, revenu de superbes amours anciennes. » Il vissa littéralement son béret sur sa tête, comme s'il s'était agi du démarreur. La voiture descendit l'allée entre les arbres. Il faudrait deux heures, à cette allure, pour rallier Stockholm. Ce n'était pas le genre d'homme à dépasser le soixante. Je lui dis :

— C'est curieux, les Suédois ont souvent des bérets marron. J'ai remarqué cela, même à Paris...

— C'est le béret de basque pays, me dit-il avec beaucoup d'assurance.

— Béret, oui, mais pourquoi marron?

— Parce que c'est comme cela au basque pays.

— Non, dis-je.

— Oui, oui, je sais.

— Je sais aussi.

— On ne va pas se disputer pour cela, dit-il.

Il roulait à cinquante, les yeux sur la route comme s'il avait piloté un bolide. La nuit était noire. On recevait des éclats de phares. Je voyais qu'il ne savait pas très bien se mettre en codes. Je n'osais pas le lui dire. Il me rendait un fichu service en me ramenant. Après un long moment de méditation, il me dit :

— Je suppose que les socialistes disposaient d'un stock de couleur marron, ou bien que les unions de consommateurs, ou alors une coopérative d'idiots, ou je ne sais quoi, ont décidé que les bérets seraient marron. C'est pourquoi.

— Oui, dis-je, c'est pourquoi. Ce n'est pas mal, d'ailleurs, ajoutai-je.

— Non. Oh non! Ce n'est pas mal. C'est un beau marron. Où allez-vous à Stockholm?

— Gamla Stan.

— Moi aussi. Où, précisément?

— Chez Nils Söderhamn.

— Cette crapule, dit-il.

— Pourquoi?

— Parce que. Vous êtes un de ses amis?

— Non. Pas tellement. Je connais sa femme. Je suis, dis-je, un régisseur français de théâtre.

— Sheena est bien. Elle est bien. Réellement bien. Courageuse. Idéaliste. Lui, c'est un...

Il chercha des mots anglais, allemands. Nous finîmes par trouver ensemble quelque chose comme « pas sérieux »,

« plaisantin ». Et cela me faisait de la peine, de l'aider ainsi à trouver des mots pareils pour Nils.

Il répéta le mot suédois, très content. C'était un homme chauve, sous son béret, au visage lisse, poncé; et d'une extraordinaire minutie. Il m'expliqua qu'il était à la fois professeur d'harmonie et administrateur de l'école, mais aussi de la Radio-Télévision. Et qu'il fallait des hommes attentifs, comme lui, pour faire contrepoids aux imbécillités politiques des gens comme ministre Söderhamn. En m'expliquant « contrepoids », il avait lâché son volant, mais la vieille Opel avait l'habitude. Il ajouta :

— Si on avait eu Nils plus longtemps au ministère, on aurait donné tous les ans des premiers prix à ceux qui voyaient une différence entre sol et sol dièse.

— Il y en a une, pourtant, dis-je.

— Oui. Mais est-ce que cela vaut un premier prix?

— Non, dis-je.

— Nous sommes d'accord. Ministre Söderhamn est un...

Il répéta son mot suédois.

— Vous le connaissez? demanda-t-il.

— Non. A peine.

— C'est Sheena que vous connaissez.

— Oui, dis-je.

— Elle est bien. Mais la petite... la grande fille celliste...

— Lily.

— Oui, Lily Norrenlind, elle est drôlement douée pour le cello. Phénomène. Ce qui est ennuyeux : *elle aime sa Pappa.*

— Comment?

Il l'avait dit en français, pour être sûr d'éviter tout malentendu entre nous. Et il répéta :

— *Elle aime sa Pappa.*

— Je sais, dis-je, au bout d'un instant.

Je me sentais lâche et parjure. Je voyais les yeux blancs de Lily comme sur un négatif de photo. Elle reprenait encore une fois les trilles de la fin, sur la note la plus grave, ce son ingrat, presque laid, qu'il s'agissait de faire battre régulièrement, sans « pathos ». Bien assez de « pathos » comme ça, dans cet andante.

— Vous n'aimez pas Nils Söderhamn, dis-je.

— Non. Pas du tout. Bon débarras. Les socialistes n'ont fait que des bêtises, avec l'éducation, la culture, tout ça!... Des bêtises irréparables. Moi, je m'en fous. Je suis vieux. Vous n'avez pas trop de socialistes, chez vous?

— Nous en avons. Ils ne gouvernent pas.

— Tant mieux. Continuez. On peut s'en passer. Il y a des enfants doués, intelligents, sensibles. Ceux-là, cela va tout seul. Et puis il y en a d'autres. Si vous dites et si vous répétez que chacun vaut chacun, vous n'avez plus personne. Et chacun fait de la merde. Pour la musique, ou pour la médecine, ou pour la théologie, ou pour les mathématiques.

— Qu'est-ce qu'il faut dire, alors, à ceux qui ne sont pas doués, intelligents?

— De rester chez eux. De travailler le double. Le triple. Et on leur donnera à faire des petites choses pas difficiles, plus tard. Par exemple : nettoyer le cello de Lily. Mais ne pas jouer de cello.

— Quand vous étiez enfant, demandai-je, vous étiez comment?

— Moyen. Juste moyen. Et je suis devenu moyen. C'est juste.

— Vous n'auriez pas aimé davantage?

— Pas du tout.

— C'est triste, dis-je.

— Ma vie est triste, dit-il. Alors, c'est moi qui vous emmène chez Nils Söderhamn! ajouta-t-il. Si on m'avait dit ça!

— Vous voyez : il y a des surprises... Excusez-moi, ajoutai-je, votre famille, vos parents étaient-ils musiciens, avaient-ils de la culture?

— Ah! Le milieu! L'hérédité! Vous croyez à ça! Et vous croyez qu'il suffit de donner un bon milieu aux enfants pour qu'ils aient du talent et de l'intelligence! Mes parents étaient ouvriers dans les aciéries. Je suis professeur d'harmonie.

— Le grand-père de Gabriel Fauré, lui, était boucher dans l'Ariège.

— Où ça?

— Pyrénées.

— Basque pays?

— Non. L'autre bout. Et la génétique?

— Vous croyez à ça aussi ?

— Je ne crois à rien. Je réfléchis. Je ne trouve rien. Aucune bonne explication.

— Moi non plus. C'est dommage que vous alliez chez Nils Söderhamn. Il vous attend ?

— Oui.

— On aurait pu discuter longtemps... Il y a des génotypes excellents pour réussir ici, et pas là. Et d'autres génotypes aussi excellents et différents. C'est le hasard. Et de bons génotypes avec hérédité riche et milieu culturel parfait : et ça devient des idiots quand même. Et puis le contraire. C'est le hasard.

— Sans doute, mais c'est ennuyeux, après tant de siècles et avec tant de savants, de ne pas trouver une meilleure explication.

— Il faut que ce soit comme ça. Donc, les socialistes ont tort d'égaliser tous les enfants comme les pierres d'un mur. Le mur ne tient pas. Les bons murs sont à pierres inégales. Vous n'avez qu'à regarder vos monuments et les nôtres. Moi, en tout cas, je dis cela.

— Mais alors que faut-il faire ?

— Comme autrefois. Punir. Récompenser. Primer. Décourager. Choisir. Choisir les grandes et les petites pierres.

Il accéléra soudain, comme pour me montrer qu'il avait raison. Je ne savais pas ce que j'allais faire. Nils n'était peut-être pas chez lui. Sheena y serait-elle ? Qui m'ouvrirait ? Et s'il n'y avait personne ? Qui me renseignerait ? Comment savoir si Nils avait quitté le ministère de la Défense ? Je ne croyais pas beaucoup à son histoire d'aller à l'ambassade de France. J'irais dans un hôtel. J'appellerais l'appartement de Nils toutes les heures. J'avais de l'argent. Je n'avais ni brosse à dents ni rasoir. Je n'y avais même pas pensé, en m'embarquant, ce matin. Je n'avais rien pris. Et Nils ne l'avait pas remarqué. Il ne m'avait rien dit. Or il semblait penser que j'allais dormir chez Lily. Et lui, je ne me souvenais pas. Il n'avait pas de valise, ni de sac. Peut-être sa petite sacoche de cuir noir ? Je ne me souvenais plus. Cette journée avait commencé très tôt. Les yeux me piquaient. J'avais vraiment faim. Je décidai de manger un vrai repas, dans un restaurant italien de Gamla Stan, quoi qu'il arrivât. Presque mécaniquement, je dis au professeur à béret :

— J'ai réfléchi à votre histoire de mur. Il y a une énorme différence entre les pierres et les enfants. Les petites pierres ne grandissent pas, ne changent pas. Les enfants qui commencent mal peuvent changer, grandir. C'est pourquoi il me semble meilleur de donner des chances égales à tous. Même si le système comporte des absurdités, même si les meilleurs sont freinés par les moins bons, eux-mêmes étouffés, ne l'oubliez pas...

— Il n'y a plus beaucoup d'étouffés, ici. Tous nuls.

— Vous exagérez sûrement. Nous devons survivre...

— Nos écoliers, nos lycéens, nos étudiants survivent dans la nullité, crescendo!

— C'est une période. Cela ne durera pas et il y aura d'autres orientations.

— Trop tard. Heureusement : je n'ai pas d'enfants à moi. Les petits crétins que je vois me suffisent. Heureusement : il y a Lily. Heureusement : elle n'est pas la fille de Nils Söderhamn. Elle est la fille de Sheena. Mais je vous dirai : elle est nulle en théorie musicale, en harmonie, en histoire. C'est un animal à cello. Elle ne sait rien. Vous devriez lui dire de faire un effort. Elle jouerait encore mieux. Est-ce que vous le lui direz?

— Oh! Je repars pour Paris. Je ne crois pas que je la reverrai.

— Alors, je le lui dirai de votre part. Si vous êtes d'accord.

J'étais d'accord sur tout. Nous entrions dans la ville.

— Ne dites pas ce que je vous ai dit à ministre Söderhamn sur les socialistes. Ils vont revenir au gouvernement l'année prochaine. Ce salaud serait capable de me priver de mon travail à la Radio.

— Ce n'est pas un salaud. Ils ne sont pas des soviets.

Je bâillais. Il fallait réagir. Manger, dormir et réagir.

— Je me demande, ajoutai-je, je me demande s'il n'est pas en prison à l'heure qu'il est.

— En prison? Ministre Söderhamn?

— Oui.

Il n'ouvrit pas la bouche. Il murmura. Il me demanda si je me moquais de lui. Mais la nouvelle était si énorme qu'elle lui paraissait crédible. Je n'arrivais pas à me défaire de la scansion lente de l'accord d'ut mineur, qui battait en moi, et puis venait la petite phrase ascendante et les yeux blancs de Lily me suivaient, j'avais beau regarder intensément aux feux rouges, n'importe quoi, je voyais ses yeux et l'accord qui battait...

Je dis au professeur :

— C'est dommage de se quitter. N'entrez pas dans Gamla Stan. C'est trop compliqué. Laissez-moi où vous voudrez. A l'entrée, par exemple.

— Comme vous voudrez.

Il s'arrêta. Coupa le contact et me dit :

— Vous m'avez dit cela sérieusement, pour ministre Söderhamn ?

— Oui. Mais j'espère que la chose s'est arrangée. De toute façon, vous le saurez en lisant le journal. Ou bien vous ne saurez rien, et je vous demande d'oublier ce que je vous ai dit.

— Bien, bien, dit-il. D'ailleurs, vous ne connaissez pas mon nom et je ne connais pas le vôtre.

— On ne se connaît pas, dis-je. Et si vous connaissiez Nils, ajoutai-je, vous ne parleriez pas ainsi de lui. Notre conversation sur les enfants, l'éducation, je vous assure que cela l'aurait intéressé. Et vous auriez eu des points d'accord, tous les deux...

— Peut-être, peut-être... On ne connaît pas bien les gens, dit-il.

Il remit le contact. En tâtonnant autour du volant, il appuya sur l'avertisseur. Il sursauta. J'ouvris la portière. Je le remerciai pour la conduite.

— Merci à vous, me dit-il. Dormez bien. Au moins : dites à ministre Söderhamn, *de ma part* : il faut que Lily travaille encore l'harmonie.

— C'est promis, dis-je.

XVI

J'ai sonné, en bas. Sheena est apparue à la fenêtre. J'ai
crié :

— Nils est-il là ?

— Non. Mais je suis là. Monte !

Je suis monté en courant.

— Où est-il ? ai-je demandé.

— Il est reparti.

— Tu l'as vu ? Où est-il allé ?

— Yxsund, naturellement.

— Ah ! Tu l'as vu !

J'ai respiré. Nils était sauvé. Il était à bord de son île. Sheena
m'a fait asseoir. Elle portait une longue robe blanche et feu,
une sorte de djellaba pour Suédoise en Méditerranée, devant
les barbecues de rougets. Elle m'a dit qu'elle avait travaillé
toute la journée, qu'elle avait vu des gens captivants, qu'on lui
avait remis des dossiers de la plus haute importance sur les
problèmes les plus urgents de la Suède, du monde. Elle voulait
me montrer tout cela. Les choses étaient en marche. Elle allait
tenir son meeting de presse au Grand Hôtel dimanche
prochain.

— Déjà, ai-je dit.

— Tu avais oublié ?

— Je ne me rendais pas compte. Ce sera donc le dernier
dimanche de septembre...

— Tu seras là, tu as promis, mon chéri.

— Oui, oui, j'ai promis. Je tiens mes promesses, en général.

374

J'avais promis d'emmener Lily à Edsberg. J'en arrive. J'ai vu ses professeurs, et elle a joué comme...

— Écoute, François, je m'en moque. Ma fille est à l'école. C'est parfait. Merci pour la conduite. Tu as bien fait — regarde-moi — de la laisser à Edsberg.

— Mais, Sheena...

Se pouvait-il? Comment cela se pouvait-il? Elle avait failli envoyer son mari en prison et sa fille, sa propre fille, à qui il aurait pu arriver un malheur, avec moi, par exemple, à Sollentuna, dans le clair studio, dans la forêt aux champignons, sa fille, sa faible fille, arc-boutée sur la voix du cello comme à la seule vie possible, elle s'en moquait à ce point!

— Je te l'avais dit! François, je t'avais dit que je voulais faire de belles choses, du métal, de la pierre, du bois, même si cela devait être pénible pour moi, même si on devait rire de moi. Mais je me sens forte, ce soir. Les amis que j'ai vus m'ont stimulée. J'ai la force. Je vais y aller. Je vais drôlement y aller, je t'assure! Alors, qu'est-ce que tu veux que je te dise, si Lily a bien joué son Bach, celui-là qu'elle nous a seriné tout l'été. Son Bach, c'est son problème, ce n'est pas le mien, François!

— Et si elle était en danger?

— Quel danger? C'est une étudiante comme les autres, avec d'autres étudiants, des professeurs, une cuisine commune, et elle a une salle de bains à elle.

— Ce n'est pas une étudiante comme les autres, Sheena. Elle est... Elle n'est pas...

Elle hurla. Elle lança ses chaussures à l'autre bout du salon. Elle se renversa sur le canapé. Elle hurla encore :

— Va chercher mes chaussures!

Je me levai et y allai. Je les lui rapportai.

— Toi, dit-elle, tu n'es pas un homme comme les autres. Parce que tu es allé les ramasser! Viens! Viens! Je veux te couvrir de baisers!

— Non, dis-je. Je suis un homme comme les autres. Simplement, je n'aime pas les choses en désordre. C'est pour cela que je les ai ramassées. Et je n'aime pas obéir comme un petit chien. Je vais m'en aller. Je te laisse. Tu as du travail. Je vais rejoindre Nils. Il a besoin de moi.

— Quoi?

— C'est vrai, Sheena. Et puis, tu me dis « mon chéri » et tu parles, et tu t'excites, mais tu ne sens rien, comme amour, pour moi. Tu n'as jamais rien senti, comme amour. Tu devrais raconter cela à ton analyste. De ma part. Il verrait enfin clair, en toi.

Je m'étais assis sur le tabouret du piano. Je pensais à Don José Ribera. Je regardai ma montre. Il était neuf heures et demie. Je ne savais pas du tout comment j'allais rallier Norrtälje. Il n'était pas question de traverser, cette nuit. Je pourrais dormir à Norrtälje, en tout cas. Mais comment y aller? Impossible de louer une voiture, à cette heure. Un taxi, certes, mais ce serait très cher. Je ne voulais pas dormir ici. Je voulais m'en aller. Je voulais bien ramasser trente-six fois les chaussures de Sheena, cela m'était égal, pourvu que je m'en aille. Je demandai :

— Est-ce qu'il y a un hôtel à Norrtälje?

— Naturellement. Tu pars?

— Il faut. Je ne vais pas... Est-ce que tu as besoin de la Fiat?

— Oui.

— Je ne la garderais pas longtemps, si tu me la prêtais. J'irais ce soir à Norrtälje, je dormirais là, j'appellerais par la radio-marine, demain, tôt; Monsieur Arne Sjöberg viendrait me chercher... Je ne resterais pas plus d'un jour à Yxsund. Il faut que je rentre à Paris.

— Tu ne seras donc pas là pour ma conférence?

— Sheena, est-ce que c'est vraiment important, que je sois là ou non?

— Je croyais que c'était important, pour toi, François, que cela te tenait à cœur...

— Non. Cela ne me tient pas à cœur. Alors, la Fiat?

— Tu veux retrouver Nils, et c'est tout.

— Oui. Il a besoin de moi. Je suis sûr qu'il m'attend. Et je peux te dire que tu lui as fait du mal. Tu m'as donc fait du mal aussi, à moi : je n'ai pas compris pourquoi tu as raconté à un ingénieur que...

— Ah! Charmant couple, Nils et toi!

— Pourquoi as-tu voulu faire le mal, Sheena? Contre Nils? Ou bien? Explique-moi!

— Pour moi, pour moi seule, pauvre chéri! Parce que j'avais à peu près tout compris. Parce que Nils est ridicule. Et toi avec lui!

Je ne savais pas où j'allais dormir. Moi, petit bourgeois, sans brosse à dents ni rasoir, seul dans cette maison, avec cette femme nue sous sa robe de vacances, vautrée sur un canapé, ses chaussures à terre, devant elle, je savais qu'elle ne m'inspirerait jamais le moindre désir. Je le pensais. Je pourrais l'écrire. Lentement, administrativement, comme un scribe qui règle une affaire en pensant à une autre.

— Je m'en vais, Sheena.

— Où vas-tu, imbécile ?

— Je m'en vais retrouver Nils.

— A pied ?

— Je vais aller au Sheraton. Ils auront une idée. Une voiture, peut-être. Un câblogramme pour Nils...

— Tu es ridicule, c'est dommage !

— Je me suis levé à six heures. Je suis fatigué. J'ai faim.

— Il n'y a rien, ici. Du chocolat au lait en poudre, si tu veux. Et des épis de maïs en boîte. Mais si je te fais griller ça, tu vas protester.

— Non, non, dis-je. Je veux bien du maïs. Je mangerais tes souliers grillés !

— Bon, dit-elle, je vais te faire ça. J'ai aussi du miel spécial, très excitant, naturel, comment dit-on... Cela vient de la France. De la... Provence.

Elle se leva. Sa robe était dégrafée d'un côté. Sheena était vraiment nue. Elle alla chercher une sorte de gelée royale, un attrape-gogos-écolos, pour Scandinaves d'hiver dévitaminisés. Elle se lança dans une grande tirade contre les savants et les médecins officiels. Cela aussi, c'était à son programme. Contre les laboratoires pharmaceutiques prisonniers des multinationales. Pour la gelée, les plantes, les radiesthésistes et les acupuncteurs. Contre les diplômés prétentieux. Contre les hôpitaux ruineux. Contre la recherche scientifique appuyée sur le monstrueux ordinateur. Contre les vaccins, surtout. Elle hurla comme une louve à la mort contre les vaccins. Elle mélangea tout : l'énergie solaire, l'éolienne, le poêle à bois, les engrais, les anabolisants, les hormones à bétail. Elle me récita des articles qu'elle venait de lire, une réunion à laquelle elle venait d'assister. Elle proclama la croissance zéro vers la nouvelle croissance maîtrisée. Elle me dit, même :

— Les Russes, les Soviets, tes amis, eux aussi, se tournent vers la parapsychologie! C'est fini, notre science de riches! Tout commence, tout neuf. Les Européens gavés, comme toi, vous ne voulez pas comprendre. Il faut changer le monde *radicalement*.

— Avec des herbes? demandai-je.

— Et tout ce qui va avec, oui.

— Le cancer, tu le guéris avec des herbes, du miel et de la transmission de pensée? Sheena, je t'accorde que les savants jargonnent un peu et que les TV occidentales ne savent pas éduquer le peuple à penser avec la science. Mais si tu veux être député de la superstition et du retour au Moyen Age, je t'accuserai, moi, de crime contre la vérité. Avec du folklore, tu feras des voix, mais tu feras redescendre la nuit sur la Suède.

— Quoi? La nuit?

— Oui. C'est toujours la même chose. Le balancier revient. Vous aviez trouvé. Vous ne trouvez plus. Vous cherchez ailleurs. Tout votre ordre social était trop clair. Vous obscurcissez. Tu n'es qu'une comédienne qui s'ennuie et qui veut se rendre intéressante. Ce sont les pires. Et tu vas tourner ton feuilleton de médecin social avancé... Tu vas le tourner?

— Oui. Je commence lundi. Et alors?

— Tu veux gagner sur les deux tableaux. Appelle-moi un taxi, s'il te plaît.

— Monsieur le Français veut peut-être m'interdire de faire mon métier? Mon métier, c'est de jouer la femme sociale avancée pour les gens de mon pays, pour les longues soirées d'hiver. On me paie pour cela. Je n'ai pas à juger mon rôle. On m'offre d'être très connue. Je ne vais pas déclarer que mon rôle est celui d'une petite idiote fonctionnaire de l'idéalisme. On me paie. A moi, donc, de faire parler, avec cet argent, mon idéalisme à moi.

— Oui, oui, je sais, Sheena, je comprends, tu me l'as déjà dit.

Elle me regarda soudain avec une sorte de tendresse triste qui ne me parut pas jouée.

— Oh! Mon petit François, tu aimes encore dire Sheena? Comme tu aimais!... Tu aimes encore?

— Oui, Sheena, j'aime dire ton nom.

— Et il n'y avait donc rien de possible entre nous, parce que ce vieil égoïste t'a envoûté? Et tu n'étais pas capable, ayant écouté ses boniments, et vu son Bunker, cette folie trop forte pour lui, de te détourner et de me rejoindre?

— Ce ne sont pas des boniments. Je crois à tout ce qu'il m'a dit, et à tout ce qu'il m'a dicté pour son livre, j'y crois, je crois que c'est un homme bon et grand, désespéré. Je ne peux pas le laisser. Toi-même, Sheena, ce matin, quand il nous a parlé devant les officiers et les ingénieurs, tu m'as paru croire en lui, non? Je me trompe?

Elle ne répondit pas. Elle avait enfoui sa tête dans ses mains, sous ses cheveux retombés en avant. Je l'entendais respirer très fort, avec peine. Elle se redressa, elle me regarda, bien en face. Je sus, en cette minute, que je la contemplais pour la dernière fois. Ou quelque chose de ce genre. Je me récitai son visage comme une leçon inoubliable, mais sur laquelle je ne serais jamais interrogé. Les cheveux rouge et or, plantés dru, très haut sur le front. Les pommettes saillantes, bombées, les joues immenses, une fossette éclair, parfois, sur l'une d'elles, la bouche froncée, les yeux vert et diamant, tantôt grands ouverts, tantôt fermés à demi, comme ceux d'un chat qui se fait croire au bonheur; et puis, tout ce long corps jamais en paix, ondulant, cabré, tournoyant, ce corps fait pour accompagner les cris, ou les précéder, et que le théâtre ni le cinéma n'avaient rassasié.

Sheena m'avait promis ce corps. Je ne m'étais pas trompé. Je n'avais rien réclamé. Je n'avais joué d'aucune coquetterie. Nul assaut. Les choses avaient été entendues ainsi, depuis notre escapade à Stockholm. Peut-être plus tôt... Je lui dis :

— C'est simple, Sheena. Tout est simple. Ici, vous compliquez. Heureusement que je suis arrivé, n'est-ce pas? Je suis devenu un homme vieux, sentimental. Peut-être ai-je changé de nature. Je ne t'ai jamais aimée.

— Moi non plus, dit-elle.

— Tout va bien. Explique-moi pourquoi Nils t'a émue, ce matin?

— Parce que j'ai retrouvé celui que j'avais aimé, quand il a parlé des débuts du socialisme. Le vieux lutteur, qu'il a été. L'homme de foi. Il a été ainsi. Je l'ai connu ainsi. J'étais une petite fille, comprends-tu, quand il se battait pour des idées auxquelles il croyait. Il n'était rien. Petit professeur de lycée. Il collait des affiches, lui, l'homme aux belles mains, il rentrait, la nuit, avec sa cape à la Gide, pleine de colle. Et il ne faisait pas cela pour être député. Il le faisait parce qu'il croyait à tout ce qu'il disait de bon et de vrai, pour notre pays. Il voulait partager le Savoir. Il voulait partager la Beauté. Il avait pris votre révolution française au mot. Et il croyait tout ce que disaient vos écrivains : Rousseau, Stendhal, Zola, Gide, Camus, il déversait leurs livres sur des ouvriers d'ici, il prêchait comme son père, il croyait au progrès des idées, aux soldats du progrès, il était pur de toute compromission, il était à peine membre du parti, est-ce que tu te rends compte qu'il a été député à trente-deux ans et que j'en avais dix ? Il m'a emmenée dans Xköping comme une reine, il m'a présentée à la foule comme sa reine, il a fait un énorme discours pour expliquer qu'il fallait travailler sans cesse, afin de sauver les enfants de l'ignorance, et il me montrait à la foule, et j'étais fière de ce papa si fier de moi. Et là, je l'aimais. Je n'ai jamais aimé que lui. J'ai couché avec d'autres. Peu nombreux. J'ai aimé le même député fier depuis l'âge de dix ans. Il respirait la vérité, l'absolu. Il a été le modèle de tous et de toutes. Mais est-ce que tu ne savais pas cela, François ?

— Si, si, je le savais.

— Alors ? Est-ce que tu comprends ?

— Si, je comprends. Mais pourquoi as-tu voulu lui faire du mal ?

— Cela, tu le comprends aussi. Mais tu ne veux pas et ne peux pas le dire.

— Lily ? dis-je après un silence.

— Oui, oui, François.

— Je pensais que tu ne savais pas, que tu avais fermé les yeux.

— Non. Cela, je ne pardonne pas.

— Il n'a rien fait.

— Je sais. Toi non plus. Lily est folle. A enfermer.

— Tu as bien fait de l'abandonner, reprit-elle. Elle t'aurait rendu fou, toi-même.

— Sheena, il faut que Nils sache que je suis ici, que je ne

suis pas à Edsberg. Il faut qu'il le sache cette nuit. Comment faire? Il n'y a donc aucun moyen de le joindre? Ce n'est pas possible! Il reçoit des appels, parfois. Comment fait-on? C'est extrêmement urgent!

Elle me jeta un regard froid, comme si elle avait voulu m'effrayer.

— Bien sûr, on peut l'appeler. Je sais, je crois que je sais. Tu veux?

— Mais oui!

Elle alla vers le téléphone, prit un carnet, composa un numéro, parla très vite, reposa l'appareil.

— Dans dix minutes. Pas plus.

Elle s'était nommée. Elle avait dit son nom, puis celui de son mari, comme une grande bourgeoise célèbre, qui peut épater les préposés aux transmissions avec deux noms. Elle avait pris sa voix d'ambassadrice à Paris.

— Voilà, mon cher monsieur, me dit-elle. Je vais vous préparer des épis et du chocolat. Cannelle, avec le chocolat? Poivre, avec les épis? Ordonnez, mon cher monsieur!

Elle se leva et alla à la cuisine. Comme elle était belle, comme elle marchait bien, comme ses hanches étaient hautes, comme elle tendait les jambes loin!

— Au fond, cria-t-elle de la cuisine, je ne savais pas quoi faire cette nuit, tu es une distraction de la Providence! Et tu es obligé de dormir ici. Comment veux-tu, à cette heure, rejoindre l'île? C'est impossible, voyons!

— Cela m'est égal, si je peux parler à Nils.

— Mais tu vas lui parler, à ton vieux copain! Tu peux même lui demander la permission de dormir ici.

Elle revint. Elle arrangea la table. Elle disposa des bougies bleu clair et rouges. « Il m'en faudrait au moins une blanche, dit-elle, pour faire ton drapeau, qui annonce ton départ... » Elle alla fouiller dans un placard. Elle revint avec deux bougies blanches. Le téléphone sonna. Cela ne faisait pas dix minutes. Elle se précipita.

— Je veux lui parler moi-même, dis-je.

— Allô! *Monsieur?*

Je pris l'écouteur. C'était Monsieur Arne Sjöberg. Il disait que Nils avait appelé pour dire qu'il ne rentrait que demain à midi. J'écoutai la bonne voix paisible de Monsieur Arne

Sjöberg, qui me rassurait, mais que Sheena était en train d'inquiéter, puisqu'elle disait qu'elle ne savait pas où était Nils, qu'elle ne comprenait pas. Monsieur Arne Sjöberg parla plus vite. On entendait mal, comme sur un mauvais poste de radio brouillé. Et moi aussi, je me demandais maintenant où pouvait être Nils. J'allais appeler le *Riksdag*, sa secrétaire, qui saurait probablement... Sheena parut résignée à laisser Monsieur Arne Sjöberg incertain. Je voulus ajouter un mot. Je dis, aussi joyeusement que possible, à Monsieur Arne Sjöberg : « Moi aussi, je reviens demain, comment vas-tu ? »

Sheena laissa le téléphone et courut vers l'entrée. Puis elle me fit un signe. Puis, elle me cria : « C'est lui ! » Je tenais toujours le téléphone. Je vis Nils. Sheena lui demanda :

— Nous avons Monsieur Arne Sjöberg. Veux-tu lui parler ?

— Non, dit Nils. Je lui confirme : demain midi.

J'annonçai à Monsieur Arne Sjöberg que Nils venait d'arriver et je répétai plusieurs fois : « Demain midi, tu nous attends avec ton diable de vieux bateau ! Merci ! Demain midi ! » Je raccrochai.

Nils avait jeté sa gabardine sur un fauteuil et s'était assis sur un autre. Il était pâle. Il laissait une longue mèche blanche descendre sur sa joue et il ne la ramenait pas en arrière, comme d'habitude. Il mit du temps avant de dire :

— J'ai faim.

— François aussi. J'ai préparé quelque chose pour lui. Veux-tu aussi ?...

— Non. J'emmène François dîner dehors. J'ai à lui parler. Reste où tu es avec tes bougies.

— Je te remercie, dit Sheena.

— Pas de quoi. Tu as donc faim, François ?

— Oui, oui, dis-je, en hésitant.

— Faim ou non ?

— Pas mangé de la journée. Pas vraiment mangé, dis-je.

— On va *bouffer*. On va à côté. Viens.

Il s'était relevé. Il aspira longuement, bruyamment, comme entre deux meetings. Il répéta : « Viens ! » Je n'avais pas bougé. Il dit : « Prends un manteau, ou quelque chose. Il fait frais. » Sa voix était dure. Il m'aurait dit de la même façon que nous allions nous casser la gueule dans la rue, si j'étais un homme, on allait voir ça. Il répéta encore : « Viens! », avec une impatience presque vulgaire. Je regardai Sheena.

— Excuse-moi, pour le maïs et le chocolat, dis-je.

— Il est trop tard, dit-elle. On ne voudra de vous nulle part.

— Chez Göran, on me prend toujours, dit Nils, et tu le sais.

— Au revoir, messieurs. Mangez et buvez.

Elle éteignit les bougies une à une. Je vis que Nils n'avait pas remarqué leurs couleurs, jusqu'ici. Il eut un horrible sourire. Il émit un petit rire sardonique. Il me jeta sa gabardine sur les épaules et en prit une autre, près de la porte.

Je fis un petit signe à Sheena. Elle se tenait près de sa table, dans les fumées des bougies. Elle avait l'air désemparé. Elle dut se contraindre pour dire à mi-voix :

— Vous êtes deux beaux cochons.

Nils marcha devant moi, sans se retourner. Nous descendîmes la Svartmangatan et il tourna brusquement dans la Österlanggatan où je vis quelques restaurants encore ouverts. Il poussa une porte. Je n'avais pas vu de salles pleines, je n'avais pas entendu de rires et de cris joyeux depuis bien longtemps. Il traversa des nuages de tabac, alla parler au patron, lui frappa sur l'épaule, et le patron nous ouvrit un petit salon frais, sombre, tendu de soie grise, décoré par des portraits de musiciens du temps de Gustave III, en perruques devant leurs clavecins ou leurs violes. Nils commanda aussitôt, sans que je comprenne un mot. Je compris seulement qu'il était aussi pressé de boire. Le patron s'en alla et revint aussitôt avec un flacon givré de vieille Prima aquavit. Nils me présenta comme un ami de Paris et éclata d'un rire énorme en portant le premier *skål* à notre hôte, qui était si aimable, vraiment.

Nous étions seuls, face à face, la bouteille entre nous. Nils n'ouvrait pas la bouche. Il me semblait qu'il avait tout compris mais qu'il voulait m'obliger à le lui dire minutieusement. Ce petit salon sentait la sciure. Les bruits de la salle me parvenaient assourdis. Nous étions dans une boîte à cigares mate, précieuse, avec cet intimidant environnement culturel des musiciens d'autrefois. J'avais trop fumé, trop attendu pour manger, la tête me tournait, je fumais encore. Nils avait posé sa tête dans ses mains comme sur un socle d'atelier. Il regardait ailleurs, autour, au-delà des murs de soie. Il exhalait, parfois, son haleine, et s'amusait à la rattraper en simulant un bâillement. Il arrangeait les manchettes de sa chemise bleue. Il défaisait le nœud de sa cravate. Il sortait un bloc de sa poche et notait un mot, puis faisait claquer le bloc en le fermant. Il me jetait enfin un œil presque compatissant.

Je ne savais même pas pourquoi je n'osais pas parler. Je mettais le silence sur le compte de la faim. Je pensai adopter une attitude plus normale dès que j'aurais mangé. Je ne savais pas quoi. Cela ne lui ressemblait guère, d'avoir commandé sans me consulter. Il l'avait fait exprès. Si je le lui avais reproché, il m'aurait objecté que je n'y connaissais rien, ici, qu'il connaissait et mes goûts et le meilleur plat de ce restaurant, dont il était familier; et que nous étions pressés de dormir. Tout cela était vrai.

Je pris le parti de l'imiter. Je sortis de ma poche un petit carton rouge, que Don José m'avait remis en même temps qu'un coffret de disques enregistrés par les professeurs et les élèves d'Edsberg. Sur ce carton à quatre faces figuraient les noms et adresses des professeurs et élèves de la *Musikskola*. Je mis mes lunettes et m'abîmai dans la contemplation de ce mini-annuaire, extrêmement précis, puisqu'on pouvait y lire aussi les références des parents des élèves en même temps que les adresses, à Sollentuna, le plus généralement. Je pris mon crayon et soulignai deux ou trois noms, au hasard, mais avec le plus grand soin.

Il me regarda, ostensiblement narquois. J'avais l'impression que si nous commencions à parler, nos paroles glisseraient d'une oreille à l'autre et ne se répondraient pas. On apporta le plat fumant de viandes découpées en tranches minces et d'oignons sucrés. Nils dit, en attaquant :

— Spécialité. Fameux, en général.

Il engloutit une assiette, se servit à nouveau et dit :

— Fameux. Et toi ?

— Fameux, dis-je.

Il refusa que le serveur verse le vin et le fit lui-même, emplissant nos verres à ras bord. Il approcha sa bouche, pour boire, sans toucher au verre.

— Je me demande...

— Qu'est-ce que tu te demandes encore? Hein?

— Je me demande avec quelle voiture nous irons demain à Norrtälje avant midi.

— C'est tout ce que tu te demandes?

— Cela, entre autres.

— Eh bien, monsieur l'incorrigible Français voyageur, nous aurons le break Volvo.

— Mais comment? Qui l'a rapporté ici?

— Kerstin.

— Ah! Kerstin est à Stockholm?

— Oui.

— Elle a quitté l'île?

— Oui. Tu es surpris?

— Oui, dis-je. Elle est rentrée à Stockholm, elle va reprendre ses cours, je comprends, elle ne sera plus dans l'île. Je ne vais pas la revoir. Je ne lui ai pas dit adieu.

— Écoute, François : tu as dit adieu à Lily et à Sheena. Tu peux, avant d'aller prendre ton avion, passer voir Kerstin. C'est tout à fait convenable.

— Je le ferai, Nils, sûrement.

Il avait encore dévoré une assiette et rempli nos verres. Il me regardait sans ciller une seule fois. Je ne pouvais pas soutenir son regard. Je pensais à Kerstin avec tendresse et admiration. J'aurais voulu lui parler longuement, lui ouvrir mon cœur, lui demander conseil, écouter ce qu'elle me dirait, sur tout, sur l'amour, la mort, l'agitation, la musique, la *Fantaisie* de Schumann, surtout, les grands accords sonnants, jetés, comment faire pour qu'on entende quatre pianos à la fois avec deux mains seules, cette liberté, cet éclat, cette joie de la *Fantaisie*, tôt assourdie par une brusque bouffée de nostalgie, sans ralentir, surtout, la même foulée égale et joyeuse dans la prairie, mais avec tant de regrets contenus, indicibles... Kerstin avait commencé toutes ses matinées de l'été par ces grands accords frappés de haut, arpégés, claquant comme des drapeaux au vent de notre île. C'était sa salutation du matin. Kerstin, c'était quelqu'un de solide et de gai. Je ne l'avais pas encore assez vue. Je m'étais complu dans les bizarreries des autres. Kerstin me manquait. Elle avait donc quitté l'île sans m'attendre. Je demandai :

— Somme toute, c'était décidé, elles partaient, les trois, ce matin. Cela n'avait pas de rapport avec ton voyage brusqué, avec les ingénieurs, le ministère... Elles seraient parties ce matin...

— C'est cela. Tu y es.

— Kerstin avec le break. Sheena avec la Fiat... Lily aussi, avec la Fiat ?

— Qu'est-ce que tu veux dire ?

— Lily est rentrée avec nous, sur la vedette.

— Lily ! Eh quoi ! Tu n'es pas un peu fou ?

— Non, Nils. J'essaie de rassembler tout cela. Lily aurait été conduite à Edsberg par sa mère, pour la rentrée ?

— Oui, par exemple.

— Pas par Kerstin ?

— Sûrement pas. Kerstin n'aime pas Edsberg. Jalouse de je ne sais quoi. Elle est plus officielle, plus Académie de musique. As-tu fini ?

— Oui. Presque. Et toi, tu n'aurais pas conduit Lily à Edsberg ?

— Moi ? Oh ! Peut-être...

— Il n'y a donc pas de réponse claire, dis-je.

— Non, dit Nils. Pas du tout claire. Voilà ce qui arrive quand on pose trop de questions claires : on récolte de l'obscurité ; et il n'y a rien à faire ensuite, pour remonter au jour. C'est comme cela, que veux-tu !

Je réfléchis encore. Je voulais savoir comment cela se serait passé, normalement, sans le Bunker. Cela me paraissait important. Et puis je voulais que mes questions continuent, pour empêcher Nils de parler, car je savais que s'il parlait, ce serait pénible. Et je savais pourquoi. J'ai donc repris. Nils, avec une patience presque féroce, m'a raconté comment cela s'était passé, l'an dernier, à la fin des vacances. Sheena rentrait de Sicile, croyait-il, elle avait beaucoup à raconter... Bref, l'île s'était vidée de ses habitants en une matinée. Monsieur Arne Sjöberg, seul, restant à bord.

— La seule différence, dit-il, c'est que cette année, je reviens.

— Qui a conduit Lily à Edsberg, l'année dernière ?

— Moi. L'année précédente aussi ; si c'est cela qui t'intéresse.

Il abattit sa main sur la mienne et appuya de toutes ses forces, comme pour la faire entrer dans la table.

— C'est cela qui t'intéresse?

— Oui, Nils. Car si tu avais voulu, aujourd'hui, tu pouvais faire comme les autres années.

— Tu sais bien que je ne l'ai pas voulu. Et c'est Lily qui a voulu. Et tu lui as obéi.

— Nils, je suis rentré aussitôt!

J'avais crié, sans doute. Il ôta sa main. Il me fit signe de rester calme. Il dit, très doucement :

— Cela, je n'en sais rien. Et jamais je ne le saurai.

— Mais je peux te le raconter, heure par heure, Nils.

— Je n'y tiens pas du tout.

— Comment faire, alors? Mais tu peux appeler Edsberg, interroger Frans Helmerson, Don José... et Sheena peut te dire à quelle heure je suis rentré.

— Sheena peut dire ce qu'elle veut. S'il faut en embêter un, elle peut; s'il faut en embêter deux, cela lui convient aussi.

J'ai d'abord pensé, mais un bref instant, qu'il jouait; et puis qu'il allait éclater de rire et que nous reprendrions, comme d'habitude. Mais non. J'avais à me disculper. Il ne m'écouterait pas. Il me jugeait coupable. Il se voulait trahi, dépossédé. Il aimait Lily plus que tout au monde. Je le savais, depuis le premier jour. Il se l'interdisait. Il choisissait ma petite personne en visite, pour casser son rêve. Il avait tout inventé. Il avait écrit lui-même la fin de son roman. Je n'étais plus rien qu'un messager ayant remis ma dépêche, prié de rentrer chez soi.

Je me dis que je ne pourrais rien faire. J'essayai encore. Je recommençai à raconter, avec tous les détails possibles, notre départ en taxi, l'intermède des champignons, du *lingon*... Quand j'arrivai au studio de Sollentuna, où j'avais à dire, très aisément, sans la moindre difficulté, que nous y étions restés peut-être six minutes, il m'interrompit d'un hochement de tête.

— Non. Ce n'est pas la peine. Arrête. C'est dégradant pour toi comme pour moi. Je ne t'écoute même pas. J'étais en train de penser à un titre, pour notre livre : « Histoire d'un député qui ne se représentera pas ». Qu'en dis-tu?

— C'est un bon titre, dis-je. Mais qui ne correspond pas au livre. Ton livre ne traite pas du tout de ta fonction parlementaire. Ton livre est une méditation plus générale, plus... mondiale.

— D'accord. Tu as raison. C'est vrai. Là, tu as raison, vois-tu. Je te suis. Mais le coup de Don José! Ah non! Comment est-ce déjà : « Carmen, ô ma Carmen!... Si tu ne m'aimes pas, je t'aime... » C'est cela?

Il essayait de chanter faux exprès. Ou bien peut-être qu'il ne faisait pas exprès. Puis, il ajouta :

— Et pendant ce temps-là, ces salopards font leur petite promenade!

— Je ne comprends pas. Qui?

— Là-dessous. Sous la mer. Et personne ne s'en occupe. Or nous étions arrivés à des résultats fabuleux...

— Mais, Nils, on va sans doute reprendre, continuer ailleurs?

— Non. Je te dis que non. Je le sais. C'est moi qui ai entendu notre ministre de la Défense. Ce n'est pas toi.

— Comment saurais-je? Tu ne m'as rien raconté.

— Je n'ai rien à te raconter. Toi non plus. Tu as passé ta journée au cinéma. Moi aussi. Pas vu le même film. Seule différence. Dessert? Café? Pas de café, on se lève tôt, demain. Et on se couche tôt, ce soir. Une petite fine, peut-être, une seule, avec des cigares?

Il appela Göran. Le patron revint. Nils lui dit ses désirs et ajouta :

— Est-ce que tu regardes la lune, toi?

Le patron répondit en riant qu'il n'avait guère le temps.

— Même en vacances, Göran? En bateau, sur ton bateau, quand tu pêches? Jamais? Jamais avec tes enfants? Eh bien, continue. Moi, j'ai trop regardé la lune. Et je continue. Et je sais toujours où elle en est. Cette nuit, c'est le premier quartier. L'ongle!

Il aspira la fumée de son cigare et continua de m'observer, en clignant des yeux. Je regardais obstinément la table ou mon verre. J'aurais pu lui dire que je me contenterais, le lendemain, de faire ma valise et que je quitterais l'île aussitôt. Je ne savais même pas s'il voulait encore achever le livre. Je n'osais pas le lui demander. Il avait fait de moi, depuis qu'il m'avait amené ici, cette nuit, une sorte de partenaire stipendié, sur lequel on peut cogner à loisir. Je dis, pour dire quelque chose :

— Merci pour l'excellent dîner.

Il répondit aussitôt :

— Nous en ferons encore, dans l'île, quelques-uns de fameux. Mais il ne faudra plus essayer de régler la question de Lily. Ce serait une erreur.

— Au contraire, Nils! J'y tiens!

— Je te dis : non. Retiens bien ça, qui te servira, pour les années que tu vas vivre. Et dis-le à tes enfants, de ma part. Il ne faut pas parler des sentiments. Plus ils sont grands, forts, violents, plus il faut les tenir secrets. Il ne faut rien dire, rien se dire. Sauf quand ce n'est pas sérieux. Là, on peut s'amuser. Mais les nostalgies doivent être gardées sous la braise ardente et ne jamais devenir flammes. Le silence, mon cher.

Il s'était levé. Nous avons pris congé de Göran. Nous étions les derniers clients. Dehors, l'air était déjà parcouru par le parfum des feux de bois. Il avait plu un peu. Le ciel était bas. On entendait distinctement une ou deux sirènes de paquebots se répondant, peut-être au hasard. Nous sommes remontés à pas lents. Il a sifflé tout le temps. Il a envoyé dans le caniveau, d'un shoot de gamin, une boîte de bière.

Au moment de nous séparer, lui devant sa chambre, moi au pied de l'escalier qui menait à la mienne, il m'a dit :

— Ohé! Demain! Pensons à ton billet d'avion. Et je dois te rendre ton passeport qui est resté ici.

XVII

Ce n'est pas la première fois que j'écris le dernier chapitre d'un roman. C'est la neuvième fois, en trente-trois ans. Insuffisant. J'aurais dû écrire davantage. J'aurais peut-être progressé. Car je n'ai pas progressé. Bien au contraire. J'imagine aujourd'hui que je ne vais pas pouvoir achever cette histoire. Pourquoi achève-t-on les histoires? Quel est le bon moment pour donner la discipline aux songes? Qui décrète? Comment errons-nous dans les livres et puis, soudain, entendons-nous monter la modulation finale, sourdement d'abord, incertaine, touchant à tous les accords avant d'adopter une résolution? Si la fin d'un livre est, comme je l'ai toujours vu, une mort qui m'est imposée, et si la mort est bien, comme le disait Bach, un « bond vers le Père », où est l'endroit du bond, où prendre ses marques, où aspirer pour l'élan, d'où commencer la course et de quelle foulée la rythmer? Je crois même que Bach disait : « bond dans les bras du Père » : quels sont ces bras, comment les reconnaître, qui sait que je m'arrête là où je suis attendu?

Le plus difficile, ici, c'est que l'histoire n'est pas achevée, et ne peut pas l'être. C'est Nils qui va le dire. Je ne suis pas le maître. J'ai toujours été le maître, libre de mes fins, bonnes ou manquées. Je ne le suis pas, ici. Je l'ai toujours su, depuis la première page. J'ai préféré l'oublier. Maintenant, c'est l'heure.

Je suis sorti assez tôt, ce matin de samedi clair d'octobre. Une cloche tintait à la chapelle de Miremer, où l'on se marie parfois, où l'on baptise. Le ciel était de ce bleu d'après mistral qui donne à voir, chaque fois, le premier ciel du monde. Le soleil commençait à chauffer olives et châtaignes, palmiers et vignes, sans excès, appuyant comme d'un doigt heureux ici ou là, sûr de lui. J'avais peu dormi, rêvé, grignoté des biscuits et du chocolat, feuilleté des journaux, gribouillé de vagues notes sur un bloc dont les feuillets glissaient les uns après les autres sous mon lit, comme des chats joueurs.

J'ai pris ma voiture. Je me suis dit : il faut finir. Mais d'abord : les courses et les journaux. Je m'enfermerai après. Sur le chemin qui conduit de ma maison à la route, j'ai vu un chasseur, fusil canon tourné vers le sol. Je l'ai salué. Cent mètres après, un autre. Puis un autre. Ainsi tous les cent mètres. La garde. La traque. Puis d'autres, plus haut. Puis des camionnettes. Je me suis arrêté. J'ai vu que je dérangeais. On m'a expliqué à la hâte qu' « ils » étaient chez moi et que, cette fois, on « les » aurait. J'ai remercié. J'avais compris. J'ai oublié. Je suis revenu. Je me suis enfermé. J'ai travaillé, relu, corrigé le travail de la veille. J'ai mangé et bu. Le soleil chauffait. J'aurais pu me baigner. M'endormir au soleil en pensant à l'eau et à la fin du livre. Soudain, des détonations sont parties de partout et les chiens ont hurlé. Je me suis senti cerné comme si on avait cherché à m'abattre. Je hais la chasse. Je sais bien que les sangliers du Var abîment quelques pieds de vigne. Si l'un d'eux venait à moi, pourvu qu'il ne me fasse pas trop peur, je le fourrerais dans mon garage, le temps que les chasseurs passent.

J'avais trouvé une phrase. Je ne savais pas si je parlais à un sanglier ou à une femme qui m'aurait demandé refuge. Mais qui ? Laquelle ? Et pourquoi aucune femme ne me demande-t-elle refuge ? J'ai cette grande maison vide, magique, éclatante et parfois désolée. Je ne suis rien. Je ne suis pas Nils. Et je n'ai pas su bâtir une île de ma vie. J'ai prodigué de la séduction aléatoire. Vous, oui, vous, vous savez tout, vous me l'avez dit, vous m'avez mis en garde, comme nous nous sommes entrevus ! J'ai joué avec vos mains. Je t'ai tutoyée. Nous n'avions pas le temps. J'ai filé. Tu avais une contravention. Plus d'essence. On avait changé les sens uniques à ce carrefour. Tu t'appelais Lily. On n'y comprenait rien. J'aimerais te téléphoner, t'écrire, où ? Je t'ai dit que j'étais en retard. Tu m'as dit que tu rentrais chez toi faire « du ménage ». A Sollentuna ? Tu tenais le volant d'une main et tes cheveux de l'autre, qui se mêlaient au volant comme des filets à l'hélice du bateau. J'ai fait *toouut!* la sirène. Tu as dit : c'est un beau mot, *écluse.* J'ai dit que j'essaierais de le caser dans mon dernier chapitre, mais je ne savais vraiment pas où. Je toussais. J'avais la fièvre. Je ne savais plus ce que c'était, les carrefours de l'après-midi. J'ai essayé de t'expliquer pourquoi les sangliers, quand on s'éveille, cela fait l'impression d'une éternelle chasse inutile. Je voulais, je veux encore, mais je ne le ferai pas, rechercher la phrase et te la téléphoner... C'était quelque chose comme cela : « Si je vous lisais le début d'un conte... » Et naturellement, nous enchaînerions sur un autre, nous partirions, dès le point final. Je ne sais plus ce que tu m'as raconté sur Noël, sur un Noël très triste et très digne, tu étais seule, il faisait froid, je n'ai rien compris, c'était déchirant, je me suis dit : « elle frime! », mais cela avait l'air vrai, tu n'avais plus de père, tu avais trop de mère, mais où étais-je donc, alors la file de voitures a un peu bougé, j'étais en retard, je me répétais : « Elle va tomber en panne, et elle n'a plus un sou, elle ne va même plus pouvoir aller faire " du ménage " chez elle, et ses cheveux vont bloquer le volant, l'antivol... » En fait, ce n'était pas cela, ma phrase, je le sais, je ne la retrouverai plus, j'ai beau chercher, en mêlant ta date de naissance, pleine de 1 et ton numéro de téléphone, plein de 5, d'un bout à l'autre de tes cinq doigts longs, longs, tu reprends le volant de ta main gauche, j'ai ouvert la portière, en plein carrefour DMD. Vous vous souviendrez, dites, je vous en supplie, à quoi cela sert-il de faire des choses comme cela, pourquoi m'avez-vous baisé la main, vous, aucune femme, jamais, je le jure, je le saurais, je vous avais dit quoi, que je partais écrire un livre, est-ce que tu sais que tu m'as baisé la main ? C'est un genre, chez toi ? Un nouveau truc de magazines féminins antiféministes ? Mais non. Je suis sûr que tu voulais faire ça sans le vouloir. Est-ce que vous vous rendez compte ? Je suis demeuré une heure devant votre numéro de téléphone et devant votre date de naissance, la calculatrice à la main, à faire des patiences.

Je suis sorti. J'ai fait un tour de mimosas. Les fusils s'étaient tus. Pas la peine de jouer à la guerre dès l'aube pour se taire dès que l'ennemi déboule. J'ai marché distraitement vers la rivière, en promenant vos 1 et vos 5. Soudain, j'ai trébuché dans de l'herbe labourée, fouillée, fouaillée. C'était encore chaud, fumant de grogne. Près de la source, les vers de terre. Sous les chênes, les glands. La harde s'est battue non pas pour échapper aux chasseurs, mais pour manger. J'ai mis mes pas dans les trous, entre les mottes retroussées, au pied des arbustes écorniflés. Une odeur âcre et humide montait de ce remuement désespéré. Je sais où passe, un peu plus haut, le câble électrique, enterré pas si profond, sous son grillage rouge réglementaire. C'est du 380. De quoi plaquer les sangliers sur leur dernier repas. Or ils l'ont toujours évité, comme si leurs poils les avertissaient. Tous les automnes, cela recommence. Toujours aux mêmes endroits. Je me suis assis sur un coin de roche et j'ai contemplé ce labour. C'est là qu'ils ont cherché. Là, et un peu plus haut. Pas ailleurs. Deux ou trois coins choisis. C'est là qu'on doit se battre pour survivre. Il faut connaître, risquer, s'acharner, et fuir aussitôt. Les chasseurs ne les sentent pas. Les sangliers sentent les chasseurs et les narguent.

Je suis rentré. Le gros manuscrit bleu de ce livre serré sous ses sangles de toile blanche me regardait. J'ai répété *sangles, sangles,* en les défaisant. Parti du mâchonnement dérisoire des premiers mots du livre, j'étais donc arrivé ici, conduit par la danse de l'encre sur les pages. J'ai respiré le papier, qui ne sentait pas le chêne. Je suis remonté vers Nils.

Le break vide me parut immense. Nils s'était levé plus tôt que moi. Il me tendit un billet de *Scandinavian Airlines System* pour le surlendemain. Je murmurai : « Tu me diras combien... » Il répondit : « Je n'ai pas à te le dire puisque c'est écrit sur le billet, comme toujours... Mais tu ne me dois rien, naturellement, ce n'est pas la peine de faire tes petites phrases polies! »

Je vis qu'il avait chargé, à l'arrière, des caisses de bière, de vin, d'alcool et de nourriture. Je pensai : « Cet homme est infatigable et assoiffé. Il ne dort pas. Je devrais lui dire que je lui paie son billet et que je m'en vais... » J'attendis d'être sorti de la ville. Il faisait froid. Le vent soufflait du nord et arrachait les feuilles des arbres. J'attendis encore. Nils conduisait très vite. Nous serions en avance à Norrtälje. J'attendis quelques kilomètres. Nous longions la mer. Je pensais à Sheena, lorsqu'elle m'avait fait découvrir ce paysage pour la première fois, à bord de la Fiat qui n'avançait pas. Je dis enfin :

— Écoute-moi, Nils. Je peux parfaitement prendre ma valise et rentrer aujourd'hui. Il y a sûrement de la place sur un vol quelconque, même avec escale à Copenhague.

— Tous les vols sont complets. Ton vol est le premier que j'aie pu trouver. Et il fait escale à Copenhague. Rien d'agréable. Tu vas mettre quatre heures au lieu de deux.

— Bien. Donc, tu me renvoies « par le premier avion ».

— Exact.

— Tu aurais pris un vol aujourd'hui, ce soir, si cela avait été possible ?

— Oui.

— Donc, on ne travaille plus au livre ?

— Oh ! Le livre !

Il soupira, ricana, me jeta un œil bizarre et reprit :

— De toute façon, est-ce que tu as compris, ou non, que tu n'as vraiment plus du tout le droit de revenir dans l'île ? Que nous nous amusons à risquer très gros, cette fois-ci ? Très gros ?

— Est-ce donc un amusement ?

— Pour moi, oui. Une revanche. Nous serons probablement surveillés et ils verront que je les nargue une deuxième fois. Et toi, avec moi, qui as signé ce que tu as signé.

— Je ne sais pas ce que j'ai signé. Je t'ai fait confiance.

— Oui, oui, mais ce n'était pas réglementaire. Juridiquement, il fallait un interprète, pour te traduire ce que tu signais.

— J'y avais pensé...

— Tu penses à tout ! me dit-il en riant.

Il se moquait de moi. Il me traînait comme un colis de plus, parmi ses bouteilles.

— Je les nargue, ces crétins ! répéta-t-il, et on ne va même pas prendre de précautions pour t'embarquer. On va faire cela très proprement, Monsieur Arne Sjöberg et moi... Non, le livre, *gentil tambour* — tu te souviens quand je t'appelais ainsi, comme il y a longtemps —, le livre, c'est trop long, trop compliqué. On n'y arriverait pas. Je vais m'y mettre tout seul. Peut-être...

— Mais ce que nous avons fait? Les cassettes?

— Oh! Les cassettes!...

Il se tut de nouveau. Nous arrivions. Il ralentit. Nous étions très en avance, à moins que Monsieur Arne Sjöberg n'ait profité de notre retour pour aller en ville. Nils arrêta le break à l'endroit habituel du port. Le bateau n'y était pas. Il regarda au loin et ne vit rien. Nous avions une heure. La pluie glacée et le vent redoublaient. Nous allâmes dans un café. Il commanda du lait chaud et en but trois gobelets.

— Alors, dit-il enfin, pour Lily, rien? Tu m'as juré, non : tu as été disposé à me jurer, c'est cela?

— Absolument.

— Absolument! répéta-t-il en m'imitant. Or tu sais que je ne peux pas te croire. Cela ne te ressemble pas. Cela ne me ressemble pas. Est-ce qu'il t'était arrivé de demeurer aussi longtemps sans faire l'amour? Réponds-moi. Là, je te croirai.

— Jamais, dis-je.

— Moi non plus. Presque trois mois! Tu imagines? Formidable! Un exploit. Pénible?

— Pas du tout.

— Enfin, tu dis ça, pas du tout pénible, parce que tu te souviens délicieusement d'hier, des longs cheveux de Lily...

Il mit sa tête dans ses mains. Je crus qu'il allait pleurer. Et moi, j'avais une vraie peur au ventre, un froid autour du ventre, et je pensais que cela ne pourrait continuer ainsi, même si nous n'avions que deux jours à passer ensemble, il n'allait pas me faire cela, ce numéro de jalousie jouée, frénétique, parfois oubliée et qui revenait, qui reviendrait. Il n'était pas possible qu'il ne jouât pas. Il ne croyait pas un instant que j'avais pris Lily. Ou alors il était vraiment malade, plus malade que Lily. Et j'allais passer deux jours avec ce malade, sous le regard de Monsieur Arne Sjöberg, qui ferait et dirait ce que Nils voudrait. Je pensai : « C'est là le premier vrai danger que je cours. Personne ne viendra me tirer de là. Je me mettrai à souhaiter que la police s'occupe de nous. Je ne dois pas monter sur ce bateau. J'ai une valise, quelques vêtements et ma Bible. Je laisse tout cela sur l'île. » Je regardai autour de moi. Le café était désert. Le patron astiquait sa machine à café. Je pouvais me jeter dehors, courir n'importe où, prendre un des bus, sur la petite place, me cacher derrière une banquette, changer de bus, trouver un taxi. J'avais mon passeport, de l'argent, mon billet d'avion, je changerais de vol, j'irais à Oslo, à Göteborg; j'avais tout mon temps si j'échappais à Nils. Il paraissait dormir, la tête toujours dans ses mains. Je me levai lentement et j'allai contempler le port, derrière la porte vitrée. Je me retournai. Il n'avait pas bougé. J'entrouvris la porte, de l'air de quelqu'un qui veut voir s'il pleut vraiment. Il m'appela aussitôt : « François! Viens! » Il avait hurlé. Je revins. Il alla lui-même chercher un autre gobelet de lait chaud, au comptoir, revint s'asseoir, sortit de sa poche une petite flasque d'argent et d'osier, versa un bon godet dans son lait et but aussitôt. Puis :

— François, nous nous quitterons de la meilleure façon. Pour toi, en tout cas. Tu n'auras rien à me reprocher. Comme tu n'as rien à me reprocher, jusqu'ici. Et moi non plus, du reste, je ne te reproche rien. Je suis un homme plein de défauts, tu les connais, mais je suis assez juste. Et comme tous les hommes justes, je suis fasciné par les crapules. J'avais pensé que tu pourrais jouer ce rôle auprès de moi. Que sous tes dehors de petit Français convenable, tu étais une salope, un profiteur, un tâteur de fesses, un planqué des vrais combats. Or, tu n'es pas cela. Peut-être parce que tu n'as pas le courage d'être mal... C'est trop tard, en ce cas... Tiens, voilà Monsieur Arne Sjöberg.

Je sursautai. Il avait à peine regardé du côté du port. Ses yeux s'étaient à demi fermés, ouverts, et me semblaient plus gris. Il posa sa main sur mon épaule et me dit : « Viens! » Il salua le patron. Il n'avait pas payé. Il vit que j'avais un mouvement de surprise. Il n'avait pas payé non plus, hier soir, chez Göran, Gamla Stan. Et il vit que je m'en souvenais, maintenant. Il rit et frappa à nouveau sur mon épaule, comme pour me dire que j'étais incorrigible, dans ma façon d'admirer sa manière à lui d'être partout chez lui. En cet instant, je ne doutai pas, je ne savais pas pourquoi, qu'il eût humilié le ministre de la Défense, qu'il eût reçu des excuses, et qu'il eût aussi, en définitive, tous les moyens du monde de me ramener à Yxsund comme une personnalité quasi officielle.

J'allai vers le port. Il me suivait en sifflotant. Je vis, en effet, le gros et lourd bateau, encore loin, qui encensait comme un cheval pour tracer sa route. J'entendis les bruits sourds du moteur. Je distinguai le caban orange de Monsieur Arne Sjöberg. Comment Nils l'avait-il perçu si vite? Depuis tant d'années relié à son île par un fil, ou par un parfum : une onde, je ne sais quoi, lui annonçait, chaque fois, de la mer à la terre, de la terre à la mer, où était le bateau et il n'avait qu'à se lever pour le voir venir au-devant de lui, répondant par ses mouvements sur la mer.

Monsieur Arne Sjöberg sauta vers nous et me frappa dans les mains de ses mains souillées. On chargea les caisses. Il salua particulièrement les deux caisses d'alcool, d'un sourire entendu. Il n'avait pas arrêté le moteur et il s'était à peine amarré devant le môle. Nils lui jeta les clés du break et les suivit en bondissant à bord. Je faillis aller à l'eau, derrière lui, tant le départ fut brusque. Monsieur Arne Sjöberg hurla :

— Plus une feuille sur un seul arbre! Vous allez voir ça! Des vieux mâts tout nus! L'hiver arrive! Et ça craque sous les pieds, le matin, tôt, comme du cristal! Vous allez voir ça! Et vous autres? Vous avez vu des choses, vous autres?

Il s'était fiché sa grande barre entre les jambes comme un étalon au travail. Il ne s'intéressait pas vraiment à nos réponses. Il baisait la mer. Il faisait sa route, passeur, la même, la seule depuis tant d'années, jamais la même, et il se mit à chanter le retour comme il avait chanté l'aller.

Nils et moi nous nous réfugiâmes dans la cabine. Nils s'allongea aussitôt et rota son lait arrosé. Il prit un plaid rouge et s'enroula des pieds à la tête. Puis, il me dit :

— Vraiment terrible chasteté, depuis des mois. Je ne me souviens plus de ce que tu m'as dit : cela t'a pesé, ou pas pesé?

— Pas pesé.

— Ah oui! Je me souviens. Tu me l'as dit. Il n'y a pas une heure que tu me l'as dit. Et voici que je te le fais répéter. Où ai-je la tête!... Pas chaud, hein? Fais comme moi. Enroule-toi!

Le ronflement du gros diesel se stabilisa. Mes oreilles s'habituaient. Nils criait. Je l'entendais. Il allait faire semblant d'être fatigué, de ne pas pouvoir parler. Mais je savais qu'il aimait crier au-dessus du moteur et au-dessus de la mer. Je demeurai au pied de la descente, la tête à l'air, éclaboussée de pluie, le nez au ras du roof, le corps au sec. Je regardais parfois Monsieur Arne Sjöberg et j'approuvais ses couplets.

— Donc, cela ne t'a pas manqué, hurla Nils. Pas même une pensée. Pas un début de... Enfin : Sheena, il me semble... Tu m'entends?

J'entendais. Je criai :

— Pas très bien, Nils. Tu souhaites vraiment une conversation sur ce sujet, ici?

— Pas à ton sujet. Sur la chasteté, en général. En fait, c'est facile. Je n'imaginais pas à quel point. Il suffit d'arrêter l'action politique. Le sexe s'en va de lui-même. Enfin, pour moi, c'est ainsi. Pour toi, ce n'est pas la même chose, évidemment. Parce que ton action politique est faible. Voisine de zéro...

— Tu m'emmerdes!

— Tu n'as qu'à ne pas m'écouter! hurla-t-il plus fort.

J'allai me mettre près de Monsieur Arne Sjöberg. Mais le vent et la pluie me sciaient les joues. Je n'y tins pas plus de quelques minutes. Je revins m'asseoir, trempé, dans la cabine. Nils avait allumé un cigare et faisait des ronds de fumée.

— Coincé, hein? dit-il, obligé de m'écouter? J'ai beaucoup à dire sur sexe et politique. Pourquoi sommes-nous tous, du plus obscur parlementaire à John Fitzgerald Kennedy, des maniaques de la chose?

— Pas du tout, dis-je. Je connais des tas de députés français tout à fait paisibles.

— Tu te trompes. Tu n'y connais rien.

— Je ne vis pas dans les culottes du Parlement français.

— Tu sais des choses, pourtant. Tu m'en as dit.

— Oui, oui, un jour où nous n'avions rien à nous dire. Nils, il y a des moments où tu es insupportable.

— Tant mieux. C'est fini. Dans deux jours, c'est fini. Combien de parlementaires français homosexuels déclarés?

— Très peu. J'en connais un seul. Un autre, peut-être, inavoué.

— Tu vois, dit-il triomphalement. En dessous de toutes les statistiques nationales! Idem chez nous! Et chez nous, la

movenne nationale est supérieure à la vôtre. Egale à la
moyenne allemande...

— La moyenne de quoi, Nils?

— La moyenne de l'homosexualité masculine.

— Tu ferais mieux de t'occuper de la moyenne du
chômage en Suède, par rapport à celle de ta circonscription.

— Tu n'es qu'un petit esprit. Un vrai petit socialiste
miteux. Le chômage, c'est de la mécanique. On pianote sur le
tableau de bord de l'économie et, suivant ce qu'on pianote, on
obtient ce qu'on veut, de chômage, d'inflation, de décéléra-
tion, de pression fiscale, de couverture sociale, de taux
d'intérêt, de masse salariale et de durée du travail. Ce qu'on
veut! C'est de la mécanique, je te le dis! Naturellement, les
économistes, qui sont vaniteux comme des paons, ne veulent
pas en convenir. Je me sens capable, moi, d'inventer une sorte
de jeu de société, genre « Monopoly » où chaque joueur serait
un pays de la planète et, selon les dés lancés, récolterait
prospérité ou faillite et devrait, pour accroître ou compenser,
piocher telle ou telle carte... Quelle idée formidable tu me
donnes!

— Je ne te la donne pas. Tu la trouves.

— Non, c'est toi! Je t'associe! Voilà ce que nous aurions dû
faire, cet été, au lieu de fabriquer ce livre imbécile. Et on
aurait breveté ça. On serait riches! On aurait appelé ce jeu le...
le... le « Mondialy », « par Bouvard et Pécuchet, sociaux-
démocrates en retraite ». Succès fou dans les universités du
monde entier. Tu vois la tête de vos petits cons d'énarques? Et
les crétins du MIT? Dégonflées, les cervelles! Rien dans la
tête : tout dans les dés. Vous dévaluez de dix pour cent et vous
quittez le serpent monétaire. Vous passez à la case départ.
Vous recevez un prêt du Fonds monétaire international. Vous
venez de découvrir chez vous un gisement d'uranium qui
représente, en tonnes-équivalent-pétrole... Oh! Fameux! Et il
y aurait même des épreuves internationales de « Mondialy ».
Tous les pays voudraient avoir leurs champions. On ferait
même jouer Jimmy Carter contre un surdoué russe de
quatorze ans. Et Jimmy aurait des dés truqués. Et alors, Nixon
dénoncerait le scandale! Ho! Ho! Ah! Je n'ai jamais tant
ri!

— Moi non plus, dis-je.

— Alors je reviens au sexe, puisque monsieur est sérieux. Je dis que si le politicard est un obsédé, c'est pour de très nombreuses raisons. D'abord, et c'est simple, parce qu'il doute de lui. Besoin de compenser. J'ai fait un mauvais discours, je cherche une jolie fille. Ensuite, par goût de l'imprudence. Non. Plutôt : par lassitude devant les prudences imposées. Nous devons nous surveiller sans cesse, ne pas nous faire voir en telle ou telle compagnie. Je ne parle pas pour moi mais pour eux. A certains moments, la soupape casse. On fait exprès de provoquer le diable. Un conservateur saute une jeune journaliste de gauche. Et vice versa. Surtout fréquent à gauche. On trouve des socialistes partout, sur des bidets de droite. Voyons si cela se saura et si cela me fera trembler. Je tremble. J'existe. Il y a, surtout et enfin, la fatigue, le besoin de fatigue... François, tu ne m'écoutes pas du tout ?

— Je t'écoute.

Il était recroquevillé sur sa couchette, sous son plaid, et il parlait de tout, de sexe comme du « Mondialy », avec une amère gaieté, une passion en creux, comme il aurait parlé dans un salon bourgeois, par perversité. Je ne le suivais plus. Il le sentait. Il faisait exprès de me pousser à m'éloigner encore. En même temps, il surveillait la mer, d'un œil jeté au hublot ; et il calculait la durée de son temps de parole comme devant un écran de télévision. Il avait décidé de me dire ça. Il savait pourquoi. Moi pas.

— Je disais : le besoin de fatigue. Parce que la fatigue politique est immense. Physique, certes, mais multipliée par les automatismes, les convenances, les amabilités. Alors, quand tu as répété et écrit tous les jours : « Les femmes et les hommes de ce pays souhaitent ardemment... », tu as envie de savoir si au moins une, et pourquoi pas plusieurs femmes de ce pays te souhaitent, toi. Tu sens mauvais la salive, le tabac, le papier journal, l'encre de ronéo, le petit verre hâtif, le train, le taxi, l'avion, tu sens la nuit interminable des discours, la faim, l'aigre estomac tordu, le magnésium des photographes, le pet contenu, le bâillement dissimulé derrière ta main brûlante d'avoir serré trop de mains, tu sens les lettres dictées à chacun et à personne, tu sens le téléphone, le déodorant des toilettes, le menthol, la pastille réglisse, encore la salive, tu n'y vois plus rien, tu ne sais plus ce que tu dis, tu ne crois plus à rien, tu ne sais même plus si tu existes, tant les mots t'ont lustré, décapé, avalé, alors, François, tu as besoin d'une vraie fatigue supplémentaire, simple, le seul supplément d'âme possible, celui du ventre, des seins! Tous, tu entends, tous, même ceux dont tu dis qu'ils sont « paisibles », tous, même quand ils ont l'air de trembler pour leur élection, ils ne tremblent que pour un corps. Voilà ce que je sais, pour avoir été ministre, ambassadeur et député. Alors, ne me raconte pas que tu as laissé Lily ranger ses robes et ses souliers dans son studio! Veux-tu? Ne me raconte pas cela! Voilà. Nous arrivons, je crois.

Aussitôt, Monsieur Arne Sjöberg réduisit le moteur. Le clapot se fit plus sec, moins ondoyant. J'entendis les mouettes criailler autour de nous. Monsieur Arne Sjöberg, pour s'amuser sans doute, actionna sa sirène, comme si l'île nous eût attendus.

Il n'y avait personne que nous. J'avais beau le savoir en débarquant, je m'étonnai de fouler le sol de l'île et de savoir que nous n'étions que nous trois. Il n'y avait plus de piano chez Kerstin, ni de cello dans La Principale, ni de Sheena nageant du nord au sud-ouest. Monsieur Arne Sjöberg avait dit vrai : il n'y avait plus une seule feuille aux arbres. L'île était nue, vidée, sous un soleil déjà lunaire, pâli par la pluie, poursuivi par le vent du nord, et prompt à disparaître. Nils se mit aussitôt à chanter, et les moutons aux têtes beige et noir, l'œil angoissé, tournant d'un seul profil autour de nous, vinrent se mêler à nos jambes. Nils chanta à peu près ceci :

— Vous souvenez-vous? L'île marchait par trois. Trois femmes. Trois hommes. Trois ovins. Trois ingénieurs. La première fois. Par trois. Par trois. Vous souvenez-vous? L'île ne marche plus pareil. Par trois. Par trois ovins et par trois hommes. Par trois. Par trois seulement, par deux fois trois. Te souviens-tu, *gentil tambour*, y'a du retour. Y'a d'l'éloignement. Y'a du soleil qui deviendra lune. Y'a pas de quartiers. Y'a pas d'fausse lune. Par qua-tre quartiers. Par qua-treu! Et l'île marchera pareil! Czestochowa! Par trois!

Puis, il demanda à Monsieur Arne Sjöberg :

— Alors, qu'est-ce qu'on mange?

— On a tout ce qu'il faut, répondit Monsieur Arne Sjöberg.
Plus, même! ajouta-t-il

Nous passâmes un moment autour du gril de la cabane.
Notre hôte était visiblement enchanté de nous voir dépendre
de lui pour la nourriture et le contentement. Il s'affairait.
Parfois, il reprenait la chanson de Nils en la déformant, mêlant
les ovins aux astres, et sortant du gril des poissons sur lesquels il
jetait le *dill* parfumé avec le beurre et l'aquavit. Nils dévora, se
cura les dents, fit semblant d'avoir avalé une arête. Monsieur
Arne Sjöberg rit beaucoup. C'était leur vieux jeu d'enfants de
l'île. Ils jouaient tout seuls et j'aurais pu être ailleurs. Ils
joueraient ainsi après mon départ. Ils voulaient me montrer
comment serait la vie. Nils répéta, en riant, les yeux dans les
yeux de son frère :

— Czestochowa!

Et son frère éclata de rire, pensant qu'il s'agissait d'une fine
plaisanterie française. Alors, Nils insista :

— La Vierge Noire!

Et son frère rit pareillement, trouvant que la langue
française était irrésistiblement drôle.

Après avoir mangé et bu modérément, Nils profita d'une
accalmie pour aller chez lui. Je le suivis. Il était furieux parce
qu'il avait sali son costume gris en mangeant. Il dit :

— Je vais me nettoyer, puis dormir un peu.

Il ajouta :

— Est-ce que je t'ai montré le crucifix de mon père?

Je dis :

— Oui. Je me souviens. Le premier jour.

Il me fit entrer, Monsieur Arne Sjöberg suivit. Il me montra
le lourd crucifix d'argent, enchâssé dans un drapé de velours
rouge. Puis, il ouvrit un placard et me montra un crucifix
pareil dans un drapé de velours bleu clair, et me dit : « Celui-ci
est celui de ma mère. » Monsieur Arne Sjöberg furetait
distraitement et, s'emparant de la peau de chamois, essuya
l'argent, les ciboires et les encriers. Nils remit les deux crucifix
à leur place. Puis, il ôta sa veste de flanelle, je vis le harnais et
l'étui du revolver. Il se défit du harnachement, d'un geste
professionnel de policier; il l'accrocha au clou du mur. Il
soupira longuement, puis me regarda :

— Mais qu'est-ce que vous faites? Allez vous promener, mes enfants, pendant qu'il ne pleut plus.

— Est-ce que ton revolver est réellement chargé? demandai-je.

— Prends-le. Examine. Tire, si tu veux.

Il me regardait, narquois. Je n'avais pas pensé qu'il pût répondre ainsi.

— Alors? On a peur? On a été officier français, on s'est battu, et on a peur d'un revolver de neutre perpétuel? On a du mépris, ou de l'incroyance?... Allez! Va!

Je m'approchai de l'étui, le dégrafai, dégageai l'arme énorme, bleu et noir comme un corbeau vivant. Nils vit que j'éprouvais quelque incertitude, pour armer. Je ne croyais même pas qu'il y eût un chargeur engagé. Il s'approcha et arma. Puis, il me dit :

— Vas-y! Tire, maintenant!

Il avait ouvert la porte de sa maison. Le vent s'engouffra.

— Tire au moins sur le vent! Allez! Feu!

J'étendis mon bras, je tendis mon poignet et j'appuyai sur la détente. Ma joue brûla légèrement. J'avais rougi comme un conscrit. Je murmurai : « Je n'avais pas tiré depuis longtemps... »

— Il en reste onze, là-dedans, si tu veux le savoir, dit-il. Foutez-moi le camp, tous deux, ajouta-t-il, j'ai sommeil!

Il m'avait arraché l'arme. « Cette fois, tu es seul, mon vieux! » ajouta-t-il, sans que je pusse discerner s'il s'adressait à moi ou à lui-même.

Je me retrouvai, les bras ballants, à côté de Monsieur Arne Sjöberg, comme un touriste sur l'île, avec un guide. Je ne savais quoi faire, hormis ma valise. Le soleil pointa. Mon guide me désigna des touffes de bruyère qui se portaient bien. Puis, il ramassa son pot de *tjära* et me le fit respirer. Puis, il entreprit de badigeonner des troncs d'arbres humides. Il en profitait pour ramasser du bois cassé par le vent et me suggérait de l'aider, pour le feu de ce soir. Nous entrâmes dans La Principale. Tout était dans un ordre parfait. Les filets noir et bleu, à terre, les nappes à carreaux roses sur les tables, les housses grises sur les canapés et les fauteuils. La cuisine étincelait. Monsieur Arne Sjöberg m'expliqua qu'il avait bien travaillé et que la propreté de Sheena, ce n'était pas vraiment sa propreté à lui. J'ouvris machinalement le réfrigérateur. Je vis du lait, des pots argentés. Je redressai une bouteille. Mon compagnon approuva. Je demeurai longtemps à contempler le grand salon où nous avions mangé, bu, chanté, prié. Je ne percevais que le souffle du vent, tournoyant où il voulait. Nous n'avions pas refermé la porte. L'odeur du *tjära* se mêlait au parfum des épices et des herbes de Sheena. J'avais les larmes aux yeux et ne songeais pas à les dissimuler. Alors, Monsieur Arne Sjöberg me tapa sur l'épaule, à la façon de Nils, et me dit :

— Toi ! J'ai l'habitude. C'est tous les ans pareil. Ils partent. Toi ! Je reste. Je m'installe. Mais cette fois, il a l'air de rester. Non ? Que dis-tu ? Est-ce qu'il n'a pas l'air de rester ? Toi !

— Je crois que oui, dis-je. Mais je ne comprends rien. Toi, tu le comprends ?

— Oui, cela va. Je vais attendre qu'il se réveille. Il va dormir une heure. Un petit peu plus, peut-être.

— Je peux aller jouer du piano chez Kerstin ? C'est ouvert ?

Il éclata de rire. Toute l'île était ouverte. Seules la neige et les glaces la fermeraient. Il n'y avait que les glaces pour fermer les portes, comme une colle du ciel. Il m'expliqua longuement ce point. Je finissais par le suivre assez bien et je sentais qu'il devinait mes sentiments mais s'employait à les traduire avec ses mots à lui, animaux, climatiques, terrestres. Il me savait triste. Il redoublait de gaieté. J'allai faire des gammes chez Kerstin, comme si j'avais été un élève dans l'attente de sa leçon. Parfois, j'ouvrais un des albums de photos et me promenais autour des visages de Sheena enfant, de Lily enfant. Je reprenais, méthodiquement. J'essayais de répéter les exercices de Kerstin, les grands accords, les arpèges, les sixtes et les quartes alternées, montant et descendant d'un bout à l'autre du clavier.

Je sentis l'odeur du feu. J'allai retrouver Monsieur Arne Sjöberg, qui brûlait des broussailles. Il me dit : « J'adore le feu ! » Il me montra la braise, l'air, la flamme qu'il commandait en écoutant le vent. Il avait allumé plusieurs foyers. Il allait de l'un à l'autre, sa fourche sur l'épaule. Je le suivais. Il surveillait chacun comme un sculpteur, dans un jardin, retouchant des fontaines. Je l'aidais. Il me corrigeait, d'un geste infime, en souriant, parce qu'il savait mieux que moi. Et la pluie revint, et la nuit, des rubans de bruine lourde, sombre, où se prenaient les fumées de nos broussailles.

Nous entendîmes une détonation sèche. Cela venait de chez Nils. Je regardai mon compagnon. Il n'avait rien dit. Il ne jura point. Il fila comme un chien. Je le suivis. J'en étais sûr. J'en étais sûr. J'aurais dû deviner. Ne pas quitter Nils un instant. Accepter son harcèlement de questions, jour et nuit. Ne pas le laisser. C'était trop tard.

Il était debout devant la porte de sa maison, le revolver à la main. Il riait. Il tira encore un coup dans l'air. Monsieur Arne Sjöberg l'insulta, lui arracha l'arme, le couvrit d'insultes, à une vitesse qui dépassait, de loin, l'habituel débit lent de ses discours. Il l'engueula comme un vrai frère; en lui fourrant ses poings dans le sternum. Nils cessa de rire. Il pâlit : « Arrête! » Il dut s'asseoir. Monsieur Arne Sjöberg prit un seau de fer-blanc, descendit entre deux rochers vers la mer, le remplit, revint en courant et le jeta à la tête de Nils. Et il recommença à crier. Je comprenais, en gros. Et il me désignait du doigt, répétant qu'on n'avait pas le droit de faire des choses comme cela, des diables de merde et de conneries, à lui, Arne, et au Français, là, celui-là, debout, là, surtout après toute cette histoire du Bunker et des officiers, et de ces putains d'ingénieurs. Ni à lui. Ni à moi. A des putains de femmes, si Nils le voulait, il pouvait tirer des coups de revolver. Pas à nous deux, lui et moi, ses frères.

Nous sommes rentrés dans la maison de Nils, qui s'est entouré la tête de serviettes, le cou et les épaules. Je lui ai dit :

— Tu as l'air d'un vieux boxeur sonné.

Je ne trouvais rien de plus dur à lui dire que cela. Et encore éprouvais-je plus de tendresse que de ressentiment, après cette plaisanterie.

— Tu as raison, m'a-t-il dit.

Il s'est assis. Monsieur Arne Sjöberg est resté debout, son

seau à la main. Puis, Nils s'est mis à parler assez calmement. Ce que voyant, Monsieur Arne Sjöberg a déposé son seau au milieu du tapis, en expliquant que cela pouvait toujours servir au malade; pour vomir, par exemple; il a mimé la chose, avec force raclements de gorge et spasmes. Il nous a laissés. Je me suis tu. Nils a dit à peu près n'importe quoi, durant quelques minutes. Puis, il a repris son ton normal, affectueux, et m'a contemplé longuement. En cet instant, il me parut meilleur, plus vrai et plus droit que jamais. Il aurait pu me demander de rester près de lui, l'automne et l'hiver encore. Pour rien. Pour aucun livre. Sans projets ni activités. Mais il m'a dit :

— Vois-tu, j'ai réfléchi. Je n'ai pas dormi une seconde. Oui, j'ai fait cette plaisanterie de mauvais goût, pour frapper ton imagination. J'ai réfléchi, donc, François... Voilà. Je ne te crois pas. Lily a souhaité que tu l'emmènes à Edsberg. Cela, c'est clair. Tu as obéi. Tu as marché devant, même. Tu as conduit l'opération « Retour à Edsberg ». Tu as marché devant. Ne m'interromps pas. Tu as voulu voir, c'est naturel. Depuis des mois, tu voulais voir Lily. Pas Sheena : Lily. Or, écoute-moi. Il y a toujours des choses à ne pas voir. C'est la vieille histoire d'Orphée. Tu t'es retourné sur Eurydice. Voilà. Tu me suis? Tu as demandé à Lily : « Tu me suis? » N'est-ce pas?

— Mais pas du tout! Mais c'est faux!

— Naturellement. Tu ne peux pas dire autre chose. Tu as peur de moi. De mon revolver, par exemple. C'est aussi pour cela que je te l'ai montré. Cela fait partie des choses à voir. Tu te souviens de notre soirée au hammam de Travemünde? Tu n'as rien compris. Là, tu aurais dû comprendre. Nous devions nous laver ensemble, tous les quatre, de toute faute passée et future. Ce n'était pas une crapulerie, ce bain, encore moins de la gymnastique. C'était une sorte d'acte... dois-je dire : mystique? Presque...

— Alors, en effet, je n'ai pas compris cela. Mais tu ne me l'as pas expliqué, Nils.

— Ecoute : il y a aussi des choses à ne pas expliquer. Elles ne sont pas, pour autant, inexplicables. Bref, je ne te crois pas, je ne te croirai jamais, même si tu accumulais des centaines de pages de rapports policiers sur tes faits et gestes avec Lily. Je ne les lirais pas. Je ne les ouvrirais pas. Mais je vais te faire une simple proposition. Voici.

Il s'était assis à son bureau et me parlait d'une voix très douce, en déplaçant, les uns après les autres, l'encrier, le bloc, le stylo, le cendrier... Il les déplaçait, chacun, d'à peine un centimètre, avec un soin extrême, comme s'il faisait là un calcul où la patience seule pouvait lui permettre de gagner, et non le hasard, ni le génie. Il reprit :

— Tu vas rentrer à Paris. Tu vas reprendre ta petite vie banale et insatisfaisante à tous points de vue. Travail, amis, politique et loisirs médiocres. Tu vas songer à écrire le roman de cet été, de ton été. Pas le mien. Il faudra écrire ce roman. Eliminer absolument l'idée d'un petit bouquin de plus, avec la Baltique pour décor, trois nanas, un marin et un vieux politicard radoteur. Non. Pas d'anecdote. Pas de folklore. Pas de ce romanesque dont tu as usé et abusé. Un vrai livre. Je te le commande. Je t'en charge. Je te confie ton roman comme on confie sa propre maison avant de la quitter pour longtemps. Tu n'as pas à te presser. Si tu gribouilles, tu feras du roman parisien à la mode. Tu dois ne rien écrire pendant au moins un an. Ne rien esquisser. Te gorger involontairement de souvenirs revisités en rêve, et sitôt revus sitôt oubliés. Ils reviendront à leur heure. Ce n'est pas toi qui décides. L'encre parlera. Ou non.

— Mais, Nils...

— Laisse-moi finir. C'est presque fini. Je te promets de t'écouter. Nous avons le temps, ce soir, demain. Je finis. Donc, tu écriras ton grand livre baltique en 1980. Tu peux commencer, peut-être, pendant l'hiver 79-80, si tu sens que cela gronde. Cela commence toujours ainsi, n'est-ce pas, cela gronde ? En 80, tu plonges. Et tu y vas, à ton rythme habituel. Sans te presser. Il faudra que ce soit long, ample, détaillé, gai comme moi, triste comme toi, sage comme toi, mais fou, et surtout : simple, lisible. Parle de nous tous comme de ton Moyen Age. Pas de fioritures. Pas de chic. Tu sais faire le chic. A quoi cela sert-il ?

— Et toi, Nils, que feras-tu ?

— Quoi, moi ? Moi, j'attendrai. Je n'aurai que cela à faire. Je ne me représente pas, l'an prochain, je te l'ai dit. Je termine mon mandat et j'attends. J'attends ton livre. Je vois que tu ne comprends pas. Pas du tout. Ce n'est pas clair ?

— Si. Tu veux que j'écrive un beau roman.

— Voilà.

— Pourquoi? Parce que tu m'aimes bien?

— Oui. Aussi. Surtout pour ceci. Ecoute-moi. Quoi que tu dises, quoi que tu racontes, quelle que soit la manière, la réussite ou l'échec de l'entreprise, je saurai si tu m'as menti. Si tu t'es retourné sur Lily. Si ton livre me plaît, s'il est beau, quoi que tu racontes, je répète, même si tu racontes que tu t'es retourné sur Lily, je saurai lire la vérité. Même si ton livre est nul. Et si tu m'as menti, je me tuerai. Car alors, je n'aurai plus rien à espérer. Tu peux parler, maintenant.

Je ne me souviens plus de ce que je répondis. J'ai dit sans doute que c'était extravagant. C'est un mot qui gagne toujours un peu de temps. En fait, je ne comprenais pas. Je n'ai compris que plus tard, pendant le dîner, dans la cabane de Monsieur Arne Sjöberg, quand Nils a repris sa proposition, la détaillant minutieusement, me dévoilant peu à peu l'œuvre dont il rêvait. J'avais beau répéter que j'étais incapable, que c'était trop tard, qu'on n'écrivait pas d'œuvre pareille à mon âge, qu'à mon âge Balzac était mort, ayant écrit cent grands livres, que j'avais un talent mais rien de plus, de la facilité, des dons, mais aucune vue du monde, aucun verbe nouveau, aucune cadence, rien, que je n'étais rien, qu'on ne pouvait me juger sur un livre écrit ainsi, comme une épreuve, un tournoi, au nom d'un phantasme de mensonge; j'avais beau répéter que je ne pouvais faire dépendre la vie de Nils d'un tas de papier plus ou moins heureusement rempli, il y revenait, il reprenait un à un ses arguments : si tu, si je, quand tu, quand je... sinon, comment veux-tu que je vive?

Monsieur Arne Sjöberg a dit :

— Toi, le Français, il aime le poisson. Il mange et il mange et il n'engraisse pas. Il pourrait demeurer ici, cet hiver, avec moi. Il est arrivé blanc et bleu. Il est rose et bronzé, et fort. L'île lui convient. A moi aussi, il convient. Toi, Nils, est-ce que le Français ne peut pas rester avec moi?

— Il peut, dit Nils. Il a un gros et bon livre à écrire. Mais il ne faut pas qu'il l'écrive ici. Il ne peut pas. Qui peut écrire sur notre île? Qui peut parler de nous en nous voyant? Qui peut se séparer de son ami sans verser de larmes? Moi, je peux.

François partira, travaillera et reviendra me donner son livre.

— Mais alors, dit Monsieur Arne Sjöberg, il sera à nouveau blanc et bleu, et fatigué. Ce serait terriblement drôle qu'il travaille ici.

— Non, dit Nils. Il a besoin de nous oublier.

— Ecoute, toi, dit Monsieur Arne Sjöberg, tu dis des choses...

Et il me tendit un poisson de plus, grillé, anisé, poivré, brûlant de braise, et il jeta une goulée d'aquavit sur le poisson en me l'offrant, de sorte que le feu me monta aux cheveux et que je dus me protéger du revers de la main. C'était le grand plaisir de Monsieur Arne Sjöberg : flamber ses convives d'alcool sur ses poissons poivrés sans sel. Il éclata de rire. Et je mangeai encore, songeant à ce roman auquel je n'avais pas songé, mais, après tout, Nils avait peut-être raison, et j'étais peut-être capable de changer le cours des choses : rendre l'amour à un homme en écrivant son roman. Ce n'était pas aisé. Je m'y préparais. Je commençais de m'y préparer en débarrassant le poisson de ses arêtes, et je piquais ma fourchette dans les délicieux filets en me disant : « Tu commences, tu t'y mets, tu entames, tu te lances... » Mais le plaisir de manger était plus fort.

Nils se taisait, rêvait, chantonnait. Il paraissait ailleurs mais revenait, de loin en loin, au roman à écrire. Il me posait des questions. Le temps nécessaire, la régularité du travail quotidien, où écrire, dans la maison du Var, sans doute, quel papier, quelle encre, quelles heures du matin, combien la nuit, la solitude, sans doute, mais quelques visites ne seraient pas inutiles, le temps, surtout, la quantité de temps nécessaire pour produire les cent jours vécus ensemble, le rapport entre le temps réel du roman et le temps de l'écriture, le modèle, les livres inspirateurs, pour ce roman d'initiation, la proportion exacte dialogues - récit - descriptions, le genre de facilité que je pourrais avoir, la vitesse, puis le travail de la nuit sur le travail accompli et sur celui à accomplir, la répartition du travail diurne et nocturne... Il parlait de tout cela avec modestie, humilité. Lui, Nils, grand lecteur et exégète des écrivains, il n'avait jamais réussi à créer quoi que ce fût. Pas faute d'avoir essayé. Des poèmes de jeunesse, misérables (« du faux Carco, polisson, mâtiné de surréalisme infantile, des nouvelles commencées, laissées en plan, toutes d'un moralisme sec en écriture grise et blanche »). Bref, il ne savait rien faire. Il m'enviait. Il m'admirait déjà. Il avait confiance. Il répéta ce qu'il m'avait dit quelques jours plus tôt (et peut-être avait-il songé dès ce moment au livre qu'il me commanderait d'écrire) : que s'il avait été éditeur, il aurait conseillé aux romanciers d'écrire chacun de leurs livres comme s'ils n'avaient plus qu'un livre, celui-là, à écrire, avant la mort. Il répéta inlassablement cette idée, à laquelle il tenait. Ecrire pour se sauver. Pas pour continuer, ni pour préparer. Ecrire pour en finir. Et soudain, d'une voix grave, lourde, en détachant tous les mots, de sa voix de jeune professeur de lycée, tentant de faire aimer la langue française aux jeunes gens d'Upsal, il me récita des bouts de *Plain-chant* de Cocteau. En s'excusant. Peut-être n'aimais-je pas... Peut-être jugeais-je ce Cocteau-là démodé. Je protestai. J'avais toujours aimé *Plaint-chant*. Il dit lentement, en traduisant, vers par vers, pour Monsieur Arne Sjöberg, qui hochait la tête :

> *Mauvaise compagne, espèce de morte,*
> *De quels corridors,*
> *De quels corridors pousses-tu la porte*
> *Dès que tu t'endors?*
> . . . .

> *Du sommeil hivernal, enchantement étrange,*
> *Muses, je dormirai, fidèle à vos décrets.*
> *Votre travail fini, c'est fini. J'entends l'ange*
> *La porte refermer sur vos grands corps distraits.*

Il s'arrêta. Monsieur Arne Sjöberg dit :

— C'était beau. C'était exactement beau. Précisément beau.

— Toujours si j'étais éditeur, reprit Nils — et je le suis un peu avec toi, puisque je te commande un livre —, eh bien, il me semble que j'aurais, dans mon bureau, tapissant les murs, des agrandissements photographiques des manuscrits de Balzac, de Stendhal, de Flaubert, de Dostoïevski, de Proust, de James...

— De Gide? demandai-je.

— Non. Pas de Gide. Uniquement des grands romanciers. Toute une tapisserie des signes jetés, et repris. Très agrandis, pour qu'on lise bien. Et aussi les épreuves corrigées de Proust. Et l'édition Furne de Balzac, avec les repentirs, les ajouts, les désespoirs de Balzac qui meurt sans avoir donné le véritable « dernier état ». Vois-tu comment je vois les choses, François? Le roman dans tous ses états, dans le bureau de cet éditeur, pour pétrifier d'humilité tous les petits pisse-copies d'aujourd'hui. Qu'en dis-tu?

— Je crains que cela ne soit une idée paralysante. Aucun apprenti romancier ne sortirait vivant de ton bureau. Il faut de l'humilité, certes, mais il nous faut aussi une belle dose d'orgueil. Il faut y aller sans se retourner derrière soi.

— *Sans se retourner*, en effet, dit Nils. Tu m'as bien écouté!

Je ne l'avais pas fait exprès. Je l'avais écouté. Je me voyais embarqué, tel Orphée, au loin, au-delà de l'île d'Yxsund et de tout l'archipel de Stockholm, allant d'île en île au-dessus de mes collines varoises, aspirant la Baltique par mistral ou par canicule, et ne me retournant jamais sur ma route. J'irais. Je tenterais d'y aller. D'arriver au bout. Je serrai mes poings.

— On va y aller, dis-je.

Cette nuit-là fut ma plus heureuse de tout le séjour. Je dormis dix heures, bercé par la mer et par le rêve, déjà marchant en moi, du roman de Nils.

Le lendemain, vendredi 22 septembre 1978, était ma dernière journée. Nils avait annoncé, la veille, que nous ne ferions plus rien d'important. Une petite fête gastronomique, des chansons, mais rien de plus. Il me reçut néanmoins chez lui, en me proposant la lecture d'une sorte d'inventaire, en style télégraphique, de ce qu'il restait à dire, pour son livre. Il me montra aussi la pile des cassettes enregistrées, classées, numérotées, toutes de deux fois quarante-cinq minutes. Il y en avait bien un demi-mètre. La note dactylographiée par lui couvrait un peu plus d'une page. Je la recopie ici, telle quelle, sans rien modifier, hormis l'orthographe, à la vérité presque parfaite

— *Lutter contre le charlatanisme anti-science et reva-*
loriser les sciences par les médias. Sortir les savants
de leur isolement hautain. Sortir le public de son
ignorance prétentieuse. Ecologie : nouvel obscuran-
tisme.

— *Contraindre les populations à économiser les éner-*
gies. En faire une compétition internationale. Avec
médailles. Plus intéressant que les Olympiades.

— *Cuba, terre riche, est un pays où on a faim. Mettre*
la faim au centre de toute réflexion.
Faire la lumière sur les expériences génétiques.
Organiser, à l'échelon mondial, une coopération
réelle des biochimistes. Voir, par exemple, le frac-
tionnement actuel du plasma sanguin remplacé par
de la production bactérielle.

— *Regarder en face l'impuissance de tous les gouver-*
nants. Voir qui veut des vrais progrès et qui préfère
le pouvoir. Choisir.

— *Repenser famille, éducation et couverture sociale.*
Non pas au niveau des nations mais des groupes de
nationaux, unis par pulsions communes, modestes,
en des ensembles indépendants et autogérés.

— *Expérimenter autoritairement temps libre, pré-*
retraite, travail fractionné et année sabbatique, quel
que soit l'âge des intéressés. Ne plus meubler le
temps libre avec de la culture. Occuper la culture
par le temps dégagé, l'occuper : c'est-à-dire la créer,
la construire.

— *Envisager la fin probable de l'économie de marché*
et commencer à la remplacer par l'économie des
échanges sans monnaie. Toujours en s'appuyant sur
de petites communautés.

— *Désacraliser les avancées de la technologie en*
bombardant, à titre expérimental, une communau-
té-test de tous les futurs possibles. Donner à voir le
non-changement de l'humain, la satiété, le dégoût
(rapide). Parallèlement, faire vivre une autre com-
munauté-test à l'état naturel, sans aucun secours
« moderne ». Donner à voir les changements pro-
gressifs de l'humain, le retour de l'enthousiasme,
etc.

Ecrit aujourd'hui, 22 septembre 1978, à Yxsund, jour où l'armée s'est rendue maître de l'insurrection populaire au Nicaragua. Combien de morts?

NILS SÖDERHAMN
*député scandinave
et de bonne volonté.*

Il m'avait donné cela à lire et il fallait réagir aussitôt. J'avais lu très lentement. Je ne savais pas si je lisais des vérités premières, ou bien fulgurantes. J'étais partagé. Je me disais que ce qu'il m'avait dicté était plus original, à la fois par la magie de son verbe parlé et aussi, je devais le reconnaître, par le jeu de mes incessantes questions et mises en contradiction. J'avais fini de lire. J'allais parler. Il dut sentir que l'effet produit n'était pas suffisant. Il enchaîna aussitôt :

— Ce roman, je t'ai bien dit, je pense, que je ne souhaitais pas le voir écrit avec métier. Le métier est détestable. Cela donne Saint-Saëns, Max Reger, Hindemith. Je déteste cela. Cela brille de faire. Et cela ne fait rien. Pourrais-tu écrire un livre maladroit, carrément gauche?

— Mais cela ne se fait pas exprès, dis-je. Sinon, c'est encore du métier.

— Je veux dire : pourrais-tu faire ça avec ton cœur, sans t'encombrer d'idées?

— Mais tu viens de m'en jeter pas mal, Nils...

— Oublie cela. Au fond, je m'en fiche. Que la terre tourne comme elle voudra. Je n'y peux rien. Je me demande même si les cassettes de mes bavardages ont une quelconque utilité. Tout cela est trop long. J'aimerais faire un petit livre nerveux, implacable. Toi, il faudra que ce soit long, longuet, traînant, rêveur. N'est-ce pas?

— Oui, oui, je ne sais pas. Je n'y ai pas pensé. Je me casserai la figure, peut-être. Malheureusement, je serai le premier à m'en apercevoir.

— Cela ne fait rien. Tu m'enverras ce que tu auras fait. Je te dirais bien de revenir ici... Mais il ne faut pas. Il faut t'éloigner vraiment, et oublier. Imaginer que je suis mort, enterré dans le Bunker. Il n'y a pas de retour possible.

Il me regarda pour que je proteste. Je ne protestai pas. Je ne savais pas de quoi j'étais capable. Il ne s'agissait pas d'un quelconque livre à bâcler, mais d'un homme à aider. Ou à tuer. Je dis seulement :

— Et si mon roman est manqué, nul? Pittoresque, par exemple?

— Mon vieux, j'ai été clair.

— Nils, je ne peux pas écrire sous la menace! Je ne pensais même pas écrire deux lignes de plus. J'en avais assez, des bouquins, les miens et ceux des autres, des articles, des interviews et de cette vague notoriété des écrivains, qui promènent ça comme une buée devant eux... Cela me dégoûtait!

— Reprends goût!

— Et si je n'y arrive pas? Si j'ai plus de paresse et de nostalgie que de constance?

— J'ai été clair. N'oublie pas non plus que tu dois être aussi un bon militant socialiste, aller à toutes les réunions de ton parti, pondre des textes et hésiter entre des motions contradictoires en recherchant la chimérique unité. Et élever tes enfants. Et entretenir tes collines. Faire bonne figure. Mais me réserver le meilleur de ta mauvaise figure.

— Ecrire un roman qui te paraisse, à toi, beau, sinon tu meurs?

— J'ai été clair, répéta-t-il.

Monsieur Arne Sjöberg nous appelait gaiement. Il tapait sur un vieux seau avec une pioche. Il tapait comme un lépreux pour nous dire que nous étions trois contaminés, livrés à nous-mêmes dans cette île, sans secours d'aucune sorte. Nils ouvrit la porte. Le soleil brillait à nouveau et Nils me dit que nous avions de la chance, pour notre petite fête d'hommes. L'archipel était vide. Personne n'allait d'une île à l'autre. Personne n'allait se soûler en Finlande. Un cargo, très loin, au large, faisait son métier, convoyant des pommes de terre ou du cuivre. Cette dernière journée me parut un fabuleux supplément, volé à la Défense, au temps, et par conséquent au roman à venir

Monsieur Arne Sjöberg avait disposé une planche sur des tréteaux, devant sa cabane, à deux pas de la mer. Il nous

414

montra d'abord le sucré, un plat de *lingon*, l'or rouge de la forêt. Puis, une coupe en bois, faite dans un nœud de bouleau, remplie de *hjortron*, qui me parut de la famille des framboises. Il m'expliqua que cela venait du Nord, que cela avait goût de caramel brûlé, parce que cela poussait dans les tourbières.

— Cela coûte beaucoup, dit-il.

Il y avait aussi du saumon bouilli dans de la crème. Il y avait enfin et surtout ce qui les mettait en joie, tous les deux; parce qu'ils savaient que j'allais être surpris. Monsieur Arne Sjöberg alla chercher dans sa cabane, et les apporta comme des bijoux fabuleux, trois boîtes de harengs. Trois boîtes énormes, dont je vis tout de suite les couvercles gris bombés dans des proportions inquiétantes.

— On ne va pas manger ça? dis-je.

— Mais si! dirent-ils en riant.

— Qu'est-ce que c'est?

— *Surströmning*. Hareng pourri.

Ils m'expliquèrent. Je vis aussi le texte imprimé sur les boîtes. C'était donc du hareng salé, puis fermenté depuis plus de trois ans. « Toléré par la loi », disait le texte.

— Mais vous êtes fous?

— C'est un délice, dit Nils, qui examinait le bombé du métal avec un œil de connaisseur. Tu es obligé d'en manger, ajouta-t-il, c'est un mets royal!

Ils discutèrent longuement de l'endroit où on ouvrirait les boîtes. Ils allèrent repérer les trois endroits, à quelque vingt mètres chacun, formant un triangle, au centre duquel ils disposèrent un plat d'étain rempli de *dill*, l'herbe magique anisée. Le vent soufflait irrégulièrement, hésitant entre sud et est. Nils tint à me prévenir :

— Naturellement, l'odeur est effroyable. La loi interdit d'ouvrir ça en ville, dans un appartement. Il faut le plein air et la solitude. Et prévenir les voisins. Je vais rester près de toi, pour te soutenir.

Il avait le fou rire. Monsieur Arne Sjöberg était imperturbable, son ouvre-boîte à la main, courant de l'une à l'autre, comme avant une mise à feu. Il dit enfin : « Prêts? » et ouvrit la première. Une fosse à purin me sauta au nez; la seconde, la troisième. Le vent plaquait la puanteur autour de nous, le charnier. Je courus vers le nord en me bouchant le nez. Je les entendis hurler de rire. Je criai, du moulin :

— Mais vous êtes vraiment fous, ou quoi ?

Je revins. Ils mangeaient précautionneusement, le petit doigt en l'air, assis sur des rochers, trempant l'horrible chose suintante dans l'herbe anisée. Ils avalaient tantôt de l'aquavit, tantôt de la bière. Ils crachaient parfois. Nils dit :

— Tu n'es pas digne de parler à un Viking si tu ne manges pas ça. Tu n'es digne de rien. Pas même d'écrire une ligne sur la Baltique. Allez, courage, mon petit !

Ils ne riaient plus. Ils célébraient vraiment un rite. Je pensai : « Au pire, je vomirai. Il faut y aller, là aussi... » Je mangeai. Je noyai ça d'aquavit et me rinçai la bouche. Je mangeai encore. Ils applaudirent. Ils posèrent leurs mains et leurs bras sur mes épaules et sur mon cou, en une manière d'adoubement. Ils me forcèrent à baisser la tête. Je résistai. Je sentais la nausée monter. Je me répétais que je devais résister, ne pas tousser. J'expirais de toutes mes forces. Je n'avais plus une once d'air dans les poumons. Je bus encore. J'aspirai, le nez vissé à la bouteille. L'alcool me sauva. Ils se mirent à chanter, en applaudissant entre les couplets.

Soudain, Monsieur Arne Sjöberg cria : « Regardez ! »

Il montrait un point sur la mer à deux milles environ. Je vis, et nous fûmes trois à voir, le dos gris, bombé, sur la mer grise, d'un immense squale. Nils posa sa main sur la tête de Monsieur Arne Sjöberg et dit :

— Le voilà ! Enfin !

— Qu'est-ce que c'est ? demandai-je. Une baleine ?

— Réfléchis et dis-moi tout de suite, François. Alors ?

— Oui, j'ai compris, dis-je.

— Voilà, voilà ce qu'ils se permettent ! On dirait qu'ils savent ! Monsieur le ministre de la Défense du royaume, soyez heureux ! J'ai ici, à portée de voix, ce que j'ai dit. Bon Dieu !

Il se précipita dans sa maison et revint avec un appareil photo. Il régla si vite, il cadra si mal que j'eus des doutes sur le résultat. Et soudain le sous-marin s'éleva au-dessus de l'eau. Alors, Nils le mitrailla de déclics et Monsieur Arne Sjöberg revint, lui aussi, avec un petit appareil, et prit des photos. Entre chacune, ils criaient. Et je voyais la tourelle au-dessus de la mer. Grise, bleutée comme d'un immense hareng. Et l'odeur du *surströmning* passant entre nous, si le vent avait viré, le sous-marin l'aurait perçue. C'était notre seule arme. Nils avait vidé son appareil, son frère aussi. Nous demeurions stupides. Le submersible changea de cap, son flanc disparut, puis il sembla foncer vers nous; enfin il s'enfonça en quelques secondes.

— Tu témoigneras, François. Tu pourras. Nous, on ne nou. croit pius. Toi, tu peux. Tu as une bonne vue?

— Excellente.

— Je veux dire : un médecin peut témoigner que tu as une bonne vue?

— Excellente. Neuf dixièmes à chaque œil.

— Bien. Bien, cela. Essentiel. Quelle heure est-il, exactement? Ecrivons tout cela. Je suis sûr que cela fait moins de deux milles. Quelle audace! Où était-il, exactement?

Monsieur Arne Sjöberg lui tendit un papier quadrillé et un compas. Nils fit un relèvement aussi précis que possible. Il eut un frisson de tout le corps. Nous rentrâmes chez lui. Il alluma sa lampe de cuivre. Nous ne disions plus rien. Nous regardions le relèvement. Nils rectifiait le nord vrai. Il déchira. Refit le document, pour un millimètre. Puis, il le signa, et Monsieur Arne Sjöberg signa aussi, et je signai enfin. Alors, Nils dit :

— Cette nuit, je peux dormir tranquille. J'ai réglé mes affaires avec tout le monde. Vive la Pologne!

Il avait l'air épuisé. Il alla s'étendre sur son canapé. Monsieur Arne Sjöberg alluma le radiateur et me fit signe qu'il fallait laisser son frère, qui dormait déjà. Je pris un plaid et le déroulai sur son corps. Monsieur Arne Sjöberg me fit signe qu'il approuvait, qu'il aurait dû avoir lui-même cette idée.

Il était à peine cinq heures. La nuit était tombée d'un seul coup.

— Toi, qu'est-ce que tu fais, maintenant?

— Ma valise.

— Bien. Il fait froid, dans la maison. On va t'allumer du feu.

Monsieur Arne Sjöberg m'installa devant la cheminée de La Principale. Il voulait me parler. C'était la première fois que nous étions seuls, sans le moindre dérangement possible. Il alla ouvrir la porte de ma chambre, pour que la chaleur monte là-haut. Il me demanda si j'avais faim. Je lui dis que non. Le vieux petit garçon râblé de l'île se mit à monologuer. Les noms de Kerstin, de Sheena et de Lily revenaient souvent. Il parlait pour lui. Pas pour moi. Il savait que je ne comprenais à peu près rien. Il alla chercher du lait de brebis, qu'il fit chauffer, et nous en bûmes plusieurs tasses. Et je parlai aussi, très vite, pour moi et pas pour lui, de ce livre qu'il me fallait écrire, de ma tristesse à quitter l'île pour toujours, de ma difficulté à la quitter, qui rejoindrait bientôt la difficulté à commencer le livre; qui rejoint aujourd'hui, où j'écris les derniers mots, ma difficulté à l'achever, ma tristesse à me séparer de ces feuilles que je voudrais laisser agitées longtemps de songes et de surprises à l'infini.

De même, la bouche de Monsieur Arne Sjöberg continue-t-elle de bouger et les grognements, les appels au diable de chacune de ses phrases. De même, je discours devant lui, notre pichet de lait entre nous, au pied du feu, sourds tous les deux l'un à l'autre, si proches pourtant, si fraternels, tandis que repose enfin Nils.

Je n'ai jamais eu sommeil. J'ai toujours eu la force de Monsieur Arne Sjöberg, nuit et jour. Je tiens. Je peux tenir jusqu'au réveil de Nils. Parfois, je sors de ma poche mon billet d'avion pour demain. Vol SK 607. Décollage 16 heures 55. *Airport :* Stockholm-Arlanda. Le billet est émis au nom de Nils Söderhamn, je ne sais pourquoi. Il y a tant d'explications possibles. J'aurai le temps de chercher. Celle-là et beaucoup d'autres. Chaque fois que j'entends le nom des trois femmes de Nils, je vois les robes sévères, pour nos fêtes, de Kerstin, et son sourire mutin, je vois les bottes de Sheena, je sens le parfum de ses cheveux, j'entends sa voix me chuchoter ce qu'il ne faut pas répéter, je vois Lily, un doigt sur la bouche, dans sa courte robe de coton blanc citronné, et les musiques passent d'une maison à l'autre, se mêlent, s'enfuient, aspirées par le vent du large.

Monsieur Arne Sjöberg parle, parle, il n'a jamais tant parlé. Toute sa vie va défiler. On dirait une écriture qui court sur le papier, dessinant les bontés de Nils pour lui, les combats de Nils depuis si longtemps, les retours de Nils dans son île, accablé de fatigue, puis ses joies, ses farces, à nouveau ses angoisses. Je comprends de moins en moins. Je ne comprends

presque plus rien. Je ne sais même pas de quoi nous parlons. Je n'arrête pas, moi non plus. Et j'ai beau utiliser les mots les plus compliqués, le frère de Nils me fait signe qu'il me comprend, qu'il pense exactement comme moi, que c'est bien vrai, tout cela, et qu'on aurait dû le dire plus tôt.

Le feu craque. Le lait bout. Le bois des murs s'est déjà gonflé de pluie. L'hiver est là. Des souvenirs essaient de le travailler, mais il revient plus fort que l'an dernier. L'été d'hier s'abat sur moi et se renverse comme les vents. Je ne parle plus. Ceci est bien le début du livre.

La Mente,
février-octobre 1980.

Achevé d'imprimer
en mars mil neuf cent quatre-vingt-deux
sur les presses de l'Imprimerie Gagné Ltée
Louiseville - Montréal.
Imprimé au Canada